Martin Walser
Ein springender Brunnen

Roman

Suhrkamp Verlag

Zweite Auflage 1998
© Suhrkamp Verlag Frankfurt am Main 1998
Alle Rechte vorbehalten
Druck: Graphischer Großbetrieb Pößneck GmbH
Printed in Germany

Ein springender Brunnen

I. Der Eintritt der Mutter in die Partei

1. Vergangenheit als Gegenwart

Solange etwas ist, ist es nicht das, was es gewesen sein wird. Wenn etwas vorbei ist, ist man nicht mehr der, dem es passierte. Allerdings ist man dem näher als anderen. Obwohl es die Vergangenheit, als sie Gegenwart war, nicht gegeben hat, drängt sie sich jetzt auf, als habe es sie so gegeben, wie sie sich jetzt aufdrängt. Aber solange etwas ist, ist es nicht das, was es gewesen sein wird. Wenn etwas vorbei ist, ist man nicht mehr der, dem es passierte. Als das war, von dem wir jetzt sagen, daß es gewesen sei, haben wir nicht gewußt, daß es ist. Jetzt sagen wir, daß es so und so gewesen sei, obwohl wir damals, als es war, nichts von dem wußten, was wir jetzt sagen.

In der Vergangenheit, die alle zusammen haben, kann man herumgehen wie in einem Museum. Die eigene Vergangenheit ist nicht begehbar. Wir haben von ihr nur das, was sie von selbst preisgibt. Auch wenn sie dann nicht deutlicher wird als ein Traum. Je mehr wir's dabei beließen, desto mehr wäre Vergangenheit auf ihre Weise gegenwärtig. Träume zerstören wir auch, wenn wir sie nach ihrer Bedeutung fragen. Der ins Licht einer anderen Sprache gezogene Traum verrät nur noch, was wir ihn fragen. Wie der Gefolterte sagt er alles, was wir wollen, nichts von sich. So die Vergangenheit.

In dem Augenblick, in dem der letzte Zug an diesem Tag in W. hält, greifst du schon nach allen deinen Taschen. Es sind mehr, als du auf einmal fassen kannst. Also – konzentriert – nacheinander. Aber schnell, denn ewig hält der Zug in Wasserburg nicht. Immer wenn du eine weitere Tasche in die Finger kriegst, entschlüpft dir eine andere, die du schon gefaßt zu haben glaubtest. Zwei oder drei oder gar vier Taschen im Zug lassen? Das geht doch nicht. Also noch einmal mit beiden Händen nach möglichst vielen Taschen greifen. Da fährt der Zug an. Es ist zu spät.

Woher kommen denn Träume? Erzählen, wie es war, ist ein Traumhausbau. Lange genug geträumt. Jetzt bau. Beim Traumhausbau gibt es keine Willensregung, die zu etwas Erwünschtem führt. Man nimmt entgegen. Bleibt bereit.

Die zwei Männer, die den Vater auf einer Bahre durch den Hausgang hinaustrugen, hatten Uniformen mit Rotekreuzarmbinden. Elsa, die riesige Bedienung, und Mina, die zierliche Köchin, hielten die Flügel der Schwingtür, deren obere Hälften aus geriffeltem Glas waren. Die Haustür stand schon offen. Johann beobachtete alles von der Küchentür aus. Da die Haustür nach Osten geht, starrte er, als die Männer mit dem Vater auf der Terrasse zum Krankenwagen abgebogen waren, in einen Glutstrich. Die Sonne würde gleich über dem Pfänder aufgehen. Durch die offene Haustür kam eisige Kälte herein. Anfang März. Diesmal muß der Vater überlebt haben. Das Wort, das er Johann, der noch nicht in die Schule ging, dann buchstabieren ließ, hieß Rippenfellentzündung. Eine der Lieblingsbeschäftigungen des Vaters: Johann lange Wörter buchstabieren zu lassen, die auch einem Drei-, Vier- oder Fünfjährigen, der bei seinem Bruder schon alle Buchstaben mitgelernt hat, auf den ersten Blick unlesbar vorkommen. Popocatepetl. Bhagawadgita. Rabindranath Tagore. Swedenborg. Bharatanatyam. Wörter, bei denen man nicht schon nach drei oder vier Buchstaben den Rest ergänzen konnte wie bei Hindenburg, Fahnenstange oder Hochzeitsschmaus. Wenn Johann fragte, was so ein Wort heiße, sagte der Vater: Tu's in den Wörterbaum. Zum Anschauen.

Wenn im 1. Stock ein Gast auf die Klingel drückte, fiel die Zimmernummer hinter Glas in das für sie vorgesehene Quadrat des Klingelkastens, der im Hausgang neben der Küchentür an der Wand hing. Dem Gast mußte sofort das warme Wasser hinaufgetragen werden, damit er sich rasieren konnte. Neben dem Klingelkasten, auch hinter Glas, die Tennisspieler auf dem Deck des Norddeutschen

Lloyd-Schiffs *Bremen*. Ein gemischtes Doppel. Die Herren in langen weißen Hosen, die Damen in Faltenröckchen, auf den Köpfen Hauben, die von den Bubikopffrisuren nur noch die Simpelfransen übrig ließen. Bruggers Adolf sagte immer Simpelsfransen. Johann scheute sich, weil Adolf sein bester Freund war, dem zu sagen, daß das Wort Simpelfransen heiße.

Respekt, Respekt, rief Herr Schlegel, sobald er Helmer Gierers Hermine auf sich zukommen sah, und trat zur Seite und neigte den riesigen Kopf. Nicht jedem und jeder gönnte er seinen Respekt-Respekt-Ruf. Er konnte in seiner ganzen Größe und Schwere auf einen zugehen, konnte einen, obwohl er in der Rechten einen Stock hatte, der allerdings, verglichen mit Herrn Schlegels Körpermasse, ein Stöckchen war, konnte einen an beiden Schultern packen und dann rufen: Wo ischt Manila? Wer nicht sofort geantwortet hat: Auf den Philippinen!, der wurde von Herrn Schlegel ausgelacht oder beschimpft. Ganz, wie es Herrn Schlegel gerade paßte. War er gut aufgelegt, zog er am edel geschwungenen Griff aus seinem Stock einen Degen, ließ den blitzen und rief: Von Friedrich dem Großen persönlich, gleich nach der Schlacht von Leuthen. Und steckte den Degen zurück in den als Scheide dienenden Stock. Manchmal allerdings konnte Herr Schlegel seinen schweren chinesischen Teelöwenkopf kaum heben. Wenn man ihm dann unter die auf roten Lidern lastenden Augen kam, sagte er knirschend hart: An die rote Wand gestellt und erschossen. Johann war, weil Herr Schlegel jeden Tag am Runden Tisch seinen Seewein trank, schon mehr als einmal in diesen Satz hineingeraten. An die rote Wand gestellt und ... Kleine Pause, dann im gleichen Kehlton: ... erschossen. Lieber war ihm schon, wenn Herr Schlegel, sobald er ihn sah, rief: Pernambuco! Wer ihm antworten konnte: Siebenundsiebzigeinhalb Stunden!, den ließ er passieren. Wer, wenn Herr Schlegel rief: Lakehurst–Friedrichshafen!, lediglich mit Fünfundfünfzig Stunden antwortete, wurde

an beiden Schultern geschüttelt, bis aus ihm noch herauskam: Und dreiundzwanzig Minuten. Warum der riesige Baumeister Helmer Gierers Hermine hat nie passieren lassen, ohne ihr sein Respekt, Respekt zuzurufen? Vielleicht weil ihm Hermines Vater, der längst verstorbene alte Helmer, den Satz vererbt hatte, ohne den er jede Woche mindestens einmal nicht hätte sagen können, was gesagt werden mußte. Die Bescht ischt nuaz, hieß der Satz. In der Küche der *Restauration* konnte er den Satz nicht sagen, ohne vom Spülstein her von der dort spülenden Prinzessin, die allen Dialekt haßte, wütend korrigiert zu werden: Die Beste ist nichts. Den gewaltigen Baumeister reizte das, so verbessert zu werden, er drehte sich rascher, als man es ihm zugetraut hätte, zur spülenden Prinzessin und fragte in einem Hochdeutsch, das dem ihren ebenbürtig war: Wo liegt Manila? Und die Prinzessin rief hochhell zurück: Auf den Philippinen!! Respekt, Respekt, sagte Herr Schlegel, zog den Degen, neigte ihn zur Prinzessin hin, steckte ihn zurück und verließ die Küche, wie ein Schiff einen Hafen verläßt, und ging, wo er, vom Runden Tisch kommend, doch hinwollte, zum Abort. Andererseits war der Baumeister fähig, nachzugeben. Als er Helmer Gierers Hermine auf offener Straße die Pernambuco-Frage stellte, sagte sie im hochmütigsten Hochdeutsch: Nicht die Bohne! Und er, einfach beeindruckt: Respekt, Respekt. Einmal hat sie ihn auch rein mutwillig mit Dialekt abblitzen lassen. Wenn i it ma, isch as grad as wenn i it ka. Und er, sozusagen ihre Sprachrolle übernehmend: So, so, wenn du nicht magst, ist es gerade, wie wenn du nicht kannst.
Ganz ohne Geplänkel kamen die beiden nie an einander vorbei.
Ohne sich etwas zu vergeben, sagte der Vater, putzt Helmer Gierers Hermine in den Villen der Zugezogenen. Was in diesen verschlafen am See liegenden Villen passierte, hätte man ohne Helmer Gierers Hermine nicht erfahren. Immer lag von Ostern bis Allerheiligen das

Motorboot des Reutlinger Fabrikanten zwischen Seeweg und Dampfersteg, jeder las am aufstrebenden Bug
SUROTMA, keiner wußte, was das hieß. Johann mußte
dieses Wort, als er es zum ersten Mal sah, gleich buchstabieren. Aber Adolf, den er durch das Buchstabieren be-
eindrucken wollte, wußte schon von seinem Vater, der es
von Helmer Gierers Hermine wußte, daß SUROTMA aus
den Anfangssilben der Vornamen der Kinder des Reutlinger Fabrikanten gebildet sei. Susanne, Ursula, Otto und
Martin hießen diese Kinder. Das wußte man jetzt und
sagte es sich auf, wenn man drunten am Ufer Zeuge wurde, wie die SUROTMA mit donnerndem Motor sich nahe-
zu aus dem Wasser hob und dabei zwei dieses Donners
würdige, weiß schäumende Wälle hinter sich herzog.
Helmer Gierers Hermine, ein Nachrichtenquell. Ihr ge-
naues Gegenteil, Frau Fürst. Herr Schlegel trat auch vor
Frau Fürst auf die Seite, neigte den schwersten aller Köpfe dieses Dorfs und damit der Welt und spendete sein Respekt, Respekt. Und Frau Fürst sagte nichts. Und Herr
Schlegel wußte das. Niemals hätte er Frau Fürst die Ma-
nila-Frage, die Pernambuco-Frage oder die Lakehurst-
Frage gestellt. Von Frau Fürst erfuhr man nichts, oder
wie Helmers Hermine es formulierte: Nicht die Bohne.
Ihre Lippen sahen aus wie zugenäht. Dabei kam sie als
Zeitungsfrau in noch mehr Häuser als Helmer Gierers
Hermine. Nicht einmal einen Gruß erwartete man aus
diesem Mund. Niemand, weder der Pfarrer, aber sie war
wahrscheinlich ohnehin evangelisch, noch der Bürgermeister, konnte behaupten, von ihr je wahrgenommen
oder gar gegrüßt worden zu sein. Sie trug ihren Kopf immer so, als müsse ihr die Sonne unters Kinn scheinen.
Frau Häckelsmüller dagegen ging immer so, als müsse ihr
die Sonne in den Nacken scheinen. Wie könnte das Dorf
eine Welt sein, wenn es darin nur alles, aber von allem
nicht auch noch das Gegenteil gäbe! Frau Häckelsmüller
legte so vornübergebeugt nur den Weg von ihrem Häuschen zur Kirche und von der Kirche zu ihrem Häuschen

zurück; aber auf diesem Weg durch die Moos genannten Wiesen war sie andauernd. Sobald das Gras seine Höhe hatte, sah man von ihr nur die kleine Rückenrundung. Über Frau Häckelsmüllers wahrscheinlich winziges Gesicht hätte nicht einmal Helmer Gierers Hermine etwas sagen können. Der Gesichtsausdruck von Frau Fürst dagegen, sagte sie jedem, der neu ins Dorf kam und sich über Frau Fürsts Gesichtsausdruck wunderte, habe sich gebildet, als Frau Fürst mitgeteilt worden war, daß ihr Mann in Memmingen nach dem Mittagessen habe in das Herrn Mehltreter gehörende, vom Schmied Hans gelenkte Auto steigen wollen und dabei tot umgefallen sei. Dreiundvierzig, unterwegs, für Herrn Mehltreter das Wachs zu verkaufen, das Herr Mehltreter nach eigenem, streng geheim gehaltenen Rezept im früheren Pferdestall der *Restauration* produzierte. Aber davor hatte Herr Fürst im Souterrain des Schlegelschen Hauses Reifen vulkanisiert. Aber davor hatte er versucht, in einer finstern Stadt, die Dortmund heißt, Radios zu verkaufen. Hermine hatte von ihm und das Dorf hatte es von Hermine erfahren, daß man in Dortmund, wenn es länger nicht regne, den Mund nicht aufmachen dürfe, weil man sonst sofort den Rußgeschmack im ganzen Mund habe, und zwischen den Zähnen knirsche es. Aber davor war er im Krieg gewesen, Offizier gewesen. Ein ausgezeichneter Offizier sogar. Helmer Gierers Hermine beendete die Fürstgeschichte immer mit dem Hinweis, daß Frau Fürst jetzt mit den vier Kindern im Souterrain hause, in dem davor Reifen vulkanisiert worden waren, und Frau Fürst sei dem Baumeister Schlegel noch nicht ein einziges Mal die Miete schuldig geblieben. Respekt, Respekt, sagte Helmer Gierers Hermine dann und ließ ihren rechten Zeigefinger, der bei ihr immer das, was sie sagte, durch Hin- und Herticken begleitete, plötzlich ganz aufrecht still stehen. Souterrain, eines der vielen Wörter, die durch Helmer Gierers Hermine aus den Villen, in denen sie putzte, ohne sich etwas zu vergeben, ins Dorf gebracht worden sind. Souterrain, Kleptomanie, Migräne, tabula rasa, Psychologie, Gentleman und so weiter.

Das Dorf blüht unterm Boden. Oder soll man sagen: Der Herbst legt seine bunte Hand auf unser geliehenes Grün. Dann spielt sich der Schnee als Bewahrer auf. Schneeborten auf allen Ästen. Der Schnee sorgt für Stille. Einzelne Laute rahmt er. So überliefert er sie. Wie eine Rüstung gleißt der See dem Winter am Leib.

Wir überleben nicht als die, die wir gewesen sind, sondern als die, die wir geworden sind, nachdem wir waren. Nachdem es vorbei ist. Es ist ja noch, wenn auch vorbei. Ist jetzt im Vorbeisein mehr Vergangenheit oder mehr Gegenwart?

2. Johann macht einen Fehler, den er nicht bereuen kann

Am Schluß drückte der Friseur auf den roten Gummiballon, schwenkte dabei die Öffnung, aus der das Duftmittel sprühte, großzügig um den Kopf, den er gerade bearbeitet hatte, und rief, jetzt könne man Johann wenigstens wieder unter die Leute lassen, zog das blaue Tuch weg wie ein Zauberkünstler, aber hervor kam natürlich nur Johann, der versuchen mußte, wieder auf eigenen Füßen zu stehen und dabei so heftig zu nicken, daß dem Friseur und allen, die auf der Wartebank saßen, erlebbar wurde, wie dankbar Johann sei, wie genau er wisse, daß er es allein der Haarschneidekunst von Herrn Häfele zu danken habe, wenn er sich überhaupt noch sehen lassen konnte. Johann mußte seine Dankbarkeit schon deshalb so heftig bezeugen, weil er verbergen mußte, wie unwohl er sich mit diesem Haarschnitt fühlte. Praktisch der ganze Kopf kahl geschoren, nur von der Kopfmitte nach vorn durften ein paar Haare stehenbleiben. Für einen Scheitel zu kurz. Sag einen schönen Gruß daheim, rief ihm Herr Häfele noch nach, und dem Großvater bestell, daß ich am Samstag komm wie immer. Johann saß immer dabei, wenn der Großvater am Samstagabend im Büro, in dem er unter der Woche so gut wie nie zu sehen war, sich auf den Schreibtischstuhl des Vaters setzte, sich von Herrn Häfele das blaue Tuch umlegen, dann sich einseifen und rasieren ließ und Herrn Häfele gestattete, den schweren Schnauz zu stutzen und über die dicht stehenden Stehhaare hinzusäbeln. Ihm kam der Großvater dann immer wie ein König vor. Der Großvater hatte es gern, wenn Johann zuschaute, das spürte Johann.

Johann fühlte sich jedesmal, wenn er von der Friseurstube auf den Gang hinausging, ganz elend. Am Gang, genau der Friseurtür gegenüber, ging es zur Göser Marie. Er überlegte nicht, drückte die Türschnalle, die Ladenklingel machte einen tobenden Lärm – obwohl man den Laden nicht betreten hatte, um etwas zu stehlen, erschrak man durch diese Glocke wie ein schon ertappter Dieb –, die Göser Marie war, bis er vor dem Ladentisch stand, aus ihrer Wohnstube heraus und hinter dem Ladentisch angekommen, Johann kaufte für zehn Pfennig Himbeerbonbons. Er hatte von der Mark, die er dabei hatte, 50 Pfennig für das Haarschneiden bezahlen müssen. Die Mutter würde, wenn er heimkam, wahrscheinlich vergessen zu fragen: Wo sind die restlichen 50 Pfennig. Und selbst wenn sie fragte, 10 Pfennig für Himbeerbonbons würde sie genehmigen. Hoffte er. Sicher war er nicht. Manchmal stöhnte die Mutter, wenn sie im Büro am Schreibtisch des Vaters saß und im Kopf etwas zusammenzählte und von einander abzog. Was dabei herauskam, schrieb sie auf. Wenn sie so zusammenzählte und abzog, bewegten sich ihre Lippen ein wenig. Jemand, der nicht wußte, um was es hier ging, hätte denken können, sie bete. Allerdings, dieses nicht sehr laute, aber doch hörbare Aufstöhnen hätte nicht zum Beten gepaßt. Es hieß eigentlich oh je, oh je. Aber in der Sprache der Mutter hieß oh je, oh je aahne-aahne.

Die Göser Marie sagte: Jetzt siehst du wieder etwas gleich, Johann. Johann nickte heftig, damit auch hier nicht herauskomme, wie wenig er mit diesem Haarschnitt einverstanden war. Wenn die Göser Marie gemerkt hätte, daß Johann mit dem Haarschnitt nicht einverstanden war, wäre sie nachher über den Gang zum Friseur hinübergerannt und hätte gemeldet, daß dem Johann von der *Restauration* der Haarschnitt von Herrn Häfele offenbar nicht mehr fein genug sei. Und wenn Herr Häfele dann das nächste Mal in die Wirtschaft gekommen wäre, hätte er vom Runden Tisch aus der Mutter, die hinter dem Ausschank stand, zugerufen: Augusta, deinem Johann kann ich es offenbar nicht mehr recht machen. Und es gab nichts Schlimmeres, als wenn Gäste oder gar Stammgäste sich bei der Mutter über Josef oder Johann beschwerten. Das war das oberste Benehmensgebot überhaupt: sich immer so aufzuführen, daß niemand im Dorf Anlaß fände, sich bei der Mutter zu beschweren. Die Mutter holte den, über den eine Beschwerde erhoben worden war, sofort her und schimpfte ihn in Gegenwart des Beschwerdeführers zusammen. Daß man in keinen Schuh mehr hineinpaßt: das war das erklärte Ziel jedes Zusammenschimpfens. Das war das, was der Beschwerdeführende erwartete. Aber die Mutter war als Zusammenschimpfende auch eine Verzweifelte. Sie arbeitete, kämpfte Tag und Nacht dafür, daß die Familie nicht unterging, obwohl der Vater, halb aus Krankheit, halb aus anderer Ungeeignetheit, immer wieder durch Katastrophen produzierende Ideen Geschäft und Familie einem vorhersehbaren Zusammenbruch entgegentrieb; sie hatte bis jetzt Geschäft und Familie noch jedesmal mit nichts als Arbeit und Zähigkeit vor dem Zusammenbruch gerettet, und dann kommen auch noch die eigenen Kinder und beleidigen die, von deren Wohlwollen man abhängig ist. Diese Ausbrüche endeten immer mit dem tief aus ihr kommenden Seufzer: Aahne, aahne, wo führt bloß das noch hin. In ihrer Mundart war das eine das Innerste eines vollkommenen Kummers ausdrückende, ja heraussingende Tonfolge, in der gar keine Wörter mehr unterscheidbar waren. Die Mutter benutzte nie ein hochdeutsches Wort. Beim Vater gab es, obwohl er in Hengnau geboren worden war, also Luftlinie keine drei Kilometer von Mutters Geburtshaus in Kümmertsweiler, bei ihm gab es Mundartwörter nur zum Spaß. Er hatte in der Königlich-Bayerischen Realschule in Lindau eine andere Sprache gelernt. Und in der Kaufmannslehre in Lausanne noch einmal eine andere. Und im Krieg noch eine ganz andere.

Johann nickte auch der Göser Marie zu, als müsse er sich glücklich schätzen, daß Herr Häfele einen Kopf wie den seinen wieder so schön hergerichtet hatte. In Wirklichkeit dachte er voller Neid an seinen Bruder Josef. Der hatte es durchgesetzt, daß seine Haare nach hinten über die Kopfmitte hinaus stehenblieben, zwar kurz geschnitten, aber zu einem Scheitel reichte es. Josef war schon Schüler. Wenn Johann in die Schule komme, sagte die Mutter, kriege er auch einen Scheitel. Er solle froh sein, daß er die Haare so schön nach vorne kämmen dürfe. Schau doch deine Kameraden an, sagte sie, Ludwig, Adolf, Paul, Guido, der eine Helmut und der andere Helmut, hat da einer schon einen Scheitel? Nein. Aber mehr als einer hat den Kopf ganz kahl geschoren. Das stimmte. Beklagen konnte sich Johann nicht. Aber er wußte eben, daß Irmgard, Gretel, Trudl und Leni längere Haare vorziehen würden. Als er Irmgard im Torggel das winzige Fläschchen Kölnisch Wasser überreicht hatte, das er von Mina geschenkt bekommen hatte (Da, Johannle, daß du besser schmeckscht, hatte Mina gesagt), da ließ ihm Irmgard zwei Tage später durch Trudl ausrichten, er möge am Samstag um halbfünf in den Torggel kommen. Er kam, und sie überreichte ihm vor den gleichen Zeugen, die dabei waren, als er das Kölnisch Wasser überreicht hatte, also von Gretel und Trudl gerahmt, überreichte sie ihm einen kleinen Kamm in einer Scheide. Das konnte ja wohl nichts anderes heißen, als daß er sich Haare wachsen lassen sollte, denn für das, was er bis jetzt auf dem Kopf hatte, reichten die Finger.

Johann schob ein Himbeerbonbon in den Mund und ging schnell die hohe Sandsteintreppe hinab zu dem Damenrad, mit dem er gekommen war. Man hatte zwei Räder, ein Herrenfahrrad, mit dem fuhr nur der Vater, und ein Damenrad, mit dem kaufte Mina für die Küche ein, das durften Josef und Johann auch benützen. Daß die Mutter ein Fahrrad benutzte, war nicht vorstellbar. Dazu war sie zu groß oder zu mächtig oder zu erhaben oder zu ängstlich. Es war nicht vorstellbar, daß sie etwas benützte, womit man stürzen konnte.

Johann genoß den Druck der zackigen Pedale in seinen Fußsohlen. Ende September waren seine Fußsohlen vom sommerlangen Barfußlaufen so fest, daß er den Druck der Pedale, der im April wehtat, nur noch angenehm empfand. Er fuhr, die scharfe Süße des Himbeerbonbons genießend, die Dorfstraße hinauf, grüßte jeden und jede so laut, daß er schon Angst hatte, die Gegrüßten erschreckt zu haben, und wurde, noch bevor er an der hohen roten Backsteinmauer, die die Villa Primbs und ihre Gärten von der Straße abschirmt, vorbei war, angehalten. Diese Mauer war so hoch, daß sie auch jetzt, um die Mittagszeit, einen Schatten warf. In dem kam Johann ein Mann entgegen, der so winkte, daß Johann sofort bremsen mußte. Schon von weitem hatte ihn dieser Mann angeschaut. Dann ein kurzes deutliches Zeichen mit etwas, das aussah wie ein Knirps. So etwas kleines Stabartiges, aus dem man einen Schirm entspringen lassen kann. Der Mann war ein Fremder. Auch als er mit Johann sprach, nahm er die Zigarette nicht aus dem Mund. Wie Josefs Klavierlehrer. Wie beim Organisten Jutz wippte die Zigarette beim Sprechen auf und ab. Johann komme sicher gerade vom Friseur. Johann nickte. Das fand er gut, daß der Fremde das sofort bemerkt hatte. Er sei Photograph, sagte der Fremde, habe gerade ein wunderbares Motiv gesehen, brauche dazu aber noch etwas Lebendiges. Komm einmal. Und ging mit Johann dorfaufwärts, bis dahin, wo die rote Mauer mit einer scharfen Ecke nach rechts hinaufbiegt. Da bog der Fremde auch hinauf, Johann folgte. Als sie fast oben waren, wo der Weg eben weitergeht und zur Gartentür der Villa Hoppe-Seyler führt, blieb der Fremde stehen und sagte: Hier. Johann mußte sich in die Mitte des Weges stellen und beide Hände auf die Fahrradlenkstange legen. Über die hohe rote Mauer herab hing ein gewaltiger Efeupelz, und hinter Johann – das wußte er und sah es dann später auf dem Bild – ragten die zwei Mammutbäume aus Hoppe-Seylers Garten in den Himmel. Das waren die höchsten Bäume der Welt. Der Professor Hoppe-Seyler, sagte man, habe sie aus Kalifornien mitgebracht und hier gepflanzt. Aus Kalifornien

oder aus Sumatra. Den Professor hatte Johann nie gesehen. Die Tochter des Professors, Johann schätzte sie auf
hundert Jahre, lebte allein in dem alten Haus am See. Das
Fräulein Hoppe-Seyler war Kohlenkundschaft. Immer
wieder einmal mußten sie, Niklaus, Josef, der Vater und
Johann, zehn, zwölf Zentner Briketts von der Straße hier
herauf schieben und im Garten unter den Mammutbäumen vorfahren bis zum Kellerfenster, dann holten der
Vater und Niklaus Sack für Sack vom Handwagen und
leerten ihn gemeinsam durchs Fenster hinab. Drinnen im
Keller stand die uralte Tochter des Professors und rief
klagend: Langsam, langsam, noch langsamer. Je schneller
man die Säcke ausleerte, desto rascher flogen die Briketts
hinunter, desto leichter zerbrachen sie, desto mehr
staubte es im Keller. Johann und Josef mußten bei der
Belieferung solcher Kleinkundschaft, da sie noch nichts
tragen konnten, nur dabei sein, um beim Schieben zu helfen. Das ganze Dorf ist ja vom See bis hinauf zum Lausbichel in sich vielfach uneben. Auf den mit den leeren
Säcken gepolsterten Handwagen setzten sich dann, wo
auch immer es abwärts ging, alle vier, und natürlich
durfte Josef die Deichsel zwischen die Füße nehmen und
lenken.
Der Fremde zauberte aus dem Stabartigen ein Stativ,
schraubte einen Photoapparat drauf und kommandierte
Johann mit einer Stimme, die Johann an den Tiger-
Dompteur im Zirkus Sarrasani erinnerte. Es ging immer
nur um ein paar Zentimeter, die Johann rücken sollte.
Eben deshalb mußte er, wenn er nach rechts gerückt war,
wieder zurück, aber doch nicht so weit, also noch einmal.
Der Photograph sah öfter zu den Gipfeln der Mammutbäume hinauf. Die sollten natürlich mit aufs Bild. Johann
hätte dem Photographen gern gesagt, daß der Professor
Hoppe-Seyler die aus Kalifornien oder aus Sumatra mitgebracht habe, aber wahrscheinlich doch aus Sumatra,
nein, ganz sicher aus Sumatra. Er wußte es vom einzigen
Menschen im Ort, von dem man das erfahren konnte:

von Helmers Hermine. Königin Hermine, sagte der Vater, wenn er von Helmers Hermine sprach. Helmer Gierers Hermine. So viele Gierers im Ort, daß man, wollte man einen Gierer nennen, den Hausnamen oder den Beruf dazusagen mußte. Bei den Zürns aber auch. Und bei den Schnells und Hagens und Stadlers auch. Ohne sich auch nur im geringsten etwas zu vergeben, sagte der Vater, putzt sie in den Villen der Zugezogenen. Daß sie ein sehr gutes Hochdeutsch sprach, erwähnte er wahrscheinlich nur deshalb nicht, weil er selber Hochdeutsch sprach. Einmal war bei einer Brikettlieferung Fräulein Hoppe-Seyler nicht da. Statt des schwarzen, bis auf den Boden reichenden Dreiecks mit fludrig weißer Kopfkugel öffnete Helmers Hermine. Schmal, enge Backen und links neben der Nase die hochschlanke Warze. Sie hängte das Kellerfenster aus und mahnte, ganz wie die Professorentochter, doch ja die Säcke langsam zu leeren. Sie rief allerdings nicht *sachte-sachte*, wie Fräulein Hoppe-Seyler, sondern *hofele-hofele*, was zwar dasselbe heißt, aber doch weniger hochdeutsch klingt. Als sie nachher die Lieferanten zum Tor geleitete, sagte sie, das Fräulein Hoppe-Seyler behaupte, ihr sei es wurscht, ja genau so behaupte sie es, wurscht sei es ihr, woher der Professor die Mammutbäume mitgebracht habe. Dann teilte Hermine mit, der Professor habe aber die Bäume aus Sumatra mitgebracht. Siehe die Bambushecke, die der Professor an der Ufermauer zum Wachsen gebracht habe. In meinem Weltbild, sagte Hermine, paßt Bambus besser nach Sumatra als nach Kalifornien. Bloß dir gesagt, aber dir schon, bloß daß du's weißt. Und hatte dem Vater mit ihrem Zeigefinger an die Stirn getippt. Als man mit dem Handwagen wieder auf die Hauptstraße hinunterrasselte, hatte der Vater gerufen: In meinem Weltbild paßt Bambus besser nach Sumatra als nach Kalifornien. Und er hatte dabei wie Helmers Hermine den rechten Zeigefinger hin- und herticken lassen. Eigentlich eine Verneinungsgeste. Bei Helmers Hermine ein endgültiges Ausschließen jeder Art von Widerspruch. Und in diesem Ort kam es darauf an, recht zu haben.

Helmers Hermine sprach nicht mit jedem, wenn sie von den Villen heimwärts ging, ins Oberdorf, wo sie unter dem fast bis zum Misthaufen heruntergezogenen Dach mit ihrem Bruder hauste. Im Unterschied zu den stattlich dastehenden Höfen hießen solche sich nicht recht unter ihren herabgezogenen Dächern hervortrauende Anwesen Höfle. Hermines Bruder Franz, der Helmers Höfle umtrieb, lebte so gut wie ganzjährig barfuß. Und wenn er am kältesten Tag des Jahres Schuhe anzog, so doch niemals Socken oder Strümpfe oder Fußlappen.

Als der Vater verraten hatte, daß Helmers Hermine eine Königin sei, hatte Johann sofort gespürt, daß dieses Königinnentum in der hohen schlanken Warze links neben ihrer Nase zum Ausdruck kam.

Johann hatte vor lauter Hin- und Hertrippeln in den Füßen schon gar kein Gefühl mehr, da rief der Fremde endlich: So, jetzt lach einmal! Johann verzog, so gut es ging, sein Gesicht, der Fremde knipste. Johann mußte ihm noch Namen und Adresse sagen, dann durfte er gehen beziehungsweise fahren.

Er kam heim, trug das Fahrrad über die Hintertreppe hinauf ins Haus und stellte es in dem schmalen Gang, der zur hinteren Haustür führte, an die Wand. Auf der Terrasse vorn saßen kurz vor zwölf um diese Jahreszeit und bei diesem Wetter schon Gäste – man nannte sie Fremde – und studierten die Speisekarte. Da hatte man die Hintertreppe zu benutzen.

Er ging in die Küche und sagte: Man hat mich photographiert. Sag das nicht, sagte die Mutter, die gerade von einem Kochlöffel ein bißchen Blaukraut zum Mund führte, um zu sehen, ob noch Wacholderbeeren fehlten oder Lorbeerblätter oder ein Schuß Essig. Johann erzählte. Die Mutter sagte: Mein Gott, Johann, ein Wanderphotograph! Als sie dieses Wort und wie sie es aussprach, wußte Johann, daß er sich hätte wehren müssen. Aus-

spucken und abhauen, das wär's gewesen. Ein Wanderphotograph! Die Mutter wiederholte das Wort. Aber Mina, die mit der Mutter zusammen kochte und eigentlich
wichtiger war beim Kochen als die Mutter, Mina rief:
Aber Frau, jetzt seid doch froh, daß man ihn photographiert hat. Was das wieder kostet, sagte die Mutter. Ich
will ein Bild von Johann, rief Mina, egal was es kostet.
Die Mutter schaute daraufhin Mina lange an, ohne etwas
zu sagen. Da braucht Ihr mich gar nicht so anzuschauen,
Frau, sagte Mina. Die Mutter nickte und sagte: O Mina,
wie du wieder daherredest. Ist doch auch wahr, sagte Mina. Die Prinzessin sagte nichts. Aber hergeschaut hatte
sie auch. Dann spülte sie weiter. Johann sagte in ihrer Gegenwart alles überlaut, weil die Prinzessin seit ihrem Unfall schlecht hörte. Ihm lag daran, daß sie alles, was er
sagte, verstehe.
Johann hatte schon auf dem Heimweg gedacht, ob dieses
Photographiertwordensein nicht irgendetwas Unange-
nehmes nach sich ziehen würde. Es war ihm nicht ganz
wohl gewesen. Die Mutter hatte es sofort ausgesprochen:
Wanderphotograph. Und: Was das wieder kostet. Johann
war noch nie allein photographiert worden. Noch niemand aus der ganzen Familie war bisher allein photographiert worden. Ausgenommen der Vater im Krieg.
Zweimal. Es gab bisher fünf Photographien. Die zwei
Soldatenbilder, dann das allerälteste, der Großvater und
die Großmutter, neben ihnen der vielleicht neunjährige
Vater; weil der Neunjährige Hosen bis übers Knie trägt,
sahen Josef und Johann, daß dieses Bild aus einer ganz
vergangenen Zeit stammte. Auf dem vierten Bild, der
Vater und die Mutter am Hochzeitstag. Die ganze Mutter
weiß überwölbt von einem Schleier; der Vater als junger
Staatsmann. Während einen der Vater heiter anschaut,
schaut die Mutter, als schaue sie in ein Licht, das ihr zu
hell sei. Sie zieht die Augen ein bißchen zusammen, den
Mund aber auch; und die Hände, die ein weißes Täschchen halten, halten das Täschchen, als komme gerade je-

mand auf die Mutter zu, der ihr das Täschchen nehmen wolle. Die Mutter steht in ihrem Weiß da, eher abwehrbereit. Auf dem fünften Bild, der Vater und die Mutter zwischen dem Großvater und dem Vetter genannten Großonkel aus dem Allgäu; Josef und Johann vor den Erwachsenen. Josef und Johann in Weiß. Josef hält Johann so an der Hand, als habe er dafür gesorgt, daß sein kleiner Bruder auch aufs Bild komme. Josefs Füße stehen neben einander, Johanns Füße berühren einander mit den Schuhspitzen, die Absätze stehen weit auseinander. Der Photograph hat die Familie quer über die steinige steile Einfahrt gestellt, auf der hinter dem Haus die Bierwagen herunterfuhren und dann doch noch genau vor den Stufen zur Kellertür zum Stehen kamen. Auch der von zwei Pferden gezogene Wagen voller gerade aus dem Waggon geschaufelter Kohlen rasselte auf dieser immer wieder von Regengüssen aufgerissenen Einfahrt herab, und Johann bewunderte immer Herrn Weibel, der dann rückwärts vor seinen beiden gewaltigen Rössern herging und ihnen ins Zaumzeug griff, daß sie sich, ihr Gewicht und ihre Kraft auf ihre Hinterbeine verlagernd, noch heftiger gegen die herabdrängende Kohlenlast stemmten. Spätestens bei den zwei Remisen, in die die Kohlen dann geschaufelt wurden, mußte der übervolle Wagen vollkommen zum Stillstand gekommen sein.

Anselm, der Vetter genannte Großonkel aus dem Allgäu, hatte den Photographen für das fünfte Bild mitgebracht, und er hatte offenbar darauf bestanden, daß alle ihr Bestes anzogen für dieses Bild. Die Mutter ihr schwarzes Samtkleid, das Johann seitdem nie wieder an ihr gesehen hat. Er besuchte dieses Kleid manchmal in dem Schrank, in dem es hing, und streichelte es. Er hatte Lust, das Kleid herauszuholen, hineinzuschlüpfen und sich im ovalen Spiegel in der Schranktür zu besichtigen. Ein spitzer Ausschnitt, so gut wie keine Ärmel, und doch nicht ärmellos. Warum zog sie bloß dieses Kleid nicht mehr an? Der Vater trug eine seiner langen Jacken. Alle Jacken des Vaters reichten fast bis zu seinen Knien. Unter seinem weißen Kragen kommt eine Schleife hervor. Der Vetter Anselm trägt eine Fliege, die fast eine Schleife ist. Der Großvater gar nichts. Nicht einmal einen Kragen hat er angelegt. Und sein kragenloses Hemd ist offen. Auch was er als Jacke und Hose anhat, zeigt, daß er den Umkleidewunsch des Vetter genannten Großonkels nicht respektiert hatte. Der Großvater, der ja immer gebeugt ging und stand, schaut wie von unten her aus dem Bild heraus. Er war nicht einverstanden damit, daß er photographiert wurde, das sieht man. Es hatte Streit gegeben. Einen Tag später war Frau Biermann, die kurz nach dem Tod der Groß-mutter, also mitten im Krieg, ins Haus gekommen war, abgereist. Zurück nach München. Endgültig. Sie hatte da-mit gerechnet, auf das Photo zu kommen. Sie hatte, hieß es, den verwitweten Großvater heiraten wollen. Sie war eine Köchin, hieß es, die schon in ganz anderen Häusern gekocht hatte. Als sie den Großvater nicht gekriegt hatte, habe sie, hieß es, auf den Sohn spekuliert. Und dann hei-ratete der das Bauernmädchen aus Kümmertsweiler. Und dann kam sie nicht einmal auf die Photographie. Da schlug sie die Tür zu, packte, reiste ab. Zurück in die Großstadt. Frau Biermann fehlt also auf diesem Bild. Jo-hann vermißte sie nicht. Er sah am liebsten sich an. Dann auch die anderen. Der Vetter genannte Großonkel war anschauenswert. Die offene Jacke ließ eine Weste sehen, an der die feine Uhrenkette herrschte. Der Vetter war schon wegen seines Ford-Autos ein bewunderter Besuch. Die Räder seines Autos hatten dickichthafte Speichen. Und dieses Auto mußte man nicht mit einer Kurbel zum Gehen bringen wie dann den Lastwagen des Vaters, der Vetter drückte auf einen Knopf, das Auto ließ ein zartes Gurgeln hören, und schon lief der Motor. Zu diesem Vet-ter genannten Großonkel, der im Allgäu die Sennerei *Al-penbiene* gegründet hatte, paßte es, daß er mit einem Photographen ankam und alle sich umkleiden hieß für eine Aufnahme. Für das einzige Bild, das die ganze Fami-

lie zeigte. Und jetzt kommt Johann daher und läßt sich allein von einem Wanderphotographen photographieren! Ein Bild, auf dem nur er zu sehen sein wird! Die zwei Bilder aus Frankreich, auf denen der Vater allein drauf war – um den Mund herum, auf beiden Bildern, ein dikker, dichter schwarzer Bart –, waren nötig geworden, weil der Vater ausgezeichnet worden war, einmal mit dem Bayerischen Verdienstkreuz, einmal mit dem Eisernen Kreuz. Aber einfach so, ohne Grund! Und auch noch von einem Wanderphotographen! Der konnte doch jetzt verlangen, grad was er wollte! Johann hatte es geahnt, gefürchtet, gewußt. Und trotzdem hatte er sich photographieren lassen! Er hätte der Mutter gern gesagt, daß sein Freund Adolf ihn mindestens einmal im Monat vor Bruggers Photoalbum zerre, dieses Photoalbum aufschlage und Johann mit dem Zeigefinger zu jedem Bild führe, das seit dem letzten Mal hinzugekommen war. Herr Brugger hat selber einen Photoapparat. Herr Brugger hat Adolf einmal mit nach Friedrichshafen genommen und ihn vor einem Zeppelin kurz vor dem Start photographiert. Das ist das Photo, auf das Adolf stolzer ist als auf jedes andere. Johann war von Herrn Brugger schon zweimal zusammen mit Adolf photographiert worden. Und beide Bilder sind jetzt für alle Zeiten in Bruggers Photoalbum zu sehen. Adolf hatte, als er mit seinem Zeigefinger bei diesen Photos angekommen war, gesagt: Und was sagst du jetzt? Johann hatte gespürt, daß Adolf ihn ansah, daß er jetzt hätte Adolfs Blick erwidern müssen, daß das ein Moment war, wie wenn früher zwei ihre Adern ritzten und das Blut zusammenfließen ließen. Adolf und er auf einem Bild. Und das zweimal. Einmal auf dem Steg, an dem gerade ein Dampfer anlegt, einmal mit der Kirche als Hintergrund. Johann hatte nicht hinschauen können zu Adolf. Er hatte auf die beiden Bilder geschaut. Aber er hatte mit einer Hand hinübergelangt zu Adolf und hatte ihn berührt. Adolf hatte gesagt: Schon recht.
Als die Mutter, ohne etwas zu sagen, Mina anschaute und

anschaute, einfach daß die selber begreife, wie unmöglich das war, was sie gesagt hatte, da rief Mina, die Allgäuerin: Dös kenna br. Der sell hot g'seit, as ging schu, abr as gaoht it. Und die Prinzessin, vom Dialekt gereizt, rief von ihrer Spülgelte überlaut herüber: Das kennen wir. Derselbige hat gesagt, es ginge schon, aber es geht nicht. Nur der Mutter ließ sie Dialekt durchgehen.

Die Mutter sagte: Hast du bei Schnitzlers und in der *Linde* geschaut?

Das hatte er vor lauter Photographiertwerden vergessen. Die Mutter hatte es ihm extra für den Heimweg aufgetragen. Er hatte schon oft genug im langsamen Vorbeifahren die Gäste im *Linden*-Garten gezählt. Heute wäre es angesichts der zu erwartenden Photographierkosten besonders wichtig gewesen zu zählen, ob in den Gärten der Konkurrenz mehr Gäste saßen als auf der eigenen Terrasse. Josef würde nachher von der Schule heimkommen und melden, wie viele Leute im *Strandcafé* und wie viele im *Kronen*-Garten saßen. Mit *Strandcafé* und *Krone* konnte man nicht konkurrieren, aber mit *Linde* und *Café Schnitzler* mußte man konkurrieren können. Johann trug das Fahrrad wieder hinten hinaus und hinunter, fuhr dorfabwärts, zählte sieben Personen im Garten der *Linde*, fünf bei Schnitzlers, kam zurück, meldete den Befund. Elsa, fragte die Mutter die Bedienung, wieviel sind es bei uns? Elsa zählte schnell zusammen und sagte: Auf der Terrasse sechs. Die Mutter nickte, als habe sie genau das befürchtet. Und im Lokal, fragte sie. Elsa schaute wieder schräg in die Höhe, stellte sich die einzelnen Tische vor, zählte halblaut und sagte: Neun. Und fügte hinzu: Wir haben erst halbeins.

Der Vater habe angerufen aus Oberstaufen, sagte die Mutter zu Johann hin, er komme erst mit dem Arbeiterzug um halbacht. Aber wahrscheinlich sei er umsonst hinaufgefahren nach Oberstaufen. Dieser Schulz hat ja selber nichts. Das sagte sie zu Mina. Ein Reformhaus, das kein Mensch braucht. Reformkost ist nicht das schlechte-

ste, sagte Mina. Und auf einen Blick der Mutter sagte sie:
Für Leute, die etwas haben. In Oberstaufen! sagte die
Mutter. Reformkost in Oberstaufen, Mina! Da macht er
Bürge über siebeneinhalbtausend Mark. Wo wir selber
mehr Schulden haben als ... Diesen Satz beendete sie nicht.
Zweimal Rindsroulade mit Blaukraut und Pürree, sagte
Elsa und steckte den Bon auf den Nagel hinter der Tür.
Hinter ihr kam ein Mann mit Aktentasche herein, be-
dankte sich für diese großartige Ochsenbrust. Solange es
in der *Restauration* in Wasserburg eine solche Ochsen-
brust gebe, sehe er für die *Restauration* nicht schwarz.
Kopf hoch, gute Frau, sagte er, schüttelte der Mutter die
Hand und sagte: Und grüßen Sie den Herrn Gemahl.
Nur die Nerven nicht verlieren! Wenn Sie wüßten, in
welche Häuser ich heutzutage komme, auf was für Möbel
ich zur Zeit den Kuckuck klebe, gute Frau, das ist die
Elite. Die Elite hat's schwer heute. Aber Sie schaffen's,
das hab ich im Gefühl. Ich vollstrecke jetzt seit 1911, ich
habe im Namen seiner Majestät des Königs die Vollstrek-
kung gelernt, gute Frau, ich kenn die Spreu vom Weizen,
Sie gehören nicht zur Spreu, Sie nicht! Jetzt stopfen Sie
zuerst mal die kleinen Löcher, und über die großen ver-
handeln Sie. Wer kann das besser als Sie!
Der Herr hatte, solange er sprach, Mutters Hand in seinen Händen. Er hatte extra seine Mappe zwischen seine
Knie geklemmt, um die Hand der Mutter in seine Hände
nehmen zu können. Dann mußte er plötzlich niesen. Er
bog sich weg, ließ die Hände der Mutter fahren, hatte sofort ein riesiges gelbes, weiß geblümtes Taschentuch herausgezogen, mit dem er jetzt seine riesige rote und sehr
unebene Nase behandelte. Die Mutter und Mina riefen
gleichzeitig: Gesundheit, Herr Gerichtsvollzieher. Er bedankte sich, nahm seine Mappe, die er auch beim Niesen
zwischen den Knien behalten hatte, und ging. Es war, als
könne nach dem heftigen Niesen nichts mehr gesagt werden.
Als er verschwunden war, sagte die Mutter: Am schlimm-

sten ist der Strom. Das sieht doch jeder, daß wir für jedes bißchen Strom eine Mark einwerfen müssen. Mina sagte, man müsse eben die Markstücke einwerfen, wenn gerade niemand im Hausgang sei. Der Automat falle ja neben dem Kasten für die Zimmernummern so gut wie gar nicht auf. Da hatte sie recht. In dem Klingelkasten war früher, als alles noch funktionierte, die Zimmernummer in das dafür vorgesehene Viereck gefallen, wenn oben ein Gast im Zimmer auf die Klingel drückte. Der Vater hatte gesagt, man habe dann gewußt, der Herr Reichsbahnrat brauche jetzt gleich zum Rasieren das warme Wasser.

Mina sagte, sie fände es viel schlimmer, wenn die den Grammophonschrank abholen würden. Die Mutter schüttelte den Kopf, als gebe sie Mina endgültig auf. Wenn es nach ihr gegangen wäre, wäre dieser Grammophonschrank nie ins Haus gekommen, sagte sie. Ohne Grammophon keine Wirtschaft, sagte vom Ausguß her, wo sie spülte, die Prinzessin und bewies dadurch wieder einmal, daß sie gar nicht so schlecht hörte. Johann war froh, wenn die Prinzessin sich nicht bei jedem Satz, den sie beisteuerte, umdrehte. Er konnte sich einfach nicht an dieses Glasauge gewöhnen. Es war nie an der Stelle, an der man es erwartete. An der Stelle, an der man symmetrisch zu ihrem rechten Auge das linke erwartete, war es sowieso nicht. Es war deutlich tiefer. Saß am unteren Rand der Augenhöhle, direkt auf dem Wangenknochen. Sie hatte, als sie sich vorstellte, gesagt, sie sei einunddreißig, eine Prinzessin, habe zwei Kinder, das letzte von einem Siebzehnjährigen, das erste von einem Hochstapler, der mit ihr in einem geliehenen Auto umgekippt sei, daher ihre Beschädigungen.

Als Josef seinen Ranzen auf die Küchenbank warf und meldete, im *Kronen*-Garten elf, im *Strandcafé* vier Gäste, rief Mina, das heiße doch, daß man es mit den Lokalen am See aufnehmen könne. Die Mutter schaute Mina wieder lange an und sagte: Mina, das heißt, daß sogar die am See nichts verdienen, nicht nur wir. Den Schluß ihres Satzes hatte die Mutter zu Johann hin gesagt. Johann wußte, daß sie ihn daran erinnern wollte, mit wem man da zu konkurrieren hatte: *Krone* und *Strandcafé* wird von Zugezogenen betrieben. Von Evangelischen. Und Herr Michaelsen, dem jetzt das *Strandcafé* gehört, ist nicht nur Major gewesen, sondern auch noch mit einer Engländerin verheiratet. So, jetzt konkurrier einmal mit solchen Mächten.

O Frau, sagte Mina, d'r sell hot g'seit, wenn d'Henn guat huckt, scherrat se so lang, bis se schleaht huckt.

Die Prinzessin rief wütend: Derselbige hat gesagt, wenn die Henne gut hockt, scharrt sie so lange, bis sie schlecht hockt.

Johann hatte es doch sofort gespürt, daß er sich nicht hätte photographieren lassen dürfen. Allmählich wunderte er sich darüber, daß er kein bißchen bedauerte, diesen nicht wieder gut zu machenden Fehler begangen zu haben. Er war photographiert worden. Auf dem Bild würde niemand zu sehen sein als er. Niemand sonst. Ist doch klar, daß niemand außer ihm wußte, was das heißt. Die würden ja alle nicht auf diesem Bild sein, wie sollten sie da wissen, wie das ist, ganz allein auf diesem Bild zu erscheinen. Er allein vor den Mammutbäumen. Die der Professor, wie aus Helmers Hermines hin- und hertikkendem Zeigefinger hervorging, eben doch aus Sumatra mitgebracht hatte. Johann spürte es: er war nicht mehr der, der er gewesen war, bevor der Photograph geknipst hatte. Und daß es ein Wanderphotograph war, machte ihm schon fast nichts mehr aus. So verrucht war er eben. Jetzt war er der, der photographiert worden war. Und der wird er sein von jetzt an.

Josef sagte: Was ist mit dem, hat er Fieber?

3. Zahlungen eingestellt

Als Johann vom Kappenballspiel zurückkam, hörte er Josef Klavier spielen, Josef übte Tonleitern. Nächstes Jahr, wenn er in die Schule kam, würde Johann auch Klavierspielen lernen. Schon dem Vater zuliebe. Der sagte immer wieder einmal: Geboren zu werden, bevor es das Klavier gegeben hat, furchtbar.

Sobald es aufs Essen zuging, schickte die Mutter Johann ins Nebenzimmer, um dem spielenden Vater oder dem Tonleitern übenden Josef zu sagen, daß nebenan schon Gäste säßen. Stube und Nebenzimmer waren nur durch eine dünne Faltwand getrennt. Wenn Johann sich neben den Vater stellte, ließ der sofort beide Hände in der Luft stehen, nickte, ließ die Hände sinken, schloß das Klavier und sagte: Komm. Johann setzte sich dann auf eines der Knie, weil der Vater ihm jetzt, was er gerade gespielt hatte, leise ins Ohr sang, zu Ende sang. Der Vater war auch ein Sänger, im Gesangverein Tenor zwei. Da Josefs und Johanns Zimmer direkt über dem Nebenzimmer lag, in dem der Gesangverein am Donnerstagabend probte, horchte Johann immer, ob er den Vater heraushöre. Zwei Stimmen hörte er deutlich heraus: die silberhelle, anstrengungslos in jede Höhe hinaufschwingende Stimme von Herrn Grübel und die auch nach Höhe trachtende, aber angestrengt wirkende Stimme von Herrn Späth. Wenn Johann im Dorf Herrn Grübel oder Herrn Späth begegnete, grüßte er Herrn Grübel ehrfürchtig und Herrn Späth teilnahmsvoll. Herr Späth hatte als Maurermeister mit Sand, Zement und Staub zu tun. Herr Grübel lebte mitten im Dorf in einem kleinen unters Dach geduckten, alten, hölzernen Haus, hatte immer mit den seidigen Rücken seiner Kühe zu tun, immer mit runden bunten Äpfeln, linden Kirschen, frisch gemähtem Gras und duftigem Heu. Johann stellte sich vor, das tue Herrn Grübels Stimme gut. Herr Späth kam von seiner staubigen Arbeit, so oft es nur ging, in die Wirtschaft, trank am Runden Tisch Bier oder Seewein und hatte dabei immer die lange dünne Virginia im Mund. Herr Grübel kam so gut wie nie an den Runden Tisch. Sich ihn rauchend vorzustellen war unmöglich. Herr Grübel ging neben seinem Kuhgespann her, das einen Leiterwagen voll Gras oder Heu fast unendlich langsam dorfeinwärts zog. Man hörte nur das Tatschen der nachgiebigen Kuhfüße auf der neuerdings geteerten Straße. Und wenn Johann Herrn Grübel grüßte, rief der zurück: Johann, sei mir gegrüßt! Das klang dann wie aus dem *Benedictus,* mit dem er sich über den Kirchenchor hinaushob und alles in der Kirche so zum Schweben brachte, daß Johann seine Knie auf der harten, unebenen Kirchenbank nicht mehr spürte.

Johann wußte, sobald er in der Küchentür erschiene, würde die Mutter sagen: Auf der Terrasse und in der Stube schon Gäste, geh und sag's. Johann rannte los und hörte die Prinzessin noch sagen: Das tut er am liebsten, den Josef vom Klavier wegscheuchen. Tatsächlich begriff Johann nicht, wie man stundenlang Tonleitern spielen konnte. Er würde Klavierspielen mit Melodien lernen.

Im Nebenzimmer stellte er sich neben Josef und senkte den Klavierdeckel nicht zu langsam. Bloß nicht, rief Josef. Johann sagte: Die Leute beschweren sich schon. Josef hörte sofort auf. Und weil er so erschrocken herschaute, sagte Johann: Noch nicht, aber gleich. Josef sprang auf, es folgte ein kleiner Ringkampf, den Johann, weil er zwei Jahre jünger, zwei Jahre kleiner und zwei Jahre schwächer war, verlor. Aber er gab erst auf, als er auf dem öligen Parkett lag und Josef ihm auf beiden Oberarmen kniete. So endeten alle ihre Kämpfe. Gegen Josef zu verlieren tat nicht weh. Johann genügte es zu erleben, daß Josef schwitzte. In Josefs Gesicht, zu dem er, auf dem Rücken liegend, hinaufschaute, sah er nichts, was ihn hätte demütigen können. Adolfs Gesicht beim Kappenball strahlte vor Freude, wenn Johann so stand, daß er todsicher abzuschießen war. Adolf holte aus, tat, als werfe er, Johann bog sich nach rechts ab, Adolf warf nicht, wartete die halbe Sekunde, bis Johann sich wieder aufrichtete und noch zu keiner weiteren Ausweichbewegung fähig war – die Stelle verlassen durfte man ja nicht –, dann warf er mit viel mehr Wucht, als für diese Nähe nötig gewesen wäre, und traf Johann voll am Hals. Das tat weh. Aber auch Adolf tat es, wenn er so getroffen hatte, weh. Aber erst wenn er getroffen hatte. Das sah man. Johann wußte ganz sicher, daß Josef ihn immer beschützen würde. Gegen alle. Natürlich, im Haus mußte Johann tun, was Josef befahl. Aber außerhalb des Hauses war Josef sein Schutz.

Johann verzog sich. Er hörte von draußen Großvaters Rechen im Kies klingen. Der Großvater rechte die ersten gefallenen Kastanienblätter zusammen. Der Großvater war ununterbrochen mit Aufräumen, Kehren und Rechen beschäftigt. Er machte langsame Bewegungen und schnaufte schwer. Wenn er an den Geranienkisten vorbeiging, die die halbhohe Terrassenmauer mit einem Blütenwall krönten, fand er immer ein dürres Blatt, eine verblühte Blüte, etwas, was unbedingt abgerissen werden mußte. Auch zwischen den den Ausgang zum Bahnhof flankierenden Efeukisten konnte er nicht durchgehen, ohne aus den grünen Wänden etwas Vergilbendes herauszureißen. Bücken konnte er sich so gut wie nicht mehr. Trotzdem bückte er sich nach allem, was auf dem Boden lag. Er konnte an keinem Papierchen, an keinem Zigarettenrest vorbeigehen, ohne sich zu bücken und aufzuheben, was da lag. Johann rannte immer ganz schnell hin, wenn der Großvater sich bückte, weil es immer aussah, als könne der Großvater sich nicht mehr aufrichten, sondern stürze gleich, und dann für immer, nach vorn. Abends saß der Großvater in der Wirtschaft, aber nie am Runden Tisch, sondern gleich neben der Tür an dem Tisch unter der Uhr. Er trank nichts, aß nichts, schaute nur in die Zeitung. Da er so gut wie nie umblätterte, war nicht sicher, ob er las. Morgens und abends half Johann dem Großvater beim Schuhanziehen und -ausziehen. Selber erreichte der Großvater die Schnürstiefel nicht mehr.

Der Kiesplatz unter den zwei Kastanienbäumen auf der Bahnhofseite des Hauses war, als Johann hinauskam, schon von allem, was nicht hingehörte, gereinigt. Auch die rissigen Holzdielen der Brückenwaage hatte der Großvater schon gekehrt. Dem Großvater war es wichtig, daß die Waage in jeder Sekunde betriebsbereit war. Die *Linde* hatte auch eine Brückenwaage, und zwar eine überdachte, deshalb fuhren manche Bauern mit ihrem Wagen voller Fallobst oder Stroh lieber auf die *Linden*-Waage. Aber man tarierte die Waage ja vor jedem Wiegevorgang, der Kunde konnte sehen, wie eben sich die Waagzunge neben dem Widerpart hielt. Aber manche wollten das nicht begreifen und zogen, vor allem bei Regen und Schnee, die überdachte Waage in der *Linde* vor. Letztes Jahr im April, dieser wunderbare Brachsenfang, und dann wurden die drei Leiterwagen voll Fisch auf der *Linden*-Waage gewogen, und das stand dann in der Zeitung, der wunderbare Fang, die drei Leiterwagen und die *Linden*-Waage. Johann hätte gern das Wiegen übernommen, aber die Riesenkurbel, mit der man die Waagbrücke hochkurbeln mußte, schaffte er noch nicht. Die Kurbel reichte, wenn der Griff oben war, über seinen Kopf hinaus.

Wenn er einen Kampf mit Josef verlor, suchte Johann am liebsten die Nähe des Großvaters. Der Großvater legte Rechen und Schaufel in den Karren, Johann fuhr alles hinter dem Haus hinunter in den Hof, zum Kompost. Der Großvater war ihm gefolgt und stand jetzt unter den Apfelbäumen und prüfte, ob die von Äpfellasten schwer niederhängenden Äste richtig gestützt seien. Er rief Niklaus her, der die Baumspeeren gestellt hatte. Niklaus füllte, wenn er sonst nicht gebraucht wurde, Kohlen ab und reihte die Zentnersäcke unterm Remisenvordach nebeneinander auf, daß ein Kunde, der einen Zentner Briketts oder Steinkohlen wollte, den sofort mitnehmen konnte. Niklaus mußte dem Großvater weitere Speeren bringen. Der Welschisnerbaum trug in diesem Jahr besonders schwer an seinen Früchten und mußte, damit die Äste nicht brächen, rundum gestützt werden. Johann las einen gefallenen Gravensteinerapfel aus dem Gras und biß hinein. Der Großvater sagte, Johann könne einen Kratten holen und die gefallenen Äpfel auflesen, fürs morgige Apfelmus. Johann holte aus dem oberen Stock der Remise, wo alles herumlag, was man nicht mehr brauchte, aber dann doch wieder brauchte, einen Korb und las aus dem Gras unter allen acht Apfelbäumen das gefallene Obst. Von niemandem nahm Johann lieber Aufträge entgegen als vom Großvater. Besonders unlieb war ihm alles, was Josef ihm befahl. Das waren meistens Arbeiten, die Josef selber hätte tun müssen und die er, weil er keine Lust dazu hatte, an Johann weitergab. Und wenn der sich weigerte, gab es den Ringkampf. Den verlor Johann und mußte dann, was Josef befahl, tun. Beim Großvater hatte man, wenn er einem eine Arbeit auftrug, das Gefühl, daß er sie lieber selber getan hätte, aber es ging nicht mehr. Der Großvater war ein Riese, aber gebeugt.

Als Johann den Korb über die hintere Treppe hinaufgetragen und auf der Plattform vor der Tür abgestellt hatte, rannte Mina durch den Hof her und über die Hintertreppe herauf. Laut heulend und Neinnein! und Sowas! Alsosowas! rufend, rannte sie an Johann vorbei ins Haus. Johann ihr nach. Sie ließ sich in der Küche auf die Bank gleich neben der Tür fallen. Eigentlich Johanns Platz. Aber während er dann auf der langen Bank unter dem Warmwasserboiler weiterrutschte bis in die Ecke, blieb Mina gleich am Anfang der Bank sitzen, stützte ihre Ellbogen auf die furchige Tischplatte und heulte und rief und heulte. Die Mutter, der Großvater und Elsa standen gleich vor ihr, die Prinzessin schaute nicht nur über die Schulter vom Spülstein her, sondern drehte sich ganz um. Die Mutter und Elsa redeten auf Mina ein. Jetzt komm,

was ist denn, Mina, jetzt komm doch, sag! Mina hatte,
weil in Lindau bald der Herbstjahrmarkt anfing, zwanzig
Mark holen wollen in der Filiale der Gewerbe- und
Landwirtschaftsbank, in Glatthars Haus, und hatte nichts
bekommen. Die Tür geschlossen. Ein Anschlag meldete,
die Bank habe vorübergehend ihre Zahlungen einstellen
müssen. Eine Gläubigerversammlung werde einberufen.
Ein Vergleichsverfahren zur Abwendung eines Konkur-
ses sei eröffnet. Der Vorstand der Bank bitte die verehrte
Kundschaft weiter um Vertrauen. Nur Vertrauen könne
jetzt noch helfen, das Schlimmste, nämlich den Konkurs,
abzuwenden. Mina rief alle diese Sätze weinend, aber so
hochdeutsch wie noch nie, heraus. Alles, was sie in Jahren
erspart habe, habe sie auf die Bank getragen. Auf diese
Bank. Nichts habe sie sich gegönnt. Und Alfred habe sein
Erspartes auch auf die Bank getragen, auch auf diese
Bank. Nächstes oder übernächstes Jahr hätten sie heiraten
wollen. Und jetzt ist alles weg, weg, weg.
Der Großvater sagte, das sei doch noch gar nicht heraus,
daß gleich gar alles weg sei. Die große schwere Elsa, die
auch auf die dünne, kleine, heulende Mina hinabschaute,
konnte offenbar nicht ertragen, daß Mina alle Teilnahme
auf sich zog. Sie fing einfach davon an, daß sie in Baien-
furt, wo sie zuletzt bedient habe, das Essen direkt vom
Küchenschalter in die Gaststube bekommen habe, während man hier in die Küche rennen, das Essen aufnehmen,
den Hausgang vorrennen müsse, fünf wenn nicht sogar
sechs Meter, dann die Linkswendung zur Gaststubentür,
die mit dem Ellbogen öffnen, dann erst sei man in der
Stube. Die Gäste auf der Terrasse seien noch weiter weg.
Von der Küchentür zur Schwingtür sechs Meter garan-
tiert, von der noch einmal zwei Meter zur Haustür, zwei
Treppenstufen hinunter, du bist auf der Terrasse, aber
noch lange nicht an eim Tisch. Die erschte Woch hier,
isch kann eich saache, isch han gedenkt, isch freß mei
Fieß. Die große schwere Elsa aus Einöd bei Homburg
schilderte ihre Wege, als wäre jeder Schritt eine Qual.

Wahrscheinlich wußte sie nicht, daß der Großvater das Haus gezeichnet und gebaut hatte. Wahrscheinlich wollte sie sagen, daß sie schlimmer dran sei als Mina. Elsa sah immer abgehetzt aus. Ihre beträchtliche Unterlippe hing immer weit vom Zahnfleisch, und in ihren immer aufgerissenen Augen konnte man sehen, welche Qual ihr das Bedienen machte. Das Bedienen in diesem Haus. Die Prinzessin sagte vom Spülstein her: Wenn jetzt jede sagt, was ihr nicht paßt, wüßte ich auch noch was. Mina sah nur die Mutter an, die Mutter sah nur Mina an. Mina stand auf. Sie war, verglichen mit Elsa und der Mutter, wirklich winzig. Sie hielt Johann ihr dunkelrotes Sparbüchlein hin und sagte: Da. Mina hatte ihr Sparbüchlein, immer wenn sie von der Bank zurückgekommen war, Johann gegeben und gesagt: Versorg mir's. Sie wußte, daß Johann vorn im Büro so gern die schwere Kassenschranktür öffnete und schloß.

Für Johann war es Zeit zum Milchholen. Im Vorbeigehen sah er Leute vor dem Anschlag stehen, auf dem Mina gelesen hatte, was ihrem Geld passiert war. Sobald er sich im Keller der Käserei die Sechsliterkanne hatte füllen lassen, hängte er sie ans Geländer, wo schon andere, kleinere Kannen hingen, und schloß sich dem Versteckspiel an, das jeden Abend um die Käserei herum stattfand. Johann ging es darum, mit Gretel, Trudl oder Irmgard ins gleiche Versteck zu kommen und, solange man noch nicht gefunden war, sich so in Gretels, Trudls oder Irmgards Nähe zu halten, daß es zu Berührungen kam, die mehr zufällig als absichtlich wirkten. Wenn diese Berührungen dann eine Art Antwort erfuhren, die auch eher zufällig als absichtlich wirkte, kam sich Johann vor wie in einem Sturm. Natürlich wollte man dann nicht der sein, der in der nächsten Runde Kopf und Gesicht in den an die Hauswand gelehnten Arm legen und zählen mußte und dann die anderen, die sich inzwischen wieder versteckt hatten, suchen. Die Vorstellung, Adolf, Ludwig, Paul, Guido, dieser Helmut oder der andere Helmut berührten Irmgard jetzt genau so zufällig und nicht zufällig wie er vorher, war quälend. Diese Dunkelheit, in die man tauchte, wenn man zwischen der Käserei und Glatthars Haus durchrannte! Vorne Straße, heller Platz, alles hell und übersichtlich. Hinten eine andere Tageszeit. Eine andere Welt. Ein dunkles Durcheinander von mehr als einem Schopf, und alles unter einer das Licht aussperrenden Decke von dichten Baumkronen, und unter den Bäumen hohes bis zu den Ästen reichendes Gras, und dann gleich auch noch das Ufergebüsch des Oeschbachs. Nirgends im Dorf verschwand man leichter. Und es war nirgends, außer in Bichelmaiers Heustock, schon am frühen Abend so dunkel wie hier. In dieser Dunkelheit wirkten die ersehnten Berührungen sowohl zufälliger wie auch absichtlicher, und davon ging dann viel mehr Kraft aus als von den Berührungen, die man schaffte, solange jede Bewegung sichtbar blieb.

Heute mußte Johann als erster heim. Aber ihm war hinter der Käserei in Glatthars Schopf mit Irmgard eine Enge gelungen wie noch nie. Irmgard und er hatten sich in diesem sowieso schon winzigen Schopf in einem Kasten versteckt. Sie mußten sich, weil dieser Kasten wirklich klein war, eng aneinander pressen. Johann hatte das Gefühl, beide, Irmgard und er, hätten, solange sie so aneinandergedrängt standen, er hinter ihr, sie vor ihm, nicht mehr geatmet. Sie hätten wahrscheinlich nie mehr atmen müssen. Sie waren zwar bald entdeckt worden, natürlich von Adolf, aber Johann hatte dann in einer geradezu phantastischen Kraftentfaltung – und die war eine Wirkung des durch die Berührung entfesselten Sturms – Adolf beim Rennen Richtung Ziel überholt, sich freigeschlagen und hatte dazu gerufen: Und Irmgard auch! Das war zwar gegen die Spielregel, aber er hatte das so herausgebracht, daß Adolf nichts dagegen vorbringen konnte und sofort wieder hinters Haus rannte, um nach den anderen Versteckten zu suchen.

Johann nahm die Sechsliterkanne, schwang sie in großen

Kreisen so schnell durch die Luft, daß die Milch in der deckellosen Kanne blieb, und genoß die Wucht der geschwungenen Kanne, die ihn jedesmal, wenn sie nach unten schwang, fast umriß. Er hatte noch den Duft von Irmgards Haaren in der Nase. Da Irmgard kleiner war als er, hatte er in all der Enge seine Nase praktisch auf ihren Haaren gehabt. Aber als sie sich, um noch unsichtbarer zu sein, dann auch noch gebückt hatten und niedergekniet waren, da war es ihm gelungen, was ihm bisher noch nie gelungen war: Irmgard in der Nähe der Stelle zu berühren, wo man sie überhaupt nicht berühren durfte. Wie nahe er dieser Stelle gekommen war, war ihm nicht ganz klar. Unwillkürlich roch er an seinem Zeigefinger, vielleicht roch der noch nach der Stelle. Aber er hatte den Zeigefinger noch nicht an der Nase, da riß er ihn wieder weg. Vor Glatthars Haus standen immer noch Leute im Halbkreis. Jetzt stand Helmers Hermine vor dem Anschlag, ihr hörten die Leute zu. Was sie sagte, verstand Johann nicht, aber er sah ihren hin- und hertickenden Zeigefinger. Und Hermine hätte gesehen, wenn er an seinem Zeigefinger gerochen hätte. Und sie hätte sofort gewußt, warum er an seinem Zeigefinger riechen wollte. Sie erklärte ihren Zuhörern sicher, was sie angesichts der Bekanntmachung der Gewerbe- und Landwirtschaftsbank zu tun hatten; aber das hätte Hermine nicht gehindert, Johann, falls er am Zeigefinger gerochen hätte, bei diesem Riechen zu ertappen. Zum Glück hatte der hin- und hertickende Herminezeigefinger Johann direkt auf diese Gefahr hingewiesen.

Zu Hause rannte er, nachdem er die Milch in den Eisschrank im Gang gestellt hatte, sofort in sein Zimmer hinauf, um endlich ungestört an seinem nach Irmgards Stelle duftenden Zeigefinger zu riechen. Man nannte jeden, der den Mädchen nachrannte, einen Mädchenschmecker. Johann wußte, daß er ein Mädchenschmecker war. Aber er würde das, wenn ihn jemand so nennen würde, rabiat abstreiten. Erst recht würde er abstreiten, daß er, wenn er mit Adolf in einem engen Versteck war, den genau so gern berührt hätte wie Irmgard.

Er mußte auf den Arbeiterzug, er mußte den aus Oberstaufen zurückkommenden Vater abholen. Das war nicht ausgemacht, aber Johann wußte, daß der Vater damit rechnete, von Johann abgeholt zu werden. Der Vater stand zwar oft und sehr lange hinter dem Tonleitern spielenden Josef, aber Johann glaubte, daß er dem Vater näher sei. Johann hatte zum Beispiel noch nie gesehen, daß der Vater mit Josef die Eskimobegrüßung gemacht hatte. Aber Johann begrüßte er jeden Tag einmal durch das Reiben seiner Nasenspitze an Johanns Nasenspitze. So, hatte er Johann einmal erklärt, begrüßten die Eskimos einander.

Im Hausgang begegnete er wieder Mina. Sie strich ihm im Vorbeigehen über den Kopf. Das tat sie sonst nicht. Es mußte mit dem Geld zu tun haben, das die Bank ihr weggenommen hatte. Die Mutter kam aus der Küche und sagte, der Vater habe angerufen. Er komme nicht mit dem Arbeiterzug, sondern erst mit dem Spätzug.

Noch einmal zur Käserei? Nein, das ging nicht. Das ging einfach nicht. Irmgard war inzwischen sicher auch heimgegangen. Hoffte er. Und ihm kam es doch nur auf Irmgard an. Er konnte oft an Irmgards Haus vorbeigehen, ohne auch nur einmal den Kopf zu drehen, um zu sehen, ob gerade jemand herausschaue oder gar unter der Tür stehe. Er hatte dann das Gefühl, Irmgard schaue ihm zu, wie er an ihrem Haus vorbeiging. Und dieses von Irmgard beobachtete Vorbeigehen erfüllte jeden Schritt, den er tat, mit einer ungeheuren Wichtigkeit.

Johann ging in die Gaststube und setzte sich neben den Großvater. Bei dem saß gerade ein Gast, der sich auch nie an den Runden Tisch setzte, sondern immer zum Großvater unter die Uhr. Herr Loser von Unterbechtersweiler. Der einzige Mensch, der ein Fahrrad mit nur einem Pedal fuhr. Das andere war stillgelegt, auf das stellte er den klobigen Holzfuß, den er seit dem Krieg hatte. Auf dem Rad kam er gut vorwärts. Und von Unterbechtersweiler bis Wasserburg geht es keinen Schritt lang eben, sondern nur auf und ab.

O Gebhard, sagte der Großvater gerade, als Johann sich neben ihn setzte, und legte eine Hand auf die Hände von Losers Gebhard. Sonst legte immer der Gast eine Hand auf die blauen Hände des Großvaters. Elsa stellte Losers Gebhard ein frisch gefülltes Bierglas hin und dazu ein Gläschen Obstler. Von Herrn Deuerling, der durch sein Geh-weida-geh-zua immer darauf hinwies, daß er auf der bayerischen Lechseite geboren worden war, hatte man gelernt, kleine Schnapsgläser Stamperl zu nennen. Aber Johann fiel es auf, daß jedem von hier, der das Wort gebrauchte, das Wort nicht in den Mund paßte. Herr Seehahn dagegen, der nicht verriet, woher er kam, aber wissen ließ, daß er nach der Revolution als Marineröwolüssionär a.D. in München hängen geblieben sei, Herr Seehahn konnte Stamperl sagen, ohne daß es auffiel. Aber Herr Seehahn war ohnehin ein Mensch, der in vielen Sprachen daheim war.

Johann kannte Losers Gebhard, obwohl der nicht jede Woche in die Wirtschaft kam. Der Großvater hatte einmal, als Losers Gebhard auch am Tisch saß, erzählt, er habe, da sei er fünfundzwanzig gewesen, sein Elternhaus in Hengnau an den Nachbarn Dorn verkauft, der habe es abgerissen, der Abbruch sei nach Unterbechtersweiler geschafft worden, weil Losers in Unterbechtersweiler gerade abgebrannt gewesen seien; Stadel und Haus seien mit dem Material wieder aufgebaut worden, vom Vater von Losers Gebhard.

Losers Gebhard trank den Obstler in einem Zug aus und sagte: Elsa, da.

O Gebhard, sagte der Großvater, das kommt wieder anders. Immer glaubt man, es geht nicht mehr, und dann geht es doch wieder. Losers Gebhard schlug mit der Faust auf die Tischplatte und sagte: Fünfundsiebzig Prozent Invalidität, Josef. Der Großvater nickte, wie man nickt, wenn man, was einem erzählt wird, schon lange kennt. Und Losers Gebhard erzählte so, wie man erzählt, wenn man sagen will, daß man das, was man erzählt, schon oft erzählt hat, und zwar dem, dem man es jetzt wieder erzählt. Man erzählt es ihm gar nicht, man hält es ihm vor. Am 21. Oktober 17, fünf Kilometer nördlich von Ypern, der Fuß weg. Fünfundsiebzig Prozent beschädigt. Zehn Jahre später macht die Hüfte nicht mehr mit. Der Großvater nickte. Der Dr. Moser schickt Losers Gebhard ins Krankenhaus nach Hoyren. Die setzen die Hüfte unter Starkstrom. Die Hüfte luxiert. Der Großvater nickt, als wisse er, was das heißt. Und weil er jetzt ganz unbeweglich ist, kommt Losers Gebhard, als er beim Heueinführen im Stadelgang stürzt, nicht mehr weg, also spießt ihn der Ochs praktisch auf. Rippenbruch. Bluterguß in der Lunge. Der Großvater nickt. Die Frau sagt, sagt Losers Gebhard, jetzt wird verkauft. Wir brauchen etwas Kleineres. Also verkaufen sie und kaufen Krenkels Karl seins. Zehn Tagwerk bloß. Und noch eine Aufwertungshypothek von siebentausend drauf. Aber sie haben ja, von ihrem Verkauf, dreiundzwanzig am Zins. Bei der Gewerbe- und Landwirtschaftsbank. Der Großvater nickt. Also kann ihnen, wenn der Hopfen wieder einmal gar nichts gilt, nichts passieren. Dann, nach der Dritten Notverordnung, die Meldungen: die Dresdner Bank zahlt nicht mehr, die Börsen geschlossen. Losers Gebhard sofort in die Stadt, fragt seinen Bankbeamten, ob die Gewerbe- und Landwirtschaftsbank auch wackle. Nein, die wackelt überhaupt nicht. Aber Losers Gebhard verlangt den Herrn Kommerzienrat Sting persönlich. Und kriegt von dem zu hören: Ach was, Gerüchte, Herr Loser, keine Gefahr weit und breit. Gäbe es eine Gefahr, das verspricht der Herr Kommerzienrat, werde Herr Loser sofort verständigt, und ausgehändigt werde ihm sein Geld. Vorgestern war das. Und heute: Schalter geschlossen. Das Geld ist futsch. Er also zum Anwalt. Der lacht. Wenn eine Bank wackelt, ist der Leiter der Bank der letzte, den man fragen darf. Eine Verletzung der verkehrserforderlichen Sorgfalt liegt nicht vor. So der Anwalt. Futsch ist futsch, Josef.

O Gebhard, sagt der Großvater. Und nickt.

Inzwischen hatte sich, vom Runden Tisch kommend, Herr Brugger neben Losers Gebhard gestellt. Herr Brugger wie immer im grünen Anzug. Er nahm den Zahnstocher aus dem Mundwinkel – Johann wußte von Adolf, daß der Zahnstocher, den sein Vater immer im Mundwinkel hat, aus Elfenbein ist –, dann legte er Losers Gebhard die Hand auf die Schulter und sagte: Gebhard, morgen abend beim Köberle in Bodolz, Versammlung, du kommst, du trittst ein, der Hitler reißt uns alle raus. Im nächsten Monat fällt das Uniformverbot in Bayern. Dann wird marschiert, Leute, daß die Lackaffen und Charakterlumpen sehen, es reicht jetzt, wir räumen auf. Schluß mit der Kriegsschuldlüge! Am Krieg ist nicht der schuld, der den ersten Schuß abgibt! Schluß mit dem Schandvertrag von Versailles! Einhundertzweiunddreißig Milliarden! In vierzehn Jahren haben wir zwanzig Milliarden bezahlt und sind am Ende jetzt! Bankrott, wie noch nie ein Volk bankrott gewesen ist! Und sollen noch siebzig oder achtzig Jahre so weiterschuften! Siebzig, achtzig Jahre zahlen! Zahlen für einen Krieg, den alle mit einander angefangen haben! Wir haben ihn bloß verloren. Gebhard, morgen abend beim Köberle in Bodolz. Der Hitler reißt uns raus! Heil Hitler! Er streckte die rechte Hand weit hinaus und schlug die Absätze zusammen. Davor hatte er noch den elfenbeinernen Zahnstocher aus dem Mundwinkel genommen und ihn in sein Brusttäschchen gesteckt. Dann holte er seinen in allen Grüntönen schillernden Hut mit Gamsbart vom Haken und sagte: Ihr werdet es schon noch merken. Und ging.

Adolf sagte, der Hut seines Vaters sei aus Velours. Es sei, behauptete Adolf, der einzige Velourshut in ganz Wasserburg. Alle sahen Herrn Brugger nach. Der Großvater sagte leise vor sich hin, daß es nur Johann hörte: Wenn i bloß ge Amerika wär. Herr Seehahn, der immer am zweiten Tisch auf der Terrassenseite des Lokals saß, war, als Herr Brugger Heil Hitler gerufen hatte, aufgesprungen und hatte auch eine Hand hinausgestreckt. Aber er hatte die Zigarette, die er, nur wenn er aß, aus dem Mund nahm, nicht mehr rechtzeitig aus dem Mund nehmen können, also fiel das Heil Hitler, das er beisteuern wollte, bescheiden aus. Herr Seehahn hatte im Haus, im zweiten Stock, ein kleines Zimmer, in dem Johann wegen der Dachschräge, die eine ganze Zimmerseite bestimmte, viel lieber geschlafen hätte als in dem hohen, nichts als geradwandigen Zimmer neun mit seinen vier großen Fenstern nach zwei Seiten. In Herrn Seehahns Zimmer roch es interessanter als in jedem anderen Zimmer des Hauses. Herr Seehahn rauchte Tag und Nacht, trank jeden Abend bis zur Polizeistunde und darüber hinaus Bier, Schnaps und Seewein und trug davon Gerüche in sein Zimmerchen; was so entstand, wirkte auf den oberen Gang, beherrschte ihn fast. Johann rannte immer wieder einmal hinauf, um seine Nase in diesen Abenteuerduft zu halten. Über Herrn Seehahn wurde, ob er gerade anwesend war oder nicht, mit schaudernder Bewunderung gesprochen. Einfach weil er trotz seines Lebenswandels als Buchhalter des Obstbauvereins noch keine Minute Dienst versäumt und als Obstbauvereinsrechner noch nie einen Fehler gemacht hatte. Herr Seehahn wurde dreimal pro Tag in der Wirtsstube verköstigt, saß immer an einem Tisch, an dem sonst niemand saß, und redete ununterbrochen leise vor sich hin. Johann versuchte öfter, sich unauffällig in Herrn Seehahns Nähe aufzuhalten, erneuerte Bierfilze, leerte Aschenbecher, servierte sogar ein Bier oder ein Stamperl oder ein Glas Seewein, nur um wieder ein paar Wörter aus diesem Redestrom aufzuschnappen. Er mußte aber so vorgehen, daß weder Elsa noch die Mutter bemerkte, was er wollte. Vor allem die Mutter durfte es nicht bemerken. Herrn Seehahns Redestrom bestand nur aus den schlimmsten Flüchen und den unanständigsten Unanständigkeiten. Es klang, als sei Herr Seehahn ununterbrochen geladen und müsse, was in ihm tobe, ununterbrochen loswerden, sonst hätte es ihn wahrscheinlich zerrissen oder er wäre sonstwie an innerer Schärfe zergangen. Natürlich kannte Johann die Wörter, die Herr Seehahn für Geschlechtsteile, weibliche und männliche, aufsagte, auch die Flüche konnte man da und dort aufschnappen, aber keiner sagte diese Wörter und Flüche mit einem solchen Druck und dabei so leise und schnell wie Herr Seehahn. Und weil er ununterbrochen reden mußte, und zwar rasend schnell, und es so viele Wörter, wie er brauchte, nicht gibt, mußte er diese Wörter andauernd wiederholen. Und da auch dann noch manchmal ein Wörtermangel herrschte, mußte er, wenn der Innendruck zu groß wurde, in ein wortloses spitzes Spucken übergehen. Herr Seehahn hatte falsche Zähne, unten und oben, er konzentrierte sich am meisten darauf, daß er weder sein oberes noch sein unteres Gebiß bei seinen Hochdruckschimpfkanonaden herausspuckte. Er hielt also die Lippen möglichst dicht aufeinander beim Fluchen und Schimpfen, nur seine Zungenspitze schlüpfte, wenn er Stierbeutel damischer oder Hundsfott elendiger sagte, ganz schnell heraus, verschwand aber sofort wieder. Bei all diesem Reden und Spucken mußte Herr Seehahn auch noch rauchen. Selten genug hielt er die Zigarette in den glasig weißen dünnen Fingern, meistens wippte sie im Mund alles, was der sprach, mit. Daß Herr Seehahn etwas mit Bayern zu tun hatte, verriet sein gelblicher Trachtenjanker mit dem grünen kleinen Stehkragen und den Hirschhornknöpfen deutlicher als seine Mundart. Er sprach das hochdeutsche Bairisch des gebildeten Menschen. Der immerzu leise fluchende und schimpfende Herr Seehahn wäre für Johann nicht so anziehend gewesen, wenn er bei seinen Schimpf- und Unanständigkeitskanonaden nicht immer so freundlich gewesen wäre. Die Augen lächelten, der Mund schimpfte, rauchte und lächelte. Manchmal, wenn weder Geschimpfe noch spitzes

Spucken möglich war, kaute Herr Seehahn ganz schnell in knappsten Bewegungen seinen eigenen Mund. Auch da blieb er freundlich. Johann hatte den Eindruck, Herrn Seehahn störe es nicht, wenn er so nahe zu ihm hinkam, daß er ein paar Wörter und Satzfetzen mitkriegte. Herr Seehahn sah Johann sogar an, lächelte mit Augen und Mund, während aus diesem Mund in unheimlicher Geschwindigkeit die gewisperten Schlechtigkeiten schossen: Falsche Schlange, Stierbeutel damischer, Saubix nixige, Licht aus, Messer raus, drei Mann zum Blutrühren, Votzennagler elendiger, Eierschleifer, Saubazi, Hutsimpel, Hurenzwetschge, Schafseckel, poussieren, abkassieren, kastrieren basta, Arschgeige, Votzenheini, Pißgurke, Maulhure, falsche Schlange, da wackelt die Wand, da muß was los sein, Hose runter, Hände hoch, raus damit, rein damit, wer kann, der kann, Quadratseckel elendiger, wer hat noch nicht, wer will nochmal, es war einmal ein treuer Husar, der konnte nur zweimal in einem Jahr, Vogelscheuche, treuloses Weib, geselchte Braut, falsche Schlange, eingefrornes Konto, Lug und Trug regiert die Welt, Hirnriß, Weltbeschiß, gestern noch auf stolzen Rossen, heute durch die Brust geschossen, morgen in das kühle Grab, wer hat, der hat, gib ihm Saures, haut se, haut se, haut se auf die Schnauze, die Welt, die beschissene, ritzratzzerrissene, Gott ist bankrott, Männchen gemacht, das wäre gelacht, Sauzwetschge, falsche Schlange, da wackelt die Wand, da muß was los sein, bums vallera, bums vallera, tschinderassa bums ... Johann sammelte Seehahn-Fetzen und sagte sie auf, tonlos, aber mit formulierenden Lippen. Natürlich nur, wenn niemand in der Nähe war. Am liebsten im Bett. Vor dem Einschlafen. Es war sein liebstes Nachtgebet. Falsche Schlange kam am häufigsten vor bei Herrn Seehahn, also bei Johann auch. Er wollte so lange üben, bis er das genau so rasend schnell und leise und freundlich aufsagen konnte wie Herr Seehahn.

Weil Herr Seehahn, als Herr Brugger längst verschwunden war, immer noch stand, immer noch seine Hand hinausstreckte, allerdings auch dabei seine Wörterkette nicht unterbrach, rief Elsa: Herr Seehahn, setzen! Jetzt setzte er sich und stieß seine Wörter sitzend aus.

Die Mutter, die hinter der Theke stand, winkte Johann, ging hinaus, er folgte ihr. Sie trug ihm auf, im Keller einen Ständer Flaschenbier zu holen und die sechzehn Flaschen in den Eisschrank unter dem Ausschank zu stellen, danach soll er schnell mit dem Rad zu Metzger Gierers fahren, da der Laden sicher schon zu sei, solle er hinten an der Haustür läuten und Frau Metzger Gierer fragen, ob er noch für eine Mark Schüblinge bekommen könne. Johann wollte sagen: Und was tut Josef? Aber er wußte, Josef war mit dem Rad des Vaters nach Hemigkofen gefahren, weil dem Organisten Jutz, der sonst immer mit seinem Rad kam und die Klavierstunde im Nebenzimmer abhielt, das Fahrrad gestohlen worden war. Johann fuhr dorfabwärts in die Metzgerei, kriegte acht Schüblinge für seine Mark, hängte das Einkaufsnetz mit den acht Schüblingen an die Lenkstange, fuhr zurück, das Netz schwankte und geriet, gerade als er an der *Linde* vorbeifuhr, ins Vorderrad, mehrere Schüblinge mußten zerfetzt sein. Er kam heim, lieferte das Netz in der Küche ab und sagte: Es ist etwas passiert. Mina packte die Schüblinge aus. Die Mutter sagte: Der Profit ist beim Teufel. Mina sagte: Für Wurstsalat gehen sie noch. Die Prinzessin sagte: So was lebt, und Schiller mußte sterben.

Johann ging ins Büro, setzte sich an den Schreibtisch des Vaters. Das war sein Lieblingsplatz. Da es schon Abend war, nahm er den Datumsstempel und drehte einen Tag weiter. Das war eine Lieblingsbeschäftigung. Die arme Mina, dachte er, und erst Losers Gebhard! Weil Losers Gebhard sein Rad mit einem Fuß treten mußte, kam er Johann ärmer vor als Mina. Mina war immerhin mit einem der stärksten Männer von ganz Wasserburg verlobt. Der trieb in der *Linde* den Hof um. Alfred war größer als alle anderen und hatte auf dem Kopf ein ebenes Feld kleinster krauser blonder Locken. Die Senkrechten waren kahlgeschoren. Johann stellte sich vor, Alfred, der genau so freundlich war wie groß, werde Mina, sobald sie ihm erzählte, was mit ihrem Ersparten passiert war, hochheben, hochstemmen in die Luft, dann werde er sich drehen und drehen, bis Mina rufen würde: Mir wird schwindlig. Das wolle er ja, würde Alfred sagen, daß es ihr schwindlig werde, damit sie endlich aufhöre, vom Geld zu reden.

Aber er – kann er noch an etwas anderes denken als an Geld? Zuerst sich photographieren lassen, dann in den Radspeichen für eine Mark Schüblinge zerfetzen. Ihm doch egal. Wehr dich doch, Mensch! Ihm war es heiß. Durch und durch. Nichts als heiß. Bis in die Kniekehlen. Bis in die Füße rieselte Hitze durch ihn durch. So deutlich hatte er sich noch nie gespürt. In seinem Mund sammelte sich Speichel, daß er mit Schlucken kaum nachkam. Der Speichel schmeckte süß. Er mußte den rechten Arm beugen, den Muskel groß und hart werden lassen. Gegen Adolfs Muskel war das nichts. Bis jetzt hatte, wenn sie ihre Muskeln neben einander hatten groß werden lassen, Adolf immer den größeren, härteren Muskel gehabt. Johann übte, wenn er allein im Zimmer war, Liegestütz. Er würde Adolf bald einmal wieder zu einem Vergleich auffordern. Er hatte das Gefühl, er könne überhaupt nicht zuviel verlangen von sich. Unverwundbar kam er sich vor. Geld hin, Geld her! Ihm kam vor, er könne alles aushalten. Die Prinzessin hatte, als Johann mittags, während sie spülte, ein Glas Wasser aus dem Hahn gelassen hatte, gerufen: Ein Tropfen in meine Gelte, und ich krieg ein Kind. Die Mutter hatte vom Herd her gerufen: Adelheid! Mina hatte gelacht. Johann hatte getan, als verstehe er nichts, war sich aber vorgekommen wie in einem Sturm, der seinetwegen stattfand.

4. Die Bürgschaft

Um halbzehn war Johann drüben, am Bahnhof. Er wollte schon am hellgrün gestrichenen Holzgeländer stehen, wenn die Lokomotive herschnaufte, Dampf ausstieß und beim letzten Abbremsen noch ein bißchen quietschte. Der überaus aufrechte und trotzdem kleine Herr Deuerling trug die Eisenbahneruniform so, daß kein Mensch auf die Idee kommen konnte, Herr Deuerling sei Reichsbahnobersekretär. So konnte nur ein Hauptmann a.D. eine Eisenbahneruniform tragen. Und zwar ein Hauptmann, der, weil die Leute das immer wieder vergaßen, immer wieder betonen mußte, daß er nicht aus dieser Gegend stamme; geboren zwar am Lech, aber – und nur darauf kam es an – auf der bayerischen Seite. Wenn Herr Deuerling über die Straße kam, um sein Bier zu holen, tauchte er schnell in der Küchentür auf und rief mit einer Kommandeursstimme, die größer war als er: Tag, allerseits, und wo bleibt die Meldung? Und Minas Stimmchen antwortete: Eine Köchin, eine Spülerin beim Dienst, ein Bub beim Buchstabieren. Dazu führte sie die Fingerspitzen ihrer Rechten an die Schläfe. Weitermachen, rief Herr Deuerling. Weitermachen, rief Mina. Und zu Johann hin rief er: Kopf hoch, Brust raus, Bauch rein! Wenn Elsa auftauchte, versuchte er mit ihr in ein Handgemenge zu kommen und drückte seine Spaßgegnerin an die nächstbeste Wand oder, in der Küche, hinter den Herd, und dort auf die immer verschlossene Kohlenkiste. Elsa war um zwei Köpfe größer als er, trotzdem landete sie dann meistens auf der Kohlenkiste, zog, wenn sie da saß, Herrn Deuerling auf ihren Schoß und fing an mit ihm Hoppe hoppe Reiter zu spielen. Elsa stieß bei diesen Kampfspielen immer so spitze, schrille Schreie aus, daß die Prinzessin sich umdrehen und zuschauen mußte. Wenn Herr Deuerling wieder auf eigenen Beinen stand, sagte die Prinzessin: So was lebt, und Schiller mußte sterben. Und Herr Deuerling rief zurück: Drei Stunden Arrest wegen frechem Mundwerk. Weggetreten! Das Weggetreten brüllte er so scharf, daß die Prinzessin sich sofort wieder zu ihrer Spülgelte hindrehte.

Johann tat immer so, als sei er ganz und gar bei den großen Wörtern seines Bilderbuchs; dadurch verlief alles so, als wäre er nicht da, und er kriegte doch alles mit. Sein Herz schlug bis in den Hals hoch. Kein Zweifel, das war das Leben. Er erlebte das Leben. Und durfte nicht hinschauen. Er mußte auf die bretterdicken Seiten des Bilderbuchs starren. Das Leben war etwas Verbotenes. Die Töne, die von den beiden über die riesige Herdplatte herüberkamen, verrieten ihm, daß es später nichts Schöneres geben konnte, als von den Schenkeln einer gewaltigen Frau in die Luft geworfen zu werden und dabei Hoppe hoppe Reiter zu singen. Bis vor kurzem hatte Mina mit ihm Hoppe hoppe Reiter gespielt. Bis er gesagt hatte, das sei ihm zu blöde. Hoppe hoppe Reiter, wenn er fällt, dann schreit er, fällt er in den Graben, fressen ihn die Raben, fällt er in den Sumpf, macht es einen Plumps. Aber wenn Elsa das sang und Herr Deuerling auf- und niederflog, war es überhaupt nicht blöd. Bei denen hörte es auch nicht gemütlich auf wie bei ihm und Mina, sondern schrill. Dann noch ein heftiges lustiges Stöhnen von beiden. Offenbar war das Leben ein Schmerz, von dem man nicht genug kriegen konnte.

Nachdem Herr Deuerling durch das Hochheben seiner Signaltafel dem Lokomotivführer erlaubt hatte, weiterzufahren, öffnete er die Sperre, ließ die paar Leute, die mit dem Spätzug gekommen waren, hinaus. Natürlich erst, nachdem er ihnen die zweimal geknipsten Fahrkarten abgenommen hatte. Johann hätte die Fahrkarte des Vaters gern gehabt. Eine Rückfahrkarte Wasserburg–Oberstaufen, vom 29. September 1932. Johann wollte eigentlich alles aufbewahren. Etwas wegwerfen zu müssen tat ihm weh. Er nahm dem Vater, sobald der durch die Sperre durch war, die Tasche ab. Daß sie einander hier in der Öffentlichkeit nicht nach Art der Eskimos, Nasenspitze an Nasenspitze, begrüßten, wußte Johann. Johann hatte ja die Tasche. Die zog Johann manchmal, wenn er vor Beobachtern sicher war, aus einem der beiden riesigen dunklen Schränke im oberen Gang und ging, die Tasche in der Hand, vor den großen ovalen Spiegel im Schlafzimmer der Eltern. So eine Tasche hatte im ganzen Dorf niemand außer seinem Vater. Die Doktortasche, zum Beispiel, hatte keinen fast wie Gold glänzenden Verschluß unter dem Henkel, war nicht rötlich leuchtend wie die des Vaters, sondern unauffällig dunkel. Die Tasche des Vaters wölbte sich weiter nach beiden Seiten, hatte innen ein seidenes Futter und zwei Abteilungen. Allenfalls Helmers Hermine hatte eine ähnliche Tasche, allerdings war die viel kleiner. Jeder wußte, daß diese Tasche aus Berlin stammte und daß Hermine sie von der zweiten Frau Professor Bestenhöfer, deren Haus Hermine sauber hielt, geschenkt bekommen hatte. Der Vater hatte seine Tasche noch vor dem Krieg aus Lausanne, wo er Französisch und den Kaufmannsberuf erlernt hatte, mitgebracht. Heute war sie prall voll, wog aber nicht besonders schwer. Die Tees. Der Vater bezog alle seine Tees aus dem Reformhaus seines Freundes Hartmut Schulz in Oberstaufen. Das war ein Kriegskamerad des Vaters, eigentlich ein Gefangenschaftskamerad. Beide in einem französischen Vergeltungslager, unter freiem Himmel, bei Chantilly, von Juli bis November 1918, dreißig- oder vierzigtausend Gefangene. Alle hatten Durchfall. Die Schwächeren kippten vom Latrinenbalken nach hinten in die Grube und versanken dort. Der Vater nannte das, wovon die Schwächsten gekippt waren, Latrinenbalken. Bei allen anderen, die am Runden Tisch von der Gefangenschaft erzählten, kam er als Donnerbalken vor. Dann per Eisenbahn nach Tours an der Loire. In richtige Zelte. Mit richtiger Verpflegung. Aber Johanns Vater und sein Freund Schulz waren schon krank, mußten im Sommer 1919 mit einem Lazarettzug heimtransportiert werden.

Bis Kempten blieben sie zusammen. Als sie sich erholt hatten, schrieben sie einander. Schulz, zehn Jahre jünger als Johanns Vater, wollte Pfarrer werden, wurde Pfarrer, blieb aber kein Pfarrer, sondern eröffnete ein Reformhaus. In Oberstaufen.

Johann sah, daß der Vater schwitzte. Sobald der Schweiß ausbrach, war der Vater immer ganz blaß. Sie gingen sofort ins Büro, der Vater setzte sich in einen der beiden Sessel. Johann rannte in die Küche, rief Mina, die in der aufgeräumten Küche stand und reglos auf die Herdplatte stierte, zu, daß der Vater heißes Wasser brauche für seinen Mate-Tee. Als er ins Büro zurückkam, packte die Mutter schon das Grahambrot aus, das der Vater mitgebracht hatte, dazu eine der Tuben mit Vitamincreme. Johann reichte das Messer, sie verstrich die Creme auf dem Brot und reichte es dem Vater. Auch der Großvater kam herein und setzte sich auf einen Stuhl. Sessel sind nichts für mich, sagte er, wenn ihm jemand einen Sessel anbot. Die Mutter hatte die Bürotüre zugemacht, daß niemand, der durch den Hausgang käme, hereinsähe. Nachdem er das dritte Stück Brot gegessen hatte, zog der Vater seine Jacke aus, stülpte den rechten Hemdsärmel zurück, die Mutter hatte schon das Spritzenbesteck vom Vertiko heruntergenommen, füllte die Spritze, betupfte eine Stelle, auf der noch kein Einstich zu sehen war, mit der aus einem Fläschchen getränkten Watte, klemmte etwas Haut zwischen Daumen und Zeigefinger, stach hinein und drückte den Spritzenkolben, bis die Spritze leer war. Tupfte wieder ab. Das passierte jeden Tag zweimal.

Der Vater zeigte, was er alles mitgebracht hatte. Einen Kranz Feigen für Josef und Johann. Der Mutter hatte er ein indisches Parfüm mitgebracht. Moschus, sagte er, riech einmal. Sie drehte sich sofort weg, wollte nichts wissen von dem Moschusduft. Er sah sie an, als bitte er sie um etwas. Sie sah weg. Dem Großvater hatte er Tees und Tropfen mitgebracht: Weißdorn und Corodin. Dazu sagte er: Ihr werdet Euch wundern, Vater, wie es Euch da ring wird um die Brust.

Die Mutter sagte: Und die Wechselbürgschaft? Hat er in Anspruch nehmen müssen, sagte der Vater, der Wechsel ist fällig, am Samstag. Also Zahlungsziel Montag, sagte die Mutter. Ja, sagte der Vater. Die Saison in Oberstaufen sei die schlechteste seit 1919 gewesen. Hier auch, sagte die Mutter. Der Vater sagte nichts mehr. Siebentausendzweihundert, sagte die Mutter. Der Vater nickte. Ich weiß mir nicht mehr zu helfen, sagte die Mutter. Wir haben selber zwei Wechsel laufen, einen auf den 1. Oktober, einen auf den fünfzehnten. Brauerei und Darlehenskasse. Darlehenskasse auch, sagte der Vater überrascht. Dreitausendvierhundert, sagte die Mutter, schrie sie fast, den hat die Firma Strohmeyer indossiert. Ach so, sagte der Vater, die Kohlen. Aber da gibt es ja Außenstände. Dreitausendsiebenhundertfünfundneunzig, sagte die Mutter. Eben, sagte der Vater. Die Mutter: Bloß kommen die bis zum Montag nicht herein. Die Brauerei kann den Wechsel auf jeden Fall nicht protestieren lassen, sagte der Vater. Sie kann schon, sagte die Mutter. Der Vater stand auf, stellte sich vor die Mutter hin und legte ihr beide Hände auf die Schultern.

Der Vater war ein bißchen kleiner als die Mutter. Johann fand, daß niemand so schöne Jacken hatte wie sein Vater. Grünweiß gesprenkelte, braunweiß gesprenkelte, graue mit schwarzen Streifen. Und alle seine Jacken reichten weit hinab an ihm und mußten zweifach geknöpft werden. Und er trug nie ein kragenloses Hemd. Der Großvater trug fast nur kragenlose Hemden. Der Großvater hatte allerdings einen grauweißen Schnauzbart, der unter der Nase unheimlich dicht und dick war, zu den Mundwinkeln hin nur ein bißchen schmäler wurde und über den Mundwinkeln noch zwei flache Aufwärtskurven machte. Und Stehhaare hatte der Großvater auch. Ein graues Dickicht von Stehhaaren. Also der Großvater brauchte keinen Kragen, das spürte Johann.

Der Vater ging im Büro auf und ab und sagte, er werde zusammen mit seinem Freund Hartmut Schulz im Allgäu eine Silberfuchsfarm übernehmen. Und hier im Haus, unten im Anbau, werde er schon in der nächsten Woche Ställe für eine Angorahasenzucht aufstellen. Und zwar sowohl im Schweinestall wie auch im nutzlos leerstehenden früheren Pferdestall. Schweine füttern, lächerlich. Angora! Die stinken nicht und bringen zehnmal soviel. In Lindau-Reutin würden zur Zeit reinrassige Zuchtpärchen angeboten. Nach einem Jahr habe man vierzig bis sechzig Angorahasen, jede Woche kiloweise Angorawolle, praktisch bares Geld. Die Angorawolle sei drauf und dran, Cashmere aus dem Feld zu schlagen. Also, was liege näher als die Angora-Zucht. Und keinerlei Ausgaben. Küchenabfälle und das Gras unter den Bäumen als Futter. Josef und Johann übernähmen das Füttern und Misten, er kämme die Wolle aus. Keine riesigen Beträge, aber sichere. Größere Gewinne werfe natürlich die Silberfuchsfarm ab. Wenn sein Freund Hartmut Schulz das Reformhaus in Oberstaufen schließen müsse, stünde er ganz zur Verfügung für die Silberfuchsfarm. Auch die Nachfrage nach Silberfuchspelzen sei im Steigen. In Ellhofen ist eine Silberfuchsfarm zu kaufen. Er werde mit seinem Freund Hartmut Schulz schon in den nächsten Tagen nach Ellhofen fahren, um die Farm zu besichtigen. Silberfüchse! Ellhofen, das ideale Klima für die Silberfuchszucht. Schon ganz und gar Allgäu, aber noch nicht Hochallgäu. Ideal! Und wenn wir ganz auf Nummer sicher gehen wollen, räumen wir im oberen Stock ein Zimmer aus und züchten Seidenraupen. Seide kennt keine Krise.

Der Vater blieb stehen. Alle schauten zu ihm hin. Johann hörte den Vater gern sprechen. Er hatte so eine schwingende Stimme. Übrigens, sagte der Vater, werde er in der nächsten Woche auch nach Mariabrunn fahren und nach Neukirch. In Mariabrunn sei ein Hof zu verkaufen. Reines Obstgut. Einundzwanzig Tagwerk. So gut wie kein Vieh. Also genau das, was er immer schon gesucht habe.

Und in Neukirch eine Gastwirtschaft mit Bäckerei. Direkt neben der Kirche. Also, genauer gesagt, der Kirche visàvis, auf der anderen Straßenseite. Eine erstklassige Lage. Neukirch, ein aufstrebender Ort. Wenn es mit der Straßenteerung so weiter gehe, führe von Tettnang nach Wangen noch in diesem Jahrzehnt eine geteerte Straße. Und mitten drin: Neukirch. Und mitten in Neukirch: wir.

Der Vater war begeistert von den Aussichten, die sich ihm, die sich der ganzen Familie boten. Wenn er einen Augenblick schwieg, schien seine ganze Lebendigkeit in seinen Mund, in seine Lippen zu strömen. Die schwollen förmlich an, sein Mund trat samt Bärtchen geradezu vor das Gesicht. Johann war sicher, daß es in der ganzen Welt keinen solchen Vater mehr gab. Egal, ob der Vater sprach oder Klavier spielte, es klang immer gleich schön. Und erst wenn er schrieb! Die Geschäftsbücher waren alle in seiner großbogigen, schönbogigen, keinen Buchstaben verzierungslos lassenden, wunderbaren Handschrift geschrieben. Die Anfangsbuchstaben verschwanden manchmal ganz und gar in dem Bogen- und Rankenwerk, das ihnen zuliebe entfesselt wurde. Johann holte alles Papier aus dem Papierkorb des Vaters und übte auf den Rückseiten dieser Papiere Buchstaben nach der Art des Vaters. Er wollte, wenn er nächstes Jahr in die Schule kam, gleich mit der Schrift des Vaters auftrumpfen. Mit den hölzernen Geraden und steifen Bögen, die Josef von der Schule heimbrachte, wollte er nichts zu tun haben. Josef sagte, das sei eben die deutsche Schrift, Sütterlin. Was der Vater schreibe, sei die lateinische Schrift. Johann würde lateinisch schreiben.

Der Vater zog aus der großen Reisetasche ein kleines schwarzes Köfferchen, kramte aus seinem Geldbeutel ein winziges Schlüsselchen, schloß das Köfferchen auf, klappte zwei gleich große Hälften auseinander, in beiden Hälften schimmerten und glänzten auf grünem Stoff Glasteile jeder Art und Form: Röhren, die endeten wie

Trompeten oder wie Blüten oder wie Flöten. Rundteile, wellenförmige Teile, kleinere und größere Kugeln, Dreiecke. Und alles aus Glas. Das sei die große Erfindung seines Freundes Hartmut Schulz. Der Magnetisierapparat. Den habe er dem Vater anvertraut, daß der jemanden finde, der die Produktion dieses Apparates finanziere. Mit diesem Apparat sei praktisch jede Krankheit heilbar, da jede Krankheit entstehe durch einen Mangel der Reizbarkeit der Nervenfaser. Diese Reizbarkeit durch Magnetisierung wieder zu wecken sei die universale Heilmethode überhaupt. Das habe natürlich nicht Hartmut Schulz entdeckt, daß das ganze Universum, daß alles Leben ein feinstes Fluidum sei, eine noch viel feinere Strahlung als Licht oder Ton, eine so feine Strahlung, daß sie bis jetzt noch nicht gemessen, aber doch andauernd gespürt, erlebt, erfahren werden könne, weshalb denn weise Männer wie die Engländer Locke und Newton, aber auch Kepler, Paracelsus, Franz Anton Mesmer und Maxwell von diesen coelesti invisibili in verschiedener Art, und doch das gleiche meinend, Nachricht gegeben hätten. Und sein Freund Hartmut Schulz habe jetzt, was bisher von einer außerordentlichen und deshalb selten vorkommenden Begabung abhängig gewesen sei, eine Begabung, die einen Franz Anton Mesmer vor einhundertundfünfzig Jahren weltberühmt und in Wien und Paris zum gesuchtesten Arzt seiner Zeit gemacht habe, die Begabung nämlich, einen Leidenden, ohne ihn körperlich zu berühren, durch Ausstrahlung eigener Kraft zu heilen, diese Begabung habe sein Freund Hartmut Schulz in zehnjähriger Arbeit in eine Apparatur verwandelt.

Jetzt schloß er eine Art gläsernen Kamm an ein Kabel an, den Stecker am anderen Ende des Kabels steckte er in die Steckdose, rannte zum Köfferchen und drehte und drückte an kleinsten Hebelchen herum, man hörte einen sirrenden Ton, vom Glasgriff bis in die einzelnen Kammzähne hinein entstand ein violettes Blitzen.

Augusta, komm, rief der Vater, aber die Mutter rannte

57

zur Tür hin. Bitte, nicht! rief der Vater. Er meinte, nicht die Tür öffnen. Augusta, rief er noch einmal. Zum Glück betonte er den Anfang von Augusta. Johann konnte Leute nicht ausstehen, die zur Mutter AuGUsta oder gar AuGUste sagten. Das waren Leute, die hochdeutsch sprachen. Der Vater sprach zwar auch eher hochdeutsch, aber er sagte AUgusta. Sie hieß ja auch AUgusta. Wie er JOhann hieß und nicht JoHANN. Mein Gott.

Komm du, Johann, sagte der Vater. Johann ging hin, der Vater führte den gläsernen Kamm, in dem es violett blitzte, über Johanns Kopf und am Hals herab und wieder auf den Kopf zurück. Dann schaltete er das Gerät ab. Wie war's, fragte er. Ja, sagte Johann, es bitzelt schön. Es wird noch viel schöner, sagte der Vater. Aber noch keinem Menschen ein Wort, sagte er, während er alles wieder ins Köfferchen verschloß. Noch sei der Apparat patentrechtlich nicht geschützt. Also Vorsicht, Vorsicht! In diesem Apparat stecke eine Revolution der gesamten Heilkunst. Und sein Freund Hartmut Schulz wolle ihn am Erfolg beteiligen. Dann haben wir ausgesorgt, sagte der Vater.

Die Mutter sagte zum Großvater hin: Vater, sagt Ihr doch auch etwas. Der Großvater hob seine beiden Hände ein wenig von den Oberschenkeln, ließ sie aber gleich wieder fallen. Die Mutter fing an zu sprechen. Aber gleich so hoch, wie Johann sie noch nie sprechen gehört hatte. Die Gewerbe- und Landwirtschaftsbank habe ihre Schalter geschlossen, auch die Filiale in Glatthars Haus, Mina sehe von ihrem Ersparten nichts mehr, Losers Gebhard von seinen dreiundzwanzigtausend nichts mehr, vorgestern noch der Kommerzienrat Sting, die Bank floriere, alles andere seien Gerüchte, gegen die er vorgehen werde; jetzt höre man: den Bauern werde das Milchgeld nicht ausbezahlt, dann sei sowieso Schluß; heute sei der Gerichtsvollzieher Kalteißen im Haus gewesen, vorsorgliche Zwangspfändungen, Kassenschrank, Vertiko, Eisschrank im Gang, das Klavier, Strom nur noch gegen Geldeinwurf in den Automaten neben dem Klingelkasten; dem Rechner von der Darlehenskasse Unterreitnau fehlten zweiundvierzigtausend Mark, eingesperrt; Gärtner Hartmanns hätten das Vergleichsverfahren beantragt gehabt, umsonst, jetzt sei das Konkursverfahren eröffnet. Merk, Nonnenhorn, vor zwei Wochen Konkurs angemeldet, jetzt in Tettnang erwischt, habe ein Fahrrad stehlen wollen. Dann hörte sie plötzlich auf. Dann zum Großvater, wieder mit ihrer normalen Stimme: Ihr sagt also nichts. Der Großvater sagte zum Vater hin: Jetzt haben wir die neue Auktionshalle, sind Mitglied, bezahlen die Miete für Box fünf, jeden Tag ersteigern auswärtige Händler tausend und mehr Zentner Obst, wir fehlen. Für den Obsthandel mit seinen kurzen Zahlungszielen fehlt uns zur Zeit das Kapital, sagte der Vater. Ich kann doch in der Auktion nicht GEKAUFT drücken, wenn ich nachher zu dem Bauern hingehen muß und zugeben, daß ich unter vier Wochen kein Geld auftreiben kann. Bauern stellen keine Wechsel aus, Vater, das wißt Ihr.

Der Großvater sagte leise vor sich hin: Wenn i bloß ge Amerika wär. Stand mühsam auf und ging hinaus. Die Mutter sagte: Der Brugger Max hat gesagt: Jetzt hilft bloß noch der Hitler. Der Vater sagte: Hitler bedeutet Krieg. Dann sagte er, er müsse ins Bett. Ja, sagte die Mutter, du bist arg blaß. Das schwarze Köfferchen nahm der Vater mit.

Die Mutter setzte sich an den Schreibtisch, spannte ein Blatt Papier in die Schreibmaschine und fing mit dem Zeigefinger der rechten Hand an zu tippen. Johann stellte sich hinter sie. Er kannte, weil er von Josefs erstem Schultag an alles, was der aus der Schule heimbrachte, mitgelernt hatte, alle Buchstaben. Auf der Schreibmaschine hätte er bestimmt schneller schreiben können als die Mutter. Links oben hatte die Mutter einen Namen geschrieben. Thaddäus Unsicherer. Das war der Vater der Mutter. Unter den Namen schrieb sie: Landwirt. Darunter: Kümmertsweiler. Rechts: 29. September 1932. Und in die Mitte: BÜRGSCHAFTSERKLÄRUNG. Johann buchstabierte dieses Wort so lange, bis es keinen Widerstand mehr leistete.

Die Mutter übte mit der Feder des Vaters eine Unterschrift. Auf Papieren aus dem Papierkorb übte sie, zerknäulte dann die Papiere und warf sie wieder in den Papierkorb. Dann schrieb sie Thaddäus Unsicherer unter das, was sie getippt hatte. Das bleibt unter uns, sagte sie. Sie brauche die Unterschrift ihres Vaters morgen vormittag, vor zwölf Uhr, könne aber nicht weg vom Geschäft und nach Kümmertsweiler rennen und ihres Vaters Unterschrift holen, darum müsse sie die Unterschrift ihres Vaters nachmachen. Daß wir nicht Konkurs anmelden müssen, Johann. Aber, sagte sie, das bleibt unter uns, Johann. Johann nickte. In ihrem Ton war alles, was der Vater und die Mutter in der letzten Stunde gesprochen hatten, noch einmal hörbar.

Er ging die Treppe hinauf, oben den dunklen Gang entlang, sah, daß unter der Tür des Vaters noch Licht durchschimmerte, klopfte so leise als möglich an und trat auf Vaters Ja ins Zimmer.

Der Vater hatte drei Kissen im Rücken, saß mehr als er lag und las in einem der gelben Hefte, die mit der Post kamen. Johann setzte sich auf den Bettrand, hielt den Kopf so, wie er ihn hielt, wenn er wollte, daß der Vater ihn nach Art der Eskimos grüße. Der Vater roch immer nach Pfefferminz. Er zeigte Johann zwei Wörter in dem Heft, in dem er gerade gelesen hatte. Die kannst du schon, sagte er. Lies einmal. Johann buchstabierte: Rabindranath Tagore. Der Vater hatte in den Büchern und Heften in dem Regal neben seinem Bett einen Vorrat von Wörtern, die, auch wenn Johann sie schon buchstabiert hatte, noch schwer auszusprechen waren. Rabindranath Tagore. Und wenn es Johann schaffte, sagte der Vater: Johann, ich staune. Dann mußte Johann das Wort sagen, ohne ins Heft zu schauen. Du siehst, sagte der Vater, zuerst sehen diese Wörter immer unaussprechbar aus, und dann gehen sie dir ganz von selber über die Lippen. Zuerst wehren sich die Wörter. Dann gar nicht mehr. Da, schau, buchstabier! Johann probierte es. Philo-so-phie. Gut. Und da! Theo-so-phie. Gut, jetzt noch etwas Leichtes, sagte der Vater. Was steht auf diesen Heften? Johann buchstabierte: Der Weg zur Vollendung. Johann, sagte der Vater, jetzt geht's nach Bettenhausen. Dem Vater fielen fast sofort die Augen zu. Johann drehte den Lichtschalter und schlich sich, weil Josef schon schlief, auf Zehenspitzen in sein Bett.

Das Licht der Straßenlampe spiegelte sich im Glas des Schutzengelbildes. Das Bild hing ein wenig schräg von der Wand, auf die Johann von seinem Bett aus sah. Und der Lichtschimmer traf gerade da auf das Bild, wo der weiß gekleidete Schutzengel über die geländerlose Brücke geht und seine Hand über das vor ihm gehende Kind hält. Das Licht spiegelte sich so in dem Glas, daß Johann den Schutzengel gar nicht mehr sah, aber er wußte ja, an der Stelle, wo jetzt das Lampenlicht hintraf, war der Schutzengel abgebildet, der das Kind davor bewahrt, in den dunklen Abgrund zu stürzen.

Der nächste Tag, ein Donnerstag. Also war Herr Witzigmann von elf bis zwölf in der Lagerhalle der Darlehenskasse. Als er den Schlüssel in das Marenschloß steckte und drehte, gingen Johann und die Mutter schon die schmale Seitentreppe zur Rampe hinauf und folgten Herrn Witzigmann, der die gewaltige Schiebetür zurückgeschoben hatte, in die Halle und dort in den Bretterverschlag, in dem es einen Tisch, zwei Stühle und ein Schreibpult gab. Auf dem Tisch eine grün glänzende Kasse. Zum Glück war die Treppe zur Rampe so schmal, daß die Mutter Johann nicht auch da noch hatte an der Hand führen können. Sie führte einen dauernd an der Hand. Wenn es niemand sah, hatte Johann nichts dagegen, von ihr an der Hand geführt zu werden. Aber doch nicht vor Zeugen.

Nehmt Platz, sagte der Herr Witzigmann. Aber Johann

zog es jetzt doch vor, eng neben der Mutter stehen zu bleiben. Die Mutter holte aus ihrer schwarzen Handtasche die Bürgschaftserklärung, die sie am Abend zuvor mit Thaddäus Unsicherer unterschrieben hatte, und reichte Herrn Witzigmann das Stück Papier über den Schreibtisch. Herr Witzigmann nahm es entgegen, las es und sagte: Augusta, jetzt bin ich aber froh. Ich bin sicher, daß der Vorstand unter diesen Umständen den Wechsel prolongiert. Du kommst gerade noch im richtigen Augenblick, heute abend ist Vorstandssitzung. Die Mutter sagte, das sei ihr bekannt. Dann stand sie auf. Johann sah noch, daß Herr Witzigmann die Kasse aufschloß und das von der Mutter erhaltene Papier hineinlegte. Als Johann mit der Mutter am Gleis entlang heimzu ging, führte ihn die Mutter wieder an der Hand. Aber hier, links Schuppen, rechts das Rangiergleis und das Streckengleis, da sah kein Mensch, daß er sich von der Mutter führen ließ. Sobald sie an der Bahnhofsgüterhalle vorbei waren, löste er seine Hand aus der der Mutter. Hier konnte man schon gesehen werden. Vom Geführtwerden zum Loslassen organisierte er einen Übergang. Er zog seine Hand vorsichtig aus der Hand der Mutter, umfaßte dann aber sofort mit dieser Hand das Handgelenk der Mutter.

Sie hatten die Terrasse noch nicht erreicht, als sie schon den Vater Klavier spielen hörten. Das Gesicht der Mutter verzog sich. Elsa kam ihnen entgegen und sagte: Frau, gerade war der Herr Brugger da, hat in einem Zug ein kleines Bier geleert, das Geld auf den Tisch gehauen und hat im Hinausgehen gesagt: Heut zieht man dem Klavierspieler den Kragen zu. Was er damit gemeint haben könne, wollte Elsa wissen. Hättest du ihn gefragt, sagte die Mutter.

Herr Brugger ist im Darlehenskassen-Vorstand, sagte sie, als sie Johann ihre Tasche gab, daß er sie im Kassenschrank verschließe. Wenn es einen Beruf gäbe, der nur im Öffnen und Schließen seufzender Kassenschranktüren bestünde, hätte Johann sich sofort für diesen Beruf entschieden. Die Mutter schlüpfte in ihre weiße Mantelschürze, ging in die Küche. Sie gab Johann das Zeichen, Johann öffnete so leise wie möglich die Tür, die vom Hausgang ins Nebenzimmer führte, stellte sich neben den Vater, der bemerkte ihn, hörte auf, nahm Johann aufs Knie und sang ihm, was er gerade gespielt hatte, leise ins Ohr. Dann sagte er: So, jetzt will ich aber auch einmal die Außenstände wissen. Komm. Und ging ins Büro. Der Vater notierte Zahlen aus dem Buch, in das jeder, der Kohlen oder Holz nicht gleich bezahlen konnte, hineingeschrieben wurde. Während er die Zahlenkolonnen notierte, summte er. Er summte so, als sei das Summen wichtiger als das Zahlennotieren. Plötzlich legte er den Federhalter in die aus silbernen Blättern gebildete Rille, die zu dem Glaswürfel gehörte, in den das Tintenfaß versenkt war. Das Summen hatte aufgehört. Von weit weg Elsas Stimme, die, wenn sie die Küche noch gar nicht erreicht hatte, schon rief: Zweimal Felsche, Müllerin Art. Und grell leidend, die Prinzessin: Felchen! Johann schloß den aus silbernen Blättern zur Kuppel gewölbten Deckel über dem in den Glaswürfel versenkten Tintenfaß. Herrn Bruggers Tintenfaß wurde mit einem silbernen Deckel geschlossen, der die Form einer Mütze hatte, wie sie Rennreiter tragen. Adolf, als er zum ersten Mal Johanns Tintenfaß sah: Sollen das Krautblätter sein oder was? Er hatte den Vater gefragt. Der hat zurückgefragt: Sind sie nicht schön? Johann fielen jetzt jedesmal die Krautblätter ein. Sind sie nicht schön, hatte der Vater gesagt. Johann hatte gesagt: Doch. Und der Vater: Jugendstil, Johann, tu's in den Wörterbaum. Er dachte jetzt, wenn er den gewölbten Deckel sah, den der Vater eine flache Kuppel genannt hatte, zwar immer an Krautblätter, aber dazu blinkte aus dem Wörterbaum immer auch das Wort Jugendstil; es gehörte jetzt zu den Wörtern, die der Vater ihn buchstabieren ließ, Rippenfellentzündung, Bhagawadgita, Popocatepetl, Theosophie, Rabindranath Tagore, Bileam, Philosophie, Swedenborg, Bharatanatyam. An der Wand über dem Sofa hing ein breites Bild, auf dem rötlich gefleckte Kühe auf einer bis an einen Fluß reichenden Wiese weiden, und unter wilden, gewaltigen Bäumen, die vor einem noch wilderen Himmel schützen, sitzt ein Mädchen in einer Tracht, die es vielleicht gar nie gegeben hat. Dieses Bild gehörte für Johann zu den Wörtern, die er beim Vater buchstabierte. Wichtig für Johann war, daß der Vater nach dem Buchstabieren jedesmal sagte: Johann, ich staune.

Der Vater rührte sich immer noch nicht. Johann konnte nicht weggehen, bevor der Vater aufgeschaut hatte. Das hätte gewirkt, als wolle er sich wegschleichen. Also lehnte er sich ein bißchen an den Vater. Der legte seinen Arm um Johann, zog Johann an sich. Obwohl Johann dem Vater, als der ihn zu sich hinzog, nicht ins Gesicht sehen konnte, wußte er, daß der Vater jetzt weinte. Also mußte er erst recht vermeiden, dem Vater ins Gesicht zu sehen. Einem Vater, der weint, kann man nicht auch noch ins Gesicht sehen. Der Vater holte aus der rechten Schreibtischschublade ein kleines Futteral, öffnete es, es roch nach Pfefferminz; der Vater nahm ein winziges Gestell aus dem Futteral, klemmte es sich so unter die Nase, daß die zwei winzigen, fast spitz zulaufenden grünen Filztürmchen in seinen Nasenlöchern verschwanden. Wenn die zwei Türmchen nichts mehr ausströmten, wurden sie aus einem Fläschchen, auf dem Po-Ho-Öl stand, mit weiterem Pfefferminzduft getränkt. Der Vater atmete tief ein und aus. Auf dem Schreibtisch lagen Blätter voller Zahlen. Der Vater nahm die Blätter, knüllte sie zusammen und gab sie Johann. Der warf sie in den Papierkorb. Dann saß er ruhig auf dem rechten Knie des Vaters, bis die Bürotür hinter ihnen aufging und die Stimme der Mutter sagte: Essen. Und, sagte sie, was sage der Vater zu dieser Händleraktion, da müsse man wohl mitmachen. Sie konnte nicht verstehen, daß der Vater schon die ganze Zeit am Schreibtisch saß und diesen Brief, den sie ihm extra hingelegt hatte, noch nicht gelesen hatte. Neun Händler im Bezirk haben schon unterschrieben, daß sie Steinkohle, Koks und Brikett vorerst nur noch gegen Barzahlung abgeben. Unterschreib, sagte die Mutter. Man könne dann ja immer noch Ausnahmen machen. Der Vater unterschrieb.

Der Vater aß sein gedämpftes Gemüse, trank seinen Tee und machte sich lustig über alle, die mit Nudeln verblendetes Fleisch schlucken müßten. Heute ging die Mutter auf seinen Essensspott nicht ein. Sie saß mit Mina jenseits des gewaltigen Herds am Arbeitstisch, dessen Platte nur noch an den Rändern so dick war wie vor dreißig Jahren. Gegen die Mitte zu war er vor lauter Schneiden und Faschieren und Hacken immer dünner geworden.

Ob er gelesen habe, in der Zeitung, über Brems, sagte die Mutter. Brems seien nämlich noch zweiundsiebzig Mark und neunzehn Pfennig schuldig. Der Vater hob die rechte Hand und führte mit dem ausgestreckten Zeigefinger Bohrbewegungen aus. So erinnerte er an den Streit im Haus Brem, der entstanden war, weil die Frau ein Loch in der Bretterwand des außen am Haus angebrachten Aborts auf eine falsche Bohrung ihres Mannes zurückgeführt hatte; der aber hatte behauptet, das sei ein Astloch, und hatte seine Frau, als die weiterhin auf ihrem Vorwurf bestand, zum See hinabgezerrt und sie unter Wasser getaucht und gerufen, da bleibe sie, bis sie zugebe, daß das ein Astloch sei und keine Fehlbohrung. Sie aber hatte, obwohl ihr Kopf unter Wasser war, eine Hand aus dem Wasser gestreckt und die Bohrbewegung gemacht. Da hatte der Zimmermann Brem nachgeben müssen.

Von den zweiundsiebzig Mark sehe man wahrscheinlich nichts mehr, sagte die Mutter. Sie war offenbar dagegen, jetzt lustige oder traurige Bremgeschichten, die Helmers Hermine aus dem Unterdorf heraufbrachte, zu erzählen, solange noch damit zu rechnen sei, daß man durch Brems jetzt zweiundsiebzig Mark einbüße.

Hat er's gelesen oder hat er's nicht gelesen? Er hat nicht. Josef, lies vor. Josef nahm die Zeitung. Anwesensversteigerung, sagte die Mutter. Josef las vor.

Anwesens-Versteigerung.

Das Anwesen, Hs. Nr. 9a in Wasserburg a.B. (Brem) wird am Montag, den 23. November 1932, nachmittags 3 Uhr im Nebenzimmer der Bahnhof-Restauration in Wasserburg durch das Bürgermeisteramt Wasserburg freihändig öffentlich versteigert. Es besteht aus: Wohnhaus mit mehreren Wohnungen, Stall, Stadel, Werkstätte (mit Holzbearbeitungs-Maschinen), Hofraum und größerem Obstgarten, letzterer auch zu Bauplätzen verwendbar, liegt an einer Haupt-Gemeindestraße, umfaßt rund 70 Dezimalen und befindet sich in gutem baulichen Zustand. – Die Versteigerungsbedingungen werden im Termine bekanntgegeben.

Etwaige Aufschlüsse durch den unterfertigten Konkursverwalter.

Lindau-Bodensee, 30. Oktober 1932

I.Rat Noerdlinger, R. Anw.

Und Capranos, sagte die Mutter wieder leiser, wakkeln auch. Bei Hartmanns ist es ganz aus, bei beiden Brodbecks kann es jeden Tag so weit sein, und Glatthars wissen nicht mehr weiter, und die nächsten sind wir. Anwesensversteigerung, dachte Johann, ein Wort zum Buchstabieren. Je schwerer überschaubar so ein Wort war, desto mehr reizte es zum Buchstabieren. Vaters Antwort auf das Vorgelesene: Angorahasen, Silberfuchsfarm in Ellwangen, Seidenraupenzucht im oberen Stock, Wirtschaft und Bäckerei in Neukirch, kleiner Bauernhof in Mariabrunn. Die größte Hoffnung aber: der Magnetisierapparat seines Freundes Hartmut Schulz. Er beteiligt mich, rief er. Das müßt ihr euch vorstellen!
Die Mutter sagte, sie habe bei Herrn Witzigmann eine

Verlängerung erreicht bis zum 21. November. Eine weitere Verlängerung sei ausgeschlossen.

Alle hatten zu essen aufgehört. Der Vater sagte: Nach Golde drängt, am Golde hängt doch alles. Wir Armen. Als alle ihn anschauten, sagte er: Goethe. Aber keine Sorge, er werde sein Mantra befragen, und sein Mantra werde ihm sagen, wo die Geldquellen sprudelten. Keine Sorge, Augusta, mit mir geht man überhaupt nicht unter. Die Mutter sagte, das *Strandcafé* habe dreimal in der Woche Musik genehmigt bekommen. Der Vater sagte: Bloß was für eine! Die Mutter sagte: Tanzmusik! Als darauf niemand reagierte, sagte sie: Der Boiler tropft schon wieder. Der Großvater und Johann saßen auf der langen Bank unter dem Warmwasserboiler. Zwischen ihnen fielen Tropfen auf die Bank. Fahr nachher zum Spengler Schmitt und sag, der Fritz soll kommen, sagte sie. Johann nickte. Die Mutter sagte zur Prinzessin hin: Adelheid, noch einmal sag ich's nicht, daß du zum Essen kommen sollst. Die Prinzessin sagte, ohne sich umzudrehen: Dreimal dürft's schon sein, aber weil Sie's sind, komm ich beim zweiten Mal.

Josef stand als erster auf vom Tisch. Er müsse üben. Josef warf jetzt immer den Kopf ruckartig zurück, auch wenn ihm gerade einmal kein Haarschüppel ins Gesicht hing. Johann sehnte sich danach, den Kopf so zurückwerfen zu können. Kaum war Josef draußen, ging es schon los mit den Tonleitern. Es sind noch Gäste auf der Terrasse, sagte die Mutter. Der Vater sagte nichts. Er streckte den Kopf in die Höhe, drehte ihn so, daß er die Tonleitern noch besser hörte. Da er die größten Ohren hatte, die Johann je gesehen hatte, und dazu noch fast runde braune Augen, dachte Johann: Jetzt sieht er wieder aus wie ein Reh. Die Mutter sagte: Und die *Krone* kriegt aus lauter Glühbirnen eine Krone an die Fassade, daß jeder, der mit dem Schiff ankommt oder vorbeifährt, schon von weitem nichts als die *Krone* sieht. Der Vater sagte: Er hat so einen schönen Anschlag.

5. Fahnenweihe

Der Vater und der Großvater saßen so auf zwei Stühlen, als stünden die nicht im selben Raum. Obwohl das Büro kaum Platz ließ, an einander vorbeizuschauen, saßen der Vater und der Großvater so verquer, daß sie einander gar nicht mehr wahrnahmen. Draußen ein Nebel, daß schon die Bäume im Hof aussahen wie Gespenster. Vom See herauf, der Nebelhornlaut. Ein Laut, fast wie eine Frage. Und keine Antwort. Das Schiff ließ seinen Laut noch einmal hören. Keine Antwort. Das wirkte, als habe das Schiff vergeblich gerufen. Und rief noch einmal und noch einmal. Aber immer gleich ruhig. Johann wußte, daß drüben in der Stube Herr Seehahn jetzt wütend wurde. Wenn die Nebelhörner hörbar wurden, rief Herr Seehahn: Aufhörn! Drehte den Kopf in Richtung See und rief: Sofort aufhörn, sonst wird geschossen, Blöken verboten, ab sofort, Hundsfott elendiger, Saublökerei damische ... Herr Seehahn war bei der Marine gewesen. Wenn ein Gast in die Stube kam, den er nicht kannte, stand er auf, hob die Hand an die Schläfe wie ein Soldat, sagte: Marineröwolüssionär a.D. Seehahn, und setzte sich wieder. Die Zigarette nahm er dabei nicht aus dem Mund.
Johann fühlte sich wohl, wenn vom See herauf die Nebelhörner ihre Töne hören ließen. Gott sei Dank, sind die Äpfel im Keller, dachte er. Und die Geranien auch. Tagelang war er auf der Leiter gestanden und hatte Äpfel heruntergetan. Jedes Jahr genierte sich die Mutter, wenn es auf Allerheiligen zuging, und ihre Bäume hingen immer noch voller Äpfel, während die Bäume vor dem dorfabwärts nächsten Haus und überhaupt die tausend und abertausend Bäume im Dorf und ums Dorf herum längst geleert waren. Die Gäste, sagte sie, regen sich schon auf, daß bei uns offenbar niemand Zeit hat, die Äpfel herunterzutun. Josef mußte Hausaufgaben machen und Tonleitern üben. Der Vater konnte nicht so lange auf einer Lei-

ter stehen. Niklaus war zu alt. Der Großvater noch viel älter. Johann hatte gesagt, wenn Niklaus ihm die Leiter stelle, werde er die Äpfel heruntertun. Die Mutter hatte gesagt: So weit kommt's noch. Jetzt hatte Johann nicht mehr nachgeben können. Er verspreche, immer wenn er nach einem Apfel greife, sich mit der anderen Hand an einem Ast festzuhalten. Und der bricht, hatte die Mutter gerufen. Nur an dicken Ästen, hatte Johann gerufen. Eine Woche lang war er dann in den Bäumen gestanden. Je höher er hinauf mußte auf der Leiter, desto heftiger klopfte sein Herz. Aber vom zweiten Tag an hatte er gewußt, daß ihm nichts passieren konnte. Er fühlte sich in den Bäumen zu Hause. Einen rotglänzenden Prinz-Ludwig-Apfel nach dem anderen brach er und ließ ihn vorsichtig, daß der Apfel keine Masen bekomme, in den umgehängten Rupfensack gleiten. Er hatte sogar den Sack selber gerichtet, wie er es in Kümmertsweiler beim Götte gesehen hatte. Einen Apfel in einer Sackecke abbinden, den Strick, mit dem man die Ecke abgebunden hat, durch ein Loch an der Sacköffnung führen und von dort wieder zurück zum abgebundenen Apfel in der Sackecke. Dann führt von der Öffnung zum Sackboden zweifach der Strick, man kann den Kopf zwischen Strick und Sack durchstecken, den Sack über die Schulter hängen, und zwar so, daß man die Öffnung direkt vor der Brust hat und einen Apfel nach dem anderen hineingleiten lassen kann. Da Johann merkte, daß ihm solche Zurichtungen schwerer fielen als etwa Ludwig oder Paul oder Adolf, war es ihm besonders wichtig, sich zu beweisen, daß er das auch könne. Johann genoß es, wenn Leute auf der Straße vorbeigingen und zu ihm heraufriefen, er solle bloß nicht herunterfallen. Noch mehr genoß er es, wenn sie riefen, daß er doch noch viel zu klein sei für diese Arbeit. Wenn eine Zeit lang kein Ruf von der Straße zu ihm hinaufkam, der ausdrückte, daß Johann, Äpfel heruntertuend, etwas leiste, was von ihm überhaupt nicht erwartet werden konnte, merkte er, daß er auf solche Rufe wartete. So viele Stunden auf der Leiter stehen und nach all diesen Äpfeln greifen und sie so in den Sack gleiten lassen, daß ihnen dabei nichts passierte, das konnte er nur, wenn ihm zugeschaut wurde. Deshalb war er froh, wenn der Baumeister Schlegel heraufrief: Jetzt heb dich Gotta, wenn der Götte kommt, Respekt, Respekt! Wenn Frau Schuhmacher Schorer heraufrief: Da kann aber die Mama eine Freud haben. Wenn Sempers Fritz heraufrief, herunten sei man schneller als droben. Wenn der Briefträger Taubenberger stehenblieb und mehr zu sich als zu Johann sagte, daß Johann schon ein Malefizbub sei. Wenn Helmers Hermine heraufrief: Um eine schwarze Kriesbeer steigt man höcher als um eine rote. Oder wenn der Herr Grübel, neben seinen Kühen gehend, mit seiner Silberstimme, halb sprechend, halb singend, heraufrief: Wenn ich ein Vöglein wär und auch zwei Flügel hätt, flög ich zu dir. Daß Frau Fürst mit ihrem schmerzvernähten Mund und den in den Augen stehengebliebenen Tränen vorbeiging, ohne ihm etwas heraufzurufen, verstand er. Natürlich war Adolf jeden Tag mindestens einmal gekommen und hatte die Sorten kritisiert, die Johann gerade erntete. Ob sie denn keinen Boskopbaum hätten, hatte er gefragt. Und Glasreinetten auch nicht? Nicht einmal Flammender Kardinal! Nein, aber Welschisner, Gravensteiner, Teuringer und Prinz Ludwig. Das, hatte Johann geantwortet, seien seine Lieblingssorten. Gedacht hatte er, daß der Großvater, als er vor fünfundzwanzig oder dreißig Jahren diesen Obstgarten angelegt hatte, wirklich auch an Boskop und Glasreinetten und Flammender Kardinal hätte denken können. Wenn sie im November am Samstag zu dritt oder zu viert unter den abgeernteten Obstbäumen nach Nonnenhorn wanderten, um beim Benefiziat Karl May-Bücher zu tauschen, rührte man wegen eines hängengebliebenen Welschisners keinen Finger. Einen Boskop schüttelte man mit Speeren herab. Bruggers hatten nur Boskop und Glasreinetten und Flammender Kardinal.

Als die Leute an Allerheiligen und Allerseelen in die Kirche gingen, waren die Bäume zum Glück leer. Die Mutter hatte zu Johann gesagt, jetzt sei sie aber froh.

Die Mutter mußte auf den Vater einreden, daß der am nächsten Sonntag mit dem Kriegerverein zur Kirche und nachher von der Kirche zum Kriegerdenkmal mitmarschiere. Zuerst hatte der Großvater gesagt, daß es halt eine Blamage sei, wenn sein Sohn zum fünfzigjährigen Jubiläum des Krieger- und Militärvereins nicht mitmarschiere, obwohl er dem Verein angehöre, Weltkriegsveteran sei, Ordensträger sogar. 1872 und 1932, das sei doch ein Anlaß, mein Gott. Und der Ehrentag des Großvaters sei es auch, sagte die Mutter, da schließlich der Großvater der erste Fahnenträger des Vereins gewesen sei und jetzt, am Sonntag, werde die neue Fahne geweiht. Wahrscheinlich stehe es dann in der Zeitung, daß sein Sohn nicht mitmarschiert sei, sagte der Großvater. Dann werden wir halt als nächste vergantet, sagte die Mutter. Dann kannst du mit der Pistole vor der Haustür stehen wie der Zimmermann Brem und die Leute vertreiben, die vor der Zwangsversteigerung sein Hab und Gut besichtigen wollten. Herrn Brem grüßte Johann lieber als jeden anderen. Als der Zimmermeister Brem dem Herrn Lachenmeyer den Fuchsschwanz geschärft hatte und dafür fünfzig Pfennig verlangte, hatte Herr Lachenmeyer gesagt, das sei ihm zu teuer. Herr Brem fuhr mit der Säge zweimal über einen großen Stein und sagte: Jetzt kostet sie gar nichts.

Josef stand neben dem Vater, Johann neben der Mutter. Das hieß, Josef war auch dagegen, daß der Vater mitmarschierte. Johann wollte, daß der Vater mitmarschiere. Johann wollte den Vater mit dem Eisernen Kreuz und dem Bayerischen Verdienstkreuz mit Schwertern sehen. Johann zog im Winter manchmal die Militärsachen des Vaters aus dem riesigen Schrank im ersten Stock. Die wie neu glänzende Pistole 08 mit Magazin, den rostigen Trommelrevolver, die kokardengeschmückte Mütze mit schwarz gleißendem Schild, die Schulterstücke des Feldwebels, die inzwischen düsterweißen Handschuhe. Johann stattete sich aus mit diesen Stücken. Auch den langen, leicht geschwungenen Säbel, der fast so groß war wie Johann, zog er samt glitzerndem Gehänge heraus und trat damit vor den Spiegel. Der Vater wollte mit Militärsachen nichts mehr zu tun haben.

Dabei ist er ein Zwanziger, sagte der Großvater, und die Zwanziger stellen im Kriegerverein die meisten. Der Vater sagte, er habe seit Kriegsende an keinem Treffen des 20. Infanterieregiments mehr teilgenommen. Aber wenn jetzt der Großvater geehrt wird, sagte die Mutter.

Dann sagte niemand mehr etwas. Elsa kam herein und sagte, der Wanderphotograph sei da mit den Bildern. Drei Bilder. Jedes drei Mark. Mina, die hinter Elsa ins Büro gekommen war, rief: Der spinnt ja. Gib ihm das Geld und bring die Bilder, sagte die Mutter. Neun Mark, Johann. Dafür kriegst du bald ein Paar Winterstiefel. Mina sagte, es tue ihr richtig weh, daß sie jetzt, wo sie um ihr Geld gekommen sei, kein Bild, wo Johann drauf sei, kaufen könne. Johann sagte sofort: Ich schenk dir eins. Da wurde gelacht. Elsa legte drei Bilder auf den Tisch, alle beugten sich über die Bilder. Johann sah sofort, daß er den Mund nicht ganz geschlossen hatte, seine zwei immer größer werdenden Schneidezähne schauten heraus. Vor dem Spiegel probierte er öfter Lippenstellungen, um diese riesigen Schneidezähne zuzudecken. Mina sagte: Wie er dasteht! Schneidig! Was bin ich, was kann ich, so steht er da. Wie Johann mit ausgestreckten Armen das Rad halte, das gefalle ihr. Ein Königssohn ist nichts dagegen, rief sie. Das Rad ist sein Roß! Frau, jetzt sagt doch auch etwas, sonst meint der Johann, die Bilder gefallen Euch nicht. Die Mutter nickte und sagte: Versorg sie.

Johann ging zum Vertiko. Aber erst als alle anderen das Büro verlassen hatten, ließ er die Lade herunter, zog den Spiegeleinsatz heraus und legte die Bilder in das Geheimfach; dazu mußte er die zwei mit grünem Filz bezogenen Flügel hochklappen, dann die Bilder ins Unsichtbare versenken. Der Vater hatte das Geheimfach ihm anvertraut. Johann brauchte es vor allem für das, was er vor Josef verstecken mußte. Wenn der Großonkel, den man Vetter nannte, mit seinem Ford aus dem Allgäu kam, brachte er jedem eine Tafel Schokolade mit. Josef aß seine Tafel noch an dem Tag auf, an dem er sie geschenkt bekommen hatte. Johann fand, Schokolade zu haben sei mindestens so schön, wie Schokolade zu essen. Er brach jeden zweiten oder dritten Tag möglichst kleine Stücke davon ab. Seine Tafel reichte für Wochen. Wenn sie nicht Josef in die Hände fiel. Als die daraus entstehenden Streitigkeiten immer lauteres Geschrei produzierten, nahm der Vater Johann mit ins Büro und zeigte ihm, wie man den Spiegeleinsatz an den zwei kleinen schwarz gleißenden Säulen links und rechts des Spiegels herausziehen und wie man dann die beiden filzbezogenen Flügel, unter denen das Geheimfach war, hochklappen konnte. Der Vater hatte gesagt, außer ihm selber und Johann wisse niemand von diesem Geheimfach. Johann mußte versprechen, das Geheimfach keinem Menschen zu zeigen. Also auch Adolf nicht, dachte Johann, als der Vater das sagte. Aber daß er jetzt ein Geheimfach habe, mußte er Adolf schon sagen. Er mußte es ihm ja nicht zeigen. Wenn Adolf etwas geschenkt bekam, erzählte er es Johann sofort. Er kam jedesmal herauf, rannte herein, rief Johann, Johann! packte Johann am Arm, riß ihn mit, rannte mit Johann die Straße abwärts zur *Linde*, dann rechts hinüber und gleich wieder, vor dem Feuerwehrhaus, links hinein, zu Bruggers, durch die Hintertür ins Haus und hin zu dem, was Adolf gerade bekommen hatte, was er Johann sofort zeigen mußte. Adolf sagte dann meistens nichts mehr, er konnte gar nicht mehr sprechen vor Freude, vor Begeisterung; machte kleine Sprünge, als federe der Boden unter seinen Füßen, und schüttelte die Hände, daß die aufeinanderschlagenden Finger schnalzten. Johann wußte dann schon, daß er jetzt etwas sagen mußte über diese wunderbare Lokomotive, die, ein paar Wagen ziehend, so schnell auf dem kleinen Schienenkreis herumfuhr, daß man fürchten mußte, der Schwung risse sie gleich vom Gleis. Aber genau das passierte nicht. Sie raste Runde um Runde herum. Erst wenn sie zum Stehen kam, konnte man mit Adolf wieder sprechen. Ob er einen noch reichhaltigeren Märklin-Baukasten oder nur eine neue Mundharmonika, die er Fotzenhobel nannte, bekommen hatte, seine Freude war immer unbändig. Aber dazu brauchte er eben Johann. Adolf war natürlich besser dran als Johann: er war das einzige Kind, kriegte alle Geschenke allein. Und deutlich mehr als Johann und Josef zusammen. Herr Brugger kam mit seinem Mercedes als Viehhändler jede Woche bis nach Dornbirn oder Kempten oder Ravensburg oder Stockach. Nach Lindau, Tettnang und Friedrichshafen sowieso. Und brachte Adolf immer Geschenke mit, die bei Bruggers Krämlen hießen. Wenn es etwas zum Essen oder Lutschen war, ließ Adolf Johann einfach mitessen, mitlutschen. Johann konnte sich darüber gar nicht genug wundern. Der rennt mit ihm in Bruggers Haus hinauf, bis in den zweiten Stock, in Adolfs Zimmer, da liegt auf dem Nachttisch eine Orange. Adolf schält sie feierlich und gibt Johann die halbe Orange. Genau die Hälfte. Nicht einen Schnitz weniger. Orangen hatte es in Johanns Familie noch nicht ein einziges Mal gegeben.

Johann hatte es Adolf wenigstens sagen müssen, daß er ein Geheimfach hatte. Er hatte ja selten genug etwas, was Adolf nicht hatte. Johann hatte Adolf ins Büro geführt und gesagt: Da, im Vertiko habe ich ein Geheimfach. Adolf hatte kurz aufgelacht, wie er immer auflachte, wenn er einem etwas sagen mußte, was er besser wußte als der andere. Das da ist kein Vertiko, hatte er gesagt, sondern ein Sekretär. Und sofort hatte Johann mit ihm dorfabwärts zu Bruggers rennen und sich von Adolf sowohl zu einem Vertiko wie auch zu einem Sekretär führen lassen müssen. Vertiko war bei Bruggers ein Glasschränkchen mit einem Aufsatz. Johann hatte sich ganz elend gefühlt, als er heimgekommen war. Ganz elend stand er vor dem kirschbaumrot glänzenden Schrank mit den zwei das ganze Möbel rahmenden, ziemlich dicken, schwarz lackierten Säulen. Oben eine Prachtschublade, dann die herablaßbare Lade, dahinter der an zwei kleinen Säulen herausziehbare Spiegel, darunter die grünen Filzdeckel, unter denen sein Geheimfach. Der herausziehbare Spiegel war sein Tabernakel.

Das Ganze war also nur ein Sekretär. Wenigstens war Bruggers Sekretär, in dunklem Holz, bei weitem nicht so schön wie das, was in Johanns Büro in hellem Kirschbaum glänzte und Vertiko hieß. Jedesmal, wenn im Haus jemand das Vertiko erwähnte, dachte er daran, daß es ja nur ein Sekretär sei. Adolf hatte deutlich gemacht, daß ein Vertiko mehr sei als ein Sekretär. Das war einer jener Augenblicke gewesen, in denen Johann das Gefühl hatte, er müsse sich wehren. Sich wappnen, dann sich wehren. Das konnte nicht hingenommen werden, daß von einer Sekunde zur anderen ein Vertiko nur noch ein Sekretär war. Wie ein Königssohn, hatte Mina gesagt. Die drei Photographien wappneten ihn, das spürte er. Die waren ihm mehr wert als ein Paar neue Schuhe.

Als er die Photographien versorgt, den Spiegeleinsatz wieder hineingeschoben und die Lade geschlossen hatte, brachte er es nicht über sich, dem Vater zu sagen, daß das hier kein Vertiko, sondern nur ein Sekretär sei.

Am Sonntag marschierte der Großvater in der ersten Reihe, der Vater in der letzten. Seine zwei Orden hatte er angelegt. Die Musik marschierte voraus. Johann, Ludwig, Paul, Guido und Berni, der eine Helmut und der andere begleiteten den Zug auf der Höhe der Musik. Adolf fehlte. Auch als man mit schmetternder Musik an Bruggers Haus vorbeimarschierte, tauchte Adolf nicht auf.

Da die Musik immer am Freitagabend im Nebenzimmer probte, kannte Johann alles, was sie spielte, und sang jetzt die Marschmelodien leise mit. In der Kirche hatte der Mesner einen Sarg, über den eine weiße Fahne mit dem

Eisernen Kreuz gebreitet war, vor dem Hochaltar aufgestellt. Um den Sarg herum, ein Kriegerfriedhof aus Moos, mit lauter kleinen weißen Kreuzen und ebenso kleinen weißen, brennenden Kerzen. Ein Mann im Frack, geschmückt mit vielen Orden, ging aus der ersten Bank nach vorne, beugte sein Knie, drehte sich um und sah ganz ruhig auf alle Leute und Fahnen in der Kirche. Obwohl die Zeit noch nie so schwer gewesen sei, seien heute einundzwanzig Fahnen hier versammelt, um der neuen Fahne des Krieger- und Militärvereins die Ehre zu erweisen. Ludwig, der neben Johann in der Bank saß, flüsterte Johann zu, der Herr im Frack sei sein Patenonkel, der Oberpostinspektor a.D. Zürn.

Wohnt in Lindau, flüsterte Ludwig, und schreibt alles auf vom Dorf.

Der Oberpostinspektor a.D. hatte so viele Orden, daß es aussah, als habe er, weil seine Brust nicht breit genug war, einige Medaillen und Kreuze über einander hängen müssen. Sein Mund war gerahmt von weißem Bart. Unter dem Mund ein fast spitz zulaufender Kinnbart. Wie bei Herrn Minn, dachte Johann. Aber der Schnauz reichte mit seinen Spitzen viel weiter hinauf ins Gesicht als bei Herrn Minn; auch weiter hinauf als beim Großvater; fast bis zu den Augenwinkeln hinauf reichten die Bartspitzen des Oberpostinspektors a.D. Er werde jetzt, sagte der Oberpostinspektor, die Rede vorlesen, die damals, 1886, Schmids Thusnelda gehalten habe, 1886 habe der 1872 gegründete Verein seine erste Fahne weihen können, eine Fahne, gestiftet von den Jungfrauen der vier Gemeinden der Pfarrei. Er freue sich, daß beide heute unter uns seien, der erste Fähnrich und Schmids Thusnelda, heute Zollfinanzratswitwe Droßbach, in München lebend und zu diesem hohen Tag extra hergereist in ihre Heimat. Er zeigte auf die Männerseite zum Großvater hin und zeigte auf die Frauenseite zu Schmids Thusnelda hin, die jetzt da saß als Zollfinanzratswitwe. Der Großvater, das wußte Johann, ohne umzuschauen, saß so, als habe er nicht bemerkt, daß von ihm die Rede war. Die Zollfinanzratswitwe wuchs, das sah man, als sie genannt wurde, förmlich hinaus über alle anderen Frauen und Mädchen um sie herum. Der Oberpostinspektor sagte, damals, 1886, seien vierzehn Böllerschüsse abgefeuert worden zu Ehren der neuen Fahne, und dreitausend Menschen seien versammelt gewesen. Heute, unserer traurigen Zeit entsprechend, kein einziger Böllerschuß. Deutschland, sagte er, sei heute so arm und elend und elend und arm wie noch nie in seiner ganzen Geschichte. Dann las er die Rede vor. Auch wenn Johann der Rede nicht Wort für Wort zuhören konnte, er spürte doch, wie schön es damals, 1886, hier in der Kirche und überhaupt in der Welt gewesen sein mußte. Dann kam durch den Mittelgang der neue Fahnenträger mit der neuen Fahne. Der Oberpostinspektor a.D. verneigte sich vor der Fahne und ging auf seinen Platz zurück. Pfarrer Dillmann, angetan mit dem Rauchmantel, der ihn wie ein feierlicher Panzer umgab, weihte die neue Fahne mit Beweihräucherung, Weihwasserbesprengung und Gebet. Der Kirchenchor sang: Selig sind die Toten. Dann heftete ein Mädchen – Ludwig flüsterte Johann zu: Spiegels Emma, aus Nonnenhorn – ein Fahnenband an die Fahne und sagte laut: Im Namen der Jungfrauen. Und Schuhmacher Gierers Hedwig – die kannte Johann natürlich, da sie genau gegenüber auf der anderen Straßenseite wohnte – heftete ein zweites Band an die neue Fahne und sagte noch lauter: Das Widmungsband mit den Kriegsgedenkmünzen von 1866 und 1870/71 und 1914/18. Nach der Weihe, die Messe. Pfarrer Dillmann predigte. Meine Seele für Gott. Mein Leib dem Vaterlande. Mein Herz dem Freund und Kameraden. Einundsiebzig Söhne, Brüder und Väter habe die Pfarrei verloren, einundsiebzig Kreuze, einundsiebzig Kerzen. Johann merkte wieder, daß er bei Predigten an etwas anderes dachte. Er fing an zu zählen, ob auf dem Moosteppich um die Tumba herum tatsächlich einundsiebzig Kreuze und Kerzen standen. Es waren einundsiebzig Kreuze und

Kerzen. Mesner Höscheler hatte sich nicht verzählt. Vor der Tumba, eine Herz Jesu-Statue. Johann mußte, was auf dem Sockel stand, unbedingt herausbringen. Und schaffte es. *Ich werde euch auferwecken am Jüngsten Tag.* Das flüsterte er Adolf weiter. Der machte ein ·Gesicht, als habe er das schon immer gewußt. Nachher – und dabei spielte die Musik nicht, nur die Trommeln wurden geschlagen – zog man zum Kriegerdenkmal. In brauner Uniform standen da schon die Hitlerleute, die man im Dorf Nazi-Sozi nannte. Ihr Führer war Herr Brugger. Sie trugen ihre Mützen mit Kinnriemen. Das sah aus, als stürme es und sie wollten mit ihren Kinnriemen verhindern, daß ihnen die Mützen vom Kopf gerissen würden. In ihren hohen Stiefeln und den weit und eckig abstehenden Hosen sahen sie aus, als könnten sie tun, was sie wollten. Neben Herrn Brugger stand Herr Minn, der Bootsbauer. Die Minnsche Werft war zwar weit draußen, schon eher in Reutenen als in Wasserburg, auch gab es bei Minns, wenn man den Handwagen mit acht oder zehn Zentnersäcken bis vors Haus gefahren hatte, kein besonders hohes Trinkgeld, aber Herr Minn war trotzdem der freundlichste Mann, den Johann kannte. Sobald man mit dem Wagen vor dem Haus hielt, kam schon Herrn Minns Sohn aus der Werfthalle, packte die Säcke und trug sie in den Keller. Er ließ nicht zu, daß Johann, Josef oder Niklaus halfen. Wenn man Herrn Minns Sohn zum ersten Mal sprechen hörte, glaubte man, man verstehe kein Wort. Aber dann verstand man doch jedes Wort, obwohl er alles, was er sagte, mit Sch-Lauten zudeckte. Minns waren evangelisch. Herr Minn war der Ortsgruppenleiter der Nazi-Sozi-Partei. Johann kannte jeden der zehn, zwölf Männer in brauner Uniform: Losers Gebhard, der aussah, als habe er heute schon geweint; der gerade noch über seinen Bart hinaussehende Zimmermeister Brem; Herr Brugger, in dessen Mundwinkel der elfenbeinerne Zahnstocher heute deutlich fehlte; am Ende der braunen Kolonne der Schulze Max, ehedem Selbstbefreiungskünstler und Trompeter im Zirkus Sarrasani, jetzt Fischerknecht; Herr Häckelsmüller und Fräulein Agnes und Adolf. Herr Häckelsmüller bei der Bahn auf der Strecke beschäftigt; Fräulein Agnes, bei den evangelischen Gottesdiensten, die in der Schule gehalten wurden, Mesnerin und Ministrantin. Ihr Häuschen so klein wie das ihres Nachbarn Häckelsmüller. Und voller Katzen, die sie verteidigen mußte gegen Dulle, den hier auf seiner Wanderschaft hängengebliebenen Zimmerergesellen, der, obwohl er jetzt Fischerknecht war, Katzen vorzog. Fräulein Agnes war als erste in die neue Partei eingetreten und trug das Abzeichen im Sommer und im Winter an jedem Gewand. Sie hatte, hieß es, Herrn Häckelsmüller bekehrt. Frau Häckelsmüller, die noch kleiner war als ihr Mann, versäumte keinen Gottesdienst und betete jeden Tag mehrere Stunden in der Kirche. Für ihren Mann, hieß es. Weil der dieses Parteiabzeichen trug. Neben Fräulein Agnes, Adolf. Mit Skimütze und Windjacke und Überfallhose sah er auch uniformiert aus.

Die Musik, der Kriegerverein und der Gesangverein stellten sich im Halbkreis vor dem Kriegerdenkmal auf. Da die Braunhemden einen Teil des Halbrunds besetzt hatten und standen, als stünden sie für immer hier, mußten die anderen Vereine enger zusammenrücken. Herr Thierheimer aus Bodolz trat vor und sagte, er spreche für den Reichsbund Kyffhäuser, aber er spreche zu allen. Lange genug habe Zwietracht uns geschwächt, den Gefallenen seien wir es schuldig, endlich eins zu sein. Einigkeit macht stark, rief er. In diesem Augenblick brach die Sonne durch die Wolken und überschüttete Herrn Thierheimer mit ihrem ganzen Licht. Da das Kriegerdenkmal an der engsten Stelle des Halbinselhalses steht, gleißte von Ost und West das vom See vermehrte Licht herein. Der Gesangverein sang: Ich hatt einen Kameraden, einen besseren findst du nit, die Trommel schlug zum Streite, er ging an meiner Seite in gleichem Schritt und Tritt.

Der Vater hatte nach der Kirche aus den Reihen des Kriegervereins zum Liederkranz gewechselt, weil er als Tenor zwei mitsingen mußte. Im letzten Ton des Liedes setzten die Trommeln wieder ein. Herrn Bruggers Stimme rief: Still gestanden. Die Fahnen senkten sich. Auch die Fahne mit dem Hakenkreuz. Die Braunhemden streckten ihre rechten Arme heraus. Auch Adolf streckte seinen rechten Arm heraus und sah wie sein Vater schräg in die Höhe. Johann wollte Adolfs Blick begegnen. Ihn spüren lassen, daß er ihn bewundere. Adolf hatte gesagt, sein Vater sei stolz darauf, daß er seinen einzigen Sohn schon vor fünf Jahren habe Adolf taufen lassen. In Bruggers Wohnzimmer hing eine große gerahmte Photographie von Hitler. Darauf streckt Hitler seinen rechten Arm aus, so sehr er kann. Wenn Johann mit Adolf ins Bruggersche Wohnzimmer kam und Herr Brugger im Wohnzimmer war, sagte Herr Brugger: Ihr könnt ihn ruhig grüßen, er verdient's. Adolf schlug dann die Absätze zusammen, legte eine Hand an die Hosennaht und streckte die andere hinaus wie der auf dem Bild. Bei dem auf dem Bild wirkte der Blick mit Mund und Kinn zusammen. Blick und Mund und Kinn stachen genau auf den Punkt zu, den auch die übermäßig ausgestreckte Hand grüßte. Johann probierte es immer wieder. Dann lachte Herr Brugger und sagte: Das lernt ihr schon noch. Adolf sagte öfter Sätze über diesen Hitler, die so klangen wie alle Sätze, die Adolf bei Erwachsenen, vor allem bei seinem Vater, gehört hatte und die er dann dahersagte, auch wenn sie überhaupt nicht paßten. Johann hörte in der Wirtschaft von den Gästen am Runden Tisch jeden Tag Sätze, aber er würde diese Sätze nie beim Kappenball oder beim Fußball oder bei anderen Spielen einfach plötzlich so dahinsagen. Und schon gar nicht Sätze seines Vaters. Was sein Vater zu ihm sagte, wenn er mit ihm allein war, paßte überhaupt nirgends hin als zwischen ihn und den Vater. Wenn man nach der Kirche auf dem schmalen Seeweg heimzu ging, konnte Adolf plötzlich stehenbleiben und rufen: D'Schreiber und d'Lumpen wachsen auf eim

Stumpen! Oder: D'Weiber muß man beim ersten Laib Brot ziehen! Oder: Wer all's kann, kann nix! Oder: Gut gebissen, ist halb geschissen! Adolf stand, wenn er solche Sätze rief, wie ein Hahn, der kräht. Wenn Adolf wenigstens dazu sagen würde, daß diese Sätze von seinem Vater stammten! Es gab aber auch Sätze oder Ausdrücke, die Adolf gebrauchte, und einen Tag später gebrauchte Guido oder Paul oder Ludwig diese Sätze, als stammten sie gar nicht von Adolf, sondern von dem, der sie gerade gebrauchte. Auch Johann probierte dann, ob er sagen könne, daß bei einem Kind, das nicht seinem Vater glich, Helmers Franz ausgeholfen habe; daß ein jeder Besen seinen Stiel finde; daß die und die Frau von dem und dem hops sei. Auch wenn man solche Sätze zum ersten Mal hörte, man verstand sie sofort und suchte nach Gelegenheiten, sie zu gebrauchen. Weil solche Redensarten immer von Adolf eingeführt wurden, galt er unter den Gleichaltrigen am meisten. Johann war froh, daß er und Adolf die engsten Freunde waren. Abends, wenn sie auseinandergehen mußten, tat es Johann leid. Er hoffte, Adolf tue das Auseinandergehenmüssen auch leid. Aber fragen konnte er ihn nicht. Wenn er und Adolf einen Ringkampf machten, hatte er nichts dagegen, wenn Adolf ihn in den Schwitzkasten nahm.

Als die Vereine mit schmetternder Musik wieder Richtung Oberdorf marschierten, schwenkten die Braunhemden auf Herrn Bruggers Kommando so schnell ein, daß sie direkt hinter der Musik marschierten und erst nach ihnen die anderen Vereine kamen. Am Runden Tisch hatte Herr Brugger den Kriegerverein einen Regendächleverein genannt. Auf dem Platz zwischen Bahnhof und *Restauration* löste sich die Marschordnung auf, die Fahnenträger rollten ihre Fahnen ein, die Wirtschaft füllte sich.

Ludwig nahm Johann mit zu Schuhmacher Gierers. Bei Schuhmacher Gierers hatte Johann auch ohne Ludwig jederzeit Zutritt. Aber jetzt, am Sonntagmittag, wäre er nicht zu Schuhmacher Gierers gegangen, wenn Ludwig nicht darauf bestanden hätte. Ludwig sagte, er müsse seinem Patenonkel Grüßgott sagen, und der Oberpostinspektor a.D. sei ein Halbbruder des Schuhmachermeisters und besuche den jedesmal, wenn er ins Dorf komme, weil er ja in diesem Haus aufgewachsen sei. Geboren in Lindau im Alten Leuchtturm, aber dann habe Herrn Zürns Mutter Schuhmacher Gierers Vater geheiratet.

Ludwig und Guido wußten von allen alles und sagten, sobald ein Name fiel, immer alles, was zu diesem Namen gehörte. Und nicht nur einmal. Fiel der Name am nächsten Tag wieder, sagten Ludwig und Guido wieder alles dazu, was zu diesem Namen zu sagen war. Johann stellte sich vor, daß bei Ludwig und bei Guido zu Hause ununterbrochen eine Erzählung weiterlief, die nichts, was es im Dorf gab, auslassen konnte. Es gab nichts Unwichtiges. Es ist wie bei einem Schiff, dachte Johann, da gehört, damit das Schiff nicht untergeht, auch gar alles dazu, das Kleinste und das Größte. Wenn Ludwig und Guido weitersagten, was sie zu Hause gehört hatten, wußte man nicht, warum sie das taten, und sie selber wußten es auch nicht, aber daß das, was sie weitersagten, weitergesagt werden mußte, das war ganz sicher. In einem Dorf ist alles wichtig.

Als sie bei Schuhmacher Gierers durch die niedere Haustür in den Gang traten, erfuhren sie, daß der Oberpostinspektor noch zum Frühschoppen in der *Krone* sei. Mit den Honoratioren, sagte Herr Schuhmacher Gierer. Der Vater hatte mit Herrn Gierer einmal eine Schuhwichsefabrikation angefangen, durch die beide hätten reich werden sollen. Aber das Feuer war in den Kessel übergesprungen, die Werkstatt brannte, das Feuer konnte, bevor das Häuschen verbrannte, gerade noch gelöscht werden, keine Schuhwichsefabrikation mehr. Der Vater hatte, um die durch diesen Fabrikationsversuch entstandenen Verluste auszugleichen, sofort einen Posten Uhren günstig erworben. Diese Uhren hatte er durch Reisende verkaufen lassen. Die Reisenden hatten aber nicht, wie es sich gehört hätte, abgerechnet. Herr Schuhmacher Gierer hatte zu Johann gesagt: Kommt ein Lump in den Bezirk, er findet einen Weg zu deinem Vater und nützt ihn aus.

Als der Oberpostinspektor a.D. und seine Frau eintraten, wollte Johann sofort gehen, er sah ja, daß Frau Gierer schon die Suppenschüssel hereintrug. Aber Ludwig schob Johann vor den Oberpostinspektor mit den vielen Orden hin, Herr Gierer sagte: Der Johann von der *Restauration* drüben. So, so, sagte der Oberpostinspektor, deinen Großvater haben wir heute weidlich geehrt. Und sprach gleich weiter: Geboren in Hengnau, Nummer 63, auf Zapfes, sein Vater aus Nonnenhorn, Nummer 38, Zitterers, Nummer 63 in Hengnau hat der Großvater an Dorn verkauft, der hat's abgebrochen, der Abbruch ist in neun-unddreißig Fuhren von Pferdebauern kostenfrei nach Unterbechtersweiler gefahren worden, weil Losers abgebrannt waren und mit dem Abbruch von Hengnau den Stadel ganz und das Haus zum Teil haben aufbauen können.

Jetzt weißt du, was du wissen mußt, sagte der Schuhmachermeister, der auch einen weißen Kinnbart hatte, allerdings keinen so dicken, vollen, vorspringenden wie der Oberpostinspektor. Das Wichtigste im Oberpostinspektorgesicht war tatsächlich der bis zu den Augenwinkeln aufschwingende Schnauz.

Leider, sagte der Oberpostinspektor, sei Johanns Großvater nach der erhebenden Feier verschwunden und nicht mehr zum Umtrunk in der *Krone* erschienen, was auch von Herrn Oberst von Reck, von der Zollfinanzratswitwe, von Pfarrer Dillmann und von Hauptlehrer Heller bemerkt worden sei. Aber wahrscheinlich sei er seiner schon im Jahr siebzehn an Auszehrung gestorbenen Frau, der Franziska von Wielandsweiler, aufs Grab, der ebenso stille wie tätige Mann.

Ludwig und Johann waren entlassen, rannten den mit Birnenspalier gesäumten Weg aus der Wiesensenke zur Straße hinauf. Unter dem Rosenbogen, der das Spalier beschloß, sagte Ludwig: Jetzt stehen sie bei mir am Tisch und können nicht anfangen mit Beten, weil ich fehle. Aber er müsse doch Johann noch sagen, daß sein Patenonkel Ludwig Zürn der einzige Mensch sei, der Ehrenbezirksobmann von zwei Bezirken des Bayerischen Kriegerbundes sei, von den Bezirken Kempten und Lindau nämlich, und Präsidial-Ehrenmitglied sei er auch, und geboren eben, Johann, stell dir vor, im Alten Leuchtturm in Lindau.

Servus, rief Ludwig und rannte davon.

Ganz klar, Ludwig hatte das Allesdazusagen, was zu einem Namen gehörte, von seinem Patenonkel Ludwig Zürn gelernt, der alles vom Dorf aufschrieb. Aber noch wichtiger war vielleicht, daß er zur Familie Grübel gehörte, so wie Guido ein Gierer war. Das waren Familien, die immer schon da waren. Weder Johanns Großvater noch der Vater, noch die Mutter waren im Dorf geboren. In Johanns Familie wußte man über das Dorf nichts von selbst. Man erfuhr es bloß.

Drüben über der Straße sah er die Männer, die den Frühschoppen hinter sich hatten und jetzt zwischen Haustür und Terrassentreppe noch letzte Sätze austauschten, damit aber nicht fertig wurden. Wie sollte Johann so viele mit einander Redende im Vorbeigehen grüßen? Und wehe, einer konnte sich für nicht gegrüßt halten! Also nicht über die Terrasse ins Haus, sondern unten herum, durchs Hoftor, dann über die Hintertreppe hinauf. Aber gerade als er in den Hof einbiegen wollte, trat ihm Helmers Hermine in den Weg. Dein Großvater ist ein Segelschiff, sagte sie. Ihr hin- und hertickender Zeigefinger schloß jede Widerrede aus. Ihre schlanke Warze leuchtete. Aus ihrem Mund kamen nicht nur Worte, sondern auch ein Hauch, den Johann kannte: Rotwein. Dein Großvater ist doch im Leben kein Fahnenträger, sagte sie. Ein Segelschiff, Johann, ist dein Großvater. Der Oberpostinspektor a.D. ist ein Griffelspitzer. Ein Griffelspitzer hat keine Ahnung von einem Segelschiff, Johann. Und arm dran ist er auch, der Hurra-Zürn. Seine Mutter, Zürns Elisabeth, hat ihn ledig gehabt, der Vater Jude, Hohenemser Stickereifabrikant, Tänzer geheißen, und die Elisabeth hat, kaum daß sie im November ihren Ludwig gehabt hat, im Februar gleich den nächstbesten heiraten müssen, und das ist gewesen, arm und emsig, der Müllerknecht Gierer, der Gierer Michael von der Herbolzmühle, und der war fünfundzwanzig, als er die achtunddreißigjährige Elisabeth geehelicht hat, vielleicht hat er's ja nicht bloß um Gottes Lohn tun müssen, und wie dann der erste Gierer gekommen ist, hat auf ihn schon 's Halbbrüderlein Zürn Ludwig gewartet. Johann, bloß dir gesagt, aber dir schon, bloß daß du's weißt. Und tippte Johann mit ihrem Zeigefinger an die Stirn und ging weiter, Richtung Bahnhof, bog aber noch vorher nach links ab und ging dort, das wußte Johann, ohne daß er es noch hätte sehen können, auf Frau Bank Gierer zu, die einmal am Tag zwischen den zwei Kastanienbäumen auf der Bahnhofseite der *Restauration* im feinen Kies hin- und herging und auf Helmers Hermine wartete, um sich von ihr berichten zu lassen.

Gegessen wurde an dem langen Tisch in der Küche. Johann und der Großvater saßen auf der Bank unter dem trotz mehrfacher Stahlbändergürtung tropfenden Boiler. Josef und der Vater zwischen Tisch und Herd. Obwohl für die Mutter noch genügend Platz gewesen wäre, aß sie so gut wie nie mit. Hatte er sie je sitzend essen sehen?

Johann sagte dem Großvater, daß er zum Frühschoppen in der *Krone* erwartet worden sei. Der Großvater strich mit der Hand über Johanns Kopf. Der Vater zählte, bevor er aß, aus verschiedenen Fläschchen Tropfen auf Zwiebackstücke. Niemand sagte etwas beim Essen. Josef hatte sein Buch vor dem Teller und las, während er aß. Die Mutter rief über den Herd herüber: Josef. Der Vater sagte: Jetzt laß ihn doch. Er sagte das so leise, daß es die Mutter wahrscheinlich gar nicht hörte. Josef las weiter. Johann dachte an Gierers Guido und an Grübels

Ludwig und an die Erzählung, die bei denen immer weiterging.

Abends, als Josef und Johann ins Bett gingen, rief der Vater, der sich schon früher hingelegt hatte, nach ihnen. Sie mußten sich auf den Bettrand setzen. Wie immer saß der Vater mehr, als er lag. Und auf dem Nachttisch die Bücher. Er wolle ihnen sagen, warum er heute lieber nicht mitmarschiert wäre, obwohl es so ein Festtag gewesen sei für den Großvater. Aber der Großvater, der im Jahr 70 zu jung und von 14 bis 18 zu alt gewesen sei, könne nicht wissen, was das ist, ein Krieg. So wenig wie der Oberpostinspektor Zürn mit seiner Brust voller Friedensorden. Des Vaters letzte Schlacht, Juli 18, bei Soissons, er mit zwei anderen auf Horchposten im Sappenkopf. Vom vordersten Schützengraben wurde alle paar hundert Meter ein Graben senkrecht zum Schützengraben vorgetrieben. Im vordersten Ende, im Sappenkopf, hörte man nachts oft sogar die Stimmen der feindlichen Soldaten. Mit dem Vater, zwei aus der Pfarrei: Strodels Traugott und Helmers Franz. Die Sonne brannte herab. Das Trommelfeuer des Gegners war eins, das man Sperrfeuer genannt hat. Ein Vorhang von Einschlägen hinter ihnen. Der Gegner habe offenbar geglaubt, daß auf dem vorgeschobenen Posten viel mehr deutsche Soldaten lägen. Der Vater schoß eine Leuchtkugel nach der anderen, aber die eigene Artillerie rührte sich nicht, keine Munition mehr. Der Wellensittich, den man im Käfig immer dabei hatte, weil Wellensittiche einen Gasangriff vor den Menschen merken, bei Gas sofort tot umfallen, dann kann man noch die Gasmaske übertun, der Wellensittich lag schon tot im Käfig, ohne daß von Gas etwas zu spüren gewesen sei. Die Einschläge sind immer näher gekommen. Die Granaten haben, bis sie einschlagen, eine Melodie. Die wird immer kürzer. Der Vater hat gewußt, er muß raus aus dieser Stellung. Auf einmal hört er Strodels Traugott. Der Vater und Helmers Franz kriechen hin. Strodels Traugott bäumt sich. Die Eingeweide quellen heraus. Zu zweit stopfen sie ihm die Eingeweide in den Bauch zurück. Strodels Traugott reißt die Augen auf. Die Augen rasen hierhin, dahin. Die Augen wollen heraus aus ihren Höhlen. Schieß doch, brüllt er, schieß doch, schieß ... Der Vater und Helmers Franz streicheln ihn. Er schreit: Schieß doch. Schieß ... mein Gott ... So schreit er, bis er nicht mehr bei sich ist.

Noch am gleichen Tag sind sie mit Tanks gekommen und haben uns kassiert, sagte der Vater. Horchposten samt Schützengraben. Helmers Franz hat sich totgestellt, den haben sie nicht gekriegt. Uns haben sie ins Vergeltungslager gesteckt. Wir haben sie vorher überfallen. Das Land kaputtgemacht. Eine Ortschaft nach der anderen. Er holte ein Sterbebildchen aus der Nachttisch-Schublade. Strodels Traugott. Ein Soldat, Pickelhelm, Eisernes Kreuz, ein Bart, wie ihn der Vater gehabt hatte. Josef las, was darunter stand, vor: Süßes Herz Jesu, sei meine Liebe. 300 Tage Ablaß. Süßes Herz Mariä, sei meine Rettung. 300 Tage Ablaß. Gute Nacht, sagte der Vater und legte das Bildchen wieder in die Schublade.

Als sie gehen wollten, kam, ganz aufgeregt, die Mutter. Hindenburg hat gesprochen, sagte sie. Im Radio. Man hat ihn gehört, wie wenn er vor einem stehen würde.

Der Vater: Was hat er gesagt? Die Mutter: Daß es so nicht mehr weitergeht. Diesen Winter kann Deutschland, sagt er, nicht überleben! Wenn Hoover nicht sofort das Ruder herumwirft, daß Deutschland von den Zahlungen befreit wird, dann ist es aus. Dann gibt es eine Katastrophe, eine Katastrophe durch nichts als Not und Hoffnungslosigkeit.

Der Vater: Die Katastrophe heißt Hitler.

Die Mutter: Hat er nicht gesagt.

Der Vater: Aber gemeint.

Ins Bett jetzt, Buben, sagte die Mutter und preßte ihre rechte Hand an ihre rechte Seite. Der Vater sagte sofort: Die Galle? Die Mutter setzte sich auf den Bettrand, stand aber gleich wieder auf und sagte: Das wird sich weisen.

Sie sagte das natürlich in einer anderen Sprache als der Vater. Sie sprach ja eine andere Sprache als der Vater. Kümmertsweilerdeutsch sprach sie. Der Vater sprach das Königlich-Bayerische Realschuldeutsch, obwohl er in Hengnau geboren worden war, und von Hengnau nach Kümmertsweiler sind es höchstens drei Kilometer. Luftlinie. In Wirklichkeit geht es hinter Hengnau ziemlich bergauf, dann durch den Atzenbohl-Wald tief hinab zum Nonnenbach, über den Krummen Steg hinüber und sofort wieder ganz steil hinauf zu dem Weiler, der Kümmertsweiler heißt.

Sie müsse hinunter, sagte sie. Aber zuerst müßten die Buben ins Bett.

Im Bett dachte Johann an den Moosfriedhof in der Kirche, an die einundsiebzig weißen kleinen Kreuze. Eines davon also für Traugott Strodel. Die alte Frau Strodel hatte er heute auch gesehen, schon vor der Fahnenweihe, sie war vor einem Grab gestanden, so wie man steht, wenn man betet. Süßes Herz Jesu …

Krieg, davor hatte Johann keine Angst. Wirklich nicht. Er schoß gern, weil er gern traf. Wenn er mit Adolfs Luftgewehr schoß, drückte er erst ab, wenn sich Kimme und Korn vollkommen ruhig und eben darboten; dann rannte er zur Zielscheibe und sah, daß die kleine Kugel die Zehn oder gar die Elf, manchmal sogar die Zwölf angerissen hatte. Dann hatte er das Gefühl, er werde es schaffen. Alles. Johann, Königssohn. Wäre doch gelacht. Er schaute auf das schräg von der Wand hängende Schutzengelbild, in dessen Glas sich wieder das Licht der Straßenlaterne spiegelte. Seinetwegen müßte dieses Bild da nicht hängen. Mein Gott, wenn er sich dehnte und streckte. Das war ein Gefühl. Wenn er sich dehnte und streckte … Am liebsten hätte er jemandem gesagt, wie er sich fühlte, wenn er sich dehnte und streckte. Er wußte nur nicht, wem.

6. Der Eintritt der Mutter in die Partei

Er wolle noch vor Weihnachten seine Schulden bezahlen, sagte Herr Minn von der Tür her zur Mutter, die hinter dem Herd stand. Sie ging ihm voraus ins Büro, Johann folgte. Schließlich hatte er bei der Lieferung der acht Zentner Briketts an der Handwagendeichsel von hier bis Reuten mitgewirkt. An ihrem Mann sei ein Musiker verlorengegangen, sagte Herr Minn zur Mutter, als man unter dem aus dem Nebenzimmer herüberklingenden Klavierspiel auf die Bürotür zuging. Die Mutter sagte: Nehmen Sie doch, bitte, Platz, Herr Minn. Da Herr Minn nicht aus dem Ort und nicht einmal aus der Pfarrei war, waren alle mit ihm per Sie. Und die Mutter sprach hochdeutsch mit ihm. Ihr Hochdeutsch war ein in fremde Laute getriebener Dialekt. Acht Zentner Briketts, Johann, sagte sie. Johann, im selben Ton: Neunzweiundfünfzig, und achtzig für die Zufahrt. Die lassen wir weg, weil heute Weihnachten ist, sagte die Mutter. Herr Minn, der mehr als einen Kopf kleiner war als die Mutter, sagte: Vergelt's Gott. Die Mutter schob das Pauspapier in den Rechnungsblock und fragte zu Johann hin: Wieviel? Neunzweiundfünfzig, sagte Johann. Herr Minn staunte, weil er nicht wußte, daß die Mutter, wenn sie Johann begegnete, gern mit den Fingern der linken Hand eine Zahl signalisierte, die Johann dann mit der Zahl, die die Mutter mit den Fingern der anderen Hand ausdrückte, malnehmen mußte. Sie hatte ihm einmal gesagt: Lernen mußt du's sowieso, warum dann nicht gleich.
Johann nahm den Zwanzigmarkschein in Empfang, zog die Kassenschranktür heraus, gab den Rest zurück, die Mutter sagte, sie habe von der Weihnachtsfeier gehört, die die neue Partei für die Kinder im *Krone*-Saal veranstaltet habe. Ein Christbaum mit Hakenkreuzfähnchen geschmückt und eine schöne Rede von Herrn Minn. Und daß Herr Minn am Schluß gebetet habe, der Segen Gottes

komme herab auf das Werk des großen Führers und Retters Adolf Hitler. Herr Minn bestätigte, daß er es genau so gesagt habe. Die Not sei so furchtbar inzwischen, in den Straßenschlachten in den großen Städten stürben täglich noch mehr Menschen, die Wirtschaft sei am Ende, sechs Millionen Arbeitslose, der dritte Reichskanzler innerhalb eines Jahres, und der tritt sicher in weniger als vier Wochen auch zurück, liebe Frau, entweder das Chaos, und das heißt russische Zustände, also Bolschewismus, ein Morden ohne Ende, oder Hitler.

Als Evangelischer bete Herr Minn ja zum selben Herrgott wie die Katholiken, sagte die Mutter. Sie sage das nur, weil manche sagten, die neue Partei laufe den Gottlosen nach. Gerüchte, sagte der Herr Minn, ausgestreut, um den Führer bei den Gläubigen, den evangelischen wie den katholischen, schlecht zu machen. Wenn ich nicht so viele Zeugnisse wahrhafter Frömmigkeit bei ihm erlebt hätte, wäre ich in diese Partei nie eingetreten, nie und nimmer. Sagte der Herr Minn. Das wissen Sie, daß ich im Kirchenvorstand bin und mich einsetze im Kirchenbauverein, damit die evangelischen Gottesdienste nicht mehr im Schulhaus stattfinden müssen. Der Bürgermeister Hener, nicht gerade ein Gottloser, sei jetzt aus der Bayerischen Volkspartei aus- und in die nationalsozialistische Partei eingetreten, auch wenn er das nicht an die große Glocke hänge. Und der Architekt Hartstern auch. Und zwar samt Frau. Der Zulauf sei enorm. Aus allen Schichten. Und was die Religion angeht, da, schauen Sie.

Und zog eine Postkarte aus seiner Brieftasche und reichte sie der Mutter. Die schenk ich Ihnen, sagte er. Die Mutter hielt die Karte Johann hin, als sei es wichtiger, daß er sie anschaue. Christus am Kreuz, vor ihm einer im Braunhemd mit der Hakenkreuzfahne, ein zweites Braunhemd neben dem hebt die Hand zum Schwur. Kannst du lesen, was da steht, sagte die Mutter. Johann buchstabierte und sagte dann den ganzen Satz: Herr, segne unsern Kampf. Adolf Hitler.

Der Herr Minn staunte wieder, die Mutter legte eine Hand auf Johanns Kopf. Geht noch nicht in die Schule, sagte Herr Minn, und kann schon einen Satz des Führers lesen. Bravo. Das hat er von meinem Mann, sagte die Mutter. Und fleißig ist er auch, sagte der Herr Minn. Vielleicht hat er das von mir, sagte die Mutter und rieb mit ihrer Hand Johann auf dem Kopf herum. Johann war froh, daß er so wirkte, wie er gern gewesen wäre.

Die Mutter sagte, sie wolle eintreten in diese Partei. Das freute den Herrn Minn. Die Mutter sagte, die Versammlungen könnten dann ja auch in der *Restauration* abgehalten werden. Für Radfahrverein, Turnverein, Musikverein und Gesangverein sei man ja auch das richtige Versammlungslokal, bewahre die Pokale auf, manchmal sogar die Fahnen. Sie ist tüchtig, deine Mutter, sagte der Herr Minn. Aber es stimmt schon, in München haben wir ein Braunes Haus, neuerdings sogar in Lindau, in der Fischergasse, hier im Ort trifft man sich mal da, mal da. Das Nebenzimmer sei schnell geheizt, sagte die Mutter, Telephon habe man auch. Und die höchste Fahnenstange im Ort, sagte der Herr Minn und lachte. Bloß habe man da bis jetzt immer die falsche Fahne gehißt. Die Mutter machte ein Gesicht, das wahrscheinlich ausdrücken sollte, daß sie mit Fahnenhissen nichts zu tun habe.

Der Herr Minn wünschte gesegnete Weihnachten. Das Formular für den Antrag werde er morgen vorbeibringen, damit die Aufnahme noch im alten Jahr geschrieben werden könne. Noch gebe es Mitgliedsnummern unter einer Million. Da es im nächsten Jahr ganz sicher ohne Adolf Hitler nicht mehr weitergehe, der Führer also die Macht übernehme, könne es sein, daß Mitgliedsnummern der ersten Million bald als eine große Auszeichnung gelten würden.

Sie begleiteten den Herrn Minn bis zur Haustür. Es hatte angefangen zu schneien. Im Winter war die Terrasse leer. Herr Minn nahm sein Fahrrad von der Hauswand, die Mutter rief: Jetzt fallen Sie bloß nicht noch hin. Er rief fröhlich etwas zurück und verschwand dorfabwärts. Der Großvater kehrte den Schnee, der auf die Terrasse hereingeschneit war, hinaus. Jetzt macht Ihr Schluß mit Virben, Vater, sagte die Mutter. Es beschieße ja sowieso nicht mehr, sagte der Großvater.

Johann stellte sich neben den Großvater. Jetzt schneit's, was runtergeht, sagte der Großvater. Er legte seine Hand auf Johanns Kopf. Seine Hand war schwerer als die der Mutter.

Die Bescherung fand, weil auf das Klavier nicht verzichtet werden konnte, im Nebenzimmer statt. Das heißt, Josef und Johann hatten erst Zutritt, als der Vater am Klavier *Stille Nacht, heilige Nacht* spielte. Der Einzug ins Nebenzimmer geschah durch zwei Türen: von der Wirtschaft her zogen, ihre Gläser in der Hand, die vier letzten Gäste hinter Elsa herein. Hanse Luis, der Schulze Max, Dulle und Herr Seehahn. Durch die Tür vom Hausgang her zogen Josef, Johann, Niklaus und der Großvater ein. Zuletzt Mina, die Prinzessin und die Mutter, sie kamen aus der Küche.

Immer an Weihnachten trug Herr Seehahn am grünen Revers seiner gelblichen Trachtenjacke den Päpstlichen Hausorden, den er bekommen hatte, weil er als Marinerevolutionär in München zum päpstlichen Nuntius, den er hätte gefangen nehmen sollen, gesagt hatte: Eminenz, wenn Sie mit mir kommen, sind Sie verhaftet, wenn Sie die Hintertür nehmen, sind Sie mir entkommen.

Dulle war wohl von allen am weitesten von seiner Heimat entfernt. Dulle war aus einem Ort, dessen Name in Johanns Ohren immer so klang, als wolle man sich über Dulle lustig machen. Niemals hätte Johann in Dulles Gegenwart diesen Namen auszusprechen gewagt. Buxtehude. Dulle sprach anders als jeder andere im Dorf. Er hauste in einem Verschlag bei Frau Siegel, droben in Hochsträß, direkt an der frisch geteerten Landstraße. Dulle war Tag und Nacht unterwegs. Als Fischerknecht und als Durstiger. Oder hinter Fräulein Agnes' Katzen her. Adolf behauptete, Dulles Verschlag, Wände und Decke, sei tapeziert mit Geldscheinen aus der Inflation. Hunderttausenderscheine, Scheine für Millionen, Milliarden, Billionen. Eine Zeitung habe, sagte Adolf, 1923 sechzehn Milliarden Mark gekostet. Immer wenn Johann von dieser Inflation etwas hörte, dachte er, das Land hat Fieber gehabt damals, 41 oder 42 Grad Fieber müssen das gewesen sein.

Der Schulze Max war nirgendwo her beziehungsweise überall her, eben vom Zirkus. Er nächtigte im Dachboden des von zugezogenen Fischerfamilien bewohnten Gemeindehauses, und zwar auf einem Lager aus alten Netzen.

Verglichen mit den Schlafstätten von Dulle und Schulze Max, war das, was Niklaus droben im Dachboden als Schlafstatt hatte, eine tolle Bleibe. Niklaus hatte ein richtiges Bett so mit alten Schränken umstellt, daß eine Art Zimmer entstand. Niklaus war für Johann interessant geworden, als Johann ihm einmal zugeschaut hatte, wie er seine Fußlappen über und um seine Füße schlug und dann in seine Schnürstiefel schlüpfte. Die Socken, die Mina ein Jahr zuvor für Niklaus gestrickt und unter den Tannenbaum gelegt hatte, hatte er einfach liegen lassen. Als Mina sie ihm in die Hand drücken wollte, hatte er den Kopf geschüttelt. Niklaus sprach selten. Mit Nicken, Kopfschütteln und Handbewegungen konnte er, was er sagen wollte, sagen. Wenn er meldete, daß Freifrau Ereolina von Molkenbuer drei Zentner Schwelkoks und Fräulein Hoppe-Seyler zwei Zentner Anthrazit bestellt hatten, merkte man, daß er keinerlei Sprachfehler hatte. Er sprach nicht gern. Sprechen war nicht seine Sache.

Unterm Christbaum lagen für Josef und Johann hellgraue Norwegerpullover, fast weiß und doch nicht weiß, silbergrau eigentlich. Mit graublauen, ein bißchen erhabenen Streifen. Aber auf der Brust zwei sehr verschiedene Muster, eine Verwechslung war zum Glück ausgeschlossen. Josef zog seinen sofort an. Johann hätte seinen lieber unterm Christbaum gesehen, aber weil alle sagten, er solle seinen doch auch probieren, zog er ihn an. Johann mußte, als er spürte, wie ihn dieser Pullover faßte, schnell hinaus, so tun, als müsse er auf den Abort, aber er mußte vor den Spiegel der Garderobe im Hausgang, er mußte sich sehen. Und er sah sich, silbergrau, fast bläulich erhabene Streifen, auf der Brust in einem Kreis ein Wappen. Königssohn, dachte er. Als er wieder hineinging, konnte er nicht ganz verbergen, wie er sich fühlte. Mina merkte es. Der steht dir aber, sagte sie.

Diese Pullover waren aus dem Allgäu gekommen, von Anselm, dem Vetter genannten Großonkel.

Zu jedem Geschenk gehörte ein Suppenteller voller Plätzchen. Butter-S, Elisen, Lebkuchen, Springerle, Zimtsterne, Spitzbuben, Makronen.

Die Mutter sagte zu Mina hin und meinte die Plätzchen: Ich könnt's nicht. Johann nickte heftig, bis Mina bemerkte, daß er heftig nickte. Er hatte letztes Jahr von Adolfs Plätzchenteller probieren dürfen. Bruggers Plätzchen schmeckten alle gleich, von Minas Plätzchen hatte jede Sorte einen ganz eigenen Geschmack, und doch schmeckten alle zusammen so, wie nur Minas Plätzchen schmecken konnten. In diesem Jahr lag neben Johanns und Josefs Teller etwas in Silberpapier eingewickeltes Längliches, und aus dem Silberpapier ragte ein Fähnchen, darauf war ein rotes Herz gemalt und hinter dem Herz stand -lich. Über dem Herz stand: Die Prinzessin grüßt. Josef probierte schon, als Johann noch am Auspacken war. Nougat, sagte er. Richtig, sagte die Prinzessin. Toll, sagte Josef. Johann wickelte seine Nougatstange unangebissen wieder ein.

Für Mina und Elsa gab es Seidenstrümpfe. Beide sagten, daß das doch nicht nötig gewesen wäre. Für Mina lag noch ein Sparbuch dabei. Mit einem kleinen Samen, sagte die Mutter. Bei der Bezirkssparkasse. Die gehe nicht kaputt. Mina sagte kopfschüttelnd: O Frau, vergelt's Gott! Für die Prinzessin lagen mehrere Wollstränge in Blau unter dem Baum. Sie nahm sie an sich, salutierte wie ein nachlässiger Soldat mit dem Zeigefinger von der Schläfe weg und sagte: Richtig. Und zu Johann hin: Du weißt, was dir bevorsteht. Johann sagte auch: Richtig! und grüßte zurück, wie sie gegrüßt hatte. Er mußte immer abends die Hände in die Wollstränge stecken, die die Prinzessin dann, damit sie nachher stricken konnte, zum Knäuel aufwickelte. In jeder freien Minute strickte sie für ihren Moritz, den sie einmal im Monat in Ravensburg besuchen durfte; aber allein sein durfte sie nicht mit dem Einjährigen. Die Mutter des Siebzehnjährigen, der der Kindsvater war, saß dabei, solange die Prinzessin da war. Nach jedem Besuch erzählte die Prinzessin, wie die Mutter des Kindsvaters, die selber noch keine vierzig sei, sie keine Sekunde aus den Augen lasse, wenn sie ihren kleinen Moritz an sich drücke. Die Prinzessin, hieß es, sei einunddreißig. Sie hatte jedem etwas neben den Teller gelegt, und jedesmal hatte sie ihr Herz-Fähnchen dazugesteckt. Für Elsa eine weiße Leinenserviette, in die die Prinzessin mit rotem Garn ein sich aufbäumendes Pferd gestickt hatte. Für Mina zwei Topflappen, in einem ein großes rotes A, im anderen ein ebenso großes M. Für Niklaus hatte sie an zwei Fußlappen schöne Ränder gehäkelt. Für Herrn Seehahn gab es ein winziges Fläschchen Eierlikör. Für die Mutter einen Steckkamm. Für den Vater ein Säckchen mit Lavendelblüten. Für den Großvater ein elfenbeinernes Schnupftabakdöschen. Johann, sagte sie, geh, bring's dem Großvater und sag ihm, Ludwig der Zweite habe es dem Urgroßvater der Prinzessin geschenkt, weil der den König, als er sich bei der Jagd in den Kerschenbaumschen Wäldern den Fuß verstaucht hatte, selber auf dem Rücken bis ins Schloß getragen hat. Alle klatschten, die Prinzessin, die heute einen wild geschminkten Mund hatte, verneigte sich nach allen Seiten. Johann hätte am liebsten nur noch die Prinzessin angeschaut. Dieser riesige Mund paßte so gut unter das verrutschte Glasauge. Für Niklaus lagen wieder ein Paar

Socken und ein Päckchen Stumpen unterm Baum. Die Socken, es waren die vom vorigen Jahr, ließ er auch diesmal liegen. Die Stumpen, den Teller voller Plätzchen und die umhäkelten Fußlappen trug er zu seinem Platz. Im Vorbeigehen sagte er zur Prinzessin hin: Du bist so eine. Sie salutierte und sagte: Richtig. Dann ging er noch einmal zurück, zum Vater hin, zur Mutter hin und bedankte sich mit einem Händedruck. Aber er schaute beim Händedruck weder den Vater noch die Mutter an. Schon als er seine Rechte, der der Daumen fehlte, hinreichte, sah er weg. Ja, er drehte sich fast weg, reichte die Hand zur Seite hin, fast schon nach hinten. Und das nicht aus Nachlässigkeit, das sah man. Er wollte denen, die ihn beschenkt hatten, nicht in die Augen sehen müssen. Niklaus setzte sich wieder zu seinem Glas Bier. Nur an Weihnachten, an Ostern und am Nikolaustag trank er das Bier aus dem Glas, sonst aus der Flasche. Johann sah und hörte gern zu, wenn Niklaus die Flasche steil auf der Unterlippe ansetzte und mit einem seufzenden Geräusch leertrank. Wie uninteressant war dagegen das Trinken aus dem Glas. Niklaus setzte auch jede Flasche, die angeblich leer aus dem Lokal zurückkam und hinter dem Haus im Bierständer auf das Brauereiauto wartete, noch einmal auf seinen Mund; er wollte nichts verkommen lassen.
Hanse Luis zog sein Taschenmesser heraus, klappte es auf und reichte es Niklaus. Der zog einen Stumpen aus dem Päckchen und schnitt ihn mit der vom vielen Schleifen halbmondförmigen Klinge in zwei Hälften. Genau wie Hanse Luis selber rauchte auch Niklaus nur halbe Stumpen. Aber Niklaus rauchte so selten, daß er mit den durch Auseinanderschneiden gewonnenen zwanzig Halbstumpen von einem Weihnachten bis zum nächsten auskam. Hanse Luis zündete, weil er immer einen Stumpen im Mund brauchte, mit einer Stumpenhälfte die andere an. Sempers Fritz, sagte Hanse Luis, als er sein Taschenmesser zusammenklappte, der ja, wie er in jeder Wirtschaft erzählt, bloß Spengler lernt, daß er sich einen Blechkranz

machen kann, damit er, wenn er im Grab liegt, hört, wenn es regnet, derselbe sich immer mehr zum Pfarrei-oberschlaumeier mausernde Blechlesklopfer und Hagen-sproß aus dem wasserburgischen Haus Semper habe ihn, Hanse Luis, eigentlich der Kleinstlandwirt Alois Hotz, der wegen zuviel Hotz im Gäu mit dem nicht gerade protzigen Hausnamen Hans verdeutlicht werde und dazu auch noch nur aus Hege stamme, ihn habe der bis in die Wimpern hinein saublonde Semper-Fritz-Bub schwach ansprechen müssen, nämlich derart: Warum säbelst du überhaupt Stumpen auseinand, wenn du dann sowieso mit der einen Hälfte gleich die nächste in Brand steckst, also logisch sei's nicht, aha, aha, habe er, Hanse Luis, da herumgegorgst, weil er doch gar nicht habe wissen kön-nen, warum er immer nur auseinandergesäbelte Stumpen ins Maul stecken könne, woher denn auch, aha, aha, also, und schnell ein Stoßgebet zum heiligen Hugo, der ja als Ersteraprilheiliger zuständig sei fürs Erfinden von etwas, was man nicht weiß, aber wissen soll, aha, aha, ja also, es ist so, mein weißblonder Spengler, du, jetzt schau bloß, wie mir die Nase über d'Gosche hinaushängt, wie mir das Kinn sich hinausstreckt und dann sich auch noch aufwärtsbiegt, d'Gosche selber aber ist ein weit zurück-liegender Strich, von Zähnen durch Zahnarzt Itler so ziemlich erlöst, und diese meine hinausgebogene und über alles hin hängende Nase ist nie ohne einen Rotzglonker zu sehen, und darauf willst du ja hinaus, mein saublonder Spenglerbub, über einen nicht halbierten Stumpen würde nämlich auch meine weltbekannte Hanse-Luis-Nase nicht hinausreichen, also tät mir der Rotz schädlich auf den Stumpen tropfen, was aber beim halbierten Stumpen nicht im geringsten zu befürchten ist, da fällt der Rotz-glonker, wie sich's gehört, wenn er wieder eine Zeit lang gelampt hat, regelmäßig in den Abgrund, der sich auftut vor einem jeden Menschen, nicht nur vor Hanse Luis aus Hege, Pfarrei Wasserburg. Zfrieda, habe Hanse Luis ge-fragt und habe direkt gemerkt, daß der saublonde Spenglerbub nicht gewohnt sei, daß man ihm über sein frechs Mundwerk fahre, was denn, Mundwerk, ein Schnabel sei's, was der saublonde Spenglerbub, und blonder sei noch keine Sau im Stall geflackt, was der unter seiner Nase habe, die obere Lippe ziehe da hinüber, die untere in die ander Richtung, aber halt saublond, bis in die Wimpern. Hanse Luis sagte sonst alles, was er sagte, in Mundart. Wenn er aber, wie jetzt, auf Hochdeutsch umschaltete, klang das, als stelle er sich für jedes Wort extra auf ein Podest. Tatsächlich trennte sich, als Hanse Luis ausgesprochen hatte, gerade wieder ein Tropfen vom glasig aus der Nase hängenden Faden und fiel vor der Stumpenglut auf den Boden.

Dulle, Schulze Max und Herr Seehahn hoben ihre Gläser und tranken Hanse Luis zu, die Prinzessin sagte: Luis, du hast mir aus dem Herzen gesprochen, wenn du dreißig Jahre jünger wärst, kämst du glatt in Frage. Dann wär ich dreizehn, Fräulein Mutter. Genau das Alter, das ich mag, rief die Prinzessin. Jetzt reicht's aber, rief die Mutter.

Der Vater ging zum Tannenbaum und holte ein blaues Päckchen, golden verschnürt, gab es der Mutter. Sie schüttelte den Kopf, er sagte: Jetzt mach's doch zuerst einmal auf. Eine indische Seife kam heraus. Und Ohrringe, große, schwarz glänzende Tropfen. Sie schüttelte wieder den Kopf, wenn auch langsamer als vorher. Für den Großvater lag ein Nachthemd unter dem Baum. Er sagte zu Johann, der es ihm bringen wollte: Laß es nur liegen. Als letzter packte der Vater sein Geschenk aus. Lederne Fingerhandschuhe. Glacéhandschuhe, sagte der Vater. Damit könnte man fast Klavier spielen, sagte er zu Josef. Und zog sie an und ging ans Klavier und ließ schnell eine Musikmischung aus Weihnachtsliedern aufrauschen. Hanse Luis klatschte Beifall mit gebogenen Händen; das war, weil er seine verkrümmten Handflächen nicht gegen einander schlagen konnte, ein lautloser Beifall. Er sagte: Was ischt da dagege dia Musi vu wittr her. Er konnte sich darauf verlassen, daß jeder im Nebenzimmer wußte, Radio hieß bei Hanse Luis Musik von weiter her. Dann stand er auf und sagte, bevor er hier auch noch in eine Bescherung verwickelt werde, gehe er lieber. Es schneie immer noch, er solle bloß Obacht geben, daß er nicht noch falle, sagte die Mutter. Kui Sorg, Augusta, sagte er, an guate Stolperer fallt it glei. Er legte einen gebogenen Zeigefinger an sein grünes, randloses, nach oben eng zulaufendes Jägerhütchen, das er nie und nirgends abnahm, knickte sogar ein bißchen tänzerisch ein und ging. Unter der Tür drehte er sich noch einmal um, hob die Hand und sagte, er habe bloß Angst, er sei, wenn es jetzt Mode werde, statt Grüßgott zu sagen, die Hand hinauszustrekken, dumm dran, weil er so krumme Pratzen habe, daß es aussehe wie die Faust von denen, die Heil Moskau schrieen. Und dann in seiner Art Hochdeutsch: Ich sehe Kalamitäten voraus, Volksgenossen. Und wieder in seiner Sprache: Der sell hot g'seet: No it hudla, wenn's a's Sterbe goht. Und mit Gutnacht miteinand war er draußen, bevor ihm die Prinzessin, was er gesagt hatte, in Hochdeutsch zurückgeben konnte. Elsa rannte ihm nach, um ihm die Haustür aufzuschließen. Dann hörte man sie schrill schreien: Nicht, Luis … jetzt komm, Luis, laß doch, Luiiiis! Als sie zurückkam, lachte sie. Der hat sie einreiben wollen. Johann staunte. Daß Adolf, Paul, Ludwig, Guido, der eine Helmut und der andere und er selber die Mädchen mit Schnee einrieben, sobald Schnee gefallen war, war klar; nichts schöner, als Irmgard, Trudl oder Gretel in den Schnee zu legen und ihnen eine Hand voll Schnee im Gesicht zu zerreiben. Die Mädchen gaben dann Töne von sich wie sonst nie. Aber daß man so eine Riesige wie Elsa auch einreiben konnte! Hanse Luis war einen Kopf kleiner als Elsa. Kaum war Elsa da, erschien Hanse Luis noch einmal in der Tür und sagte: Dr sell hot g'seet, a Wieb schla, isch kui Kunscht, abr a Wieb it schla, deesch a Kunscht. Und tänzelte auf seine Art und war fort. Die Prinzessin schrie ihm schrill, wie gequält nach: Ein Weib schlagen, ist keine Kunst, aber ein Weib nicht schlagen, das ist eine Kunst. Der Dulle hob sein Glas und sagte: Ohne dir, Prinzessin, tät ich mir hier im Ausland fühlen.

Wenn da nich noch 'n Geschenk liecht, das keen Adressaten gefunden hat, will ich nich mehr der Schulze Max sein, rief der Schulze Max und zeigte auf ein Fellbündel. Die Prinzessin, die dem Baum am nächsten saß, entrollte es. Ein Katzenfell. O Dulle, sagte die Mutter. Wenn se dir zuloofen tun, sagte Dulle, wat willste machen. Die Prinzessin streichelte das getigerte Fell. Mina: Wer d'Katz streichlat, ischt verliabt. Und wem gehört's, fragte die Prinzessin. Immer der, welche fragen tut, sagte Dulle. Die Prinzessin: Schon wieder so ein Fuffzigjähriger, fälsch deinen Ausweis, Mann, dann meldest du dich bei Prinzessin Adelheid, addio mio vecchio! Fuffzsch, rief Dulle, sprang auf, wat du nich sagst, Kleene! Haste geheert, Maxe, die macht 'n Opa aus mir. Fuffzsch, dat du dat zurücknehmen tust, dat versprichste mir. Dulle tanzte fast, als er das sagte. Auf jeden Fall verbog er sich. Er war noch immer wie ein wandernder Zimmerergeselle angezogen. Aber was einmal schwarz gewesen war an seiner Kluft, war längst nicht mehr schwarz, hatte überhaupt keine Farbe mehr. Unter seinem Zimmermannshut, den er noch nie abgenommen hatte, quollen und fielen bis auf die Schultern hinab fast rötliche Haare, genauso rötlich wie der Bart, der so breit hinauswuchs aus dem Gesicht, daß er links und rechts fast noch über die Hutkrempe hinausreichte. Übrig blieb als Gesicht sehr wenig. Nase und Augen, vor den Augen eine Brille mit so kleinen runden Gläsern, daß die Augen größer wirkten als die Brillengläser. Johann hatte das Gefühl, daß Dulle, den noch nie jemand in der Kirche gesehen hatte, gut zum Weihnachtsbaum paßte. Eigentlich am besten von allen.

Die Bescherung war vorbei, jetzt also die Lieder. Schon nach dem ersten Lied, *Oh du fröhliche, oh du selige*, sagte der Schulze Max zur Mutter, die beiden Buben könnten auftreten. Der Vater hatte die Glacéhandschuhe wieder ausgezogen und spielte immer aufwendigere Begleitungen. Nach *Kommet ihr Hirten, ihr Männer und Frau'n* sagte der Schulze Max zu Dulle: Auf diese Musikanten trinken wir noch ein Glas. Wenn du einverstanden bist. Dulle nickte heftig. Dann gehen wir aber, sagte der Schulze Max. Dulle nickte wieder. Wieder heftig. Der Schulze Max: Wir wollen überhaupt nicht anwachsen hier. Dulle schüttelte den Kopf ganz heftig. Der Schulze Max: Heute schon gar nicht, stimmt's? Dulle nickte so heftig, daß er danach seine Brille wieder an ihren Platz hinaufschieben mußte. Der Schulze Max: Auch eine Wirtsfamilie will einmal unter sich sein, stimmt's? Dulle nickte wieder, hielt aber, damit er heftig genug nicken konnte, schon während des Nickens die Brille fest. Der Schulze Max: Und wann möchte, ja, wann muß eine Familie ganz unter sich sein, wenn nicht am Heiligen Abend, stimmt's? Dulle nahm, daß er noch heftiger als zuvor nicken konnte, seine Brille ab. Der Schulze Max: Und was haben wir heute? Dulle, mit einer unglaublich zarten, fast nur noch hauchenden Stimme: Heilichabend. Der Schulze Max, sehr ernst: Daraus ergibt sich, sehr, sehr verehrte Frau Wirtin, daß das nächste Glas wirklich das letzte ist, das letzte sein muß.

Die Mutter schenkte ihnen ein. Auch Niklaus hatte fast immer, wenn man hinschaute, ein leeres Glas. Er saß nicht bei den Gästen, sondern neben dem Großvater, weil er zur Familie gehörte. Er hatte ja auch wie jeder, für den etwas unterm Tannenbaum lag, nicht nur das Päckchen Stumpen, sondern auch den dazugehörenden Suppenteller voller Plätzchen mit zu seinem Stuhl genommen.

Elsa hatte Herrn Seehahn, sobald der sich gesetzt hatte, auch einen solchen Teller mit Butter-S, Elisen, Lebkuchen, Zimtsternen und so weiter hingestellt, damit deutlich werde, daß auch Herr Seehahn zum Familienkreis gehöre. Herr Seehahn hatte, ohne seinen Mund wirklich zum Stillstand zu bringen, ganz fröhlich gegrinst und hatte in seine Wörterkette ein mehrfaches und deutlich hörbares: Und Friede den Menschen, die guten Willens sind, eingefügt, aber dann sofort weitergemacht in seinem Text: Glück muß der Mensch haben, wenn er kein Glück hat, muß er ein Mensch haben, falsche Schlange, Stierbeutel damischer ... Wahrscheinlich wußte Johann mehr von diesem Text als die anderen. Die dachten vielleicht, das sei einfach unverständliches Zeug. Johann fand jedes Seehahn-Wort, das er aufschnappen konnte, interessant. Wenn man weiter als einen Meter von Herrn Seehahn weg war, wußte man nie, ob er jetzt sprach oder nur seinen Mund kaute.

Alle an diesem Tisch, Dulle, Herr Seehahn und der Schulze Max, demonstrierten, daß die Gläser mit Bier und Seewein ihnen heute Nebensache seien, Hauptsache sei der Tannenbaum, die brennenden Kerzen, die rot und silbern gleißenden, den Kerzenschein vervielfachenden Kugeln, das glitzernde Lametta, die von Josef und Johann angezündeten und dann zischenden Wunderkerzen und natürlich die Weihnachtslieder, denen sie mit langen Hälsen zuhörten. Die Komplimente machte der Schulze Max. Johann sang für den Schulze Max. *Es ist ein Ros' entsprungen* war Johanns liebstes Weihnachtslied. Da hörte er seine eigene Stimme nicht nur, er sah sie. Etwas Silbernes, etwas hoch droben gleißend Fließendes. So hoch wie seine Stimme würde er nie kommen. So leicht würde er nie sein. Seine Stimme schwebte über Josefs sich immer anpassender Begleitstimme und über dem alles ausschmückenden Klavier. Danach sagte der Schulze Max: Johann, wenn du kein Sänger wirst, bist du selber schuld. Johann liefen mehrere Schauer nach einander den Rücken hinab. Der Schulze Max war ja selber aufgetreten. Sowohl als Entfesselungskünstler wie auch als Trompeter. Cheftrompeter beim Zirkus Sarrasani! Und ein-, zweimal im Jahr gab er, wenn einer mehr als zehn Bier im voraus zahlte, Kostproben seiner Kunst. Er sprengte eine Kette und zerbiß einen Strick. Seine Haare waren immer wie auf seinen blanken Kopf gemalt, der Scheitel ein Strich wie mit dem Lineal. Sein Gesicht, ein einziges Knitter- und Runzelmeer. Am Kriegerdenkmal hatte Johann ge- dacht, daß die SA-Mütze auf dieses Knitter- und Run- zelmeer nicht passe. Aber auf das Gesicht von Losers Gebhard auch nicht. Inzwischen hatte Johann von Josef erfahren – aber nur erfahren, nachdem er versprochen hatte, es niemandem weiterzusagen und sich nie anmer- ken zu lassen, daß er es erfahren habe –, wer jedes Jahr am 5. Dezember als Knecht Ruprecht für die Bestrafung böse gewesener Kinder mit bartverhängtem Gesicht und schrillem Geschell und Kettengerassel, einen entsetzli- chen Haselnußstecken schwingend, an der Seite des feier- lich rotweiß gekleideten, Schokoladennikolause ver- schenkenden Nikolaus durchs Dorf zog: der Schulze Max. Das schrille Kuhglockengeschell und Kettengerassel hörte man schon, wenn die beiden die Straße herauf auf das Haus zukamen. Die freundliche Glocke des gütigen Nikolaus hörte man erst, wenn die beiden direkt vor ei- nem in der Küche standen. Bis dahin näherte sich und wurde immer noch lauter nur Knecht Ruprechts grelles Geschell und Gerassel. Sobald die Haustür aufgerissen wurde und beide, der gütige Nikolaus und der grausam grimmige Ruprecht, im Hausgang die Flügeltür durch- schritten, sobald beide im breiten Hausgang standen, stei- gerten sich Schellen und Kettengerassel ins Ungeheure. Man konnte sich nur noch an Mutters Schürze klammern, den Kopf an sie pressen, gleich würden sie die Küchentür aufreißen, dann … Obwohl er inzwischen also von Josef erfahren hatte, daß der furchtbare Kettenraßler und Stockschwinger mit dem entsetzlichen Bart der Schulze Max sei – und die Kette kennst du von seinen Befreiungs- kunststücken in der Wirtsstube –, Angst hatte er immer noch. Gegen diese furchtbaren Geräusche gab es wohl keinen Schutz.

Jetzt sang Johann also gegen Knecht Ruprecht an. Ein für alle Mal. Wenn der ihn so lobte, konnte er ihm doch nichts mehr tun. Die schrecklichste Drohung war ja, daß er Kinder, die gar nicht parieren wollten, in den Rupfensack, der ihm über eine Schulter hing, stecken und sie mitnehmen würde in eine Art sofortiger Hölle.

Jetzt wollten sie noch ein allerletztes Glas speziell auf unseren kleinen Caruso Johann trinken, sagte der Schulze Max. Wenn du einverstanden bist, sonst nicht. Dulle nickte. Dann gehen wir aber wirklich. Wenn er etwas hasse, dann Leute, die sagten, sie gingen gleich, und dann gehen sie gar nicht. Das wenigstens lasse er sich nicht nachsagen. Und du dir, wie ich dich kenne, auch nicht. Dulle nickte groß, langsam, fast majestätisch. Elsa sagte, in einer halben Stunde beginne die Mette. Wenn man jetzt nicht bald gehe, kriege man keinen Platz mehr. Herr Seehahn stand auf, wollte bezahlen, war überrascht, als er hörte, am Heiligen Abend werde nicht bezahlt. Der Schulze Max sagte: Dulle, das, wenn wir gewußt hätten! Dulle sagte: Keen Mensch kann nich immer alles wissen. Herr Seehahn sagte fröhlich, ohne die Zigarette aus dem Mund zu nehmen, man möge für seine schwarze Seele beten. Und ging in sein Zimmerchen hinauf. Meine Herren, sagte Elsa, ich zeige euch den Weg hinaus. In den Schnee, sagte der Schulze Max. Kommste eben mit mir, sagte Dulle, bei mir schneit's nie nich rein. Bei mir gibt's noch was, sagte der Schulze Max. Dann biste mein Mann, sagte Dulle. Elsa ging mit ihnen hinaus. Im Hinausgehen fingen sie an zu singen: Stille Nacht, heilige Nacht, o wie schön, die Bettstatt kracht ... Elsa kam zurück und sagte: Valentin wartet. Mina sagte: Alfred auch. Wohl bekomm's, sagte die Prinzessin, salutierte und ging noch vor den anderen aus dem Nebenzimmer. Sie ging nie mehr in die Kirche. Ein Pfarrer in Ravensburg sei schuld, daß sie ihren Moritz habe nicht behalten dürfen. Der Großvater sagte: Gute Nacht miteinander. Und ging. Niklaus nickte und ging. Josef und Johann hatten angefangen, die Kerzen auszublasen. Plötzlich rief Mina: Johannle, Obacht! Es war schon zu spät. Weil er, um eine Kerze auf einem oberen Zweig ausblasen zu können,

nach diesem Zweig gegriffen hatte, um ihn herunterzu-
ziehen, hatte er nicht bemerkt, daß er mit seinem linken
Arm zu nahe an eine tiefer stehende, noch brennende
Kerze geraten war. Ein Brandloch im Ärmel des neuen
Pullovers. Johann zog den Pullover sofort aus. Er wußte
ja, daß er ihn nicht hätte anziehen sollen! Mina prüfte die
verbrannte Stelle. Das stopf ich dir so, sagte sie, daß du,
wenn du's nicht wüßtest, nichts mehr merkst. Aber ich
weiß es, dachte Johann. Er wollte heulen. Traute sich aber
nicht. Aber Mina sah ihm offenbar an, wie unglücklich
er war, nahm seinen Kopf in ihre Hände, zog ihn an
sich und sagte in ihrer Niedersonthofener Tonart: An
wüeschte Bleatz isch schennr as a schees Loch. Mußte
aber jetzt doch gehen. Zu ihrem Alfred. Sie tat, als falle es
ihr schwer, Johann jetzt so zurückzulassen. Johann
spürte, wie seine Augen naß wurden. Mina und Elsa waren fort.
Die Mutter preßte ihre Hand auf die Seite und sagte,
sie könne nicht mit in die Kirche. Sie ließ sich ganz
schnell auf den nächstbesten Stuhl fallen, dann beugte sie
sich weit nach vorn und blieb so. Der Vater sagte: Eine
Kolik. Komm, sagte er, leg dich hin, ich mache dir einen
Tee und Umschläge. Die Mutter richtete sich auf und
sagte, der Vater solle mit den Buben in die Mette gehen.
Dann stand sie auf, eine Hand auf der rechten Seite. Sie
sei in die neue Partei eingetreten. So gut wie. Herr Minn
bringe morgen den Antrag. Der Vater sagte nichts. Der
Kronenwirt, der Lindenwirt, der Pfälzerhofwirt seien
schon drin, sagte sie. Der Bürgermeister Hener auch. Ich
nicht, sagte der Vater. Eben, sagte die Mutter. Da hörte
man die Glocken läuten. Die Versammlungen fänden
jetzt nicht mehr in der *Krone* statt, sagte sie, sondern in
der *Restauration*.
Der Vater war schon im Mantel, hatte die neuen Glacéhandschuhe an, zog sie aus, zog den Mantel aus und
sagte, er bleibe bei der Mutter. Ab mit euch, sagte er. Als
Johann seine alten Stiefel schnürte, dachte er an den Wan-

derphotographen. Ihm waren diese drei Bilder mehr wert als neue Stiefel.

Draußen schneite es noch. Als sie durch den frisch gefallenen Schnee stapften, dachte er an den Norwegerpullover beziehungsweise an das Brandloch in seinem Pulloverärmel. Ein Pullover wie aus hellstem Silber, gemustert mit vorstehenden Blaustreifen, die auf der Brust Ringe bilden. Und in diesen Blaustreifen glitzert ja auch noch etwas durch, eine Art Fastsilber. Und jetzt dieses Loch. Er konnte gar nicht richtig zuhören, als Josef erzählte, daß sein Klavierlehrer Jutz aus Kreßbronn heute in der Kirche orgle. Der komme doch immer mit dem Rad. Wie der das, bei dem Schnee, bloß schaffen wolle. Johann dachte: Du hast leicht reden, du hast kein Loch im Ärmel. Als er den Pullover angezogen hatte, hatte er gespürt, daß er jetzt aussah wie die Ritter in *Richard Löwenherz und sein Paladin*. Und jetzt, aus. Wenn er nachher in der Mette neben Adolf knien würde und der würde ihm erzählen, was er zu Weihnachten bekommen hatte, was sollte Johann dann sagen? Am liebsten hätte er sich ins Bett gelegt und hätte Herrn Seehahns Wörter aufgesagt. Aber vielleicht konnte er diese Wörter auch aufsagen, wenn er auf war. Vielleicht sogar in der Kirche.

Daß die dunklen Gestalten, die sich aus den Häusern lösten und mit dorfabwärts zogen und nichts sagten, und daß der Schnee sowieso jeden Schritt und Laut schluckte, war ihm recht. Die sollten sich nur alle einreihen in seinen Mitternachtszug. Er war der Silberne Ritter. Zog im dichten Schneegestöber durch die finsterste Nacht. Das Loch im Ärmel bewies, daß alles ein Kampf war.

7. Versammlungen

Wenn Johann dabei sein wolle, sagte der Vater, er habe nichts dagegen. Ein paar Wörter werden dir bekannt vorkommen. Schau, sagte er, buchstabier. Johann buchstabierte, was in großen Schreibmaschinenbuchstaben auf dem Blatt Papier stand: GRÜNDUNG EINER THEOSOPHISCHEN VEREINIGUNG IN WASSERBURG. Der Vater sagte: Johann, ich staune.

Von den zwei Tischreihen im Nebenzimmer wurde nur die Reihe an der Innenwand besetzt. Sie war näher am Ofen. Niklaus hatte schon um die Mittagszeit angefangen zu heizen. Seit Tagen Ostwind. In Schlesien minus sechsunddreißig. Drüben in der Gaststube wärmten sich die SA-Leute auf, bevor sie zur nächsten Runde durch das Dorf starteten. Zehn, zwölf, vielleicht sogar vierzehn SA-Leute fuhren seit dem frühen Nachmittag im Braunhemd, eckig wegstehenden Hosen und in Stiefeln mit glänzenden Schäften durch das Dorf. Auf Motorrädern. Der, der hinten auf dem Sozius saß, hielt die Hakenkreuzfahne. Die Mützenriemen hatten sie wieder unter dem Kinn. Das sah wieder aus, als stehe ein Sturm bevor. Und wie ausgestopft sahen sie auch aus. Wahrscheinlich, weil sie wegen der Kälte unter den Braunhemden dicke Pullover trugen. Der Lärm der Motorräder und die im Fahrtwind flatternden Fahnen riefen die Leute an die Fenster, an die Türen, auf die Straße. Das Dorf lag unter einer einzigen Schneedecke und funkelte in der Sonne. Immer wieder hielt die Motorradkolonne an, die Motoren wurden abgestellt, einer setzte einen Trichter an den Mund und verkündete, daß der Reichspräsident Generalfeldmarschall von Hindenburg um elf Uhr vormittags den Führer Adolf Hitler zum Kanzler des Deutschen Reiches ernannt habe. Aus diesem Anlaß werde heute abend im Radio eine Kundgebung übertragen, direkt aus Berlin, direkt aus der Reichskanzlei. Über alle deutsche Sender.

Wer an Deutschlands Rettung glaube, komme heute abend in die *Restauration*.

Von den Braunhemden kannte Johann nur Herrn Brugger, den Schulze Max, der auf Herrn Bruggers Sozius saß, eine Fahne in den Händen, und auf einem anderen Sozius Herrn Häckelsmiller. Von Adolf wußte Johann, daß Herr Brugger für den Schulze Max und den kleinen Herrn Häckelsmiller die Uniformierung bezahlt hatte, von der Mütze bis zu den Stiefeln.

Wieder merkte Johann, daß das Runzel- und Knittergesicht von Schulze Max nicht unter diese Mütze paßte.

Von den Leuten, die am späteren Nachmittag im Nebenzimmer Platz nahmen, kannte Johann auch nur zwei, die Geschwister Sauter. Die hatten ein kleines Häuschen am Weg nach Nonnenhorn, gleich nach dem Turmhaus. Wenn dorthin Kohlen geliefert wurden, mußte der Vater immer noch ins Wohnzimmer kommen und eine Tasse Mate-Tee trinken, und Johann mußte dann aus einer Schale etwas nehmen, was weich, von unbestimmter Farbe und so gut wie gar nicht süß war. Getrocknete Apfelschnitze vielleicht. Johann grüßte die beiden Fräulein Sauter und war froh, daß sie sich an ihn erinnerten. Im Nebenzimmer roch es heute wie bei Sauters. Alle tranken Hagebutten-, Pfefferminz- oder Kamillentee. Letzte Woche, beim Kaffeekränzchen, hatte das ganze Haus nach Kaffee geduftet. Johanns liebste Veranstaltung, das Kaffeekränzchen, man konnte Krapfen und Bienenstich essen, soviel man wollte.

Als Elsa alle Getränke gebracht hatte, stand der Vater von seinem Platz auf und sagte, er habe, als er am Tag nach Dreikönig die Einladungen zu dieser Versammlung verschickte, nicht damit rechnen können, daß der vorletzte Januartag ein so unruhiger Tag werden würde. Er habe, was er hier sagen wolle, auch nicht erst in diesem von Tag zu Tag bedrohlicher gewordenen Januar ausgearbeitet. Daß er überhaupt hier sprechen wolle, das habe seinen Grund in allem, was man seit 1914 zu ertragen gehabt habe. Er habe seit Jahr und Tag Buch geführt, habe dem, was in der Welt geschah, auf dem Papier geantwortet, aber bevor er mitteile, wozu er sich nach aller Erfahrung gezwungen sehe, müsse er mitteilen, was ihn erst heute mittag am Telephon erreicht habe: sein Freund Hartmut Schulz, über den er mit manchem der heute hier Anwesenden schon gesprochen habe, sei tot. Schon vor zwei Wochen habe Hartmut Schulz sich selber getötet. Hartmuts Vater habe es erst heute für nötig gehalten, Hartmuts Tod mitzuteilen. Mitteilen wollte Herr Schulz senior vor allem, daß es ihm gelungen sei, seinen Sohn auf einem Kriegerfriedhof zu beerdigen, weil dadurch die unselige Tat als Kriegsfolge kenntlich gemacht werde. Der Vater sagte, er habe Hartmut 1918 in Frankreich kennengelernt, im Gefangenenlager. Auch aus Hartmuts Lebenslauf ergebe sich alles, was er heute hier sagen und vorschlagen wolle. Rückkehr 1919, Studium der evangelischen Theologie, Pfarrer in einer schwäbischen Kleinstadt, zweifelt an seinem Predigtamt, verzweifelt fast, findet eine Frau, die aus der Jugendbewegung kommt, die schreibt ihm eine Zeit lang die Predigten; halb Sonnwendfeier, halb Pietismus seien, habe Hartmut immer gesagt, diese Predigten gewesen, forsch und verschwommen. Er gibt auf. Trennt sich. Wird Hauslehrer in Arosa bei einem launischen Millionär. Nicht lange. Sein Einfluß auf die Kinder sei schädlich, heißt es. Er hat inzwischen zur Theosophie gefunden, eröffnet in Oberstaufen ein Reformhaus, verkauft Grahambrot, Vitamincreme, Kräutertee, Sojakeime und Erdnußbutter, erfindet den Magnetisierapparat, niemand will seine Erfindung finanzieren, er muß den Konkurs anmelden, er tötet sich. Noch im letzten Herbst sei Hartmut Schulz mit dem Fahrrad durch die Schweiz gefahren, habe angeklopft bei den Illuminaten in Basel, den Rosenkreuzern in Überlingen, bei den Kosmosophen, Neu-Theosophen, Magnetopathen, bei den Naturheilkundigen in Teufen, Urnäsch und Geis. Überall Verständnis. Nirgends Hilfe. Liebe Freundinnen, liebe Freunde, sagte der Vater, wenn es euch recht ist, nennen wir die theosophisch gesinnte Gemeinde, die wir heute gründen wollen, Hartmut Schulz-Kreis. Allen abschnürenden Einteilungen zu entkommen ist unser Ziel, oder wie Jakob Böhme in den Theosophischen Sendbriefen sagt: Es ist eine Zeit, sich selber zu suchen. Unser Wesen in Leib und Seele zu spalten, das war ein religiöses Vergehen, seitdem irren wir. Wir Europäer. Vielleicht gerade noch zur rechten Zeit hat auch die Naturwissenschaft entdeckt, daß die ganze Menschenevolution in zwölf Chromosomen aufgehoben sei. Daß die zwölf Chromosomen den zwölf Häusern der Sternzeichen entsprechen, überrascht nur den, der sich vorschnell abschnürenden Einteilungen unterwirft. Alles ist aus einem. Jakob Böhme hat nur dem Teufel einen eigenen, abschnürenden Willen gelassen, daß der Separator genannte Teufel lichtlos dahinvegetiere, nicht durchströmt vom Fluid, aus dem sich das All entwickelt hat und seitdem erhält. Das Materielle ist nichts für sich, ist keine Substanz, sondern eine Schwingung. Die ist in Harmonie oder Disharmonie. Was die Schwingung erhält, kann jeder nennen, wie er will. Franz Anton Mesmer nennt es Fluid. Er hat für die Anziehung und Abstoßung, die sich dauernd in uns ereignet, das Wort Magnetismus gebraucht. Ein unsichtbares Feuer, sagt er, sei der Magnetismus. Ein Ergebnis der Wechselwirkung zwischen zwei Polen. Ebbe und Flut, das Atmen der Erde ist ein solches Ergebnis. Das Universum ist ein Ergebnis der Wechselwirkung. Das Fluid dieser Wechselwirkung ist de spiritu quodam subtilissimo, feiner als die Strahlen des Lichts, der Wärme, des Schalls. Wirkend am entschiedensten auf die Nervensubstanz alles Lebenden, aber sogar auf das leblos genannte Eisen oder Glas. Wir sind Teil dieser Bewegung, ihr ausgesetzt, sie vervielfältigend, verstärkend. Es genügt, daß ein Mensch neben einem anderen oder einem anderen gegenüber ist, um auf ihn zu wirken, die spezielle Spannung seiner Eigenschaft in ihm zu erzeugen. Aber immer wirkt auch die Fülle und Gänze der planetarischen Einwirkung auf jede unserer Zellen. Immer alles mitdenken. Bäume setzen bei zunehmendem, fällen bei abnehmendem Mond. Swedenborg führt Krankheiten auf die Sünden der Menschen zurück. Wir setzen das Wort Sünden so lange einer Wechselwirkung aus, bis es kein Wort mehr ist, sondern eine Bewegung. Denken ohne Worte, das ist unser Ziel. Denn, wie Jakob Böhme sagt, aus Wähnen oder Meinung kommet nur Streit. Aber das Denken ohne Worte, das schon Franz Anton Mesmer vor einhundertfünfzig Jahren lernen und lehren wollte, können wir im Osten lernen. Beim alten Brahmanen von Marapur, Haupt der Schule der Uttara-Mimamsa-Weisheit, die die Nicht-Zweiheit von Sein und Denken lehrt. Ich rufe in euer Gedächtnis die zweite Legende des Rabindranath Tagore. Die erste hat geschlossen: ... ein jeder in seiner Weise – ein jeder in seiner Weise. In der zweiten Legende sitzt der Knabe Rabindranath vor dem väterlichen Haus, sieht ein Zeburind und einen Esel neben einander stehen, sieht, wie die Kuh liebreich dem Esel das Fell leckt. Da überkommt den Knaben die Erleuchtung. Durchdrungen vom Allgefühl fängt er, ohne Worte zu brauchen, an zu singen. Jemand, der ihm zuhörte, sagt, er habe gesungen: Ich muß lieben – muß lieben. Wir, gotamisch belehrt, von Buddha, dem Vorbild in der Entformung und Entstaltung, belehrt, wissen, was wir nicht mehr sagen, was wir nicht mehr sagen müssen, wenn wir es wissen, was wir uns aber, an uns zweifelnd, doch wieder und wieder sagen ...

In diesem Augenblick wurde die Tür zur Wirtsstube hinüber aufgerissen, und herein trat, im Braunhemd, Herr Brugger, hinter ihm zwei weitere Braunhemden, Ludwig Brand und der Schulze Max. Ohne sich um die Versammlung im Nebenzimmer zu kümmern, fingen sie an, die Faltwand nach links und rechts zurückzuschieben. Schon während der Vater gesprochen hatte, war es drüben immer wieder so laut geworden, daß der Vater hatte Sätze zwei-, dreimal sagen müssen. Er hatte dann immer mit einer Hand in die Richtung gezeigt, aus der der Stimmenschwall kam. Jetzt sagte er noch: n'etam mama, du gehörst mir nicht, du gehörst mir nicht, überall hin gesagt, zur Welt, zum Nächsten, zu sich selbst.

Der Vater setzte sich. Ein paar klatschten. Herr Minn kam herüber und rief dem Vater zu, daß man wirklich diese Versammlung nicht stören wolle, andererseits sei dies einer der größten Freudentage in der deutschen Geschichte der letzten tausend Jahre, und jetzt werde dieser Tag gekrönt durch eine Rede von Joseph Goebbels, einem der treuesten Gefährten Adolf Hitlers, der seit heute Reichskanzler ist. An diesem Tag soll doch niemand ausgeschlossen sein, keiner, der guten Willens ist. Schluß mit allen Trennungen, Abschnürungen, Konkurrenzverkrampfungen. Volksgenossinnen und Volksgenossen ... das sind wir doch alle. Schluß mit allem, was uns trennt.

Von beiden Räumen wurde Bravo gerufen. Alle drängten jetzt zum Radioapparat hin, der auf dem Gläserschrank hinter dem Ausschank stand. Man mußte schon so groß sein wie Elsa oder die Mutter, um ihn überhaupt bedienen zu können. Aus dem Radio hörte man lange Zeit nichts als Marschtritte. Dann sagte ein Radiosprecher, daß schon seit Stunden Zehntausende, ja Hunderttausende an der Reichskanzlei vorbeimarschierten, daß die Jugend die Bäume zwischen Reichskanzlei und *Kaiserhof* erklettert habe und von dort aus in Sprechchören dem Führer und Reichskanzler Adolf Hitler ihre Liebe und Begeisterung bekunde. Jetzt aber werde vom Balkon der Reichskanzlei aus Dr. Joseph Goebbels zum deutschen Volk sprechen.

Sobald Dr. Goebbels sprach, spürte Johann, daß ihm Schauer über den Rücken hinabliefen wie sonst nur in der Kirche, wenn Herr Grübel das *Benedictus* sang. Auch wenn Johann mit Adolf, Ludwig, Paul, Guido, dem einen Helmut und dem anderen bei einer Feuerwehrübung zuschaute und Johanns Vater, als Zugführer und Spritzmeister, das Kommando Wasser marsch! gab, rieselten diese Schauer über Johanns Rücken hinab. Der Vater trug, wenn er Wasser marsch! kommandierte, einen wie das reine Gold glänzenden Messinghelm, der oben auf einer kleinen Messingsäule noch eine gleißende Kugel trug. Als Mina gesagt hatte, Johann stehe auf dem Bild wie ein Königssohn, war ihm sofort der Vater mit dem goldenen Helm und der auf der golden glänzenden Säule golden glänzenden Kugel eingefallen. Kein Feuerwehrhelm außer dem des Vaters hatte diese Kugel. Allerdings mußte Johann diesen Helm, bis er so glänzte, jedesmal mit Sidol putzen und heftig reiben. Aber wenn das Wasser im Schlauch vorwärtsdrängte, den trockenen Schlauch dehnte, zum Rascheln brachte, dann so glatt machte, daß er aussah wie aus Stahl, und dann das Wasser knatternd aus der Mündung schoß, die der Meßmer Tone fest in den Händen hielt, gerichtet auf den Zwiebelturm, der einmal übungshalber bespritzt werden mußte, wenn dann das Wasser auf Zwiebelturm und Kirchendach herabprasselte, dann hörten die Schauer, die Johann den Rücken hinabliefen, gar nicht mehr auf.

Die Stimme von Dr. Joseph Goebbels überschlug sich von Anfang an. Von ihm erfuhr man, daß es Hunderttausende seien, die hier vorbeizögen, dem geliebten Führer und Reichskanzler Adolf Hitler ihre Liebe und Verehrung zu bekunden. Und daß sie, die Hundert- und Aberhunderttausende, Fackeln trügen, brennende Fackeln, und daß jetzt alle glücklich seien, alle die SA-Männer, die Hitlerjungen, überhaupt alle Volksgenossinnen und Volksgenossen, Mütter und Väter, die ihre Kinder auf dem Arm trügen und sie zum Fenster des Führers emporhöben, ja, glücklich seien jetzt alle, und er, er sei maßlos glücklich, das sei die Wiedergeburt der Nation in einem Taumel der Begeisterung. Dann rief er mit einer zum äußersten gesteigerten Stimme, daß jetzt der Führer und Reichskanzler an seinem Fenster sichtbar werde und daß nur ein paar Meter weiter der greise Reichspräsident, der mythische Mann, Generalfeldmarschall von Hindenburg, zu sehen sei, und jetzt, jetzt sei kein Halten mehr, Deutschland sei erwacht, man möchte weinen und lachen, aber darum singe man ja, er stimme ein in das Lied, das jetzt aus hundert- und aberhunderttausend Kehlen heraufbrande, das Horst Wessel-Lied, die Fahne hoch, die Reihen dicht geschlossen ...

Die Leute in der Stube sangen mit, Herr Brugger, Herr Minn, der kleine Herr Häckelsmüller, der Schulze Max und die anderen Braunhemden streckten ihre rechten Arme in die Höhe. Natürlich auch Fräulein Agnes. Und neben ihr Frau Fürst. Daß Frau Fürst und wie Frau Fürst mitsang, das ging Johann durch und durch. Der schmerzvernähte Mund weit offen vom Gesang. Nach und nach streckten auch Nichtuniformierte ihren rechten Arm hinaus. Von denen aus dem Nebenzimmer streckten nur zwei oder drei ihren Arm hinaus. Der Vater nicht. Aber drüben, hinter dem Ausschank stehend, die Mutter. Den Arm streckte sie nicht aus, sondern winkelte ihn ab. Die Mutter legte, wenn sie irgendwo stand, zuhörend oder sprechend, immer ihren linken Unterarm unter ihrer Brust auf den Leib und stützte den rechten Ellbogen so in die linke Hand, daß ihre rechte Hand genau unter ihr Kinn kam. Wenn sie lachte, hob sich dann diese rechte Hand vor den Mund. Sie wollte nicht, daß jemand ihren Mund lachen sehe. Wenn jemand die Mutter nachmachen wollte, mußte er nur diese Haltung einnehmen: den linken Unterarm quer über den Leib, den rechten Ellbogen in die linke Hand, die rechte Hand am Kinn beziehungsweise, das Lachen verbergend, vor dem Mund. Und jetzt behielt sie einfach ihre Haltung bei und hob die Hand vom Kinn weg, legte sie aber nicht vor den Mund, der lachte ja nicht, sondern ließ sie neben Kinn und Wange in der Luft stehen.

Natürlich war auch Herr Seehahn aufgestanden und streckte jetzt seine glasig weiße rechte Hand ziemlich weit hinaus. Aber da Herr Seehahn seinen Text aufsagen konnte, ohne die Zigarette aus dem Mund zu nehmen, ging Herr Minn hin zu Herrn Seehahn und nahm ihm, da er glaubte, Herr Seehahn könne dann besser mitsingen, die Zigarette vorsichtig aus dem Mund und legte sie im Aschenbecher ab, machte sie aber nicht aus. Herr Seehahn trug heute nicht den Päpstlichen Hausorden, sondern das Parteiabzeichen. Aber er blieb – das sah Johann an den Lippenbewegungen – bei seinen Wörtern. Die Mutter hatte das Parteiabzeichen, das Herr Minn an Dreikönig ins Haus gebracht hatte, noch nie getragen. Auch heute nicht.

Als das Lied zu Ende war, sagte der Vater von hinten leise Johann ins Ohr: Komm jetzt. Der Vater hatte in der einen Hand seine Papiere und in der anderen das schwarze Köfferchen. Sie drängten sich vorsichtig zur Tür, die vom Nebenzimmer in den Hausgang führte.

In der Küche saßen Niklaus und Hanse Luis und tranken Bier. Aus Flaschen. Hinter dem Herd Mina. Am Spülstein die Prinzessin. Hanse Luis sprang, als Johann und der Vater eintraten, auf, legte die krumme Rechte an die Stelle, wo seinem Hütchen die Krempe fehlte, und sagte: Melde, zwei Föhla beim Gruben, zwei Blindgänger beim Bier. Weitermachen, sagte der Vater im gleichen Ton. Aus unterrichteten Kreisen verlaute, sagte Hanse Luis, daß er wegen krummer Pratzen zum neuen Gruß nicht tauge, da er aber kein Ärgernis habe erregen wollen, weil er lieber mit einem Mühlstein baden gehen wolle als auch nur das geringste Ärgernis erregen, sei er, als das Händehinausstrecken angefangen habe, entwichen und habe dem Niklaus, der ja noch nicht einmal aus den Fußlappen des letzten Krieges heraus sei, Gesellschaft geleistet. Dem selbigen, der ihn, Hanse Luis, der ja seine Kleinstlandwirtschaft mit einem Esel betreibe, gefragt habe, wo man denn heute noch Esel herkriege, dem habe er Bescheid gegeben: nur noch aus Österreich. Der Vater sagte: Ist doch auch wahr. Und Hanse Luis: Ein Österreicher auf Bismarcks Thron. Mina sagte: Jetzt aber Schluß mit Politisieren. Hanse Luis darauf: Etz bin i gmuent, hot der Spatz g'seet, wo'n d'Katz Bodestieg nuuftrage hot. Und die Prinzessin, wütend vom Spülstein her: Jetzt bin ich gemeint, hat der Spatz gesagt, als ihn die Katze die Dachbodentreppe hinauftrug. Aber Hanse Luis, der immer noch in den Hausgang hinaushörte, durch den die Radiostimme hereindrang, dann zur Prinzessin hin, aber ganz im Tonfall des Dr. Goebbels, der gerade im Radio sprach: Et jibt welsche, da müssen se, wenn die mal ans Sterben kommen, dat Maul noch extra totschlajen. In diesem Augenblick kam Herr Brugger durch die offene Küchentür. Aha, sagte er, die ganz Schlauen tagen extra. Hanse Luis kriegte sofort einen Hustenanfall. Johann hatte noch nie einen Menschen so husten sehen. Es warf ihm den Kopf auf und nieder. Dabei traten seine Augen weit heraus. Zum Glück hatte er seinen Stumpen noch rechtzeitig auf den Aschenbecher legen können. Er schaffte es gerade noch, zwischen den Hustenstößen ein paar Wörter herauszubringen. Die ergaben den Sinn: Er habe mit seinem Keuchhusten die Goebbelsrede nicht stören wollen. Auf jeden Fall findet Hanse Luis schneller eine Ausred' als d' Maus ein Loch, sagte Herr Brugger. Wer lang hustet, lebt lang, sagte Mina, immer noch mit Bratwurstbraten beschäftigt, über den Herd herüber. Sie sagte das in dem Ton, in dem der Pfarrer sagt: Friede auf Erden allen, die guten Willens sind. Hanse Luis sagte: Sag lieber: Unwert lebt lang. Und stand auf und sagte: Tanzen im Januar die Mucken, muß der Bauer nach dem Futter gucken. Habe die Ehre! Und ging. Ich sag lieber Heil Hitler, sagte Herr Brugger, drehte sich um und ging den Gang weiter in Richtung Abort. Komm, Johann, sagte der Vater, es ist Zeit für dich.

Der Vater hatte immer noch das Köfferchen mit dem Magnetisierapparat in der einen, die Papiere in der anderen Hand. Sie gingen mit einander die bei jedem Schritt ächzende Treppe hinauf.

Johann wollte dem Robinson lesenden Bruder berichten,

was alles passiert war, aber der wollte es nicht wissen, er wollte lieber Robinson lesen. Johann lag dann und hörte, was aus der Wirtsstube heraufdrang. Radiosprecher, Marschtritte, Sprechchöre, und immer wieder aus den, wie es hieß, unzähligen Kehlen Siegheil. Der Engel, der auf dem Schutzengelbild die Hand über das Kind auf der geländerlosen Brücke hält, sah jetzt aus, als höre er auch, was von unten heraufdrang. Was man hört, bestimmt offenbar, was man sieht.

II. Das Wunder von Wasserburg

1. Vergangenheit als Gegenwart

Nichts kann deutlicher sein als ein Dorf, das es nicht mehr gibt. Der Goldlack blüht herauf aus Schuhmacher Gierers tiefer gelegenem Garten. Der dickliche Schneidermeister tanzt, um angeschaut zu werden, schwitzend und weinend im Baströckchen auf dem Runden Tisch. Jeden Holznagel treibt Herr Gierer mit einem einzigen Schlag in die Ledersohle. Der, den die Mutter mit Battist anredet, setzt sich gleich an einen der zwei Tische auf der Fensterseite zum Bahnhof hin. Dieser Battist, bei dessen Namen deutlich das p durch ein zweites t ersetzt wurde, ist an diesem Sonntagmorgen der erste Gast. Und solange er der einzige Gast ist, redet er mit Johanns Mutter. Redet, und Johanns Mutter hört zu. Sobald der Spengler Schmitt eintritt, den, weil es Sonntag ist, sein Durst ein bißchen länger hat schlafen lassen, sagt Battist kein Wort mehr. Der dritte Gast an diesem Sonntag ist der hellste Hellblonde des ganzen Orts, Semper Hagens Fritz, der offenbar auch am Sonntagmorgen bei seinem Meister lernen will. Semper Hagens Fritz sagt so gut wie nichts, wenn er neben seinem Meister sitzt und dem deutlich nachtrinkt. Er ist zuerst von Helmers Hermine gefragt worden, warum er ausgerechnet Spengler werden wolle. Ihr hat er gesagt, er wolle sich selber einen Blechkranz machen können für sein Grab, damit er höre, wenn es regne. Wenn man Helmers Hermine sagt, daß man diese Nachricht schon von Hanse Luis gehört habe, sagt sie: Er schwätzt's mir nach.
Der vierte Gast am Runden Tisch, Herr Schlegel. Herr Schlegel hat sich noch nicht gesetzt, ruft schon frech, er ist ja jetzt Geselle, Sempers Fritz: Pernambuco? Aber der Baumeister ruft fröhlich zurück: Siebenundsiebzigeinhalb Stunden! Und Sempers Fritz noch heller: Lakehurst–Friedrichshafen? Und Herr Schlegel: Fünfundfünfzig Stunden. Und? ruft Fritz. Sauber! ruft Herr Schlegel. Das heißt, er

wisse es zu schätzen, daß Fritz die Zeppelin-Flugzeit bis auf die Minute genau wissen wolle. Raus damit, ruft Fritz. Dreiundzwanzig Minuten, ruft Herr Schlegel. Da stellt Luise schon das Viertel Seewein vor ihn, und er nimmt ohne Hast einen Schluck, der erst aufhört, wenn das Glas leer ist. Er hat wahrscheinlich die ganze Nacht keinen einzigen Tropfen Seewein gehabt.

Als Johann mit der Mutter wieder allein ist, sagt sie, was er von Battist gehört habe, dürfe er niemandem sagen, sonst verlören sie alle ihr Leben, der Gast, die Mutter und Johann. Die Mutter sagt für alle Arten von Sterben immer: das Leben verlieren. Johann nickt; eigentlich hätte er ihr sagen sollen, daß er gar nicht zugehört habe, also nicht wisse, was er niemandem sagen dürfe. Er hat die ganze Zeit überlegt, ob er, bevor mehr Gäste kämen, noch eine Platte auflegen könne. Der Grammophonschrank steht ja direkt neben dem Tisch, an dem dieser Battist sitzt. Die Lieblingsplatte des Vaters. Darauf Johanns Lieblingslied: *Wer nie sein Brot mit Tränen aß.* Von Karl Erb gesungen, der zuerst Zählerableser in Ravensburg gewesen ist und verwandt ist mit Grübels Ludwig. Kaum ist der Vater tot, tut es Johann leid, daß er das Jägerlied nicht mehr gesungen hat, das der Vater am liebsten von Johann gehört und am liebsten begleitet hat. Hartmut, vier! Und das Jägerlied von Schubert, fehlerfrei! hat der Vater gesagt, als der Freund Hartmut zum letzten Mal aus Oberstaufen zu Besuch gekommen ist. Und hat sich ans Klavier gesetzt, und Johann hat das Jägerlied singen müssen. Zuletzt hat Johann nur noch *Von Apfelblüten einen Kranz* singen wollen. Der Vater hat das nicht so gern begleitet. Inzwischen kann Johann, weil Lehár einfachere Noten schreibt als Schubert, sich selber begleiten.

Neben Wolfgang, dem zweiten Wolfgang seines Lebens, marschiert Johann in Schnetzenhausen zur Flakstellung hinaus, sie begegnen einem Trupp von Männern, auch in Marschordnung, aber statt Uniformen tragen die eine helldunkel gestreifte Kluft und schildlose Rundmützen, und Wolfgang sagt zu Johann so leise, daß es außer Johann keiner hört: Die Dachauer. Da fällt Johann ein, daß er jenen Battist vergessen hat und auch vergessen hat, daß er ihn vergessen gehabt hat. Das einzige, was Johann an dem Sonntagmorgen bei seinem Nichtzuhören gehört hat, ist: Dachau. Als Johann nach der Flak-Ausbildung heimkommt, in die Küche kommt, in der die Mutter mit dem Vetter genannten Großonkel sitzt, sagt der Großonkel gerade: Büßen müssen es sowieso wir. Die Mutter sagt: Pscht. Ihr Gesicht täuscht etwas vor. Johann erinnert sich an das Gesicht der Mutter, nachdem sie mit Battist gesprochen hat. Dieses Gesicht hat er vergessen gehabt und vergessen, daß er es vergessen gehabt hat.

Johann und seine Kameraden Richard und Herbert sind, um nicht von den einen noch einmal an eine Front geschickt oder von den anderen gefangen genommen zu werden, tagelang in Kammlagen bleibend, vom Inntal aus zuerst nord-, dann westwärts gezogen, dann hat einmal, zwischen Mittenwald und Garmisch, eine Talquerung doch nicht vermieden werden können, sie sind von zwei Männern in derart gestreifter Kluft gestellt, mit Pistolen bedroht und aufgefordert worden, alles, was sie noch an Waffen besitzen, auszuhändigen. Das tun sie. Als sie wieder im Wald und aufwärts gehen, sagt Hubert: Die kommen aus Dachau. Wieder fällt Johann ein, was er vergessen gehabt hat und daß er es vergessen gehabt hat.

Auf Zwiebackstückchen hat der Vater seine Tropfen genommen. Ein einziges Mal hat er geschlagen. Johann hat an der Schnur den Vollgummiring kreisen lassen, der Ring hat sich losgerissen und ist hineingerast in die vom vorangegangenen Festtag noch aufs Gespültwerden wartenden aberhundert Gläser. Es hat geklungen, als sei überhaupt alles kaputt. Und sofort vom danebenstehenden Vater die nicht besonders spürbare Ohrfeige. Da die Ohrfeige gekommen ist, bevor man hat Angst haben können vor ihr, hat sie nicht wehgetan. Die Mutter muß Josef und Johann, wenn es nicht mehr anders geht, in den Keller treiben und in der dunkelsten Ecke mit einem Kochlöffel auf sie einschlagen, und dabei muß sie sagen, was sie vielleicht in Kümmertsweiler gehört hat, daß man den einen nehmen und den anderen damit totschlagen sollte. Zu dritt weinend, kommen sie aus dem Keller zurück. Mina steckt Josef und Johann jedesmal gleich Bonbons in den Mund, die sie Zickerle nennt. Sie legt immer ein Bonbon auf die flache Hand, führt die Hand zu Josefs oder Johanns Mund, und die nehmen dann das Zickerle von ihrer flachen Hand, wie Pferde das tun.

Woher hätte man wissen sollen, was das, was passierte, dem Gedächtnis wert ist? Man kann nicht leben und gleichzeitig etwas darüber wissen. Welche Warze war denn höher, erhabener, die links neben der Nase im Gesicht von Helmers Hermine oder die auf der Oberlippe der Zollbeamtenfrau und stellvertretenden NS-Frauenschaftsführerin Heym? Die Frau Heym-Warze hat natürlich erst später im Dorf zu leuchten begonnen. Dazu haben zuerst die zwei Häuser für je drei Zollbeamtenfamilien am südöstlichen Dorfrand gebaut werden müssen. Aus dem innersten Bayern und sogar aus Franken sind Dialekte importiert worden, denen man dann im Ort jeden Tag hat begegnen können. Frau Hopper hat die Tür zum Postraum aufgerissen und gerufen: Schnöi a Bockl aafgemm. Die Postfrau hat gewußt, daß dieser Satz erst in der Welt ist, wenn er Helmers Hermine übergeben worden ist. Helmers Hermine kommt überall vorbei auf ihrem Weg vom Unterdorf ins Oberdorf, wo sie hinter der Thujamauer wohnt. Auch Frau Heym, durch die eine konkurrierende Warze ins Dorf gekommen ist, hat einen Satz gesagt, der Helmers Hermine erreicht hat und dadurch im Umlauf geblieben ist. Der Himmel ist zu Erlangen, hat die bleichwangige, einmetervierundachtzig große Fränkin und stellvertretende Frauenschaftsführerin gesagt, damit man im Ort wisse, daß Frau Heym hier im Exil sei. Frau Heyms Warze ist dunkler und flacher als das, was aus Helmers Hermines linker Gesichtshälfte violett und leuchtturmhaft leuchtet. Violett ist im Kirchenjahr die vornehmste Farbe. Helmer Gierers Hermine ist weder mit Bank Gierers verwandt, noch mit Metzger Gierers, noch mit Sattler Gierers, noch mit Bäcker Gierers, noch mit den vielen anderen Gierers in den Orten der Pfarrei, aber von weit her schon verwandt mit allen Gierers in Nonnenhorn, Hege, Hattnau, Bodolz und Enzisweiler, aber ins Auge springend verwandt dann doch nur, als seine Schwester, mit Helmers Franz, der sich im Sappenkopf bei Soissons hat totstellen können, dadurch in keinerlei Lager gekommen ist, sondern in der Dunkelheit Stiefel und Fußlappen ausgezogen hat und dann, weil ihm das am sichersten vorgekommen sei, barfuß, auf der Schulter eine Mistgabel, die er einem zerschossenen Bauernhof entwendet hat, immer gerade vom Feld kommend oder aufs Feld gehend, von Soissons bis Wasserburg gegangen. Helmers Hermine putzt, hat der Vater immer gesagt, ohne eine Spur von Unterwürfigkeit. Offenbar hat sie die Villen der Zugezogenen durch ihr Putzen geadelt. Sie ist eine Königin. Wer ist denn keine Königin gewesen? Ist Frau Fürst vielleicht keine Königin gewesen? Plötzlich Frauenschaftsführerin, Müttern das Mutterschaftskreuz umhängend, in Gold, in Silber, in Bronze, dem Winterhilfswerk dienend, auf einmal Reden haltend, über die dann in den Zeitungen, die sie austrägt, berichtet wird. Und wer ist denn kein König gewesen? Ganz sicher, in diesem Dorf hat es nur Königinnen und Könige gegeben. Also ist es zum Kampf gekommen. Zu dem kommt es immer, wenn Reiche zu eng aneinander geraten. Helmers Hermine berichtet, wenn sie vom Putzen heimgeht, der Frau Bank Gierer, was es vom Kampf und vom Kämpfen zu berichten gibt. Frau Bank Gierer, deren Mann ein paar Schritte weiter in Schlegels Haus für die Kreissparkasse Geld einnimmt und auszahlt, Frau Bank Gierer geht zwischen den zwei Kastanienbäumen hin und her und läßt sich dabei von Helmers Hermine berichten. Die Wichtigkeit dessen, was Helmers Hermine zu berichten hat, muß jedem deutlich werden, der diese zwei Frauen zwischen den zwei Kastanienbäumen hin- und hergehen sieht auf dem Kies, der von Johann so blank gehalten worden ist, wie ihn der Großvater hinterlassen hat, nachdem er eines Morgens tot im Bett neben dem schlafenden Niklaus, der bei dem Großvater hätte wachen sollen, aufgefunden worden ist. Helmers Hermine geht, wie kein Mensch im Ort je gegangen ist oder je wieder gehen wird. Sommer und Winter, diese über die Knöchel reichenden Schnürschuhe aus dünnem schwarzen Leder, immer sorgfältig geschnürt. Etwas Nichtsorgfältiges würde zu Helmers Hermine nicht passen. Die spitz zulaufenden Schuhe fliegen bei jedem Schritt energisch und dann zum Schluß doch noch gebremst nach außen. Tänzerinnen gehen so. In Helmers Hermines Schritten wird eine nur ihr eigene Energie sichtbar; eigentlich kickt sie mit jedem Schritt einen unsichtbaren Ball und setzt danach den Absatz wieder so heftig auf, als wolle sie ein Loch in den Kies oder in die Straße hacken. Natürlich hat sie das Dorf nicht im unklaren gelassen über die Herkunft dieser feinledrig schwarzen, spitz zulaufenden Stiefelchen. Helmers Hermines Füße haben hineingepaßt in die Schuhe von Frau Professor Bestenhofer, über deren Böden sich Hermine in ihrer sich nichts vergebenden Art bückt und beugt und sie allein schon dadurch blank hält. Sie sieht, wenn sie Frau Bank Gierer vorträgt, nie zu der, neben der sie doch geht, hinüber. Aber Frau Bank Gierer sieht ununterbrochen zu der eher nach oben als geradeaus sprechenden Hermine hin. Und Helmers Hermine spricht nur Hochdeutsch. Gut, statt sachte-sachte sagt sie hofele-hofele, aber das sind auch, außer Redensarten, denen im Hochdeutschen die Luft ausginge, die einzigen Dialektwörter, die von ihr überliefert sind. Ihr Bruder spricht nur Dialekt. Da kein Mensch je Zeuge eines Gesprächs zwischen Helmers Franz und Helmers Hermine geworden ist, ist unvorstellbar, in welcher Sprache sie mit einander gesprochen haben könnten. Am leichtesten ist es, sich vorzustellen, sie hätten überhaupt nie mit einander gesprochen. Oder sie haben eben eine Sprache gehabt, die nicht auf Wörter angewiesen ist. Gesehen haben sie einander sicher nicht jeden Tag, da Helmers Hermine tagsüber und Franz nachts außer Haus gewesen ist, hauptsächlich in seinem Schäferkarren am Pfarrwaldrand. Er hat gewildert in jedem Revier. Adolf, ganz der Vater: Franz hilft aus, wo's am Mann fehlt.

Die Welt der Villen am See wäre dank hoher Mauern, noch höherer Tore und alles noch einmal verbergender Büsche und Bäume ohne Helmers Hermines Nachrichten unvorstellbar geblieben. So aber hat man eben erfahren, daß der Fabrikant Streber seinen langgestreckten, direkt aus der Ufermauer aufsteigenden Bau an der Westseite des Halbinselhalses mit den Gewinnen hat bauen können, die ihm, dem Hersteller von Gewehrschäften und -läufen, der Erste Weltkrieg beschert hat, während Fabrikant Geissler seine See-Villa der nichts als frommen Posamenten-, vielleicht sogar Meßgewänderfabrikation zu verdanken hat. Und wenn manche haben wissen wollen, welcher Villenherr nun tatsächlich ihr Vater ist, dann haben sie's auch von Helmers Hermine erfahren können. Der in Bremen wirkende Tabakkaufmann Emsig besucht, sagt Hermine, Frau und Sohn so selten, daß er dem Sohn Edgar, genannt Knupp, immer noch Teddybären mitbringt, obwohl der im Jungvolk schon Jungenschaftsführer ist. Und von wem, wenn nicht von Helmers Hermine, haben wir erfahren können, daß Frau Emsig nichts mit Herrn Halke hat, obwohl der, von Berlin kommend – zuerst Kunst-Photograph, dann bei Dornier in Friedrichshafen Flugzeugphotograph, und immer im Ledermantel –, in ihrer Villa Unterschlupf gefunden hat. Daß die Frau von Professor Bestenhofer, der eine Kapazität ist und auch aus Berlin, schon dessen zweite Frau ist und daß sie vorher seine Oberschwester gewesen ist, weiß man von Helmers Hermine. Daß die Frau dem viel älteren Mann immer davonrennt, ins Dorf rennt und dann doch nichts tut, als in den Läden mitlaufen zu lassen, was in ihre Taschen geht, das kriegt man ohne Helmers Hermine mit, weil der Herr Professor immer im Ort unterwegs ist, um, was die Frau hat mitlaufen lassen, zu bezahlen. Von Helmers Hermine erfährt man, daß in den besseren Kreisen dieses Mitlaufenlassen als eine Krankheit bezeichnet wird, sogar extra einen Namen hätten die besseren Leute dafür. Kleptomanie. Und daß das Dorf schon seit der Jahrhundertwende im vierundzwanzigbändigen *Meyer* vorkommt, weil der Professor Hoppe-Seyler hier im Ort verstorben ist, das wäre ohne Helmers Hermine für immer unbemerkt geblieben. Wegen seiner Protoplasma-Forschung sei der Professor so berühmt geworden, daß von ihm Sterbeort und Sterbetag ins Lexikon gehörten. Protoplasma. Kaum hat Johann dieses Wort zum ersten Mal gehört, hat es sich auch schon in seinen Wörterbaum aufgeschwungen und leuchtet da zwischen Rippenfellentzündung, Popocatepetl, Bhagawadgita, Rabindranath Tagore, Fluidum, Theosophie, Jugendstil, Swedenborg, Bileam und Bharatanatyam.

Johann könnte von einem Schlafzimmerfenster aus zuschauen, wie die beiden Frauen zwischen den zwei Kastanienbäumen Wissensfrachten löschen. Und tut's nicht. Wenn er, vom Bahnhof kommend, an den beiden Kiesgängerinnen vorbeigeht, hat er, wie sich's gehört, gegrüßt. Gegrüßt, obwohl es zwei Frauen sind und Johann mitgekriegt hat, daß Frauen, denen man einen Gruß schuldig bleibt, sich, im Gegensatz zu den Männern, so gut wie nie bei der Mutter beschweren. Er grüßt die beiden, nimmt aber überhaupt nicht wahr, welch königlich wache Aufrechterscheinung im Zustand des hellsten Aufsagens von Nichtsalswichtigem da erlebt werden könnte.

Daß ihr Hermine-Name auch von ihr selber, der Hochdeutschmächtigen und -süchtigen, ganz streng und ausschließlich auf der ersten Silbe betont wird, gehört mindestens ebenso zu ihrem Wesen wie der Warze genannte violette Kleinleuchtturm links neben ihrer Nase. Jetzt, nachdem es vorbei ist, begreift man, warum Frau Bank Gierer sich nur zwischen den Kastanienbäumen berichten lassen kann. Der Baumeister Schlegel hat sein Haus, in dem Bank Gierers amten und wohnen, neben die *Restauration* gestellt, nachdem Johanns Großvater die *Restauration*, dem Bahnhof in Stein, Stil und Farben antwortend, selber gezeichnet und gebaut hat. Nicht konkurrierend, sondern schwesterlich und langhaarig, vom wilden Weinlaub überwuchert, steht das Schlegel-Haus neben der *Restauration*. Und hat Blumen vor sich und Rasen. Und genau das hätte nicht gepaßt zur Entgegennahme der Berichte Hermines. Bei jedem Satz und jedem Schritt knirschender Kies, das paßt.

Im Objekt solcher Heimsuchung kann der Verdacht entstehen, das Vergangene dränge sich nur auf, daß man unter seiner Unwiederbringlichkeit leide. Solange man es noch vor Augen hat, schaut man nicht hin, so ausgefüllt ist man von Sekunde zu Sekunde von Erwartungen, von denen man nichts mehr weiß. Wahrscheinlich lebt man gar nicht, sondern wartet darauf, daß man bald leben werde; nachher, wenn alles vorbei ist, möchte man erfahren, wer man, solange man gewartet hat, gewesen ist.

Von einem runden, steilen Hang rutschen mit dem fallenden Wasser große Fische herab. Einen wenigstens muß Johann fangen. Er greift zu, so schnell und so fest er kann. Die riesige Lachsforelle will sich ihm entwinden, will stärker sein als er. Das kann er nicht zulassen. Eine muß er heimbringen. Er muß sie töten. Mit einem rutschigen Stein schlägt er ihr auf den Kopf. Sie verzieht das Gesicht wie ein kleines Kind beim Weinen. Ist es nicht überhaupt Adolf? Gleich nicht mehr. Er schlägt zu. Noch einmal. Sie kriegt den Katzenstrebler. Verzittert. Traumarbeit beendet. Er wird eine Lachsforelle heimbringen.

So nah, hat die Mutter im letzten Herbst vor Vaters Tod

2. La Paloma

Als Johann vom Kommunionunterricht zurückkam, sah er, daß der Zirkus LA PALOMA eingetroffen ist. Als Johann über die Terrasse ins Haus rennen wollte, hätte Tell die Schwingtüre mit der Schnauze aufstoßen, hätte, schon bevor Johann die zwei Stufen von der Terrasse zur offenstehenden Haustür hinauf erreicht hatte, so lange an ihm hinaufspringen müssen, bis Johann ihm gestattet hätte, die Vorderpfoten auf Johanns Schultern zu legen, um dann seinen Hals abzulecken. Dann wären beide durch den breiten langen Gang weitergerannt in die Küche, Johann wäre auf der langen Bank rechts neben der Tür bis in die Ecke gerutscht und hätte dem Pfannkuchen entgegengesehen, den Mina oder die Mutter schon vom Herd hertrug, um ihn vor ihm auf den Tisch zu stellen. Aber kein Tell weit und breit, dafür Zirkuswagen, die blau und weiß und rot durch das die Terrasse nach Süden hin begrenzende Birnenspalier durchschimmerten.

Johann war nicht auf der Dorfstraße heraufgekommen, dann hätte er ja die Zirkuswagen im Hof schon von weitem gesehen. Er war auf dem Moosweg heimgegangen, also außerhalb des Dorfes, durch die Wiesen. Adolf hatte sich lustig gemacht über Johanns Frisur. Johann wußte oder glaubte doch zu wissen, daß Adolf am liebsten auch so lange Haare gehabt hätte wie Johann. Adolf mußte seine Haare auf Befehl seines Vaters immer noch so schneiden lassen wie Johann, solange Johann noch nicht in der Schule gewesen war. Der größte Teil des Kopfes kahl, nur vorne ein Schüppel Haare. Johann durfte inzwischen die Haare fast bis in den Nacken wachsen lassen. Plus Scheitel. Wie der jetzt täglich in die Schule nach Lindau fahrende Josef. In Lindau würde man, hatte Josef gesagt, mit einer Halbglatze ausgelacht. Und weil Josef in dieser Woche im Skilager war, aber seine Haarölflasche zum vormilitärischen Skikurs nicht mitgenommen hatte,

hatte Johann sich zum ersten Mal an dieser Flasche bedienen können. Mit Hilfe des Öls hatte er eine schwungvolle und schwungvoll stehenbleibende Welle geformt. Diese Frisur hatte er durchs Oberdorf und durchs Unterdorf, vom Bahnhof bis zum See, wie eine Krone getragen. Bei jedem Schritt hatte er gemerkt, wie die Frisur erschüttert wurde. Also war er vorsichtig aufgetreten, um seine Haarkrone unbeschädigt in die Kirche zu bringen. Nach dem Kommunionunterricht hatte Johann noch zum frischen Grab seines Vaters gehen und dem das Weihwasser geben und dreimal Herr, gib ihm die ewige Ruhe, das ewige Licht leuchte ihm, Herr, laß ihn ruhen in Frieden, Amen, sagen müssen. Die anderen standen schon draußen zwischen dem Schloß und dem Hotel *Krone*. Johann war gerannt. Adolf hatte gebrüllt: Obacht, daß dir die Tangomähne nicht verrutscht. Und Guido hatte ergänzt: Da rutscht nichts, die Haarschmier hält's. Alle hatten gelacht. Haarschmier war das Wort, das Luise gebraucht hatte, als sie beim Friseur Häfele, bei dessen Frau sie sich ihre Haare waschen und legen ließ, für Josef das Haaröl gekauft hatte. Das Wort hatte sich sofort durch das ganze Dorf verbreitet. Wenn die Stammgäste bei Luise ihr Glas Bier bestellten, sagten sie dazu: Aber ohne Haarschmier, bittschön. Luise wurde dann feuerrot im Gesicht. Sie stammte aus einem Bergbauernhof in der Nähe von Kaltern und war von Herrn Caprano, dem Weinhändler, der von dort Kalterer See und St. Magdalener ins Dorf holte, mitgebracht worden. Johann hörte niemanden lieber sprechen als Luise. Es war die Südtirol-Sprache, die Luis Trenker gerade in dem Film *Der Berg ruft* gesprochen hatte. Bei Luise kamen die tief in Luises Hals entstehenden eckigen Laute zarter heraus. Das Sprechen war bei Luise überhaupt nicht selbstverständlich. Eigentlich war sie still. Oder stumm. Wenn sie den Mund aufmachte, spürte Johann, daß sie etwas riskierte. Als ginge sie vor Zuschauern über ein Seil. Statt ja sagte Luise woll. Aber noch schlimmer, als mit Haarschmier und Tangomähne begrüßt zu werden, war gewesen, daß Adolf, die Diskussion über Johanns Frisur beendend, gesagt hatte: Jetzt, wo sein Vater tot ist, kann ihm die Tangomähne niemand mehr verbieten.

Johanns Vater war am Dreikönigstag beerdigt worden. Wenn jemand gegen lange Haare und auffällige Frisuren etwas gehabt hatte, dann war es nicht der Vater, sondern die Mutter. Streng zu sein hätte nicht gepaßt zum Vater. Vielleicht war er dazu zu krank oder zu schwach gewesen. Und jetzt sollte, laut Adolf, Johann den Tod seines Vaters dazu benützt haben, sich eine Tangomähne zuzulegen.

Johann hatte gespürt, daß er sich wehren müßte. Der zerfetzte ihm seine Haarkrone. Und die anderen lachten. Sie waren auf Adolfs Seite. Ihm fiel Wolfgang ein, Wolfgang Landsmann. Edi, der, seit er Jungzugführer war, Edmund genannt werden mußte, Edmund, der Jungzugführer, hatte letztes Jahr beim ersten Appell nach den großen Ferien Wolfgangs Fahrrad den Rain hinuntergeworfen, dann hatte er sich vor den vor der neuen Turn- und Festhalle angetretenen Jungzug hingestellt und hatte gesagt, auf höheren Befehl müsse er Wolfgang Landsmann unehrenhaft aus dem Jungzug ausstoßen. Dann hatte er aus seiner rechten Uniformbrusttasche ein Büchlein herausgeholt, das jeder kannte: das Dienstbüchlein. Dann hatte er aus der Lasche des Dienstbüchleins den gelben kleinen Bleistift herausgezogen, hatte die Bleistiftmine mit der Zunge befeuchtet, das Dienstbüchlein aufgeschlagen und hatte im Dienstbüchlein etwas gründlich durchgestrichen. Jeder wußte: Wolfgangs Name. Noch nie, seit Edmund Fürst Jungzugführer war, hatte er bei einem Appell so hochdeutsch gesprochen. Dann hatte er gerufen: Wolfgang Landsmann, vortreten! Der war vorgetreten. Du weißt Bescheid, sagte Edi. Nein, sagte Wolfgang. Du bist Jude, sagte Edi. Halb, sagte Wolfgang. Befehl ist Befehl, brüllte Edi, als sei er beleidigt worden. Wolfgang sagte: Jawohl. Dabei nahm er Haltung an, Hände an die Hosennaht, Hacken zusammen, Schultern zurück, Kinn in die Höhe. Dann ging er, schaute sich aber noch einmal um. Mit gesenktem Kopf. Er hob den rechten Arm wie beim Hitlergruß, und unter dem rechten Arm durch sah er noch einmal her. Seine langen dunklen Haare fielen nach unten. Er hatte von Anfang an diese langen Haare gehabt. Offenbar durfte er sie wachsen lassen, wie er wollte. Er richtete sich dann auf, ging in die Wiese hinunter, in der sein blitzendes Vollballonrad lag, hob es auf, schob es bis zur Straße, fuhr davon. Erst dann brüllte Edi: Abteilung stillgestanden, rechtsum, im Gleichschritt marsch, ein Lied! Josef rief: *Steig ich den Berg hinan, drei vier.* Sie schmetterten los: Steig ich den Berg hinan, das macht mir Freude, steig ich den Berg hinan, das macht mir Spaß. Du hast zwei wunderwunderschöne blaue Augen und einen Rosenmund, den küß ich wund. Johann mochte dieses Lied, weil er beim Refrain über alle hinausjodeln konnte. Adolf hatte, wenn Wolfgang mit seinem Vollballonrad herfuhr, immer gerufen: Achtung, Tangojüngling von rechts. Wolfgang war der einzige, der mit dem Fahrrad zum Appell kam. Er war auch der einzige, der ein Vollballonrad hatte. Wolfgang war, bis man ihn so abfahren ließ, höchstens ein halbes Jahr dagewesen. In dieser kurzen Zeit hatte er aus einem kickenden Haufen eine Fußballmannschaft gemacht, weil er in Stuttgart, wo er herkam, in einer trainierten Mannschaft gespielt hatte. Man sprach von Wolfgang inzwischen nur noch, wenn man Fußball spielte. Man gebrauchte die von ihm eingeführten Wörter: Dribbeln, Tackling, Goal.

Als Adolf das mit der Tangomähne gesagt hatte und alle gelacht hatten, hatte Johann gesagt, er müsse beim Doktor noch ein Rezept holen. Da er jetzt gerade lernte, Sünden in solche und solche einzuteilen, rechnete er diese Lüge zu den läßlichen Sünden.

Vom Moosweg kommend, hatte er die Terrasse von der Bahnhofseite her betreten, hatte durch Birnenlaub und erste Blüten die Zirkusfarben gesehen und bog jetzt zwei dünne Spalierstämme auseinander. ZIRKUS LA PALOMA stand auf allen Wagen. In der warmen Aprilsonne saßen um einen Tisch die Zirkusleute. Einer, er trug einen kurzen blauen Arbeitsmantel wie der Elektromeister Schlichte, sprang immer wieder auf, setzte sich, sprang wieder auf, redete, gestikulierte, alle lachten. Dieser Gestikulierer hatte eine gewaltige Haardecke, ein dichtes Haarlockenpolster. Im ersten Augenblick konnte man's für eine Pelzmütze halten. Wenn der Rollenkopf aufsprang und stand, war er kleiner als die anderen. Sobald er sich setzte, war er der größte. Nicht zuletzt durch seinen enormen Haarpelz. Daß man sich streiten konnte, ob man die paar Härchen so oder so schnitt oder frisierte, kam Johann lächerlich vor angesichts dieses Haarpelzes. Diesen Haarpelz konnte man wahrscheinlich überhaupt nicht schneiden. Das würde sich dieser kleine Riese wohl kaum gefallen lassen, daß ihm einer mit einer Schere käme. Seine Hautfarbe war so auffällig wie seine Haarpracht. Blaurot und leuchtend, das war seine Hautfarbe. Auch seine Ohren leuchteten blaurot aus dem Haarpelz heraus. Riesige Ohren. Man sah nur das untere Drittel. Das war schon größer als jedes normale Ohr. Man konnte sich vorstellen, wie weit diese Ohren im Haarpelz hinaufreichten. Einmal hob er eine Hand und zeigte mit dem Finger senkrecht nach oben. Wie das zu ihm paßte! Wenn er von oben sprach, zeigte er mit dem Zeigefinger senkrecht hinauf. Johann spürte es durch und durch: dieser Mann war der Zirkus. Trotz seines Elektrikermantels, er war der Zirkus. Unter dem weit vorspringenden Vordach der Remise lagen und standen im frisch dahin geworfenen Stroh mehrere Pferde. Oder waren es Ponies? Tells Hütte hatte man nach unten, vor die letzte Remisentür, versetzt. Aber von Tell keine Spur. Unter dem Gravensteinerbaum, der immer als erster blühte, stand an einer um den Baum geschlungenen Kette ein gewaltiges schwarzes Tier mit mächtig ausschwingenden Hörnern. Das war auch der Zirkus, dieser Büffel. Ob ihm der gefalle, fragte eine

Mädchenstimme. Er drehte sich um. Und wußte, daß die Anita hieß. Die dunklen Augen eng, die Stirne rund, hauptsächlich aber ein Bubikopf, mit Simpelfransen. Simpelfransen über die runde Stirn. Und als sie sagte, sie sei Anita, wollte er sagen, daß er das schon gewußt habe. Das sagte er natürlich nicht. So sicher, daß er das sofort gewußt habe, war er auch nicht mehr. Er hatte jetzt keine Zeit, das zu überlegen. Daß sie nicht gesagt hatte, sie heiße Anita, sondern sie sei Anita, fand er richtig.

Hoffentlich glaubte die nicht, er habe durch das Birnenspalier heimlich etwas beobachten wollen. Die gehörte zum Zirkus, das sah er sofort. In einem solchen Pullover steckte hier im Dorf niemand, ein Mädchen schon gar nicht. Eine einzige Farbenexplosion aus Blau und Rot, aber auch Weiß kam vor. Johann wußte nicht, wie er diesem Mädchen sagen sollte, daß er nichts heimlich beobachten müsse, da er ja zum Haus gehöre und abends die Vorstellungen aller Wanderzirkusse, die bis jetzt durchgekommen seien, habe anschauen dürfen, ohne Eintritt zu bezahlen.

Das ist Vischnu, sagte sie. Ein Büffel, sagte Johann. Ein indischer Wasserbüffel, sagte sie. Da hörte man von unten einen grellen Pfiff. Mein Vater, sagte sie, er wartet auf seine Zigaretten. Und hielt die R 6-Packung in die Höhe und rannte über die Terrassenstufen zur Straße hinab und am Zaun entlang bis zum offenen Hoftor und zu ihrem Vater hin, der mit den anderen an dem blau gedeckten Tisch saß und seine Nachtischzigarette rauchen wollte. Johann hatte noch nie bei einem Mann eine solche Jacke gesehen, nur bis zu den Hüften reichend, und nichts als große rote und schwarze Vierecke. Und das war nicht der erste Wanderzirkus, der im Hof seine Manege aufschlug. Offenbar sprach sich das von Wanderzirkus zu Wanderzirkus herum, daß man in Wasserburg am besten im Hof der *Restauration* die Manege aufschlage. Mit drei gegen die Straße hin absperrenden Zirkuswagen und den sich auf der Westseite hinstreckenden Remisen und dem nach

Norden begrenzenden großen Hauptgebäude der Wirtschaft waren schon drei Seiten dicht; daß von der Südseite niemand, ohne Eintritt zu bezahlen, zuschauen konnte, garantierten jedem Zirkus, der sich noch kein Zelt leisten konnte, die sieben mächtigen Obstbäume mit ihren tief herabhängenden Ästen.

So pfeifen zu können wie der Vater des Mädchens war ein Wunschtraum Johanns. Edmund Fürst, fünf Jahre älter, konnte das. Josef, zwei Jahre älter, konnte das. Adolf, nicht älter als Johann, konnte das. Die zwei Zeigefinger und die zwei Mittelfinger in den Mund stecken, die Mundwinkel nach links und rechts dehnen, dann kam dieser schärfste aller Pfiffe heraus. Diesem Pfiff folgte man einfach. Das Mädchen war ja auch sofort losgerannt. Tell folgte zwar Johanns aus dem gespitzten Mund fahrenden Pfiff auch, aber diesem Vierfingerpfiff würde er noch besser folgen. Wenn Johann die Finger in den Mund steckte, die Mundwinkel dehnte, dann kam kein Pfiff heraus, sondern ein etwas getöntes Zischen. Er vermutete, daß seine Finger noch zu dünn seien, und probierte immer wieder einmal, ob sie schon dick genug seien, aber sie waren dann noch immer zu dünn. Adolf hatte ja auch dickere Arme und Muskeln als er. Aber wenn sie mit einander rangen, verlor Adolf so oft wie er. Schwächer war Johann nicht. Ob auf der Matte oder beim Fingerhakeln oder mit dem Stichel oder beim Hahnenkampf oder beim Tauchen oder beim Hochspringen oder beim Luftgewehrschießen, er wollte ja gar nicht andauernd der bessere sein. Manchmal mußte er natürlich schon gewinnen, klar. Aber doch nicht immer. Nichts wäre Johann unangenehmer gewesen als ein Adolf, der ihm aussichtslos unterlegen gewesen wäre. Genau genommen war es Johann am liebsten, wenn Adolf glaubte, er, Adolf, sei Johann in gar allem überlegen und Johann könne nur dann und wann auch einmal siegen, sozusagen per Zufall. Johann lag daran, daß Adolf zufrieden war. Und wenn dazu Siege über Johann beitragen konnten, dann sollte Adolf eben siegen. Wichtig war, daß Johann wußte, er konnte Adolf besiegen. Wenn es sein mußte. Anstrengen mußte er sich dann schon. Und ganz sicher war es auch nie. Aber es gelang doch immer wieder einmal. Sooft er's eben brauchte. Jetzt allerdings, wenn er daran dachte, wie gemein Adolf das mit der Tangomähne gesagt hatte, hatte er das Gefühl, er werde Adolf von jetzt an immer besiegen. Ringen, Fingerhakeln, Hahnenkampf, Sticheln, Hochspringen, Scheibenschießen, Tauchen, egal, Adolf mußte verlieren. Bis er nicht mehr so daherreden würde. Tangojüngling, Tangomähne, das waren gar nicht Adolfs Wörter. Das waren die Wörter seines Vaters, der an den Festtagen an der Spitze der SA marschierte, nicht mehr in die Kirche ging und zu Adolf gesagt hatte – und der hatte es Johann gesagt –, wenn man schon Adolf heiße, sei man verpflichtet, in allem besser zu sein als alle anderen.

Schon unter der Küchentür fragte Johann nach Tell. Die Mutter grüßte zuerst, dann sagte sie, sie habe Tell droben ins Zimmer gesperrt, weil er nicht aufgehört habe, den schwarzen Büffel und die Ponies anzubellen. Johann rannte hinauf und befreite Tell, mischte ihm seine Mahlzeit zusammen und stellte die Schüssel wie immer auf die Plattform, von der aus, auf der Westseite des Hauses, die Hintertreppe in den Hof führte. Er blieb bei Tell stehen, bis die Schüssel leer war. Tell rührte keinen Bissen an, wenn Johann ihm nicht beim Fressen zuschaute. Dann erst ging er, von Tell begleitet, in die Küche, rutschte auf der langen Bank neben der Tür bis in die Ecke und sah dem Pfannkuchen entgegen, den Mina um den Herd herumtrug und vor Johann auf den Tisch stellte. Das Apfelmus stand schon da. Das stand jeden Tag da, egal, was es gab. Am Freitag gab es Pfannkuchen. Dazu das Buch, das immer für ihn in der Ecke lag. Im Augenblick Winnetou I, dazu Tells Schnauze zwischen den Knien. Adolfs gemeine Bemerkungen konnten verfliegen.

Die Mutter sagte, Josef habe angerufen, Bänderriß, morgen oder übermorgen komme er heim. Die ganze Gruppe sei beim Aufstieg auf das Nebelhorn mit einem Schnee-brett abgerutscht. Das hätte auch eine Lawine werden können, jetzt, Ende April. Josef habe eben einen Schutz-engel. Dafür müßten wir unserem Herrgott danken. Johann dürfe das nicht vergessen heute nachmittag in der Kirche. Zwei haben den Fuß gebrochen. Mit dem Bänderriß ist Josef noch gut davongekommen. Johann sagte: Oh je. Der Arme. Und sah vor sich das kommo-denbreite, goldgerahmte, dunkelblaue Bild, auf dem alle Helligkeit und aller Glanz auf dem Engel versammelt war, der seine Hände über den Kopf des Kindes hält, das über die geländerlose Hängebrücke geht. Auf dem Rük-ken hat der Engel ein großes, aber zusammengefaltetes Flügelpaar.

Plötzlich stand Anita unter der offenen Tür, hinter ihr eine Frau. Die Frau beugte sich vor und klopfte an die offene Tür. Die Frau sagte, Anita – sie zeigte auf das Mädchen – wolle übermorgen, am Weißen Sonntag, an der Erstkommunion teilnehmen. Den nötigen Unter-richt habe sie an allen Orten, an denen man sich in den letzten vier Wochen aufgehalten habe, mitgemacht. Am besten wäre es, wenn Anita heute und morgen noch am Kommunionunterricht teilnehmen könnte.

Offenbar hatten die Zirkusleute von der Mutter erfahren, daß Johann am Sonntag zur Erstkommunion kommen werde. Frau Wiener, so war sie von der Mutter begrüßt worden, fragte Johann, ob er Anita am Nachmittag mit-nehmen könne. Jetzt, da Anita mit ihm zur Erstkommu-nion sollte, merkte er, daß er sie für älter gehalten hatte. Die war doch nicht zehn oder elf, die war mindestens zwölf, wenn nicht sogar dreizehn. Vielleicht waren sie in früheren Jahren an den Weißen Sonntagen in der Diaspo-ra gewesen, von der der Pfarrer immer so erzählte, daß einem dagegen die Sahara wie eine Oase vorkam.

Johann sagte sofort, daß er Anita heute und morgen und natürlich auch am Sonntag mitnehmen werde. Sie habe sich, sagte Frau Wiener, schon beim Herrn Pfarrer ange-

meldet. Fräulein Maria, die Haushälterin: Um vier dürfe
sie vorsprechen, beim Herrn.
Die zwei waren verschwunden, wie sie aufgetaucht waren. Tell hatte geknurrt, als Frau Wiener und Anita unter
der Tür erschienen waren. Der mag mich nicht, weil ich
ihn von Vischnu weggejagt habe, hatte Frau Wiener gesagt. Frau Wiener war nicht viel größer als Anita. Aber
Anita war größer als Johann. Nicht viel größer. Ein kleines bißchen größer. Aber eben ein kleines bißchen schon.
Johanns Vater war kleiner gewesen als Johanns Mutter.
Nicht viel kleiner, aber ein bißchen kleiner schon. Der
Großvater, der schon vor vier Jahren gestorben war, war
ein Riese gewesen, aber gebeugt. Der Vater hatte sich immer ganz aufrecht gehalten. Besonders am Klavier. Am
Klavier hatte er sich sogar zurückgebeugt. Er hatte gespielt, als höre ihm jemand in der Höhe zu.
Johann ging in den Abort im ersten Stock und beobachtete vom Fenster aus die Zirkusleute. Zum Glück
hatte der Großvater das Haus so gebaut, daß in jedem
Stock die Aborte die Südseite beherrschten. So konnte
Johann von drei Stockwerken aus beobachten, was die
Zirkusleute taten. Aus dem Stapel der Manegehölzer hatten sie inzwischen einen Manege-Kreis gebaut und waren
gerade dabei, dem mit viel Sägmehl einen weichen Boden
zu verschaffen. Drei Reihen Bänke standen auch schon
um die Manege. Zwei kleinere Masten einander gegenüber, und ein großer Mast in der Mitte. Alle Drähte waren gespannt. An den Drähten weiße und rote Glühbirnen, noch nicht brennend. ZIRKUS LA PALOMA stand
über dem Tor, das sie innerhalb des Hoftors aufgebaut
hatten. Zwischen Hoftor und Zirkustor das blauweißrot
gestrichene Kartenhäuschen. Von zwei Ponies gezogen,
fuhr gerade die Kleinausgabe eines altrömischen Renn-
wagens hinaus auf die Straße und abwärts ins Dorf. Diesen Rennwagen kannte Johann aus dem Buch *Unsere Zeit
im Lichte der Weissagung. Philippus und der Kämmerer*
stand unter dem Rennwagenbild. Der Zirkusrennwagen

wurde gelenkt von einem muskulösen Mann, dessen braungebrannter Kopf vollkommen haarlos war. Hinter ihm auf einer Art Thron saß und schlug die mächtige Trommel, die er sich umgehängt hatte, der kleine Riese mit dem Haarpelz. Sein blaurotes Gesicht leuchtete. Drunten, an der Linde, wo alle fünf Straßen des Dorfes zusammenkamen, machten sie halt. Der kleine Riese rief das Programm aus, der mit der Glatze spielte auf der Trompete *La Paloma*. Am liebsten wäre Johann ihnen nachgelaufen. Die Töne zogen ihn an. Aber er konnte sich nicht rühren. Die Töne bannten ihn auch. Wahrscheinlich machten die den zweiten Halt etwa vor Bruggers Haus. Dann wußte Adolf, wenn man sich beim Kommunionunterricht traf, schon Bescheid. Johann mußte dann nicht lang erklären, wer dieses Mädchen mit der braunen Haut und der runden Stirne war. Und Augenwimpern hatte sie auch. Johann nahm sich vor, aufzupassen, ob andere Mädchen oder Frauen auch Augenwimpern hatten. Und beide Schneidezähne sah man bei diesem Mädchen. Ihre Lippen lagen nicht ganz fest aufeinander. Seit der Wanderphotograph ihn photographiert hatte, wußte Johann, daß seine Lippen auch nicht immer aufeinander lagen. Er rannte ins Zimmer und überprüfte es gleich vor dem Spiegel. Sein rechter Schneidezahn stand rücksichtslos vor. Die Oberlippe, die bei Johann ohnehin zu kurz war, mußte andauernd daran denken, daß sie diesen Vorsteher, so gut es ging, zuzudecken hatte. Bei Anita stand der gleiche Schneidezahn überhaupt nicht vor, er trat nur um ein winziges heraus, als wolle er den neben ihm stehenden Schneidezahn schützen. Keine häßliche Vorprescherei, sondern die zarte Inschutznahme eines engen Verwandten. Johann hielt es lange aus vor dem Spiegel. Das würde er jetzt auch beichten müssen. Und bereuen müssen. Und sich vornehmen müssen, es nie wieder zu tun. Ich bin hoffärtig gewesen. Gegen sieben der zehn Gebote hatte er gesündigt, gegen die ersten sieben. Beim fünften kam er noch am leichtesten davon. Er hatte niemanden getötet. Geschlagen schon. Gewehrt hatte er sich. Jesus hatte sich eben nicht gewehrt. Ob der Pfarrer ihn kennen würde? Im Beichtstuhl war es dunkel. Aber der Pfarrer konnte durch den Spalt des Vorhangs doch sehen, wer jeweils die Bank verließ und zwei, drei Schritte brauchte, bis er im dunklen Beichtstuhl am Pfarrerohr kniete. Johann wäre es lieber gewesen, wenn der Benefiziat bei den Buben die Beichte gehört hätte. Aber das wußte man nicht vorher. Ich habe heilige Namen leichtsinnig ausgesprochen. Ich habe heilige Namen zornig ausgesprochen. So fing es an. Damit käme man in Fahrt. Bloß nicht stecken bleiben. Bloß durch. Nichts wie durch.

Um halb fünf stand Johann mit frisch geölten und sorgfältig zu einer einzigen Welle geformten Haaren unter dem Tor des Zirkus LA PALOMA. Weiter hinein wagte er sich nicht. Aus welchem Wohnwagen Anita kommen würde, wußte er, weil er vom Abortfenster aus gesehen hatte, wie ihre Mutter und der Vater mit der kurzen, rotschwarz gewürfelten Jacke in diesem Wagen verschwunden waren. Anita erschien. Sie trug jetzt schon weiße Strümpfe. Und keinen wilden Pullover mehr, dafür ein dunkelblaues Strickkleid. Sie sah viel zu sonntäglich aus. In den Kommunionunterricht würde kein Bub und kein Mädchen so sonntäglich angezogen kommen. Er hätte ihr das sagen sollen, aber er traute sich nicht. Er hatte zwar auch seine neuere Manchesterhose angezogen, die Kniestrümpfe waren auch fast neu, aber über dem Sporthemd trug er den Pullover, den er vor fünf Jahren zu Weihnachten bekommen und dann gleich beim Kerzenausblasen verbrannt hatte. Man sah die von Mina gestopfte Stelle am linken Unterarm. Er hatte den Ärmel so hingezogen, daß man die Stelle nicht sehen sollte. Als Anita unter der Tür des Wohnwagens erschien, wußte er, daß er diesen Pullover nicht hätte anziehen dürfen. Man sah doch, daß unten und an den Ärmelenden angestrickt worden war. Sie kam die drei Stufen herunter, kam auf ihn zu. Gehen wir, sagte sie. Und weil er offenbar immer noch nicht gehen konnte, sagte sie: Bevor wir anwachsen. Und lachte und sagte: Das sagt Papa immer. Johann dachte: Seit das an einem Weihnachtsabend der Schulze Max gesagt hat, hab ich das nicht mehr gehört.

Jetzt mit Anita auf der Dorfstraße zur Kirche, einen Kilometer lang mit ihr zwischen gar allen Häusern hindurch, bis man endlich ganz drunten und draußen auf der Halbinsel in der Kirche wäre, nein und noch einmal nein. Wenn er daran dachte, wer alles ihm da begegnen konnte! Nein, nein, nein. Er würde den Moosweg nehmen.

Er hätte ganz sicher kein Wort gesagt, wenn Anita auch kein Wort gesagt hätte. Aber Anita redete fast ununterbrochen. Sie wollte, daß sie einander die Unterrichtsfragen stellten, den Beichtspiegel aufsagten. Fang du an, sagte er. Und sie fing an. Vorher sagte sie aber noch, daß sie jetzt nicht beichte, sondern den Beichtspiegel aufsage. Und sagte ihn auf. Unglaublich schnell. Und ließ keinen Punkt aus. Auch den nicht, in dem von der Unkeuschheit die Rede ist, allein oder mit anderen. Johann dachte: Allein und mit anderen. Dann sagte sie noch alle Bestimmungen auf, die erfüllt sein müssen, daß eine Reue eine vollkommene Reue ist. Dann sagte sie auf, was alles zwischen Beichte und Kommunion nicht passieren dürfe, damit die Kommunion überhaupt empfangen werden darf. So, und jetzt du, sagte sie. Johann schüttelte den Kopf. Sah aber nicht hinüber zu ihr. Dafür ging er rascher. Sie sagte, sie müsse um halbsieben zurück sein. Um acht beginne die Vorstellung. Und warum muß sie dann schon um halbsieben da sein? Sich umziehen, schminken, warmturnen. Sie sei Teil der Hauptnummer des Abends: Wiener Künstler. Das sei die Nummer ihrer Familie. Das meiste mache natürlich ihr Vater, aber ihr Bruder und sie seien schon nötig. Johann habe doch den Mast gesehen, in der Mitte der Manege. An diesem Mast, von unten bis hinauf zur Vierzehnmeterspitze, fänden die Übungen statt. Er werde es ja sehen. Zum Glück sei die Manege

hier so plaziert, daß die Leute nicht aus umliegenden
Häusern die hoch am Mast stattfindenden Übungen anschauen könnten, ohne Eintritt zu bezahlen. Das sei bei
ihrer Mast-Nummer immer das größte Problem. Hier
könnten höchstens welche von der Straße oder von der
Wirtschaftsterrasse aus zuschauen. Aber bei denen kassieren wir dann schon ab, sagte Anita und lachte.
Als sie den Friedhof betraten, sagte Johann, er müsse
schnell noch seinem Vater aufs Grab, sie müsse ohnehin
auf der Frauenseite hinein. Und zeigte hin und bog rechts
hinüber zum Grab, gab das Weihwasser, dachte dreimal
Herr, gib ihm die ewige Ruhe, das ewige Licht leuchte
ihm, Herr, laß ihn ruhen in Frieden, Amen. Dann ging er
auf der Männerseite hinein. Drinnen sah er Anita ganz
weit vorne sitzen. Er ging auf seiner Seite genau so weit
nach vorne, nickte ihr zu, sie nickte zurück.
Er war so früh von zu Hause weggegangen, weil er mit
Anita in der Kirche ankommen wollte, wenn noch niemand da war. Das war gelungen. Johann sah sich auf der
Kanzel stehen, wie in der Missionswoche der Pater Chrisostomus auf dieser Kanzel gestanden hatte und mit aus-
gebreiteten Armen ausgerufen hatte: Warum toben die
Heiden? Und vor ihm, unter ihm säße Anita, er würde
predigen nur für sie.
Die anderen Mädchen und Buben trafen allmählich
ein, aus der Sakristei erschien der Pfarrer. Bevor
der Unterricht begann, ging der Pfarrer noch zu Anita
hin, sprach mit ihr, sein starrer Kinnbart ging auf
und ab, ohne daß man auch nur das geringste hätte hören
können. Adolf hatte sich neben Johann gesetzt, hatte
kurz zu den Mädchen hinübergeschaut, dann hatte er zu
Johann hin geflüstert: Die vom Zirkus. Das DIE hatte
er mit einer Kopfbewegung verbunden. Johann hatte
unsicher genickt. So, als wisse er das nicht so
sicher, wie es Adolf offensichtlich wußte. Woher wußte
der das schon wieder? Das weiß man nie in
einem Dorf, woher immer alle alles sofort wissen. Nur

daß immer alle alles sofort wissen, das weiß man. Adolf hatte ein viel feiner kariertes Hemd an als Johann. Und statt eines Pullovers trug er eine eher lange Jacke, die mit einem Gürtel aus dem gleichen Stoff zusammengehalten wurde.

Der Pfarrer sagte, jetzt seien es also nicht mehr sechs, sondern sieben Mädchen und elf Knaben. In der Sprache des Pfarrers waren die Buben immer Knaben. Er freue sich, sagte er, daß Anita Wiener, wohlvorbereitet, zusammen mit den Wasserburger Kindern die heilige Kommunion zum ersten Mal empfangen wolle. Johann spürte, wie es ihm kalt den Rücken hinunterlief. Er mußte ganz schnell tief Luft holen. In seinen Ohren rauschte es. Flog er oder stürzte er? Er schürfte ganz schnell mit dem Nagel des rechten Daumens einen Buchstaben in das mürbe Holz der Kirchenbank. Ein A schnitt er in das Holz. Dann ein W. Aber er schützte, was er tat, daß Adolf es nicht sah. Plötzlich hörte er Adolf flüstern, Johann müsse es nicht zudecken mit der Hand, er, Adolf, habe schon alles gesehen. Und zog Johanns Hand von der Bank weg. Offenbar wollte Adolf die anderen Buben auffordern, herzuschauen, daß alle sähen, was Johann gerade vollbracht hatte. Johann hielt sein Gesicht angestrengt dem Pfarrer hin, als dürfe er jetzt nicht abgelenkt werden. Tatsächlich schilderte der Pfarrer gerade, wie schlimm es wäre, wenn die Kommunikanten, nachdem sie morgen nachmittag nach ihrer ersten Beichte die Kirche im Zustand der heiligmachenden Gnade verlassen hätten, diesen Zustand dann durch irgendeine sündhafte Unachtsamkeit aufs Spiel setzten, ihn gar durch eine Todsünde zerstörten und dann am Sonntagmorgen die Erstkommunion in unwürdiger Verfassung empfingen. Das sei die schwerste, die schwärzeste, die grauenhafteste Sünde überhaupt: den Leib des Herrn empfangen im beschmutzten Zustand. Das klang, als habe jemand, der so etwas tue, sofort mit einem Blitzschlag zu rechnen, oder die Erde risse auf und verschlänge ihn.

Als der Pfarrer den Unterricht beendete, fiel Johann ein, daß er noch ein *Vaterunser* und ein *Gegrüßet seist du Maria* beten müsse dafür, daß Josefs Schutzengel Josef hatte mit einem Bänderriß davonkommen lassen. Eigentlich will in jedem Augenblick das Schlimmste passieren, und das muß man, so gut es geht, durch Glauben und Beten verhindern, und bitten und betteln, daß immer nur das Zweit- oder gar bloß das Dritt- oder Viertschlimmste passiere.

Die anderen hatten die Kirche schon verlassen, bis Johann seine zwei Gebete rasch, aber innig aufgesagt hatte. Er rannte.

Mädchen und Buben gingen getrennt von einander die Dorfstraße hinauf. Die Buben in deutlichem Abstand hinter den Mädchen. Die Mädchen führten Anita in ihrer Mitte, als müßten sie dafür sorgen, daß ihr nichts passiere. Man sah und hörte: ihr Thema war Anita. Ob Anita bemerkte, daß sie die einzige war, die einen Bubikopf hatte? Alle anderen hatten Zöpfe. Er war der einzige, dessen Haare nach der Kopfmitte nicht einfach weggeschoren waren. Sagen konnte er es ihr, wenn sie es nicht selber bemerkte, nicht.

Man ging natürlich nicht den Moosweg zurück, sondern die Dorfstraße aufwärts. Johann hätte Anita am liebsten die dritte Möglichkeit, von der Kirche ins Dorf hinauf zu kommen, gezeigt, den Seeweg. Ein vor die Villenmauern hingemauerter Weg, gegen den See durch mächtige Steine, die man einfach als Wellenbrecher aufgehäuft hatte, geschützt. Anita hatte ja schon die weite Wiesenmulde, durch die der Moosweg ging, schön gefunden, weil die ganze Weite von Wiesenschaumkraut und Hahnenfuß lilahell und gelb überblüht war. Daß so viel blühte, war Johann erst aufgefallen, als Anita gesagt hatte, auf dem Heimweg wolle sie einen Strauß für ihre Mutter pflükken. Und jetzt wurde sie wie eine gefangene Königin auf der Dorfstraße hinaufgeführt. Anita und er auf dem Seeweg, dachte Johann. Andauernd wollen die Wellen heraufschlagen, und dann erreichen sie einen doch nicht, das hätte Anita sicher gefallen. Anita hätte auf der Mauerseite, er außen gehen können. Dann wäre sie allerdings links von ihm gegangen, hätte den gestopften Ärmel gesehen. Also hätte er sie doch auf der Seeseite gehen lassen müssen. Unmöglich. Zur Zeit unmöglich. Ende April, Schneeschmelze, das ganze Wasser aus den Bergen, der See übervoll, und zur Zeit stürmisch.

Als sie unter dem dicht an der Dorfstraße stehenden riesigen Nußbaum durch waren, sahen sie, wie der Lehrer gerade die Treppe vom Friseur herunterkam. Er ließ sich die Haare noch kürzer schneiden als Adolf. Auf dem ganzen runden Kopf alles auf einen Millimeter zurückgestutzt. Vielleicht wegen der Silberplatte, die er noch vom Krieg im Kopf hatte. Die Mädchen grüßten: Heil Hitler, Herr Hauptlehrer. Die Buben genau so. Adolf war der einzige, der bei diesem Gruß den Arm ganz hoch hinaufriß. Er fuhr sogar mit der linken Hand zu seinem Stoffgürtel und steckte den Daumen hinter den Gürtel, als sei da das Koppelschloß des Uniformgürtels. Der Lehrer sagte zweimal Heil Hitler, liebe Kinder. Und hob ganz ruhig den gestreckten rechten Arm. Also, sagte er, alle mal herhören. Los, los, keine Müdigkeit vorschützen, sagte er, weil die Mädchen und Buben nicht sofort um ihn herumstanden. Ihr grüßt, da könnt's einem schlecht werden. Und von euch sollen die Älteren lernen, wie sie zu grüßen haben. Was habe ich euch ins Heft der Nationalen Erhebung über das Grüßen diktiert? Erstens, Adolf? Und Adolf sagte sofort laut und überdeutlich, als spreche er zu Schwerhörigen: Erstens. Wir an Deutschlands Südgrenze müssen den Deutschen Gruß gegen jede alte Gewohnheit oder Bockbeinigkeit durchsetzen. Der Lehrer: Zweitens, Anneliese. Und Anneliese genauso laut und deutlich: Zweitens. Es ist ein Zeichen der Schwäche, wenn man sich in der Art des Grüßens durch sein Gegenüber beeinflussen läßt. Gut, Anneliese, rief der Lehrer. Und jeder wußte, daß er jetzt daran dachte, wie er Anneliese am letzten Schultag vor Ostern hatte ohrfeigen müssen, weil sie am Ergebnis einer Rechnung herumverbessert und das, als der Lehrer ihr das vorhielt, abgeleugnet hatte. Nicht daß das Ergebnis falsch ist, hatte der Lehrer gerufen, sondern daß du gelogen hast, ist das Schlimme. Ein deutsches Mädel lügt nicht, hatte er gerufen und Anneliese dabei eine Ohrfeige gegeben, daß sie gegen das Harmonium geflogen war, und zwar so, daß der Schlüssel abgebrochen wurde. Der Lehrer trat noch mit dem Schuh gegen die Liegende, dann drehte er sich zur Wandtafel hin, hämmerte mit beiden Fäusten gegen die Tafel und schrie: Sie lügt, sie hat gelogen, und dann lügt sie auch noch weg, daß sie gelogen hat.

Wenn das Wetter umschlug, kam das öfter vor, daß der Lehrer so gegen die Tafel hämmerte. Als er den Döbele Franz geprügelt hatte, weil der fünfzig Pfennig aus der WHW-Sammelbüchse genommen hatte, um Kaltleim für seinen Flugzeugbau zu kaufen, hatte der Lehrer nicht nur die Fäuste, sondern auch den eigenen Kopf gegen die Tafel geschlagen, dabei war ihm das Gebiß aus dem Mund gefallen, der Döbele Franz, der noch auf dem Boden lag, hob es auf, reichte es dem Lehrer, der steckte es sich wieder in den Mund. Jeder wußte: Vom Krieg, die Silberplatte in seinem Kopf. Deshalb sei er immer so schnell oben draus.

Drittens, Johann! rief der Lehrer. Und Johann rief: Drittens. Wer uns auf den Deutschen Gruß beharrlich mit Hut- oder Mützeziehen antwortet oder mit einem Mischmasch wie Habe die Ehre, Heil Hitler, wer uns, wenn wir ihn mit erhobenem Arm und mit Heil Hitler grüßen, immer wieder ausweichend antwortet, den streichen wir von der Liste der Personen, die wir grüßen. Gibt es Ausnahmen, rief der Lehrer, Irmgard? Ausnahmen gibt es, rief Irmgard, in der Fasnacht. Wenn das äußere Bild von Narretei beherrscht wird, ist der Deutsche Gruß zu unterlassen.

Johann wußte, als er seine Antwort aufsagte, daß er die

Stammgäste, die er grüßen mußte, gleichgültig, ob er ihnen im Haus oder auf der Straße begegnete, nicht mit Heil Hitler grüßen konnte. Am Totengedenktag hatte der Pfarrer am Kriegerdenkmal die Hand zum Deutschen Gruß erhoben. Trotzdem würde Johann den Pfarrer immer mit Grüßgott grüßen. Es gab Leute, bei denen man den Heil-Hitler-Gruß ganz von selber sagte. Eben der Lehrer. Oder Frau Fürst. Frau Fürst rief in jedem Haus, in das sie die Zeitung trug, schon unter der Tür: Heil Hitler allerseits. Jedesmal, wenn sie das rief, dachte Johann daran, daß der Lehrer gesagt hatte, der Deutsche Gruß laute Heil Hitler, jede Zutat sei verboten. Irgend jemand müßte das Frau Fürst einmal sagen. Sie war ja inzwischen Frauenschaftsführerin geworden. Ihre Eva war auf der Gemeindekanzlei umbenannt worden und hieß jetzt Edeltraud. Eva wäre nicht mehr gegangen, sagte Frau Fürst in jedem Haus, weil Eva die Stellvertreterin von Kyra von Strophandt sei. Als die Mädelringführerin Kyra von Strophandt einen SS-Obersturmführer aus Halle geheiratet hatte und in die Sippengemeinschaft der SS aufgenommen wurde, war Edeltraud in der Zeitung zu sehen, die ihre Mutter in alle Häuser trug. Edeltraud direkt neben der Braut. Und Edi Fürst, der, seit er Fähnleinführer geworden war, wirklich nur noch Edmund genannt werden konnte, stand als Fähnleinführer und Leichtathlet und Turner noch öfter in der Zeitung als seine Schwester Edeltraud. Man spürte es direkt, wenn Frau Fürst die Zeitung auf den Tisch warf, daß ihre Kinder in dieser Zeitung wieder vorkamen. Manchmal schlug sie, wenn Johann am Tisch saß, gleich die Rubrik *Plakatsäule* auf und wies unter den elf oder zwölf Appellen, die bekanntgegeben wurden, gleich auf *Fähnlein 36/320.* Vor allem wies sie auf die letzte Zeile hin: *Entschuldigung nicht möglich.* Johann nickte, aber sie wies gleich noch auf eine andere Zeile im Text hin: *Fehlendes Geld für Sportwettkampfabzeichen unbedingt mitbringen.* Johann stand auf und sagte ein bißchen übertrieben: Jawohl! Und Frau Fürst:

Wenn alle wären wie du, Johann! Aber es gibt Drückeberger, Schlappschwänze, Saboteure, Johann, die machen
meinem Edmund das Leben verdammt schwer. Und mit
Heil Hitler allerseits war sie wieder draußen.

Als der Lehrer in Richtung Halbinsel verschwunden war,
sagte Adolf, wie Kraut und Rüben hätten sie gegrüßt. Er
habe sofort gewußt, daß das ein Nachspiel haben werde.
Nachspiel. Johann hörte direkt, daß das ein Wort von
Adolfs Vater war. Heute sah Adolf aus wie ein Sohn des
Lehrers. Der Lehrer trug nämlich genau diese Art Jacke:
zuknöpfbar bis zum Kragen und der Gürtel aus dem gleichen Stoff. Daß man keine Knöpfe sah, wirkte besonders
fein. Wahrscheinlich hatte Adolfs Mutter diese Jacke
beim Lehrer gesehen und dann von Zwergers Anna oder
von Frau Schuhmacher Gierer oder von Fräulein Höhn
oder gar von Frau Spengler Schmitt eine möglichst ähnliche machen lassen.

Johann war gleich erschrocken, als er den Lehrer vom
Friseur hatte herauskommen sehen. Der Lehrer wußte
natürlich, wo diese Kinder herkamen. Zwei Tage vor dem
Weißen Sonntag. Seit drei Jahren war der Lehrer nicht
mehr Organist, betrat die Kirche überhaupt nicht mehr
und unterzeichnete alle Anschläge und Plakate mit
Hauptlehrer PG Heller, Propagandawart. Vor zwei Wochen am großen Abstimmungstag hatten alle Schüler
dorfauf, dorfab rennen und jeden, den sie ohne Wahlpla-
kette fanden, auffordern müssen, sofort seine Wahlpflicht
zu erfüllen. Wer seine Stimme abgegeben hatte, kriegte
eine Plakette. Schon die Tage davor hatten sie den Satz
auf dem Stimmzettel auswendig lernen und ihn im
Sprechchor auf der Dorfstraße ausrufen müssen: *Bist Du
mit der am 13. März 1938 vollzogenen Wiedervereini-
gung Österreichs mit dem Deutschen Reich einverstanden
und stimmst Du für die Liste unseres Führers Adolf
Hitler?* Danach hatten sie alle doppelt so laut *Ja* gebrüllt.
In der Woche danach war der Lehrer mit der Zeitung in
die Schule gekommen. Sie hatten Prozentrechnen geübt.

Im Kreis Lindau hatten 99,2 Prozent mit Ja gestimmt. Wieviel Personen sind das bei 20422 Stimmberechtigten. Und in Wasserburg 659 Ja-Stimmen. Wieviel Prozent sind das bei 665 Stimmberechtigten? Dann hatte der Lehrer gesagt: 6 Nein-Stimmen, die kriegen wir auch noch. Johann hatte gedacht: Gott sei Dank konnte sein Vater nicht zu den 6 Nein-Stimmen gehören. Nicht mehr. Hitler bedeutet Krieg. Diesen Vatersatz hätte Johann niemals laut wiederholt. Er hatte weder Adolf noch Ludwig, noch Paul, noch sonst einen wissen lassen, wie Strodels Traugott umgekommen war, unter der Augustsonne, mit dem herausquellenden Gedärm, das der Vater und Helmers Franz nicht hatten zurückdrücken können. Adolfs Vater, der zu jung gewesen war für diesen Krieg, hatte immer, wenn er in die Wirtschaft kam, gefragt: Wo ist der Wirt? Liegt er schon wieder im Bett, der Wirt? Oder liest er bloß? Adolfs Vater war Johanns Vater gegenüber gern kritisch. Adolfs Vater war in der SA, im Reichsjägerbund, im NSKK und in der Partei. Johanns Vater war im Gesangverein gewesen, im Kriegerverein, im Alpenverein und in der Feuerwehr. Zum Glück war die Mutter in der Partei. Eine Mitgliedsnummer unter der ersten Million. Die Versammlungen fanden, wie es die Mutter vorausgesagt hatte, in der *Restauration* statt. Sogar der Lehrer hatte im Winter einen Vortrag gehalten über das Thema: Die Rüstung eigener und fremder Heere. Der Lehrer war im Krieg Hauptmann gewesen. Man hatte die Falttür aufklappen müssen, so viele Leute waren gekommen, den Lehrer zu hören. Der Vater war nicht unter denen gewesen, die diesem Vortrag zugehört hatten. Das fiel nicht auf, da der Vater in der Wirtschaft ohnehin selten zu sehen war. Nur Herrn Brugger war es aufgefallen. Daß nur die Mutter in die Partei eingetreten war, hatte ihm, solange der Vater am Leben gewesen war, keine Ruhe gelassen. Die Mutter hatte die Abwesenheit ihres Mannes immer wieder erklären müssen. Vor allem hatte sie andauernd den Bankrott draußenhalten müssen. Sonst wäre es ihnen

gegangen, wie es zuerst Brems gegangen ist, dann Hartmanns gegangen ist, Capranos gegangen ist und zuletzt auch noch Glatthars gegangen ist. Als bei Glatthars, nachdem Frau Glatthar gestorben war, alles versteigert wurde, hatte Johann erlebt, daß einer Familie nichts Schlimmeres passieren konnte als die Zwangsversteigerung. Das ganze Dorf kommt, alle gehen durch alle Räume, und jeder merkt sich, was er nachher bei der Versteigerung ersteigern möchte. 1 Krautstande, 2 Nachtkästchen mit weißer Marmorplatte, 1 Standuhr, 3 Waschzuber mit Zubehör, 1 Waschmange. Johann hatte nie etwas Schlimmeres erlebt als die Versteigerung von allem, was Glatthars gehabt hatten. Ihn mußte man zu keiner Arbeit zwingen, wenn es darum ging, die Zwangsversteigerung zu verhindern. Solange Frau Glatthar bettlägerig war, hatte er den Vater an ihr Krankenbett begleitet. Der Vater hatte ihr immer Tees mitgebracht. Frau Glatthar hatte an den Nieren eine Krankheit, die weit und breit noch nie jemand gehabt hatte. Das sagte sie selber. Johann hatte noch niemanden so leise sprechen hören. Man wunderte sich darüber, daß man sie verstand. Die Zapfsäule sei schuld, wenn es zum Konkurs komme, sagte sie. Jeder könne das Benzin ins Fünfliterglas hochpumpen und dann in seinen Tank laufen lassen, ohne daß er den Laden betrete und bezahle.
Der Zimmermeister Brem, der auch mit seiner Pistole die Leute nicht daran hatte hindern können, alles zu betrachten, was bei der Zwangsversteigerung zu haben war, saß seit der Versteigerung am liebsten hinter dem Haus, das ihm nicht mehr gehörte, saß an einem Tisch, hatte das Luftgewehr in den Händen und schoß damit den Fliegen auf dem Tisch die Flügel weg. Nur mit dem Luftdruck schaffte er das. Das Luftgewehr lag auf der von Speiseresten übersäten Tischplatte. Herr Brem wartete, den Finger am Abzug, bis wieder eine Fliege vor die Mündung lief, dann drückte er ab. Adolf, der das beobachtet hatte, sagte, es komme Herrn Brem nicht darauf

an, die Fliegen zu töten, er schieße ihnen nur die Flügel weg.

Wenn Herr Brugger in der Wirtschaft auftauchte, fiel Johann öfter ein, daß Elsa, als Johann und die Mutter aus dem Darlehenskassenbüro zurückgekommen waren, gesagt hatte, Herr Brugger habe gerade in der Wirtschaft ausgerufen: Heut zieht man dem Klavierspieler den Kragen zu.

Johann hatte gehofft, daß die Buben und Mädchen, sobald man die jeweiligen Häuser oder Abzweigungen erreicht haben würde, nach einander verschwänden. Ja, die Buben bogen ab. Dann wäre, wenn die Mädchen auch abgebogen wären, wo sie hingehörten, Johann mit Anita allein gewesen. Am Lindenbaum hätten die letzten abbiegen müssen. Aber die Mädchen bogen nicht ab, verschwanden nicht in den Häusern, in die sie gehörten, sie führten Anita durchs Hoftor bis zum Zirkustor und gingen erst, als sie Anita versprochen hatten, heute abend in die Vorstellung zu kommen. Johann hatte es im Vorbeigehen gehört. Dann rannte er ins Haus und hinauf ins Zimmer und warf sich aufs Bett und blieb liegen auf dem Bauch und zog Tell, der ihm aufs Bett nachgesprungen war, an sich. Tell leckte Johann ab. Johann war das recht. Als er aufschaute, sah er, daß unter dem kommodenbreiten Bild des Schutzengels ein Schlüsselblumenstrauß stand. Das hat Mina getan. So etwas fiel Mina ein. Der Mutter fiel ein, was die Zwangsversteigerung verhinderte.

3. Anita, Anita

Johann saß in der Ecke, in die er immer den Ranzen schubste. Heute schaute er in sein aufgeschlagenes Buch, ohne darin zu lesen. Die Erwachsenen rechneten damit, daß er las. Herr Brugger würde, was er gerade an die Mutter hinredete, nicht sagen, wenn er sich nicht darauf verlassen könnte, daß Johann seinen Winnetou las. Vergiß nicht, du bist noch nicht einmal achtunddreißig, rief Herr Brugger, du kannst froh sein, daß du diesen Schlappschwanz los bist. Der hätte doch glatt mit Nein gestimmt. Der Polizei hätte man ihn melden müssen, schon lange. Wenn er nicht so eine arme Sau gewesen wäre, hätte man ihn gemeldet. Du hast mit Ja gestimmt, das weiß ich, sagte Herr Brugger, aber er hätte mit Nein gestimmt. Glaub ich nicht, sagte die Mutter viel leiser als Herr Brugger. Daß Österreich wieder dazugehört, wäre ihm recht gewesen, sagte die Mutter, er war ja im Alpenverein. Und ohne Krieg hat der Führer das geschafft, rief Herr Brugger. Kein Tropfen Blut geflossen. Einfach genial. Und dein Schlaukopf und Schlappschwanz, was hat er dir hinterlassen? Schulden, nichts als Schulden. Und wer rettet dich jetzt davor, daß du nicht den Bach hinuntergehst und noch gar um dein Sach kommst? *Kraft durch Freude* rettet dich, die *Deutsche Arbeitsfront* rettet dich, die bringt dir mehr Leute ins Haus, als du je gesehen hast. Aber der Schlaukopf, der blöde, der Schlappschwanz, der damische ... Johanns Mutter machte Pschschscht. Sie wollte wohl darauf aufmerksam machen, daß da Johann sitze. Ach was, sagte Herr Brugger, der liest doch. Genau wie sein Alter. Wenn du den anstichst, kommt Tinte raus statt Blut. Den meinen tät ich auf die Mistgabel nehmen, wenn er den Kopf nicht herausbrächte aus den Büchern. Die Mutter sagte, Johann werde eben bald in die Oberschule nach Lindau gehen, genau wie Josef jetzt schon. Schade ums Geld, sagte Herr Brugger. Tintenschlecker

meln und Blechen und Triangeln, der kleine Riese mit der Haarpracht, die sich nach allen Seiten und Richtungen ringelte und rollte. Er verdrehte, wenn er seine Trommeln und Bleche bediente, die Augen, als schmachte er. Alles, was er tat, tat er überdeutlich. Auf einer kleinen Trommel ließ er einen Wirbel anschwellen, aber kurz vor dem Höhepunkt setzte er einen Zimbelschlag drauf und brachte den Nachhall mit fromm gebogenen Händen sanft zum Erlöschen. Sein großer Körper wand und streckte sich, als werde die Musik nicht mit Instrumenten, sondern mit diesem Körper gemacht. Die anderen beiden Musikanten wurden neben dem kleinen Riesen mit dem Prachtskopf fast unsichtbar. Der Muskelmann mit der gleißenden Glatze, der den römischen Wagen gelenkt hatte, blies Trompete. Er trug jetzt einen silbern glänzenden Anzug und einen ebenso silbernen Hut, unter dem goldene Locken hervorquollen. Anitas Mutter spielte Akkordeon. Plötzlich Licht und musikalischer Alarm: ein Herr in Frack und Zylinder stand in der Manege, der Frack tiefblau, der Zylinder hellblau. In der Hand eine Geißel, die er gleich ein paarmal knallen ließ. Er begrüße alle Zuschauer, sagte er, große und kleine, dicke und dünne, aber er könne nicht fortfahren: kluge und dumme, denn wer in eine Vorstellung des Zirkus LA PALOMA komme, beweise dadurch, daß er ein kluger Kopf sei. Die Musik rauschte auf, die Leute klatschten. Ein Weltprogramm verspreche er für diesen Abend, Cuba, Indien, Italien, Wien und Orient seien im Zirkus LA PALOMA zu Gast, aber nicht nur Cuba, Indien, Italien, Orient und Wien, sondern sogar, hört und staunt und freuet euch, sogar Mixnitz an der Murr. Der kleine Riese machte mit einer Soloeinlage deutlich, daß er aus Mixnitz an der Murr sei. Die Leute klatschten. Dann wurde die Musik cubanisch, die Trompete stimmte *La Paloma* an, das Akkordeon folgte seufzend, die Trommeln taten geheimnisvoll. Cuba, rief der Direktor, ließ die Geißel schnalzen und verbeugte sich zu zwei glänzend weiß gekleideten Knaben hin, die den schwarzen Büffel in die Manege führten. Und schon schwebte oder flog mit feierlichem Flügelschlag von der Seite herein eine weiße Taube, Anita. Sie glitt, offenbar an einem Draht hängend, herein, über dem Büffel hörte sie auf, ihre Flügel zu bewegen, und landete in einem kleinen goldenen Nest, das der Büffel auf seinem Rücken trug. Kaum stand sie in dem Nest, löste sie ihr Flügelkleid mit einem Griff und warf es dem Direktor zu, der es fing und sich ergeben verneigte. Anita stand jetzt als Cubanerin in ihrem Nest und bewegte sich zur *La Paloma*-Musik und feuerte sich mit schwarzen Klappern zu immer kühneren Bewegungen an. Plötzlich wurde ihr das Flügelkleid wieder gereicht, die Musik wurde wieder rein schmachtend, Anita war wieder eine Taube, bewegte ihre Flügel ganz langsam, der Büffel trug die Flügelschlagende aus der Manege hinaus. Alle Leute klatschten. Anita kam ohne Büffel, aber mit Flügeln noch einmal herein und verbeugte sich. Auch der Direktor klatschte und rief immer wieder: La Paloma persönlich, Anita Wiener. Anita Wiener aus der international berühmten Familie Wiener Künstler. Dann wurde von zwei Ponies ein Käfig hereingezogen, darin kniete, vielfach gefesselt und gekettet, der Muskelmann. Jetzt im Turnhemd und engen weißen Kniehosen. Auf dem Kopf schulterlanges lockiges Blondhaar. Der Direktor stellte ihn als Simson, den Stärksten aller Starken vor, bat Leute aus dem Publikum, die Stricke und Ketten zu prüfen, mit denen Simson gefesselt war. Adolf war sofort dort und prüfte und nickte und sagte: Alles echt. Der Direktor bedankte sich bei Adolf, sagte, solche junge Menschen bräuchten wir heute, Menschen, die sich kein X für ein U vormachen ließen.

Simson spannte seine Muskeln, mit jeder Anspannung krachte eine Fesselung auseinander. Die Trommel feierte jeden Fesselsprengungstriumph. Als alle Stricke gesprengt waren, packte er die Kette, riß sie entzwei, bog die Stäbe seines Käfigs auseinander und sprang in die Manege. Großer Beifall. Aber der Direktor zeigte sich geängstigt. Er rannte in der Manege herum, Simson folgte mit wuchtig großen Schritten. Der Direktor rief: Delila, hilf! Delila, hilf! Und schon kam eine Orientalin und fing vor Simson an, ihre Hüften kreisen zu lassen. Anita. Sie führte Bauchtanz vor, Simson kniete nieder vor ihr, sie zog einen von Edelsteinen glitzernden Dolch und skalpierte Simson, hatte seine Perücke in der Hand, warf ihm ein dünnes Stricklein um den Hals, Simson konnte kaum mehr die Arme heben vor Schwäche, so führte sie ihn hinaus. Großer Beifall. Der Direktor rief ihr nach: Dank dir, Delila, du hast uns gerettet vor dem Wüten des Wüterichs, Dank dir, Delila.

Johann hatte natürlich bei dieser Skalpierungsszene an Sam Hawkens in Winnetou I denken müssen. An das Abschiedsessen für das Greenhorn aus Deutschland. Wenn Sam Hawkens seinen Hut abnimmt, bleiben die Haare am Hut, ein ganz und gar haarloser Schädel erscheint, skalpiert von den Pawnees. Aber der Schädel des Muskelmanns war nicht so blutig rot wie der des Westmanns Sam Hawkens, der nach jedem zweiten Satz Wenn ich mich nicht irre sagte. Johann liebte Sam Hawkens, weil er andauernd wennichmichnichtirre sagte.

In den nächsten Nummern war Anita nicht dabei. Johann schaute zu, nahm nichts wahr. Erst als der kleine Riese mit dem Prachtskopf als Dummer August auftrat, wachte Johann auf. Auf dem Haarpelz saß jetzt eine kleine Schüssel mit Rand. Und er hatte einen Frack an, der aus Hanfsäcken genäht war, darunter ein mit kleinen Glöckchen besetztes Hemd. Wenn er sich schüttelte, klingelte es. Wenn er mit dem, was der Direktor sagte, nicht einverstanden war, schüttelte er sich. Der Direktor sagte: Lieber August ... Der August schüttelte sich. Der Direktor: Herr August ... Der August schüttelte sich. August, Sie sind ... Der August schüttelte sich. Der Direktor: August, du bist ... Der August hielt sich ganz still, daß nichts mehr klingelte. Also sind wir per Du, sagte der Direktor.

Der August: Wenn Sie wollen, Herr Direktor. Der Direktor: Dann mußt du aber auch Du zu mir sagen. Der August: Ihre Frau ist auch per Du mit Ihnen, und wenn ich sehe, wie Sie die behandeln, bleib ich lieber beim Sie. Der Direktor: Wie behandle ich denn meine Frau? Der August: Neulich, als der Doktor bei Ihrer Frau war, hat er gesagt: Herr Direktor, Ihre Frau gefällt mir gar nicht. Sie darauf: Dann haben wir denselben Geschmack, Herr Doktor. Der Direktor: August, ich habe aber immer gesagt, meine Frau hat eine innere Schönheit, die ist einmalig. Der August: Vielleicht sollten Sie sie wenden lassen. Der Direktor: Kann man denn das? Der August: Heute kann man alles. Vor zwei Monaten war ich noch ein Österreicher aus Mixnitz an der Murr, jetzt bin ich Deutscher. Der Direktor: Aber das ist doch etwas ganz anderes, August. Der August: Überhaupt nicht, Herr Direktor. Ihre Frau hat die Schönheit innen, wie wir Österreicher innen das Deutschtum hatten, jetzt ist es heraus, 99,7 Prozent aller Österreicher haben vorvorigen Sonntag Ja gesagt zu ihrem inneren Deutschtum. Der Direktor: Lieber August ... Der August schüttelte sich, daß alle Glöckchen klingelten. Der Direktor, vorsichtig: August ... Als kein Klingeln kam, fuhr er fort: Ich hoffe nur, daß auch du am 10. April dein Ja beigetragen hast. Der August: Aber klar, Herr Direktor, ich habe mich einfach überstimmt. Der Direktor: Wie geht denn das wieder, sich selber überstimmen? Der August: Kennen Sie den Ausdruck sich übergeben? Es ist genau dasselbe. Nur beim Sichübergeben geht's nach außen. Beim Sichüberstimmen nach innen. Ich habe sofort gewußt: Jetzt überstimmst du dich, wie 99,7 Prozent aller Österreicher. Der Direktor: Aber August, du hast doch am Wahlsonntag noch nicht wissen können, daß 99,7 Prozent der Österreicher mit Ja stimmen werden. Der August schüttelte sich unwillig und sagte: Herr Direktor, nicht diese nörgelige Tonart, ja! Natürlich hat man das gewußt, daß die Österreicher die Deutschen im Ja-Sagen übertreffen werden. Nächstes Mal werden es 102 Prozent, das schwör ich Ihnen. Der Direktor: Wie soll denn das gehen: 102 Prozent? Der August: Rechnen schwach, Herr Direktor, was? 102 Prozent, das sind einhundertzwei von hundert. Der Direktor: Du hältst mich wohl für ein bißchen beschränkt, August. Der August: Aber, Herr Direktor, ich beurteile einen Menschen doch nicht nach seinem Aussehen. Die Leute lachten. Der Direktor gab dem August eine Ohrfeige, der August tat, als werfe ihn diese Ohrfeige fast um, aber er verwandelte sein Fasthinfallen in ein Suchen im Sägmehl. Der Direktor: Hast du etwas verloren, August? Der August: Ach, nicht weiter schlimm, nur den Glauben an die Menschheit. Der Direktor: Den Glauben an die Menschheit hast du verloren, und das nennst du nicht weiter schlimm. Der August: Das war bloß noch so ein Rest. Der Direktor: August, als was bist du angestellt beim Zirkus LA PALOMA? Der August: Als der Dumme August. Der Direktor: Und ich? Der August: Als der Direktor. Der Direktor: Und was ist der Unterschied zwischen einem Dummen August und einem Direktor? Der August: Der gleiche Unterschied wie zwischen Äpfeln und Birnen? Der Direktor: Und der wäre? Der August: Alles Obst. Der Direktor: Ich sehe, du schaffst es nicht. Zu dumm, den Unterschied zwischen einem Direktor und einem Dummen August zu de-fi-nieren. Der August: Ich mag keine Nieren. Ich mag Nieren so wenig wie Wagner. Der Direktor: Was hat denn Wagner mit Nieren zu tun. Der August: Daß ich beide nicht mag, das reicht doch. Sie mögen natürlich den *Freischütz*! Ich eben nicht. Der Direktor: Also, August, der *Freischütz* ist nicht von Wagner, sondern von Weber. Der August: Also nicht einmal der *Freischütz* ist von ihm. Und die *Zauberflöte*? Auch nicht? Der Direktor: Die ist von Mozart, August. Der August: Das war wenigstens noch ein Österreicher. Der Direktor: Heute also ein Deutscher. Der August: Alles Obst, klar. Der Direktor: Schluß jetzt mit Politik, August. Das Wetter ... Der August: Wird im-

mer schöner. Der Direktor: Endlich sind wir einig, August. Ich bin heute am See entlang gegangen ... Der August: Das Wasser steigt und steigt.
Der August hob die Hand immer höher, wie beim Hitlergruß.
Der August: Also schon bald bis zum Hals. Der Direktor: Das ist das Frühjahr. Die Schneeschmelze. Der August: Also jetzt muß ich als Österreicher ... Der Direktor: ... als ehemaliger Österreicher. Der August: Richtig. Als Ehemaliger muß ich dagegen protestieren, daß Sie für diesen noch und noch steigenden Bodensee eine Schneeschmelze haftbar machen wollen! Hätten Sie sich einmal gebückt, hätten Sie Ihre Hand hineingetaucht in dieses noch und noch steigende Wasser, dann hätten Sie sofort gespürt: es sind die Freudentränen der Österreicher, die den Bodensee hoch und höher und noch höher steigen lassen, die Freudentränen über die Heimkehr ins Reich. Herr Direktor, hoch das Bein, die Liebe winkt, der Führer braucht Soldaten. Der Direktor: Einverstanden, August, hundertprozentig einverstanden. Der August: Hundertzwei, Herr Direktor, inzwischen tun wir's nicht mehr unter einhundertzwei. Der Direktor: Ich bin dabei! Er will den August umarmen. Der August stößt ihn zurück und ruft: Da dreht sich ja der Röhm im Grab herum. Mit beiden Händen seinen Hintern schützend, watschelte der August aus der Manege. Tusch. Die Leute klatschten.
Johann sah, daß Herr und Frau Brugger nicht klatschten. Herr Brugger spielte mit der rechten Hand Klavier auf dem Handrücken der Linken. Seine Frau wartete. Auf ihn.
Dann führte der Direktor vier Ponies vor, die zählen und tanzen und sich aufrichten konnten. Ein Pony konnte, als der Direktor ihm eine traurige Geschichte erzählte, sogar weinen. Aber ein anderes konnte, als ihm der Direktor einen Pony-Witz erzählte, auch lachen. Als den Höhepunkt des Programms sagte der Direktor die Wiener Künstler an. Zwischen seinen zwei radschlagenden Kin-

dern sprang Anitas Vater in die Manege. Trommelwirbel, ein auf- und abrasender Akkordeonton, von der Trompete ein Angriffssignal. Hinter dem Vater kletterten Anita und ihr Bruder an dem weiß gestrichenen Mast in der Manegenmitte empor. Sie kletterten so schnell, daß alle Leute staunten und klatschten. Alle drei hatten weite rosarote Seidenanzüge an. Bruder und Schwester lösten auf halber Höhe purpurne Gürtel und legten die um den Mast, dadurch konnten sie sich weit vom Mast wegbiegen und so als Gegengewicht zum Vater dienen, der über ihnen Übungen ausführte, die den Mast gefährlich bogen. Aber es gab auch Übungen, da hingen sie aneinander und schwangen so um den Mast herum. Der Vater am Mast, der Sohn am Vater, Anita am Bruder. Weit draußen flog sie um den Mast herum. Die seidenen Kittel und Hosen flatterten. Das Publikum klatschte und klatschte. Johann klatschte am lautesten und längsten. Alles ohne Netz, rief Adolf. Als die drei wieder in der Manege standen, ging das Klatschen erst richtig los.

Kaum waren die drei, rückwärts gehend, verschwunden, wurde die Musik indisch. Anitas Mutter strich mit einem Bogen über ein Instrument mit vielen Saiten. Der Dumme August blies eine Flöte. Der Direktor ließ die Geißel schnalzen und rief: Vischnu, Vischnu, Vischnu, Vischnu. Bei jedem Ruf drehte er sich in eine andere Richtung. Beim letzten Vischnu-Ruf sah er zu den blühenden Apfelbäumen hin. Und unter denen hervor kam jetzt der Wasserbüffel. Vischnu, rief der Direktor jetzt in einem anderen Ton. Vischnu persönlich. Aus seinem Nabel wächst und blüht auf die Lotosblume, in der Devi thront, die aller Götter Göttin ist und jetzt Bharatanatyam tanzt und mit allen ihren Armen Shiva täuscht, den Todesgott. Die Musik flatterte hoch wie eine Schar Tropenvögel. Anita, ganz und gar indisch, in der weißen Blume tanzend. Der schwarze Büffel trug das Bild im Kreis herum. Anita hatte mehr als zwei Arme, und alle Arme bewegten sich. Aber Johann entdeckte, welche

Arme ihre eigenen waren, und er sah, daß in Anitas Achselhöhlen schwarze Haare wuchsen. Zweimal ging der Büffel das Manegenrund aus. Die Musik wurde immer indischer. Der Büffel blieb stehen, Anita stand auf, sprang herab, wurde im Manegensägmehl ein kleiner Berg aus nichts als Armen. Ihr Kopf erschien erst wieder, als der Büffel sich vor sie hinstellte. Anita wuchs vor ihm auf, hielt ihm beide Hände hin. Er leckte beide Hände inbrünstig ab. Die Musik rauschte auf, die Leute klatschten. Johann hatte ein Gefühl von Seligkeit. Dann ging der Büffel vorne in die Knie und forderte so Anita Devi auf, zwischen seinen weit ausschwingenden Hörnern Platz zu nehmen. Das tat sie dann auch. Vischnu richtete sich auf und trug Anita Devi in einem musikalischen Triumph hinaus ins Dunkel hinter den Gravensteinerbaum, an dem er den ganzen Tag angekettet gewesen war. Das Publikum klatschte. Johann klatschte so heftig es überhaupt ging. Er wollte alle anderen mitreißen. Bharatanatyam! Ein Wort aus seinem Wörterbaum! Er hatte das Gefühl, jetzt gehöre er zum Zirkus. Adolf klatschte deutlich weniger als Johann.

Auf der anderen Seite der Manege saßen, auch in der ersten Reihe, Herr und Frau Brugger. Herr Brugger klatschte so gut wie gar nicht. Er tätschelte mit einer Hand den Handrücken der anderen Hand. Ach, Herr Brugger, dachte Johann und spürte eine Art Mitleid mit Herrn Brugger. Wenigstens Adolf wollte er herüberreißen zu sich, weg von seinem Vater. Hin zu Johann, zu Johanns Vater. Schon als der Direktor *Indien* gesagt hatte, hatte Johann an seinen Vater denken müssen. Erst recht bei Bharatanatyam. Als sein Vater das Buch nicht mehr selber hatte halten können, hatte Johann ihm vorlesen müssen. An jedem Abend im November und Dezember hatte er ihm vorlesen müssen. Anselm, der Dreijährige, war neben den Vater ins Bett gesetzt worden. Johann hatte immer gelesen, bis beide eingeschlafen waren, Anselm und der Vater. Rabindranath Tagore war der Dichter, aus dessen Schriften Johann hatte vorlesen müssen. Die Kapitel hießen: *Der Rat der Himmlischen. Die beiden Tiere. Die Bahn der Sonne. Der Blumengruß. Das Märchen der Kinderseele. Das Sangesopfer. Die Versöhnung. Die leuchtende Spur.* Zum Lesen hätte er das wahrscheinlich langweilig gefunden. Zum Vorlesen nicht. *Rabindra aber sang bewegt in alter, heiliger Sprache aus den Upanishaden. Was er aber sang, bringt Segen – bringt Segen.* Wie hätte er denn nicht, als der Büffel Anitas Hände leckte, an Rabindras große Erleuchtung denken sollen! *Eines Tages saß der Knabe unter der Tür des väterlichen Hauses und schaute hinaus. Und er sah ein Zeburind und einen Esel nebeneinander stehen. Die Kuh aber leckte liebreich dem Esel das Fell. Gleich wie die beiden Tiere, einander völlig fremd und von gänzlich anderer Artung, doch hinter allem Trennenden die gemeinsame, ewige Einheit spürten, so also erschaute der Knabe plötzlich den inneren Zusammenhang der ganzen Welt und aller Wesen. Und durchdrungen vom Allgefühl erlebte er das Nicht-anders-können denn Lieben, und sprach: Ich muß lieben, muß lieben.*

Wenn Johann nach der Schule, noch bevor er aß, zum Vater hinaufging und fragte, wie es gehe, sagte der: Komm, lies mir den 10. Gesang der *Bhagawadgita.* Wenn Johann dann las: *Ich bin das Wirkende im Reich der Kräfte / Der Sonnenglanz im Himmelsonnenchor ...*, hatte er das Gefühl, während er lese, wachse er. Am liebsten war dem Vater im Dezember das *Nachtlied* gewesen. Komm, lies mir noch einmal das *Nachtlied* aus dem *Zarathustra*, hatte er im Dezember oft gesagt. Tatsächlich las Johann am liebsten das *Nachtlied* vor. Wenn er das las, hatte er das Gefühl, jetzt singe er. Wenn er las *Nacht ist es: nun reden lauter alle springenden Brunnen. Und auch meine Seele ist ein springender Brunnen*, hatte er das Gefühl, seine Stimme singe ganz von selbst. Jedesmal, wenn er dem Vater das *Nachtlied* las, sagte der Vater Johanns Lieblingssatz: Johann, ich staune. Jetzt, als Vischnu die vielarmige Devi in der Manege herumtrug, spürte Johann, daß er durch seinen Vater Anita-Devi näher war als jeder andere hier im Publikum. *Ich muß lieben, muß lieben.* Am Schluß zogen alle, die etwas gezeigt hatten, unter der Führung des Direktors und mit schmetternder Marschmusik ein paar Mal im Manegenkreis herum. Der Direktor rief noch, die Leute sollten, wenn es ihnen gefallen habe, den Zirkus LA PALOMA weiterempfehlen. Dann erlosch das Manegenlicht, und die Lichter über den Zuschauern wurden hell.

Adolf flüsterte Johann zu, sie müßten die anderen loswerden, er komme gleich zurück. Dann rief er Servus. Dalli, dalli. Und rannte die Dorfstraße hinab. Die anderen rannten hinter ihm her. Johann ging die paar Schritte zur Terrasse, ging die Stufen der Terrassentreppe hinauf, auf der Terrasse zum Birnenspalier und bog die dünnen Stämme auseinander. Auch die Lichter über den Bänken waren jetzt erloschen, aber in allen Wohnwagen brannte Licht. Er wußte, in welchem Wagen Anita war. Aber was nützte es, das zu wissen? Vielleicht wäre er die ganze Nacht so stehen geblieben, wenn nicht Adolf gekommen wäre. Er fragte sofort: In welchem Wagen wohnt sie? Johann sagte: In dem unterm Prinz-Ludwig-Baum. Da er mit Adolf in jeder Jahreszeit unter diesen Bäumen gespielt und gekämpft hatte, wußte der, welche Äpfel auf welchem Baum wuchsen. Dann müssen wir von unten her, sagte Adolf und rannte über die Terrassenstufen auf die Straße und die Straße hinab bis zu dem Weg, wo der Obstgarten aufhörte. Johann rannte Adolf einfach nach. Adolf rannte auf diesem Weg so weit, bis das Licht der Straßenlampe sie nicht mehr erreichte, dann erkletterte er den hohen Zaun, Johann kletterte nach, sprang fast gleichzeitig mit Adolf vom Zaun in die Obstgartenwiese. Adolf wußte offenbar genau, wo der Komposthaufen war. Den umging er. Dann flüsterte er Johann zu: Auf den Welschisnerbaum. Das war der Apfelbaum, der dem Prinz-Ludwig-Baum am nächsten war. Als sie den dicken

Stamm dieses Baums erreicht hatten, flüsterte Adolf: Brücke. Johann stellte sich mit dem Rücken zum Stamm, verschränkte die Hände in einander, lehnte sich an den Stamm und flüsterte: Jetzt. Adolf stieg ihm in die Hände, stieg ihm auf die Schultern und zog sich dann noch ganz an den Ästen hinauf. Dann rutschte er auf dem dicksten Ast, der in Richtung der Wohnwagen hinausragte, baumauswärts. Um Johann kümmerte er sich nicht mehr. Johann starrte das niedere, aber breite Fenster von Anitas Wohnwagen an. Es war hell, aber innen war ein Vorhang vorgezogen. Er sah zu Adolf hinauf, der sich jetzt auf den Ast gestellt hatte, sich an dünneren Ästen hielt und mit dem Kopf über die Blätter hinausragte. Jetzt pfiff er. Nicht diesen lauten Vierfingerpfiff, sondern den mit Zeigefinger und Daumen einer Hand. Das war kein so scharfer Pfiff, sondern ein langsam fallender und dabei leiser werdender und wieder steigender und dabei wieder lauter werdender Ton. Johann fand es unmöglich, sich auf diese Weise bemerkbar zu machen. Aber Adolf hörte nicht auf, diesen fallenden, leiser werdenden und im Steigen wieder lauter werdenden Ton zu pfeifen. Johann rief halblaut: Hör auf! Aber Adolf hörte ihn nicht oder wollte ihn nicht hören. Johann überlegte, ob er Adolf mit einer Baumspeere stupfen sollte. So lange, bis Adolf aufhören würde zu pfeifen. Da ging die Tür zu Anitas Wohnwagen auf. Anita stand unter der Tür, gelb der Bademantel, der Turban rot. Jetzt hörte Adolf auf. Johann war, als die Tür aufgegangen war, sofort hinter den dicken Stamm gesprungen. Anita wurde offenbar von innen gebeten, die Tür zuzumachen. Sie trat zurück, die Tür ging zu, Adolf turnte herab, sagte: Das war sie. Das klang, als habe er alles erreicht, was er habe erreichen wollen.

Sie kletterten zurück auf den Seitenweg, rannten hinaus auf die Straße, riefen einander Servus zu und rannten dann, Adolf abwärts, Johann aufwärts, auseinander.

Aus der Wirtschaft das Stimmengewirr, das ihm verriet, daß der Runde Tisch mehr als voll war. Da standen dann die Stühle im weiten Kreis um den Tisch herum. Johann ging in sein Zimmer, fiel auf sein Bett und ließ sich ablecken von Tell, der auf ihn gewartet hatte. Warum war Adolf so schnell davongerannt. Servus! und weg war er. Gerade, daß Johann hatte auch noch Servus sagen können. Man hätte doch noch reden können über alles. Das war doch eigentlich zwischen ihnen immer so gewesen, daß sie abends, auch am späteren oder spätesten Abend, nicht so schnell auseinanderkamen. Adolf begleitete Johann heim, dann konnten sie sich aber noch nicht trennen, sie waren einfach noch nicht fertig mit dem Wichtigsten, also ging Johann mit Adolf wieder die Dorfstraße hinab, bog mit ihm an der Linde rechts ab und dann nach fünfzig Metern links hinein, bis zum Hintereingang des Bruggerschen Hauses, wo sie dann an der Treppe standen und redeten und sich redend ganz von selber wieder auf den Weg machten, hinauf bis zu den Stufen der Terrassentreppe, und wenn dann nicht oben Johanns oder aus dem Bruggerschen Haus Adolfs Mutter aufgetaucht wäre und Schluß gemacht hätte mit dem Hinauf- und Hinabgehen der beiden, dann hätten sie nicht so schnell ein Ende gefunden. Vielleicht nie. Es gab immer so viel Wichtiges. Und jetzt einfach Servus, Servus, und ab.

Johann konnte weder lesen noch schlafen. Er schlich vor in den Abort, öffnete das zum Glück große Fenster und beugte sich hinaus und sah hinab auf die drei Wohnwagen, in denen noch Licht brannte. Da um diese Jahreszeit noch kein Zimmer an Fremde vermietet und die Mutter noch in der Wirtschaft und Josef noch im Skilager und der Vater tot war, wollte niemand auf den Abort. Johann konnte sich aus dem Fenster beugen, bis die Lichter in allen drei Wohnwagen gelöscht waren. Dann ging er zurück zu Tell und endlich auch ins Bett.

4. Das erste Mal

Wenn Johann seine Morgenmilch mit Brocken löffelte, las er nicht. Bei allen anderen Mahlzeiten las er. Es war nicht wie bei Bruggers und den anderen Familien, daß alle mit einander aßen. In Johanns Familie aß jeder, wenn er Zeit hatte. Wenn Johann allein mit der Prinzessin oder allein mit Mina in der Küche war, konnte er auch nicht lesen. Manchmal legte er zwar das Buch vor den Teller, aber er war dann viel zu sehr mit der Prinzessin oder mit Mina beschäftigt, als daß er hätte lesen können. Mina beschäftigte ihn noch mehr als die Prinzessin. Jedesmal wenn er aufschaut, schaut Mina her. Sie hat ein kleines Gesicht, gerahmt von krausen rötlichen Haaren, die im Nacken zusammenfinden. Und ganz blaue Augen hat sie. Mina ist sicher der liebste Mensch, der je gelebt hat. Ganz am Anfang hatte sie Johann an- und ausgezogen. Ja, sogar gewaschen hatte sie ihn. Er stand auf dem Spülstein, und sie führte den Waschlappen an ihm auf und ab. Aber bevor sie ihn gewaschen hatte, hatte sie immer die Prinzessin wegscheuchen müssen. Die schaut dir sonst noch was weg, hatte sie immer gesagt. An Weihnachten vor fünf Jahren hatte sie ihm dieses entsetzliche Brandloch im Norwegerpullover gestopft. Das ist kunstgestopft, hatte die Mutter gesagt, als sie es gesehen hatte. Das kann nur Mina, hatte die Mutter gesagt. Das hieß, sie selber hätte das scheußliche Loch nicht so stopfen können, daß, wer es nicht wußte, die Katastrophe kaum mehr wahrnahm. Und an den Ärmeln und unten hatte sie, weil Johann aus dem Pullover hinausgewachsen war, den Pullover so weitergestrickt, daß er wieder paßte. Da Johann ein Kleidungsstück, das ihm wichtig war, um es zu schonen, am liebsten nie trug, war der Pullover immer noch so schön, daß Johann sich darin immer noch als Silberner Ritter fühlte. Nur vor Anita hatte der Pullover nicht bestehen können.

Manchmal kam Mina einfach um den riesigen Herd herum, beugte sich noch ganz her und strich zwei-, dreimal über Johanns Haare. Aber so, daß die Frisur kein bißchen verdorben wurde. Im Gegenteil, Johann hatte das Gefühl, jetzt sei seine Frisur gesegnet. Seit Luise im Haus war, merkte Johann, daß es noch einen zweiten Menschen geben konnte, der Anspruch darauf hat, der liebste Mensch genannt zu werden, der je gelebt hat, die Südtirolerin. Johann wußte, daß er Luise verteidigen würde gegen jede Anrede, die mehr war als eine bloße Bierbestellung. Mina würde gehen demnächst. Er konnte keinem Menschen sagen, daß er, wenn es Luise nicht gäbe, Minas Gehen nicht ertrüge. Mina hatte schon auf den 31. Dezember gekündigt gehabt, im Januar hatte sie heiraten wollen, Alfred hatte schon einen Hof in Höhenreute gepachtet und wartete auf sie. Johann hatte auf der Continental schon das Zeugnis getippt, das ihm die Mutter diktiert hatte. *Sie hat die ihr übertragenen Arbeiten stets zu unserer vollen Zufriedenheit erledigt. Fräulein Mina verläßt uns auf ihren eigenen Wunsch.* Johann hatte das Gefühl gehabt, daß Minas Bedeutung in diesem Zeugnis nicht vorkam. Die Mutter hatte, was sie diktierte, aus den Zeugnissen bezogen, die ihr früher ausgestellt worden waren.

Dann hatte Mina gesehen, wie schlecht es dem Vater ging, also war sie über Neujahr geblieben. Und als der Vater am 3. Januar gestorben war, hatte sie gesagt: Jetzt kann ich doch nicht gehen. Ihre Mutter war aus Niedersonthofen gekommen und hatte in der Küche alles übernommen, wozu Johanns Mutter nicht mehr imstande gewesen war. Mina hatte den kleinen Anselm auf dem Arm gehabt, als der Sarg des Vaters aus dem Büro hinausgetragen worden war. Ihren Abschied hatte sie auf Ostern verschoben. Und jetzt, kurz vor dem Weißen Sonntag, stand sie immer noch hinter dem Herd. An Pfingsten geh ich, sagte sie jetzt, sonst verelendet der Alfred noch gar. Mina sprach, wie man im oberen Allgäu spricht. Getan hieß bei ihr dong, gelassen long.

Heute kam Mina, als sie her- und Johann aufschaute, nicht um den Herd herum. Schlimm, schlimm, schlimm, sagte sie. Mitten in der Nacht habe man den Doktor holen müssen, der Zirkus-August sei grün und blau geschlagen vor seinem Wagen gelegen, an Händen und Füßen gefesselt, um den Hals ein Schild, auf dem sei geschrieben gewesen: 99,7 Prozent lassen grüßen. Ob der August heute mitmachen könne, sei noch nicht sicher. Wenn der Herr Seehahn und Sempers Fritz ihn nicht gefunden, wenn Sempers Fritz nicht sofort den Doktor herausgeschellt hätte, wäre der Dumme August an seinem Blut erstickt.

Johann fiel Wolfgang Landsmann ein, dessen Vollballonrad Edi Fürst den Rain hinuntergeworfen hatte. Dann hatte Wolfgang seinen rechten Arm gehoben und unter dem zu seinen Kameraden zurückgeschaut. Immer wieder einmal fiel ihm dieser Appell ein, Edi, damals noch Jungzugführer, zieht das Dienstbüchlein heraus, feuchtet den Bleistift an, streicht Wolfgang Landsmann durch, drei, vier, ein Lied, *Steig ich den Berg hinan, das macht mir Freude.* Josef hatte einmal zu Johann gesagt, Edi sei wahrscheinlich der einzige Jungzugführer im ganzen Fähnlein, der zu jedem Appell in Schaftstiefeln antrete. Edi Fürst war eher klein als groß. Obwohl er wirklich nicht groß war, schlug er im Hochsprung alle. Am Reck sowieso. Das Gesicht, das er machte, wenn er nach einer Riesenfelge mit Umgriff im Salto auf der Matte landete und kurz Haltung annahm, war genau das Gesicht, das er machte, wenn er in Schaftstiefeln vor dem Jungzug stand. Wenn er mit diesem Gesicht vor dem Jungzug stand, sah jeder, daß es etwas Wichtigeres als den in diesem Augenblick stattfindenden Appell nicht geben konnte. In der ganzen Welt nicht. Also, da grinste keiner mehr.

Am liebsten hätte Johann jetzt die Messe ausfallen lassen. Auf der Straße blieb er noch stehen, sah hinüber zu den Wohnwagen, nichts rührte sich. Der Büffel stand bewegungslos unter dem Gravensteinerbaum. Die Ponies lagen unterm Remisenvordach im Stroh. Die Wohnwagentüren waren zu. Johann ging so langsam, wie es überhaupt möglich war, dorfabwärts. Aber es geschah nichts, was ihm ermöglicht hätte, stehenzubleiben oder gar umzukehren. Da er heute auf die Haarschmier, also auch auf jede besondere, etwa als Krone gedachte Frisur verzichtet hatte, konnte er, sobald er die straßensammelnde Linde passiert hatte, sogar rennen.

Als er in der Bank neben Adolf niederkniete, flüsterte der ihm zu: Heute nacht hat man's dem August besorgt. Nach dieser Mitteilung sofort die Geste, die hieß, das Gesagte sei nur für Johann bestimmt, sonst aber dürfe es noch niemand wissen. Als Mina ihm gesagt hatte, was in der Nacht passiert war, war Johann auch Herr Brugger eingefallen. Wenn Herr Brugger, den elfenbeinernen Zahnstocher im Mund, die Wirtschaft betrat, hatte Johann immer das Gefühl, gleich werde etwas passieren. Allerdings, wenn Herr Brugger Kühe oder Kälber oder Schweine aus seinem Anhänger in seinen Stall führte, war er ein anderer Mensch. Er sang den Tieren ein leises Hoho-ho-hoo vor und leitete sie mit streichelartigen Berührungen. Und die Tiere folgten ihm widerstandslos. Wenn er als Jäger gekleidet aus dem Haus kam, das Gewehr geschultert, Treff an seiner Seite, dann blinkte auf seinem Gewehrlauf die Sonne, auch wenn sie nicht schien. Johann und Adolf hörten auf zu spielen, grüßten den Jäger und sahen ihm zu, wie er in sein Mercedes-Auto stieg und es anließ. Den Lastwagen, den der Vater ein Jahr vor seinem Tod noch angeschafft hatte, mußte man ankurbeln, und wenn das nicht gelang, sprang die Kurbel zurück und schlug den Vater, wenn der die Hände nicht blitzschnell weggezogen hatte, so heftig, daß der Vater aufschrie und seine Hände zuerst eine Zeit lang aneinander reiben mußte, bevor er den nächsten Kurbelversuch unternehmen konnte. Herr Brugger dagegen setzte sich in sein Auto, drückte auf einen Knopf, ein hartes Gurgeln, der Motor sprang an. An den besonderen Tagen marschierte Herr Brugger an der Spitze der SA durchs Dorf. Da er vor ein paar Jahren an Silvester bei Glatteis mit dem Auto in den Oeschbach gerutscht und dann umgestürzt war, hatte er eine kaputte Hüfte. Eigentlich hinkte er. Aber wenn er vor der SA hermarschierte, glich er sein Hinken durch ein Rucken und Zucken so aus, daß man es nicht mehr merken sollte. Adolf sagte, wenn dem Vater einer rate, am Stock zu gehen, werde der Vater fuchsteufelswild. Johann wich Herrn Brugger aus, wo er konnte. Aber wenn Herr Brugger Johann, bevor der hinter einer Hausecke verschwinden konnte, noch bemerkt hatte, ging er schnurstracks zu Johanns Mutter und beschwerte sich darüber, daß Johann sich verdünnisiert habe, um ihn, Herrn Brugger, nicht grüßen zu müssen. Johann hatte dieses Wort noch nie gehört, aber er verstand es sofort. Dann wurde Johann von der Mutter in Gegenwart von Herrn Brugger zusammengeschimpft. Es wurde kein gutes Haar an ihm gelassen. Ob er sich nicht schäme, hinter einer Ecke zu verschwinden, nur um Herrn Brugger nicht grüßen zu müssen. Sie wisse sich jetzt bald keinen Rat mehr. Die eigenen Kinder lassen einen im Stich. Herr Brugger hörte das weinerlich-verzweifelte Schimpfen der Mutter an, bis sie von selber aufhörte. Wenn sie aufhörte, nahm er den Zahnstocher aus dem Mundwinkel und sagte zu Johann: Merk dir's, Bub. Zum Glück benützte die Mutter, wenn sie schimpfte, nicht die Wörter dessen, der sich beschwert hatte. Also *verdünnisieren* kam, Gott sei Dank, nicht vor. Bei Adolf zu Hause konnte sich Johann nur wohlfühlen, wenn er wußte, daß Herr Brugger unterwegs war. Viehhandelnd, jagend, SA oder NSKK kommandierend. Von allen Schulkameradenmüttern war Frau Brugger die freundlichste, man konnte nicht in Bruggers Haus kommen, ohne daß sie einem etwas schenkte. Natürlich wußte Johann, daß der Zirkus-August nicht von Herrn Brugger verprügelt worden war. Aber ebenso sicher wußte er, daß Herr Brugger wußte,

wer den August verprügelt hatte. Er mußte zu Adolf hin-
überflüstern: Wer war's? Adolf sah ihn mit einer ihn
scharf zurechtweisenden Geringschätzung an und bohrte
dabei mit dem Zeigefinger ausgiebig an der Schläfe. Das
hieß: So blöd kann man doch nicht sein! So etwas wissen
zu wollen! Das ist nun wirklich das Geheimste vom Ge-
heimen! Wer so fragt, ist schon ein bißchen so einer wie
der, den man da nachts hat zusammenschlagen müssen,
also hör bloß auf, so zu fragen!
Nach der Messe mußte Johann zuerst wieder auf das
Grab und das Weihwasser geben und dazu denken: Herr,
gib ihm die ewige Ruhe, das ewige Licht leuchte ihm,
Herr, laß ihn ruhen in Frieden, Amen. Vor dem Friedhof
draußen stand der Lehrer, um ihn herum schon die anderen. Der Lehrer ging voraus, Richtung Schule. Er hatte
den anderen offenbar schon gesagt, warum sie, trotz
Osterferien, jetzt schnell in die Schule kommen mußten.
Man setzte sich, wie man im Unterricht saß. Der Lehrer
sagte, es sei seine Pflicht, die Jungen und Mädel (der Lehrer bezeichnete die Buben nie als Knaben, sondern immer
als Jungen, die Mädchen als Mädel) auf die Gefahren hin-
zuweisen, die dem deutschen Volk von überall her drohten. So lange noch drohten, als sich willfährige Elemente
fänden, die sich in den Dienst der Feinde des deutschen
Volkes stellten. Dann sprach er zuerst, ohne ihn zu nennen, vom Dummen August, dann sprach er, ohne es auszusprechen, von der Erstkommunion. Johann gestand
sich ein, daß er den Dummen August unterschätzt hatte.
Daß der so gefährlich war, hatte er nicht bemerkt. Daß
man den kleinen Riesen mit dem Rollenkopf zusammen-
geschlagen hatte, tat ihm trotzdem leid. Man müßte dem
Rollenkopf einfach sagen, daß er keine Späße machen
sollte, die den Feinden des deutschen Volkes nützen
konnten. Die Erstkommunion nannte der Lehrer einen
alten Brauch, der früher oder später einmal abgelöst werden würde durch noch ältere Bräuche. Bevor wir christlich geworden seien, hätten wir nämlich auch schon eine

Religion gehabt. Er wolle jetzt nur daran erinnern, daß ein deutscher Junge und ein deutsches Mädel keine Beichte brauchten, um rein zu sein. Am Montag beginne die Schule wieder, dann werde er den Kindern noch genauer mitteilen, wie man durch Pflichterfüllung sauber bleibe, Kniebeugen und Gebeteleiern könne man sich dann schenken. Inzwischen sollten die Erstkommunikanten einmal daheim lesen, was im Kirchenblatt über Herzog Widukind stehe, dann wüßten sie, wie es die Kirche mit der Wahrheit halte. Der Heide Herzog Widukind schließt einen Pakt mit dem Teufel, weil er den christlichen Kaiser Karl umbringen will. Schleicht sich in Kaisers Lager, natürlich an Weihnachten, Kaiser Karl kniet waffenlos am Altar, betet demütig zum Christengott. Da sei, steht im Kirchenblatt, dem wilden Sachsenherzog seltsam weich geworden. Hin zum Kaiser, dem den bösen Plan gestanden, und schon steigt das Jesuskind aus der weißen Hostie in des Priesters Hand wie eine Wunderrose in der kalten Winternacht. Widukind läßt sich taufen, der Teufel flieht endgültig aus Deutschland. Die Erstkommunikanten sollten die Eltern aufklären, ihnen vortragen, was er, der Lehrer, ihnen über Widukind und Karl erzählt habe, damit die Eltern wüßten, was vom Kirchenblatt zu halten sei.

Keiner und keine sagte auf dem Heimweg etwas über das, was der Lehrer gesagt hatte, obwohl man doch sonst über alles, was er sagte, Witze machte. Eine Zeit lang gingen sie die Straße hinauf, als gehe der Lehrer noch zwischen ihnen. Adolf machte ein Gesicht, als sei er der Lehrer. Oder der Sohn des Lehrers. Er trug wieder diese Jacke: zuknöpfbar bis zum Kragen, einen Gürtel aus dem gleichen Stoff. Man konnte Adolf nicht einfach ansprechen. Erst als ihnen der sein Fahrrad schiebende Hutschief begegnete, ging das normale Gejohle und Gerenne wieder los. Dieser Mann schob, wenn er eingekauft hatte, sein Fahrrad durchs Dorf. Immer hatte er diesen kleinen steilen Hut schief auf dem Kopf. Eine winzige Krempe lief wie eine Dachrinne um seinen Hut herum. Keiner wußte, wo der wohnte. Wenn man ihm Hutschief nachrief, drehte er sich um und hob abwehrend eine Hand. Er hatte eine kleine goldene Brille und ein altmodisches Gesicht. Wenn Johann dem Hutschief allein begegnete, rief er dem natürlich nichts nach. Dann sah er ihm ins Gesicht und grüßte mit Grüßgott. Der sah immer aus, als müsse er aufpassen, daß er beim nächsten Schritt nicht falle. Und dann noch dieser komische Rucksack. So einen hellen, fast weißen und formlosen Rucksack konnte man nirgends kaufen, den mußte der Hutschief selber gemacht haben. Dieser Rucksack war, auch wenn der Hutschief dorfauswärts ging, nie gefüllt. Der hing ihm immer als etwas Helles auf dem Rücken. Was er gekauft hatte, lag in dem Korb, den er auf den Fahrradständer geklemmt hatte. Sobald die Mädchen Achtung Hutschief gerufen hatten, faßten die Buben einander an den Händen, bildeten eine Kette, sperrten die Straße. Der Hutschief schob sein Fahrrad zwischen den Mädchen durch, kam auf die Bubenkette zu, blieb dicht vor Adolf und Johann stehen. Sie waren die Mitte der Kette. Keiner sagte etwas. Das Vorderrad reichte fast unter Adolfs und Johanns Hände. Johann spürte Adolfs Händedruck. Er erwiderte ihn. Das hieß: Auf mich kannst du dich verlassen, ich gebe nicht nach, bei mir kommt er nicht durch. Der Hutschief schaute auch jetzt, als er nicht mehr ging, nur vor sich hin. Johann dachte, der Hutschief stehe da wie ein Tier. Wie ein Tier, das nicht mehr weiter weiß. Dann hob er sein Gesicht, man sah seine durch die dicken Brillengläser ins Riesige vergrößerten Augen, dann öffnete sich sein Mund, man hörte, eher leise als laut: Ich dank euch recht schön. Und nahm sein Fahrrad, trug es in die Wiese und in der Wiese um die Bubenkette herum, setzte es vorsichtig auf der Straße auf und schob es weiter. Adolf sagte, man hätte dem Hutschief die Kette am Straßenrand hinhalten müssen, daß er von der Wiese nicht mehr auf die Straße zurückgekommen wäre. Alle gaben ihm recht.

Keiner wollte schuld sein an dem Fehler, der allen passiert war.

Johann fiel die schwarze Katze mit den gelben Augen ein, die sich einmal in die untere Remise verirrt hatte. Johann hatte die Tür zugemacht, er hatte die Katze streicheln wollen, aber sie war ihm entwischt, also hatte er sie jagen müssen, hatte sie gefangen, hatte sie plötzlich in die Luft geworfen, so hoch in die Luft, daß sie gegen die Holzbalken der Decke geschleudert worden war. Und hatte sie wieder gejagt, wieder gefangen, wieder gegen die Decke geschleudert. Jedesmal hatte die Katze, wenn sie gegen einen Balken geflogen war, geschrieen. Und jedesmal war es noch schwieriger geworden, sie noch einmal in die Hände zu kriegen. Sie kratzte und biß. Johanns Hände bluteten, der Katze triefte gelber Schleim aus den Augen. Als sie einen Querbalken erreicht hatte, den Johann nicht mehr erreichte, gab Johann auf, öffnete die Tür, wartete draußen noch eine Zeit lang, dann hatte er kein Interesse mehr an dieser Katze und ging ins Dorf zu den anderen. Aber er hatte keine Lust gehabt, Adolf oder Ludwig oder Paul oder Guido oder Berni oder dem einen Helmut oder dem anderen zu erzählen, was gerade passiert war. Er hatte ihn ja nicht erlebt, den Katzenstrebler. Ein Adolf-Wort für letzte Zuckungen, nicht nur bei Katzen. Adolf behauptete, auch Frauen kriegten den, wenn sie unter Männern lägen. Johann vergaß nicht, daß der Tag, an dem er die Katze gejagt hatte, ein Freitag gewesen war.

Adolf gab bekannt, daß Anita morgen in Bruggers Auto zur Kirche gefahren werde. Was Adolf sagte, hatte sein Vater zu ihm gesagt. Das hörte man. Johann dachte daran, daß Herr Brugger des öfteren am Sonntagvormittag der erste und, bis der Baumeister Schlegel, dann der Spengler Schmitt und dann dessen Geselle, Sempers Fritz, kamen, der einzige Gast am Runden Tisch war. Herr Brugger sagte dann zu Johanns Mutter und zu Johann, der in der Frühmesse gewesen war, daß er keine Kirche brauche, seine Kirche sei der Wald, da sei er seinem Herrgott am nächsten. Er sagte immer: Mein Herrgott. Die Mutter sagte immer: Unser Herrgott.

Anitas Eltern, sagte Adolf, könnten, wenn sie in die Kirche wollten, mit Johann gehen, da ja Johanns Mutter an diesem Tag hinterm Herd stehen müsse. Den Tisch für das Festessen habe der Vater schon bestellt. Acht Personen, der Vater, die Mutter, Adolfs Patin und Pate, Anita mit ihren Eltern und Adolf.

Johann hatte vorgehabt, Adolf mitzunehmen. Vielleicht konnten sie den Zirkusleuten helfen, Heu beschaffen, die Ponies striegeln oder tränken. Aber als er hörte, Anita werde am Sonntag, morgen also, in Bruggers Auto fahren, da mußte er wieder eine Notlüge mobilisieren. Sein Bruder komme mit Bänderriß an, er müsse ihn vom Zug abholen, ihm Ski und Rucksack tragen. Und rannte fort. Heim. Holte Tell und ging mit ihm in die Remise. Da stand der grüne Fordlastwagen, mit dem der Vater, weil er kein Gastwirt sein wollte, zuletzt seine Handelsgeschäfte betrieben hatte. Obst, Fette, Holz und Kohlen. Aber weder Niklaus noch der Vater hatte es geschafft, allein einen Zentnersack von der Waage auf die Ladefläche des Lastwagens zu heben. Der Vater war zu krank, Niklaus zu alt. Josef schaffte es inzwischen. Johann schaffte es fast. Die Zentnersäcke vom Brückenwagen – seit der Vater tot war, fuhren sie die Kohlen wieder mit dem Handwagen zu den Leuten – in die Keller der Leute oder bis zu den Kellerfenstern zu tragen und auszuleeren, schaffte Johann inzwischen so gut wie Josef. Eben und abwärts, kein Problem. Nur wo es über mehrere oder viele Stufen aufwärts ging, traute er sich noch nicht. Niklaus konnte, seit man die Kippwaage und die steifen Kokossäcke hatte, die Säcke allein füllen. Wenn Josef und Johann von ihren Schulen zurück waren und gegessen hatten, luden sie die Säcke auf den Handwagen, auf dem zehn Zentner Briketts oder zwölf Zentner Steinkohlen gut Platz hatten. Da man gerade fünfundzwanzig neue

Säcke aus Kokosfasern angeschafft hatte, konnte Niklaus am Vormittag, solange Josef und Johann in ihren Schulen waren, immer fünfundzwanzig Zentner abfüllen. Dann, solange die Fuhre dauerte, konnte er wieder weitere zehn oder zwölf Zentner abfüllen. Achtzig bis hundert Zentner brachten sie so zwischen Mittag und Abend zu den Leuten. Großkundschaft wurde, seit der Vater tot war und der Lastwagen im Schuppen zwischen den Kohlebergen stand, wieder wie früher ab Waggon mit Herrn Waibels Pferden und Wagen beliefert.

Johann setzte sich mit Tell in den Ford. Demnächst würde der abgeholt werden. Der Noll Xaver aus Hengnau hatte ihn schon bezahlt, würde ihn für seine Zwecke umbauen. Der Noll Xaver war der Bauer, von dem es hieß, daß er jedem Ingenieur etwas vormache.

Johann hatte auch schon einen Schlag von der zurückspringenden Kurbel bekommen; seitdem hatte er sich nicht mehr getraut, die Kurbel zu drehen.

Eigentlich wartete Johann, im Ford sitzend, darauf, daß Anita käme und sich neben ihn setzte. Aber da er die Remisentüre von innen zugemacht hatte, konnte sie gar nicht wissen, daß er hier saß. Und selbst wenn sie es gewußt hätte, wäre sie wohl kaum auf den Gedanken gekommen, sich in dieses Kohlenauto zu setzen. Trotzdem saß Johann und wartete darauf, daß die Remisentüre aufginge, Anita hereinkäme, zwischen Kohlen und Auto entlangbalancierte und sich neben ihn setzte. Die Remisentüre ging auf, es war aber Niklaus. Er fing an, Kohlensäcke zu füllen. Wie jetzt hinauskommen, ohne daß ihn Niklaus bemerkte? Niklaus hörte zwar nicht mehr gut, aber bei einem schlechten Gehör weiß man nie, was es noch hört und was nicht. Die Kohlen, die Niklaus in die Schale der Kippwaage schaufelte, sie dann wog und in den daruntergehaltenen Sack rauschen ließ, machten einen ziemlichen Lärm. Den konnte man nutzen, um hinter Niklaus hinauszuhuschen. Wenn Niklaus Johann entdeckte, mußte er dem sagen, warum er am Samstagvormittag im Lastwagen saß. Johann fiel keine Notlüge ein. Einfach hinterm Steuer sitzen? Schalten üben! Das war's. Johann fing an, Kupplung und Schalthebel auf einander reagieren zu lassen. Ein gutes Gefühl, wie da vorne im Motor, weit weg von Johann, Zahnräder mit einander auskamen, weil er mit einem Fuß und einer Hand ein Pedal und einen Hebel bediente. Und wenn er es richtig machte, spürte er, wie gut die Zahnräder vorne im Motor mit einander auskamen.

Plötzlich sprang Tell auf und bellte. Johann stieg sofort aus, zwängte sich zwischen Kohlen und Lastwagen hinaus, Tell vor sich her befehlend. Niklaus war überhaupt nicht überrascht, Johann aus der Tiefe der Remise nach vorne kommen zu sehen. Niklaus sagte auf, wen sie heute vormittag noch beliefern müßten: Frau Haensel, Fräulein Hoppe-Seyler, Herrn von Lützow, Frau von Molkenbuer. Lauter zugezogene Leute, Kleinkundschaft, Leute, denen man nur drei oder vier Zentner auf einmal bringen konnte, weil sie für mehr keinen Platz hatten. Gut, Fräulein Hoppe-Seyler sieben Zentner, das ging ja. Aber Frau Haensel drei. Die mußte man ihr in den ersten Stock hinauf und durch die ganze Wohnung auf einen überdachten Balkon tragen und dort in eine Kiste leeren. Den Weg durch die Wohnung belegte sie immer mit Zeitungspapier, daß kein Stäubchen auf ihre Teppiche fiel. Herr von Lützow hatte neben dem Herd eine kleine Kiste, in die nur ein einziger Zentner paßte. Auch im ersten Stock. Frau von Molkenbuer konnte immerhin acht Zentner unterbringen. Im Dachboden. Aber man mußte die Säcke nicht hinauftragen. Ihre Wohnung lag in einem ausgebauten Stadel, unter dem Giebel war noch die Apparatur vom Heuaufzug, damit ließ sich Sack für Sack hinaufziehen. Dafür gehörte dieses Haus schon zu Nonnenhorn. Aber heute war Samstag. Sein Nonnenhorntag. Immer am Samstag konnte er beim Benefiziat in Nonnenhorn einen gelesenen Karl May gegen einen ungelesenen umtauschen. Der Benefiziat in Wasserburg hatte nur langweilige

Bücher, die hießen alle *Als ich noch der Waldbauernbub war* und waren alle ins gleiche langweilige Papier eingebunden. In der Schule hießen die Bücher *Sperrfeuer um Deutschland, Der Befehl des Gewissens, Armee hinter Stacheldraht.* Kriegsbücher fand Johann noch langweiliger als Waldbauernbubengeschichten.

Jetzt wußte er also, daß er sich umziehen mußte. Die drei Zentner für Frau Haensel würden sie in fünf, den Zentner für Herrn von Lützow in zwei Säcke füllen. Es waren zu viele Stufen. Josef würde ihn, wenn er es erführe, auslachen. Aber Johann wollte einfach nicht, wenn er halb droben war, umkehren müssen. Lang würde es nicht mehr dauern, bis er jeden Zentnersack in jeden Dachboden tragen würde. Das wußte er. Josef hatte es auch erst geschafft, als er dreizehn geworden war. Und mit dreizehn würde es Johann auch schaffen. Bei Fräulein Hoppe-Seyler konnte man mit dem Handwagen zwischen den Mammutbäumen durch bis ans Kellerfenster fahren und die Säcke da hineinschütten. Aber eben hofele-hofele.

Die erste Fuhre also zu Frau Haensel und zu Fräulein Hoppe-Seyler, die zweite zu Herrn von Lützow und Frau von Molkenbuer. Ihr Vorname: Ereolina. Das wußte Johann vom Rechnungenschreiben. Josef lehnte Buchführung ab. Also blieb alles Schriftliche, von der Frachtbriefauslösung, wenn die Waggons leergeschaufelt waren, bis zur Rechnungsstellung an Johann hängen. Er bewunderte Josef immer. Wie der das sagen konnte, daß er für Buchführung nicht in Frage komme! Josef war ein Künstler. Und ein Künstler kam für Buchführung nicht in Frage. Bis in den letzten Winter hinein war alles Schriftliche Vaters Sache gewesen. Er hatte eine Handschrift, die selbst von Leuten wie Herrn Brugger bewundert wurde. Aber als der Vater dann immer müder geworden war und Josef Buchführung nicht zugemutet werden konnte, hatte Johann ganz von selbst das Wareneingangsbuch übernommen, die Rechnungen, den Verkehr mit dem Finanzamt und mit den Banken. Das Bestellen und Bezahlen besorgte natürlich die Mutter. Das war immer ihre Sache gewesen. Aber aufgeschrieben wurde jetzt alles von Johann. Ihm hatte es immer schon Spaß gemacht, sich an den Schreibtisch des Vaters zu setzen, die Stempel auszuprobieren, auf der Continental herumzuhämmern oder gar eine der edlen Schreibfedern des Vaters ins Tintenfaß zu tauchen und dann auf irgendwelchen Rückseiten Vaters ausladenden Buchstabenschwung zu üben. Schon daß das Tintenfaß in einen kleinen Glaswürfel versenkt und mit einer silbernen Blätterkuppel zu schließen war, hatte ihn immer angezogen. Ganz abgesehen davon, daß auf diesem Schreibtisch das Telephon stand. Man hatte die Nummer 663. Im Bezirk Lindau hatte man also, dachte Johann, das 663. Telephon. Niemand außer Johann durfte am Datumsstempel täglich die Tageszahl und allmonatlich den Monatsnamen weiterdrehen. Und je schwächer der Vater geworden war, desto ausschließlicher hatte Johann die Herrschaft über das Vertiko übernommen. Die Mutter und Josef waren nicht interessiert an diesem unergründlichen Schrank, der mehr Geheimfächer als Fächer barg. Seit der Vater gestorben war, war Johann immer wieder auf neue Geheimfächer gestoßen. Darin Vaters Zeugnisse von der Königlich-Bayerischen Realschule in Lindau und kleine Hefte, die voll geschrieben waren mit seiner schönen Schrift. Aber was da stand, fand Johann nicht so interessant. Es erinnerte ihn an das, was der Vater damals im Nebenzimmer gesagt hatte, als dann die aus der Stube die Falttür zurückgeschoben hatten, damit alle hörten, was in Berlin gerade passierte. Dem Kassenschrank diente Johann gemeinsam mit der Mutter. Wie er das liebte, wenn die schwere Stahltür mit diesem seufzenden Geräusch zusank. Der Kassenschrank gehörte seinem Aussehen nach in eine Ritterburg. Die zwei entscheidenden Schlüssellöcher waren hinter zwei wegschiebbaren Wappenschildern verborgen. Johann kam, umgezogen, zurück und schwang zusammen mit Niklaus die zehn Säcke auf die Ladefläche des Handwagens; dann legten sie den Kranz um die Säcke; dieser umlaufende Bretterrahmen, der genau Form und Maße der Ladefläche hatte, hinderte die Säcke, wenn es abwärts oder um die Kurve ging, am Herunterfallen. Da der eben durch den Hof auf die Straße hinausführende Weg von der Manege versperrt war, mußten sie den Wagen hinter dem Haus die steile, nicht geteerte, gerade wieder vom Regen aufgerissene Einfahrt hinaufschieben. Zu zweit war das nicht zu machen. Johann holte die Mutter, Mina, die Prinzessin und Luise. Alle zusammen schafften es. Dann oben ums Haus herum und im Karacho, daß Niklaus nicht mehr mitkam, die Dorfstraße hinab. Johann bremste erst, wartete auf Niklaus erst, als er wußte, jetzt konnte ihn Anita, wenn sie aus ihrem Wohnwagen käme, nicht mehr sehen. Schon beim Aufladen hatte er immer wieder hinübergeschaut zu den Wohnwagen. Er wollte einfach nicht, daß Anita ihn so sähe, in dem alten Kohlenkittel, ebensolchen Hosen und Stiefeln. Bei der Kundschaft oder überhaupt im Dorf genierte er sich kein bißchen, in seinen Kohlenkleidern aufzutreten. Im Gegenteil, je mehr Kohlenstaub an ihm war, desto mehr machte ihm diese Arbeit Spaß. Wenn in seinem Gesicht außer Augen und Zähnen alles schwarz war, schaute er mit Genuß in den Spiegel. Aber Anita sollte ihn so nicht sehen. Um fünf Uhr mußten sie zur ersten Beichte in der Kirche sein. Er würde, frisch gewaschen, um halbfünf an ihrem Wohnwagen stehen und warten, bis sie die drei Holzstufen herunterkäme. Wenn sie überhaupt käme. Vielleicht hatte die Verprügelung des Dummen August alles in einer noch gar nicht vorstellbaren Weise verändert. Vielleicht würde gar kein Zirkus mehr stattfinden. Vielleicht waren die, bis er von der ersten oder von der zweiten Fahrt zurückkam, gar nicht mehr da.

Frau Haensel war Münchnerin und Pianistin. Ihre glänzenden Kleider sahen aus, als seien sie aus Stoffen, die nicht gefärbt waren, sondern, was sie ausstrahlten, von

Natur aus hätten. Und immer lange Perlenketten, die zwei- oder dreimal um den Hals geschlungen waren und ihr doch noch bis zum schwarzlackierten Gürtel reichten. In ihrem Wohnzimmer stand ein großer Flügel. Frau Haensel war immer gleich bleich, fast gelblich bleich, und hatte im Gesicht und an den Händen und Armen dunkle Flecken. Sie hatte mehrere Ringe an den Fingern und Reifen um beide Handgelenke. Johann wußte von Josef, daß man ihr zeigen mußte, wie vorsichtig man auf ihrem Zeitungspfad die Schritte setzte, damit kein Stäubchen aus dem Sack rieseln konnte. Johann schaffte die zwei Zentner in drei Säcken spielend, ging für Frau Haensel in Zeitlupenschritten bis auf den Balkon, dort ließ er die Säcke langsam in die Kiste gleiten, drehte sie und zog sie ebenso, die Kohlen langsam herausrutschen lassend, in die Höhe. Frau Haensel lobte ihn und schenkte ihm einen Fünfziger. Den gab er drunten an Niklaus weiter, weil er sich als Chef fühlte, nicht als Trinkgeldempfänger.

Die zweite Fuhre nach Nonnenhorn. Dazu wurde Winnetou I sorgfältig eingepackt und zwischen den Säcken untergebracht. Richtung Nonnenhorn, das hieß, wieder die steile Einfahrt hinauf, dann aber gleich dorfauswärts zu Schäggs, von da an abwärts, im Trab bleibend, den Schwung ausnützend, der fast bis zu Doktors hinaus reichte. Dann war man ohnehin schon fast bei Herrn von Lützow.

Viktor Freiherr von Lützow, der im ersten Stock der Hagenauerschen Hühnerfarm wohnte, war ein Lieblingskunde Johanns. Am Donnerstagabend, wenn der Gesangverein übte und Johann schon im Bett lag und las, hörte Johann öfter das heftige Lied mit dem Refrain: Das war Lützows wilde verwegene Jagd, das war Lützows wilde verwegene Jagd. Dann dachte er an seinen Freiherrn, der einen mehr als jeder andere Kunde dafür lobte, daß man ihm Kohlen brachte und sie vorsichtig in die Kiste neben seinem winzigen Herd schüttete. Sogar über den Kopf strich einem der Freiherr. Es gab den Freiherrn nie ohne Schal, ein Ende nach vorn, eins nach hinten. Und immer grob gesprenkelte Anzüge, mit Hosen, die unter den Knien endeten und da von Schnallen zusammengehalten wurden. Auf der Straße, immer eine Schildmütze aus dem Stoff, aus dem seine Anzüge waren. Man sah ihn nie anders als allein. Wenn Johann Herrn von Lützow im Dorf laut und hell grüßte, dachte er immer, der gehe und kaufe Maggiwürfel und Teebeutel. Vielleicht noch Kekse. Aber sonst wirklich nichts. Von Ludwig hatte Johann erfahren, daß Herr von Lützow früher in den Kolonien gelebt hatte.

In Nonnenhorn mußte Niklaus beim abgeladenen Wagen warten, bis Johann zum Winnetou-Tausch in den Ort hineingetrabt und wieder zurückgetrabt war. Der Benefiziat Krumbacher packte ihm den Winnetou II in das Papier, mit dem Winnetou I eingepackt gewesen war. Er fragte noch, ob Johann schon alle Sünden beieinander habe für die erste Beichte heute nachmittag. Johann versuchte zu lachen. Und sagte: So viele sind's auch wieder nicht. Schon wieder eine Lüge. Er hatte wirklich einen erdrückenden Berg von Sünden. Wenn er in Gedanken die Sünden ordnete, damit er bei der ersten Beichte jede an der für sie vorgesehenen Stelle herausbringe, dachte er, daß er sein Leben lang nichts anderes getan hatte, als zu sündigen. Wie er diesen Sündenberg in einer einzigen Beichte loswerden sollte, war ihm noch unklar. Er durfte ja nicht wesentlich länger im Beichtstuhl bleiben als die anderen. Vor allem durfte in der Reaktion des Pfarrers auf Johanns Beichte nichts vorkommen, was nicht auch bei den anderen vorkam. Wenn nur der Benefiziat Hebel bei den Buben die Beichte hören würde. Der Pfarrer war ein Kleinigkeitskrämer, das wußte man. Der fragte nach, wollte alles immer noch genauer wissen. Viele Erwachsene aus dem Dorf fuhren deshalb, seit Dr. Rottenkolber Pfarrer war, nach Lindau zum Beichten, neuerdings sogar nach Lochau oder nach Bregenz.

Der Benefiziat wünschte Johann eine schmerzlose erste Beichte und eine selige erste Kommunion. Es sei, sagte er, eben doch ein einmaliger Tag, an dem man zum ersten Mal den Leib des Herrn empfangen dürfe. Die Mutter des Benefiziaten schenkte Johann eine Handvoll Eukalyptusbonbons. Der Benefiziat sagte: Dir geht's heut aber gut. Johann mochte den Nonnenhorner Benefiziat besonders gern. Bei allem, was der sagte, hatte Johann das Gefühl, der meine das gar nicht so. Der sagte alles durch die Nase. Es klang, als spreche er in ein Glas hinein. Der sprach nur, weil man eben irgendetwas sagen mußte. Ob der Benefiziat von Bonbons oder vom Leib des Herrn sprach, er wäre am liebsten still gewesen. Aber da das ja nicht ging, mußte er eben sprechen. Er schloß dabei immer die Augen und öffnete sie erst, wenn er den Satz, den er gerade sagen mußte, gesagt hatte. Und sein Mund sah, wenn er sprach, aus, als ekle sich der Benefiziat vor etwas, das er essen müsse. Während bei Luise das Sprechen ein Risiko war, weil sie in einer Sprache aufgewachsen war, die sie, um sie hier benutzen zu können, zuerst Wort für Wort behandeln mußte, war beim Benefiziat Krumbacher das Sprechen eine Verlegenheit, weil er am liebsten still gewesen wäre. Selbst wenn Johann ihn in Wasserburg predigen hörte, spürte er bei jedem Predigtsatz den Schmerz, den es dem Benefiziaten bereitete, so viele Sätze so laut zu so vielen Leuten sagen zu müssen. Auch da machte der Benefiziat bei jedem Satz die Augen zu und bog die Lippen, als ekle er sich. Beim Kicken war der Benefiziat ein anderer. Er hatte, nachdem Wolfgang Landsmann fehlte, das Trainieren übernommen. Aber er kickte auch mit. Wenn er eine Situation nicht rechtzeitig erkannte, rief es von hinten und von vorne: Bene, schieß! Bene, schieß!

Seit der Missionswoche tat Johann jeder der hiesigen Prediger leid. Pater Chrisostomus, der Franziskaner aus Meßkirch, das war sein Prediger. Nach der ersten Predigt dieses Chrisostomus hatte Johann gewußt, daß er Pater werden würde. Eine Woche lang hatte er keine der Abendpredigten versäumt. Daß man die Morgenpredigten hören konnte, hatte der Lehrer verhindert. Aber daß man zu den Abendpredigten ging, hatte er nicht verhindern können. Dreimal hatte Johann Pater Chrisostomus zugehört. Die Patres Gangolf und Barnabas predigten zwar auch besser als die hiesigen, aber keiner konnte so predigen wie Chrisostomus. Wenn ihr seine Stimme hört, verhärtet eure Herzen nicht! Damit fing er an. Wenn er die Arme ausbreitete, sah er in seiner Kutte aus wie ein gewaltiger Vogel. Er war sicher zwei Meter groß und hatte eine Spannweite von mehr als zwei Metern. Und ein Gesicht wie die auf den Altarbildern. Und eine Stimme, daß die Kirche zum ersten Mal nicht zu groß wirkte, sondern zu klein. Die Kirche war mehr als voll von dieser Stimme. Über Stiefel und Sandalen predigte Pater Chrisostomus. Womit man weiter komme, was der Erde lieber sei, Stiefel oder Sandalen. Und erzählte, was für ein Ewigkeitsreich die Apostel auf ihren Sandalen erwandert hätten. Als Johann dann auf der Straße an dem riesigen jungen Pater vorbeiging, war er enttäuscht gewesen, weil der Stiefel anhatte und keine Sandalen.

Warum toben die Heiden? Das war seine dritte Predigt gewesen. Johann hatte nasse Augen bekommen, hatte nur noch hinaufschauen können zu diesem Engel. Wenn das kein Engel war, wer denn dann? Warum toben die Heiden? Dieser Frageruf hatte immer wieder die Predigt weitergerissen. Und jeder hatte gespürt, wer gemeint war mit den Heiden. Warum toben die Heiden? Und warum taugt, was sie sich ausdenken, gar nichts? Ein Frageruf nach dem anderen. Er sei nichts als der Mund des Psalmisten, der seit dreitausend Jahren diese Frage ausrufe. Und mit dem Psalmisten antworte er heute, wie der damals die Heiden habe antworten lassen: Wir sind frei! Wir brauchen keinen Gott. Wir brauchen diese Verbindung nicht! Darauf der Psalmist: Da kann der Ewige doch nur lachen. Dann werde er, der Ewige, aber doch zornig über dieses

Pack. Er wird das Dreckspack wissen lassen, was es heißt, ihn zu verneinen.

So laut und so still war es in der Kirche noch nie gewesen.

Aber wollte Johann denn noch Pater werden? Einerseits konnte es nichts Wünschbareres geben, als auf der Kanzel zu stehen und für Anita zu predigen, andererseits zog ihn das Singen noch mehr an als das Predigen. Er hörte immer noch den Vater sagen: Vier, und das Jägerlied fehlerfrei. Johann, ich staune. Johann hatte gespürt, daß dem Vater sein Singen so gut gefiel wie Josefs Klavierspielen. Und da der Vater immer häufiger mit Josef vierhändig gespielt hatte, mußte Johann etwas singen, was der Vater begleiten wollte. Wenn Johann geahnt hätte, daß der Vater bald sterben würde, hätte er nicht darauf bestanden, nur noch *Von Apfelblüten einen Kranz* zu singen. Seit der Vater tot war, sang er nur noch Lehár. *Von Apfelblüten einen Kranz* oder *Dein ist mein ganzes Herz*. Melodien, in denen er sich auflösen konnte.

Als sich Johann für die Eukalyptusbonbons bedankte, sagte der Benefiziat, jetzt sei Johann nicht nur von Wasserburg bis Nonnenhorn, sondern auch noch durch ganz Nonnenhorn durchgetrabt, er werde Johann zum Handwagen zurückbringen. Aber gib Obacht, rief die kleine alte Mutter, als der Benefiziat die DKW 500 startete, Johann sich auf den Sozius setzte und mit einer Hand den Winnetou, mit der anderen sich festhielt und beide auf der langen Geraden davondonnerten. Johann wußte, daß man diesen Donner jetzt in ganz Nonnenhorn hörte. Autofahren war auch schön, und der Vetter Großonkel fuhr manchmal ganz schön schnell, aber in erster Linie bewegte sich da nur das Auto, auf dem Motorrad war man es selber, der sich bewegte. Johann würde, genau wie der Bene, immer nur Motorrad fahren.

Draußen, über die Bahn, hin zu Niklaus, der auf den leeren Kokossäcken saß und sich, wenn Johann nicht gekommen wäre, wahrscheinlich nie mehr gerührt hätte.

Niklaus wartete nie. Er saß oder stand immer so, als müsse sich nichts mehr ändern. Johann sprang ab, der Benefiziat kurvte so schneidig weg, wie er hergekurvt war. Johann hätte ihm am liebsten Bene schieß! nachgerufen. Auch die Eukalyptusbonbons gab Johann an Niklaus weiter. Er mochte keine Eukalyptusbonbons. Niklaus, der außer Socken alles nahm, was man ihm gab, sagte: Vergelt's Gott.

Zu Hause am langen Küchentisch, aber auf der Herdseite des Tischs, saß Josef, das rechte Bein auf einen Stuhl gelegt, an diesem Fuß hatte er statt des Schuhs einen Verband. Johann beneidete Josef sofort um dessen Braungebranntheit. Dafür konnte man schon einen Bänderriß in Kauf nehmen. Josef war gerade erst angekommen, Ski und Rucksack waren noch drüben am Bahnhof, Josef war auf Krücken herübergehumpelt. Die Mutter sagte, gerade habe Helmers Hermine gefragt, ob man Zwergers Anna heute noch wenigstens einen Zentner Briketts bringen könnte. Diese Bestellungen haßte Johann. Auch wenn Josef keinen Bänderriß gehabt hätte, diese Art Lieferung mußte immer Johann übernehmen. Meistens tat er das erst nach einem Ringkampf, erst wenn er auf dem Rücken lag und Josef ihm auf beiden Oberarmen kniete. Heute gab es weder Kampf noch Streit, Johann fluchte und ging. Als er sich fluchen hörte, dachte er an heute nachmittag, die erste Beichte: Ich habe heilige Namen leichtsinnig ausgesprochen, ich habe heilige Namen zornig ausgesprochen. Dann fuhr er mit jenem Tempo die Dorfstraße hinab, das man volles Karacho nannte, schwenkte den Zentnersack – bei dem meistens frisch rasierten Fräulein Zwerger ging es ebenerdig hinein – in die Kohlenecke, tappte heimzu, spritzte sich in der Waschküche mit dem kalten Wasser aus dem Schlauch ab, seifte sich ein, spritzte sich noch einmal ab, sang, sich abspritzend, in höchsten Tönen *Von Apfelblüten einen Kranz*, dann rannte er, nur mit dem Handtuch bekleidet, ins Zimmer hinauf. Tell, der ihn natürlich längst gehört hatte, beschwerte sich darüber, daß Johann jetzt erst kam. Johann prüfte am Spiegel, ob an den Augenrändern noch etwas Kohlenstaub übriggeblieben sei. Er fand, mit solchen dunklen Rändern unter den Augen sehe er interessant aus. Aber heute hatte es zu wenig gestaubt. Keine Ränder. Schade.

Nachdem Johann das eingenommene Geld im Kassenschrank versorgt hatte, ging er in die Küche. Mina bestand darauf, daß heute einmal alle miteinander äßen. Nicht wie's Vieh auf der Weid, ein jed's für sich, sagte die Allgäuerin. Aber die Mutter mußte dann doch in die Wirtschaft, Herrn Architekt Hartstern begrüßen und Herrn Kapitän Knorr und Frau. Mina schimpfte auf Luise, weil die mit jeder Bestellung, die sie aufgab, sagte, für wen diese Ochsenbrust sei, für wen dieses Schnitzel, für wen dieses Paar Bratwürste mit gemischtem Salat. Mina schimpfte gern auf Luise. Störrisch sei die wie ein Maulesel. Luise tat nicht einfach, was man sie hieß. Sie überlegte, ob sie das tun solle oder gar müsse. Sie mußte offenbar zeigen, daß sie nichts bloß auf Befehl tat, sondern nur das, was sie für richtig und für nötig halte. Johann gefiel dieses Zögern. Dann nickte sie. Gut, sie werde das tun. Aber nur weil sie einsehe, daß das getan, von ihr getan werden müsse. Johann hielt das für eine Südtiroler Eigenschaft.

Josef erzählte, wie es passiert war. Er war als dritter gegangen. Die zwei vor ihm hatten ihre Beine gebrochen, als der Hang plötzlich wegrutschte. Aber da es kein großer Hang war, weil gleich wieder ein Gegenhang kam, konnte sich aus dem Schneebrett keine Lawine entwickeln. Das Problem war nur, wie die neun anderen die drei Verletzten zur Hütte zurückbringen sollten. Die Mutter sagte zu Luise, sie solle Herrn Deuerling ein Bier hinüberbringen in den Bahnhof, weil der inzwischen Josefs Rucksack und Ski herübergebracht hatte. Luise überlegte einen Augenblick lang, dann sagte sie: Woll. Toll, sagte die Prinzessin. Lieber würde sie Nein sagen, sagte Mina, als Luise gegangen war. Ein bockiges Ding halt.

Josef fragte nach dem Zirkus. Johann erzählte begeistert, aber doch vorsichtig begeistert. Josef hatte zwar schon eine Freundin, aber es war bekannt, daß er ein Mädchenschmecker war. Das hieß für Johann, daß Josef ihm Anita ohne weiteres wegnehmen konnte. Er erzählte ihm also nur, was mit dem Dummen August passiert war. Wer war das? fragte Josef. Frag bloß so was nicht, sagte Johann und versuchte etwas von der strafenden Stimmung weiterzugeben, mit der Adolf auf seine Frage reagiert hatte. Aber Josef sagte, das müßten sie unbedingt herausbringen. Das sei doch feig, zu mehreren nachts über einen, auch noch über einen Kleineren, herzufallen. Das müsse Edi Fürst erfahren, sagte Josef. Die Mutter: Misch du dich bloß nicht immer in alles ein, was dich nichts angeht. Könnte ich zu dir auch sagen, sagte Josef. Der kleine Anselm, der der Mutter auf der Hüfte saß, stieß mit dem Fuß gegen Josefs Fuß. Josef schrie auf. Aber dann fanden es doch alle gut, daß der Kleine gemerkt hatte, die Mutter brauche Hilfe gegen den frechen Josef.

Von Helmers Hermine, sagte Mina, das Neueste: Als Sempers Fritz mit dem Doktor zum Herrn Seehahn, der den Kopf des Dummen August auf dem Schoß hatte, zurückgekommen ist, hat der Herr Seehahn gerade zum Dummen August gesagt: Wenn Sie mit mir kommen, Eminenz, sind Sie verhaftet, wenn Sie die Hintertür nehmen, sind Sie mir entkommen.

Johann sperrte Tell ins Zimmer, ging vor in den Abort und sah hinunter ins Zirkusgelände.

Die Zirkusleute saßen an ihrem Tisch, redeten und rauchten. Herr Wiener, in der rotschwarz gewürfelten kurzen Jacke, Anita, im gelben Bademantel, mit rotem Turban. Alle sahen zu dem kleinen Riesen hin, der heute nicht aufsprang, um sich wieder zu setzen und wieder aufzuspringen. Er saß und rührte sich nicht. Sein farbiges Gesicht war halb zugeklebt mit Pflastern. Eine Hand verbunden. Daß der Dumme August der Zirkus sei, würde einem, so wie er heute auf der Bank saß, nicht einfallen. Der Dumme August habe den Feinden des deutschen Volkes nach dem Mund geredet, hatte der Lehrer gesagt. Der Lehrer war nicht drin gewesen in der Vorstellung. Johann war, als der Lehrer das sagte, Versailles eingefallen. Im vergangenen Jahr hatten sie in der Turnhalle das Theaterstück *Schlageters Tod* aufgeführt, Johann hatte den *Roten Tod von Versailles* spielen müssen, hatte von Huths Jossi ein grellrotes Strickkleid anziehen und einen bösen Text über Deutschland sagen müssen und war dann von Frommknechts Hermann, der den Schlageter spielen durfte, an einen Schandpfahl gebunden und mit Flammen aus Silberpapier verbrannt worden. Deutschland erwache! hatten die anderen im Chor gerufen. Und: Tod dem Geist von Versailles. Noch einhundert Jahre hätten alle Deutschen arbeiten müssen, riefen die anderen, einhundert Jahre Sklaverei für den Schandvertrag von Versailles. Und der Führer hat diesen Schandvertrag zerrissen. Darum mögen ihn die Feinde des deutschen Volkes nicht. Und diesen Feinden hat der kleine Riese nach dem Mund geredet. Schade.

Johann zog eine Jacke an, aus der Josef hinausgewachsen war. Die Jacke war ihm noch etwas zu groß. Aber er mußte sie jetzt tragen. Sie war auch vom Vetter genannten Onkel der Mutter, der Josef und Johann, so oft sie zu ihm ins Allgäu kamen, in Wangen mit seinem Ford am Bahnhof abholte, sie zum Bekleidungshaus Bredl fuhr und sie dort einkleidete. Der unverheiratete, in der Verwandtschaft Vetter genannte Großonkel, der dick war, immer ein braunes schönes Indianergesicht hatte, setzte sich im Geschäft in einen Sessel, und Josef und Johann mußten alles anziehen und vor ihm hin- und hergehen und sich in den riesigen Spiegeln betrachten, dann wählen. Das verlangte er immer, daß sie sich für diesen oder für jenen Knickerbockeranzug, für diesen oder jenen Gabardinemantel entschieden. Dann ging's in rasender Fahrt hinaus in sein Haus neben der Käserei, auf der in großer Schrift *Alpenbiene* stand. Abends nahm er seine frisch eingekleideten Buben mit in eine der Wirtschaften der Gegend, und Josef und Johann mußten für die Gäste, die der Vetter freihielt, singen. Johann die erste, Josef die zweite Stimme. Johann fand, daß er die schönere Stimme hatte, aber Josef war musikalischer. Johann mußte ja nur die Melodien singen, Josef sang dazu die passende, aber jedesmal frei erfundene zweite Stimme. Josef sang seine zweite Stimme nie zweimal gleich. Die Leute in den Wirtschaften klatschten immer heftig, der Vetter klatschte nicht mit, aber auf der Heimfahrt im Ford lobte er seine zwei Sänger. Manchmal mußten sie auch in seinem Haus nur für ihn singen. Er hatte ein Klavier, auf dem Josef den zweistimmigen Gesang begleitete. Dieses Klavier klang jedesmal, als habe es, seit es das letzte Mal von Josef geweckt worden war, tief geschlafen. Auf den Tasten lag immer ein dunkelrotes, goldbesticktes Samttuch.

Morgen mit des Vetters Ford zur Kirche, das wär's. Aber der Vetter hatte schon wissen lassen, er komme im nächsten Jahr, wenn Josef und Johann zur Firmung kämen. Da würde er jedem der beiden Firmlinge, hatte er angekündigt, eine goldene Armbanduhr kaufen. Zur Erstkommunion würden die Taufpatin und der Taufpate kommen. Die Gotta, die nur lachend vorstellbare Bäckersfrau aus Kreßbronn, und der Götte, Mutters ältester Bruder, der den Hof umtrieb, der größte, stärkste Mann, den es überhaupt gab. Über den Augen ganze Büsche von Augenbrauen, die zwischen den Augen kein bißchen aufhörten. Mit diesem Riesengötte und der lachenden Gotta würde Johann durchs Dorf hinuntergehen. Wahrscheinlich würden Anitas Eltern hinter ihm und Gotta und Götte hergehen wollen. Daß sich die Gotta und der Götte mit Herrn und Frau Wiener unterhalten würden, konnte sich Johann nicht vorstellen. Wenn der Götte von Kümmertsweiler herunterkam und sich an den Runden Tisch setzte, drehte er den Kopf überdeutlich zu dem, der gerade sprach. Dann zum nächsten, der sprach. Man sah ihm deutlich an, daß in Kümmertsweiler droben, was hier am See geredet wurde, nicht viel gälte. Fast belustigt sah er aus, wenn er zuhörte und nie etwas sagte.

Johann prüfte vor dem Spiegel, wieviele Knöpfe und welche Knöpfe er offenlassen würde.

Plötzlich zog er die Jacke wieder aus. Er holte die von Josef Sakko genannte Jacke aus dem Schrank. Auch aus diesem Sakko war Josef hinausgewachsen. Johann sah sofort: Das war's. Ein ganz helles Sakko. Hellstes Blaugrau, fast ein Hauch von Violett. Aber gemustert. Aber so, daß man sie kaum sah, die rötlichen Linien, die im fast violetten Blaugrau wenige große Karos bildeten. Auf dieses Sakko hatte Johann schon seit langem gewartet. Er war immer noch ein bißchen zu klein dafür, aber tragen mußte er es jetzt. Er probierte es vor dem Spiegel. Er konnte von seinem Spiegelbild nicht genug kriegen. Manchmal grinste er sich dann an. Noch heute würde er das beichten. Ich bin hoffärtig gewesen. Und bereuen mußte er das auch, sonst konnte der Pfarrer hundertmal ego te absolvo sagen, ohne vollkommene Reue keine Vergebung der Sünden. Das war überhaupt seine Angst. Was, wenn er die vollkommene Reue nicht schafft? Und ohne den Vorsatz, das, was man getan hat, nicht noch einmal, also nie wieder zu tun, gab es keine vollkommene Reue. Es hieß, man müsse beten um die Kraft zur vollkommenen Reue. Die Kraft zum Vorsatz: Nie wieder. Er von sich aus hatte diese Kraft nicht. Noch etwas Öl in die Haare? Er fand, daß er, um den Haaren einen schwungvolleren Halt zu verschaffen, schon ein bißchen Öl brauchte. Nicht soviel wie neulich. Aber ein bißchen schon. Daß er hoffärtig war, konnte er dann ja gleich beichten. Aber die Reue! Konnte er seine Hoffärtigkeit bereuen, solange er die Frisur noch trug wie eine Krone?

Um halbfünf stand er an den drei Stufen zu Anitas Wohnwagen. Die Tür ging auf, Anita erschien, in Hellblau heute, weiße Strümpfe, und oben in den Haaren eine weiche hellblaue Schleife. Er drehte sich, sobald sie die drei Stufen heruntergekommen war, um und ging ihr voraus, in der Hoffnung, sie folge ihm. Ihm war heiß. Auf jeden Fall konnte er nicht so schnaufen wie sonst. Zum Glück wollte er kein Pater mehr werden. Er würde Sänger werden. Das wußte er jetzt. Seine Stimme wurde, fand er, jede Woche besser. Er fand, seine Stimme sei das Beste, was er habe. Er konnte sich, wenn er sang, in seiner Stimme verlieren. Es war dann, als sei das gar nicht mehr er, der sang. Es war einfach eine Stimme, die er so schön fand wie die von Karl Erb oder die von Ludwigs Vater. Ludwigs Vater sang so schön wie Karl Erb. Als Ludwig gesagt hatte, sie, Grübels, seien mit Karl Erb verwandt, hatte Johann gespürt, daß er mehr Zeit mit Ludwig als mit Adolf verbringen sollte. Karl Erb habe, sagte Ludwig, zu seinem Vater gesagt: Vetter Anton, wenn du eine Ausbildung gehabt hättest, wärst du heute mein schärfster Konkurrent.

Schon von weitem sahen sie, wie sich auf dem Moosweg schwankend die zwei Schwestern vorwärtsschoben. Die waren so gut wie immer vom Spital in Hege zur Kirche unterwegs. Man sah des hohen Grases wegen nur ihre oberen Hälften. Gewaltige, eckige, weiße Aufbauten der Schwesternhauben über den dunklen Gewändern. Als schöben sich zwei schwarze Schiffe mit weißen Segeln durch das im Wind wogende Gras. Lilaweiß und gelb schäumte das Wiesengrün von Wiesenschaumkraut und Hahnenfuß. Sing doch, dachte Johann. Am liebsten *Von Apfelblüten einen Kranz.* Oder *Dein ist mein ganzes Herz.* Oder aus dem *Agnus Dei* vom letzten Sonntag. Oder *Wer hat dich du schöner Wald.* Wenn sie bloß nichts sagt. Er kann doch jetzt nicht sprechen. Kein Wort brächte er heraus.

Sie fragte, ob er den Axel Munz gesehen habe, ob er gesehen habe, wie die den zugerichtet hätten in der letzten Nacht, diese Schufte.

Johann war froh, daß sie davon angefangen hatte. Darauf konnte er leichter antworten, als wenn sie ihn etwas über das Beichten gefragt hätte. Ja, sagte er, einfach feig, mehrere gegen einen, und auch noch nachts, einfach feig. Und wie sie ihn abgepaßt hätten, sagte Anita, richtig aufgelauert. Axel Munz habe nach der Vorstellung noch ein Bier getrunken in der Wirtschaft, da habe sich keiner an ihn hingetraut. Aber als er dann allein zurückging zu seinem Wohnwagen, da seien sie über ihn hergefallen, die Schufte. Die feigen, ergänzte Johann.

Plötzlich lachte sie und sagte: Hoffentlich vergeß ich keine Sünde. Oh je, dachte Johann. Er dachte an die Haare in Anitas Achselhöhlen. Mußte man Haare in Achselhöhlen beichten? Er hatte das Gefühl, man müsse. Sie werde ja morgen mit einem Auto in die Kirche kutschiert, sagte sie. Mercedes, sagte er und ärgerte sich sofort darüber, daß er auch noch Propaganda machte für Adolfs Auto. Sie wäre, sagte sie, genau so gern mit Johann zu Fuß zur Kirche gegangen. Wir zwei sind doch ein prima Paar, sagte sie und sah herüber und lachte. Johann spürte, daß er rot wurde. Anita, Anita, sagte er. Ja? sagte sie. Er hatte einfach Anita sagen wollen, mehr nicht. Und aus Versehen hatte er den Namen gleich zweimal gesagt. Er wußte, er würde, so oft er Anita sagen würde, immer Anita, Anita sagen. Hundertmal nach einander hätte er Anita sagen können. Das ging natürlich nicht. Aber zweimal, das mußte gehen.

Und deine Eltern? fragte er, um irgendetwas zu sagen. Die haben keine Zeit, in die Kirche zu gehen, sagte sie. Meine Mutter auch nicht, sagte er. Eben, sagte sie, wir zwei hätten's auch allein geschafft. Als er nichts sagte, sagte sie: Gell, du. Machte die sich lustig? Deine Jacke hat Format, sagte sie. Er sagte: Anita, Anita.

Jetzt wünschen wir einander eine gute Beichte, sagte sie, als sie am Friedhof angekommen waren. Hoffentlich, sagte Johann, und wußte nicht, was er damit sagen wollte.

Sie ging auf die Tür zu, die zur Frauenseite führte, er ging
Richtung Seeseite. Aber bevor ihnen die Grabsteine die
Sicht verstellten, schaute sie noch einmal her, hob beide
Hände als kleine Fäustchen, ruckte die noch extra in die
Höhe und lachte. Johann konnte nicht lachen. Ihm tat al-
les weh vor Glück. In den Bäumen und Büschen an der
Friedhofsmauer sangen die Vögel. So laut hatten die noch
nie gesungen. Es hallte, als wäre man nicht mehr im Frei-
en. Seine Schritte knirschten im Friedhofkies, daß es in
den Ohren scherbte. Am Grab seines Vaters machte er
nicht halt. Drüben über dem See, der Säntis, so nah wie
noch nie. Als stünde der Säntis vor einer goldenen Wand.
Der Säntis ist eine Glucke, hatte der Vater einmal gesagt.
Zwei Millionen Jahre alt.
Sobald Johann in der Bank kniete, mußte er mit der Ge-
wissenserforschung beginnen. Zuerst schaute er noch
schnell hinüber. Anita kniete schon. Also fang an, erfor-
sche dein Gewissen. Er rief die einzelnen Nummern auf.
Seine numerierten Sünden gaben sich zu erkennen. Dann
rief er per Formel die vollkommene Reue auf. Sie zeigte
sich. Das heißt, sie füllte ihn aus. Er staunte fast. Ist das
wirklich eine vollkommene Reue, fragte er noch. Ist dein
Niewieder echt? Hältst du das für möglich? Vornehmen
sollst du es dir, das genügt. Die Gnade erflehen, die dir
hilft, es nicht mehr zu tun. Fleh einfach um die Gnade,
mit Gnade geht alles. Aber da war er schon dran und ging
mit tauben Füßen die drei Schritte von der Bank zum
Beichtstuhl, hörte den Pfarrer atmen, atmete auch wieder,
sagte seine Sachen auf, es gab überhaupt kein Problem.
Aber der Pfarrer reagierte zu laut. Das hörten die doch
alle draußen, was der Pfarrer da sagte. Aber er hatte vorher, als der Pfarrer zu Adolf, Paul, Ludwig, Guido, Berni,
Helmut und Helmut gesprochen hatte, auch nichts verstanden. Erst wenn der Pfarrer lateinisch geworden war,
hatte man ihn verstanden, aber das Lateinische war ja für
alle gleich.
Johann blieb, auch als er die ihm aufgegebene Buße schon

verrichtet hatte, noch in der Bank; erst als er sah, daß
Anita aufstand und hinausging, ging er auch hinaus.
Natürlich nicht gleich, aber bald. Draußen, zwischen
Schloß und *Krone*, standen schon die meisten, Mädchen und Buben getrennt, noch getrennter als sonst. So
auch auf dem Weg dorfaufwärts. Guido fragte, ob den
anderen auch so viel Buße auferlegt worden sei wie ihm.
Er lachte dabei. Er war sicher der einzige, der so etwas
lachend fragen konnte. Aber jetzt konnte man wenigstens
darüber reden. Natürlich nicht so laut, daß die voraus-
gehenden Mädchen gehört hätten, worüber man redete.
Das war doch wieder beruhigend, daß jeder drei *Vaterunser* und *Gegrüßet seist du Maria* aufbekommen hatte.
Ein bißchen enttäuschend war es auch. Fand Johann.
Alle gleich viel Buße! Aber er sprach das nicht aus. Sie
hatten ja auch die meisten Sünden mit einander begangen.
Jeder hatte ein paar Pfennige beigesteuert, daß Edi bei
Brodbecks Sauerkraut kaufen konnte, Frau Brodbeck
aus dem Laden gehen mußte, um das Sauerkraut aus dem
Faß zu holen, und Edi, bis sie zurückkam, vier Tafeln
Schokolade einsacken konnte. Das Sauerkraut wurde
gegen Zürns Neubauwand geklatscht, die Schokolade am
See verteilt und sofort gegessen. War es auch eine Sünde
gewesen, bei Käser Müllers Käseschachteln mitgenommen zu haben, die sich als Attrappen herausstellten?
Quer durchs Dorf und bis in die Bucht waren sie gerannt,
erst tief im Schilf hatten sie die Schachteln geöffnet, statt
Camembert, Holz. Jetzt fragte Paul, ob die anderen das
gebeichtet hätten. Er nicht. Es sei ja nur eine Attrappe
gewesen. Diese mißglückte Unternehmung hatte keiner
gebeichtet. Und als die Mädchen vor ihnen plötzlich alle
kicherten, nahmen die Buben das als einen Grund,
aufzuholen. Was es zum Kichern gebe, fragte Adolf.
Schnelle Trudl stupfte Leni, daß die's den Buben auch
sage. Zum Lattermann, sagte Leni, dem Heinzen- und
Speerenmacher in Hege, sei vorgestern der Landgendarm
gekommen, schon wieder sei gegen ihn eine Anzeige

eingegangen wegen Waldfrevel, aber bevor Herr Lattermann habe antworten können, habe Frau Lattermann
zum Landgendarm gesagt, jetzt müsse sie sich aber schon
wundern, daß der Herr Gendarm wegen dieser Sache
noch vorbeikomme, wo sie das doch alles schon gebeichtet hätten.

Adolf fragte – und Johann bewunderte gleich Adolfs
Mut –, was den Mädchen zur Buße aufgegeben worden
sei, ob sie auch, wie die Buben, alle die gleiche Buße ver-
paßt bekommen hätten. Jetzt schauten die Mädchen einander an und entschieden, daß sie das den Buben nicht
sagen würden. Ludwig sagte, wahrscheinlich haben die
überhaupt keine Buße bekommen, weil ihre Sünden zu
klein waren. Aber da korrigierte ihn Leni streng, indem
sie einen Spruch herunterleierte und durch das Leiern
demonstrierte, wie bekannt jedem dieser Spruch sei und
wie unumstößlich die so ausgedrückte Wahrheit: Biechta
und it biaßa, isch wia Lade und it schiaße. Peng, sagte
Paul, alle lachten. Adolf übersetzte für Anita: Beichten
und nicht büßen, ist wie Laden und nicht schießen. Zum
Glück sagte Anita, daß sie das auch ohne Übersetzung
verstanden hätte.

Heute ging keiner und keine weiter mit als bis zum Lindenbaum. Johann hatte also noch zirka sechzig Meter mit
Anita allein. Daß keiner und keine heute in die Vorstellung käme, war klar. Erstens hatte es der Lehrer so gut
wie verboten, zweitens gehörte es sich wohl nicht, daß
man im Zustand der heiligmachenden Gnade in einen
Zirkus ging. Weil er dachte, es könne ihr guttun, sagte er,
er werde heute wieder zuschauen, aber vom Fenster aus.
Er sagte aber nicht, daß es sich um ein Abortfenster handelte. Sie hatte keine Ahnung davon, daß er, wenn er neben ihr herging, andauernd etwas anderes sagte, als er
dachte. Das fühlte sich an wie ein inneres Brausen, dieses
So-reden und Anders-denken. Er kam sich erwachsen
vor.

Ob er ihr nach der Vorstellung noch etwas zeigen dürfe?

Ja. Also drüben am Bahnhof, er warte auf sie. Alles Gute. Danke, rief sie und rannte zu ihren Leuten.

Er rannte in sein Zimmer hinauf, packte zusammen, was er brauchte, rannte mit Tell dorfauswärts, an der Tannenhecke entlang, dann nicht bei Schäggs hinab, sondern über die Bahn und drüben hinauf, hinauf auf den Lausbichel. Links und rechts Apfel- und Kirschbäume. Alle blühten. Kurz bevor er ganz droben war, bog er ab ins hochstehende Gras, Tell hüpfte voraus, als wisse er, wo Johann hinwollte. Der legte, was er mitgebracht hatte, an einem Kirschbaumstamm ins Gras und ging zurück auf den Weg.

Vom Nebenzimmer her hörte er Josef Klavier spielen. Schon als Johann zum Beichten gegangen war, hatte Josef Klavier gespielt. Josef mußte die zwei klavierlosen Nebelhorn-Wochen nachholen. Johann sah dem Organisten Jutz nicht so freudig entgegen wie Josef. Herr Jutz kam immer mit dem Rad von Kreßbronn, stellte das Rad an einen der beiden Kastanienbäume, schloß es ab, löste die Hosenklammern und ließ den feinen Stoff frei, daß der den immer locker daherkommenden Organisten und Maler bei jedem Schritt umwabern konnte. Ein schwarzer Haarkranz um eine braun glänzende Haarlosigkeit, zigeunerische Augen und eine scharf geschwungene Nase, der Künstler Jutz. Herr Jutz war eigentlich nur an Josef interessiert, das spürte Johann.

Als die Zirkusmusik anfing, hörte Josef auf und humpelte hinunter in den Hof, Johann rannte hinauf. Tell mußte im Zimmer bleiben. Johann ging in den Abort und öffnete beide Fensterflügel und lehnte sich hinaus. Das gleiche Programm wie am Tag vorher, nur daß der kleine Riese keine schönen Bewegungen mehr machte. Von seinem Getrommel und Geklingel blieb nur ein dürftiger Rest. Als er als Dummer August auftrat, lachten die Leute, weil sie glaubten, die vielen Pflaster und Verbände gehörten zur Rolle. Heute schüttelte er sich nicht, um mit seinen vielen Glöckchen dem Direktor zu antworten. Heute klingelte er ununterbrochen. Nicht mehr so laut. Vielleicht konnte er sich nicht mehr schütteln. Aber zittern konnte er noch.

Der Direktor rief: August, August, wie siehst denn du aus? Der August sagte ganz zerknirscht: Wie man aussieht, wenn man seine Frau von einer anderen Seite kennenlernt. Wann hast du denn deine Frau kennengelernt, wollte der Direktor wissen. Schon sechs Wochen nach der Hochzeit, sagte der August. Der Direktor: Aber so hat sie dich ja noch nie zugerichtet. Der August: So habe ich ihr auch noch nie widersprochen. Stellen Sie sich vor, behauptet sie doch glatt: Vier weniger eins sei drei. Der Direktor: Recht hat sie. Der August: Interessant, daß Sie ihr rechtgeben. Ein Beispiel: Vier Spatzen sitzen auf dem Draht, ich schieße einen herunter, wieviel sind noch drauf. Der Direktor: Drei. Der August: Null. Die anderen fliegen weg. Der Direktor: Da deine Frau dich schon so zugerichtet hat, kriegst du heute von mir ausnahmsweise keine Ohrfeige. Der August: Kennen Sie den Unterschied zwischen einer Ohrfeige und einer richtigen Feige? Der Direktor: Was soll denn das für ein Unterschied sein? Die richtige Feige gibt man einem Kamel, die Ohrfeige kriegt man von einem Kamel. Der Direktor holte aus, schlug aber nicht, die Leute lachten. Johann sah, daß Josef auch lachte.

Johann wartete nur auf Anitas Auftritte. Am meisten darauf, daß sie als Göttin Devi auf Vischnu einziehe und mit ihren vielen Armen Shiva, den Todesgott, täusche. Johann wartete darauf, in Anitas Achselhöhlen hineinzusehen. Vom ersten Stock aus waren Anitas Achselhöhlenhaare keine Haare mehr.

Nach dem Schlußbeifall rannte er hinunter und wartete am Bahnhof auf Anita. Er konnte sich nicht auf die Bank setzen, er konnte nicht auf einer Stelle stehen bleiben, er war ganz sicher, daß Anita nicht kommen werde. Aber er würde am Bahnhof auf und ab gehen, halb um den Bahnhof herum und sofort wieder zurück auf die Vorderseite, die ganze Nacht würde er hier hin und her rennen, bis es eben Zeit wäre, in die Kirche zu gehen.

Aber sie kam. Anita, Anita, sagte er. Sie hatte eine Jacke an, hatte ihre Hände in der Jackentasche, es sei kühl geworden, sagte sie, davon wußte Johann nichts. Komm, sagte er und rannte mehr, als er ging, dorfauswärts, Richtung Bahnübergang. Sie machte sein Tempo mit. Auch als der Weg aufwärts ging. Der Mond schien so hell, daß die blühenden Bäume, zwischen denen der Weg hinaufführte, fast grellweiß waren. Der Weg war von abgefallenen Kirschblütenblättern weiß. Johann summte hastig *Von Apfelblüten einen Kranz* in einer Mondnacht im April. Anita reagierte nicht. Daß er jetzt nicht singen durfte! *Dein ist mein ganzes Herz*. Das wär's. Er summte so innig wie möglich: Deiiiin ist mein ganzes Herz, wo du nicht bist, kann ich nicht sein. So wie die Blume welkt, wenn sie nicht küßt der Sonne Schein ... Josef mochte Lehár so wenig, wie der Vater Lehár gemocht hatte. Johann löste sich am liebsten in Lehár auf. Wenn Anita jetzt mitgesummt hätte. Mit ihr zusammen Lehár, das wär's. Sie summte nicht mit. Johann sagte: Da! Er sagte das möglichst rauh, irgendwie böse oder drohend oder gemein. Auf jeden Fall sollte Anita erschrecken. Blöde Kuh, dachte er und erschrak. Plötzlich wußte er nicht mehr weiter. Konnte er ... Wollte er ... Was denn? Blöde Kuh sagen wollte er. Anita packen und hinschmeißen wollte er. Wie die Katze in der Remise.

Komm jetzt, sagte er, packte sie, legte sie sich auf die Arme, um sie durchs Gras zu dem Baum zu tragen, den er ausgesucht hatte. Man dürfe den Bauern nicht das hohe Gras zertrampeln, sagte er, deshalb sei es besser, wenn nur er durchs Gras gehe, sie sich aber von ihm tragen lasse. Wenn du das schaffst, sagte sie. Kein Problem, sagte er. Tatsächlich war sie, als sie ihm auf den Armen lag, nicht zu schwer. Aber auch wenn sie zu schwer gewesen wäre, ihm hätte es nichts ausgemacht. Du wiegst ja rein nichts, sagte er und trug sie durchs hohe Gras. So hat die

Gotta vor drei Jahren das gerade auf die Welt gekommene Brüderlein zum Pfarrer hingetragen, der schon am Taufbecken wartete, um das winzige Kind Anselm zu taufen. Der Bierführer fiel ihm auch ein. Der trug immer eisenbahnschwellengroße Eisstangen auf seinen Armen in den Keller. Die Arme steckten in roten, auseinandergeschnittenen Autoschläuchen.

Unter seinem Kirschbaum stellte Johann Anita wieder auf die Füße. Und jetzt, sagte sie. Dein Bharatanatyam-Tanz, toll, sagte er. Woher kennst du denn Bharatanatyam, fragte sie. Von meinem Vater, sagte Johann, als sei das doch nichts Besonderes.

Er zog seine Taschenlampe heraus, mit der er sonst, wenn er nicht aufhören konnte, unter der Bettdecke las, und beleuchtete das Lager, das er am Stamm dieses mächtigen Kirschbaums angelegt hatte. Auf einem blauen Handtuch lag die Zigarettenschachtel mit den Abziehbildern, da lag die Schwammdose, da lag eine Dose Leo-Creme. Die überreichte er. Anita, Anita, sagte er, für dich. Sie lachte. Nicht so laut, sagte er. Er fand, je leiser sie mit einander redeten, desto schöner sei es. Er räumte Zigarettenschachtel und Schwammdose weg, Anita setzte sich, sah zu ihm auf, er kniete sich vor ihr nieder, öffnete die Zigarettenschachtel. Abziehbilder, sagte er. Dein Knie, sagte er. Zum Glück hatte sie Kniestrümpfe an. Er mußte ihr also lediglich den Rock ein wenig zurückschieben, dann die Stelle an der Innenseite des rechten Oberschenkels mit dem Schwamm naß machen, Anita schauerte, dann das Bild auflegen, dann mit dem nassen Schwamm über das Bild hin, die Folie abziehen, sofort das zweite Bild auf den anderen Oberschenkel, Rock hoch, Haut befeuchtet, Bild drauf, mit dem Schwamm drüber, die Folie abgezogen und eingesteckt. Fertig. Johann war so eifrig, daß Anita nicht dazukam, etwas zu sagen oder zu fragen. Er war, glaubte er, im Augenblick so bestimmend wie Adolf. Allerdings hatte er Angst, Anita werde gleich aufspringen und davonrennen. Hatte er je in seinem Leben eine solche Angst gehabt? Als die zwei Bilder klebten, beleuchtete er sie mit der Taschenlampe und sagte: Ein Wal, der Wasser in die Luft bläst, und der feuerspeiende Popocatepetl. Wie heißt der, fragte Anita. Popocatepetl, sagte Johann. Gibt's den wirklich, fragte Anita. Du bist gut, sagte Johann. Sein Vater habe gesagt, er möchte nicht sterben, ohne den Popocatepetl bestiegen zu haben. Und, fragte Anita. Er hat es nicht geschafft. Und als Anita nichts sagte, sagte Johann: Ein Viertausender. Anita sagte: Komischer Name. Heißt Rauchender Berg, sagte Johann. In der Nähe von Puebla. Und dann noch, als sei das ohnehin klar: Mexiko. Und sprang auf, zog Anita hoch, nahm sie auf seine Arme und trug sie durchs hohe Gras zurück auf den Weg, der blütenblätterweiß im Mondlicht lag.

Er hatte so plötzlich aufbrechen müssen, weil er nichts mehr wußte über diesen Popocatepetel. Das auf dem Abziehbild war irgend ein Vulkan. Warum er plötzlich gesagt hatte, das sei der Popocatepetl, wußte er selber nicht. Eigentlich hatte er Anita noch zeigen wollen, wie die Eskimos einander begrüßen. Das hatte er nicht mehr geschafft. Langsam gingen sie abwärts. Johann fühlte sich feierlich und hoffte, Anita fühle sich auch so. Sagen konnte er nichts. Offenbar konnte Anita auch nichts sagen. Sie gingen, ohne einander zu berühren, gleich langsam bergab. Anita blieb stehen, Johann auch. Sie standen einander eine Sekunde lang gegenüber. Anita sagte leise Gute Nacht. Er sagte genau so leise: Gute Nacht, Anita, Anita. Dann ging sie, dann rannte er. Droben begrüßte ihn Tell, als habe er alles miterlebt.

Johann legte sich ins Bett und war froh, daß Josef noch nicht da war. Er zog sich die Decke über den Kopf und merkte, daß er jetzt gleich eine Sünde begehen werde. Ihm fiel Adolf ein. Wenn sie einander im Schilf oder im Dickicht betasteten, nannte Adolf das, was da betastet wurde, Männlichkeit. Und es war ganz klar, daß er dieses Wort von seinem Vater hatte. Alles, was Adolf von seinem Vater hatte, gab dem Gesagten eine unüberhörbare, sonst nicht vorkommende Bestimmtheit und Sicherheit. Johann hatte sich, wenn Adolf von seiner oder Johanns Männlichkeit sprach und dabei nichts als dieses eine Körperteil meinte, jedesmal darüber gewundert, daß Adolf dieses Wort nicht komisch fand. Er legte eine Hand auf sein Körperteil, für das er kein Wort hatte. Alles hat einen Namen, dachte er, nur du nicht. Und als ihm das Teil jetzt entgegenkam und sich, je größer es wurde, um so wärmer und lebendiger anfühlte, dachte er: Daß es dafür keinen Namen gibt! Keinen Namen für das, was er jetzt in der Hand hatte, enthäutete und häutete, enthäutete und wieder häutete und wieder enthäutete. Die drei, vier oder fünf Jahre älteren, Edi, Heini und Willi und Fritz, sagten – und das kriegte man mit, ohne daß man je dabei war, wenn sie das sagten –, die sagten Schwanz dazu, sagten Seckel dazu. Wörter wie Fausthiebe, fand Johann. Johann konnte diese Wörter nicht ohne eine Art Zittern oder Beben entgegennehmen. Unvorstellbar, daß er diese ungeschlachten Wörter je gebrauchen würde. Johann spürte, daß er sein Teil vor diesen Wörtern schützen mußte. Wahrscheinlich gab es kein Wort für dieses Teil, weil das Teil weder berührt noch bedacht werden sollte. Gar nicht existieren sollte dieses Teil. Und existierte doch so ... so sehr. Und er hatte jetzt die ihn ganz und gar durchdringende Empfindung, daß er überhaupt nur durch dieses Teil da war. Dann eben ohne Namen. Schützen würde er dieses Teil vor jeder Herabsetzung durch einen groben Namen.

Er konnte nicht genug kriegen von der Empfindung, die er, sich so behandelnd, wachrief, also vermehrte er sie durch noch heftigere Behandlung und sagte dabei innendrin irgendwelche Silben auf, die keinen Sinn ergaben, aber einen Takt, einen Herr-Seehahn-Takt. Ja, wie Herr Seehahn kam er sich vor bei seinem Silbenausstoß und Satzfetzenausstoß. Anita-Anita kam am häufigsten vor in seinem Silbenausstoß. Das, was er zum ersten Mal im

Schopf hinter der Käserei bei Irmgard ertastet hatte, hieß Zwetschge. Zwetschge, das war nicht nur eine Grobheit, sondern auch eine Feinheit. Es gab jetzt zwischen dem Frauenbad und dem Männerbad ein Strandbad, in das Männer und Frauen gehen konnten. Das hieß Zwetschgendörre. Da hatte einer auf seiner Uferwiese die Grotte von Lourdes nachbauen wollen, hatte in Lourdes schon eine Madonna geholt, hatte alle für eine Grotte nötigen Steine aus der Schweiz hergeschafft, dann hatte Rom nicht zugestimmt, also blieb nur ein Strandbad. Die Zwetschgendörre. So nichts als grob Johann Schwanz empfand, so grob und fein kam ihm Zwetschge vor. Eng, erhaben, so weich wie fest. Daß er es je anderen gegenüber aussprechen konnte, war nicht vorstellbar. Aber jetzt, allein, konnte er es sagen. Wenn er Zwetschge sagte, spürte er, daß die Zwetschgenbuchstaben das sagten, was er sich zwischen Anitas Beinen vorstellte. Zwetschge. Und dazu er. Sein Teil. Das er mit Du ansprechen mußte, weil er keinen Namen dafür hatte. Immer nur: Du, Du bist, der Du bist. Er spürte, wie sein Teil ihm auf seine Silben antwortete: Ich bin der ich bin. Und er: Du bist der Du bist. Und wieder: Ich bin der ich bin. Du bist der Du bist. Ich bin der ich bin. Johann spürte, wie es in ihm hochschoß und aus ihm heraus. Und stürzte ab. Weil er noch nie so hoch droben gewesen war, stürzte er ab wie noch nie. In welchem Abgrund lag er, in welcher Dunkelheit und Kälte? Getrennt von sich. Und doch der, der da lag. Erledigt.

Jetzt war's eine Sünde. Todsünde. Er durfte nicht der sein, der das getan hatte. Er war der, der sich von dem, der das getan hatte, trennen wollte. Für immer. Er war der, dem das zugefügt worden war. Der, der nicht loskam von dem, der das getan hatte. Ihm zugefügt hatte. Und weil er nicht loskam von dem, der das getan hatte, wußte er, daß er noch nie so hatte leiden müssen. Nicht bei der Beerdigung des Vaters, nicht, als der Großvater beerdigt worden war. Wohin denken jetzt? Daß das nachließe.

Als Josef hereinschlich, tat Johann, als schlafe er. Aber wie schlafen, wenn er gerade die heiligmachende Gnade zerstört hatte? Wenn er der größtenschwerstenfurchtbarsten aller Sünden entgegensah: Kommunizieren nach einer Unkeuschheit. Schlimmer konnte nichts sein. Daß er sich so elend fühlte wie noch nie in seinem Leben, tat ihm allmählich fast gut. Das geschieht dir recht, dachte er. So elend wirst du dich fühlen, solange du lebst. Warum lag er nicht bei Elsa und Valentin im Grab! Aber die lagen ja in zwei verschiedenen Gräbern. Elsa in Einöd bei Homburg an der Saar, Valentin in Mindelheim. Er wollte in Einöd liegen. Löffelsches. Das hatte Elsa Herrn Deuerling erklärt, als einmal ausnahmsweise nicht Herr Deuerling auf ihrem, sondern sie auf Herrn Deuerlings Schoß gesessen hatte, auf der Kohlenkiste hinter dem Herd. Wenn man wie zwei Löffel an einander sei, hatte Elsa erklärt, nenne man das in Eened bei Humborsch Löffelsches. Herr Deuerling sagte: Geh weida, geh zua.

Johann wußte noch, daß er, als Elsa die Löffelsches-Stellung erklärt hatte, im Winnetou gerade den Satz las: ... denn ich verabscheue zum Beispiel nichts so sehr wie einen Mund voll schlechter Luft.

Und als der Schiffanbinder Schmied gekommen war und gesagt hatte, daß man sie gefunden habe, hinten in der Bucht, Elsa und Valentin und das gekenterte Boot, da war Johann auf dem Dampfersteg, hatte die Angelrute in der Hand und wartete darauf, daß der Korken zu hüpfen beginne, dann hinabgerissen werde von dem Kretzer, der angebissen hatte und glaubte, die Angel durch wildes Hinabschwimmen noch einmal loswerden zu können. Vor lauter Gumpen und Gautschen, hatte der Schiffanbinder gesagt. Und dann natürlich beide Nichtschwimmer, hatte der Schiffanbinder gesagt. Und da ihm jetzt schon ein paar Fremde, die aufs Schiff warteten, zuhörten, sagte er besonders laut: Alle Menschen müssen sterben, hot de Jud gseit, vielleicht ich auch. Das passierte Johann öfter, daß er sich das am genauesten merkte, was er am wenigsten verstand.

Johann hatte sofort seine Angel eingezogen, hatte festgestellt, daß der Wurm, den er um die Dreiangel und in sie hineingewunden hatte, nichts mehr taugte. Also sofort einen frischen Wurm aus der mit Erde gefüllten Blechbüchse gegriffen und den härter werdenden, sich wehrenden Wurm mit Kraft, aber vorsichtig – er wollte ihn ja nicht gleich in zwei Stücke reißen – aus der Büchse herausgezogen, hatte ihn aufgespießt auf die drei Haken der Angel, bis der Wurm ein zuckendes Bündel war, dann hatte er die Angel ausgeworfen. Aber er hatte nicht mehr warten können, bis einer der im Wasser herumstehenden Kretzer sich endlich für den Wurm interessierte, er hatte die Angel eingezogen, den Wurm beim Lösen von den drei Angelhaken zerrissen, das Zerrissene ins Wasser geworfen, den im Wasser herumstehenden Kretzern den Wurm in Fetzen geschenkt und war, die Angelrute in der Hand, in die Bucht hinübergerannt. Aber er kam zu spät. Elsa und Valentin waren schon in ein schwarzes Auto gelegt worden. Er würde Anita gern seinen Freichwimmerschein zeigen. *Fünfzehn Minuten in stehendem Wasser* hieß es da.

Anita sollte einmal zuschauen, wie er den Wurm auf die drei Haken seiner Angel spießte und ihn dann in den drei Widerhaken befestigte, bis der Wurm eine Ruhe gab. Er konnte sich das gar nicht ausführlich genug vorstellen. Er wollte jetzt an nichts anderes mehr denken als an das Zucken und Winden des Wurms an den drei Angelhaken. Kauern und sich das vorstellen. Nichts als das.

5. Der Weiße Sonntag

Als Johann am Sonntagmorgen von den im Wind klappernden Jalousien geweckt wurde, fühlte er sich gleich wohl unter seiner Decke. Wenn nicht nur die Jalousien vor den zwei Fenstern nach Westen hin klapperten, sondern auch die vor den Nordfenstern, zum Bahnhof hin, dann hieß das: Sturm. Und an nichts war ihm an diesem Morgen mehr gelegen als an einem alles verhindernden Sturm. Wenn doch die Welt unterginge. Johann streckte sich unter der Decke, zog sich wieder zusammen, seine Hände gerieten an das Teil, für das er keinen Namen hatte. Sollte er es vorläufig Schwanz nennen? Name: Vorläufig Schwanz. Dann war jedes Darandenken schon eine Todsünde, die heiligmachende Gnade verscheucht für immer, das heißt, er lebte auf die Hölle zu. Du bist der Du bist. Ich bin der ich bin. Du bist der Du bist. Ich bin der ich bin. IBDIB. Das konnte er verstecken zwischen KDF, NSV, NSKK, WHW. Er spürte, daß sein Teil IBDIB annehmen würde. Je öfter er IBDIB sagte, desto näher kamen IBDIB und sein Teil einander. Am besten wäre eine Taufe. Aber nicht heute, bitte!

Johann sprang aus dem Bett, rannte vor in den Abort, hinunterzuschauen in die Manege. Die brauchten doch Windstille und Wärme! Also, alle Wünsche kehrt marsch! Kein so heftiger Sturm, bitte! Der schwarze Vischnu stand unterm Gravensteinerbaum und ließ sich beschneien von lauter weißen Blütenblättern, die der Wind herunterwehte. Die Ponies lagen unterm Remisenvordach und schauten aufmerksam ins Leere. Tell war mit ihm gerannt, hatte die Vorderpfoten aufs Fensterbrett geschwungen und schaute auch hinunter. In den Wohnwagen rührte sich nichts. Morgen zog der Zirkus weiter. Nach Langenargen. Johann legte seinen rechten Arm um Tell, zog Tell an sich, bis er dessen Schnauze an seinem Hals spürte. Tell wußte, daß er jetzt lecken mußte. Und tat's.

Als Johann sich die Festtagsklamotten, genannt Kommunionsanzug, anlegte, wurde ihm feierlich. Den dunkelblauen Anzug samt Hemd, Kniestrümpfen und Mütze hatte er schon vor Ostern mit dem Vetter genannten Großonkel bei Bredl in Wangen ausgewählt. Die Schuhe bei Schorers. Die ersten Halbschuhe seines Lebens. Weiße Kniestrümpfe. Ein weißes Hemd mit einem so großen Kragen, daß die über den Anzugkragen gebreiteten Spitzen fast bis zu den Schultern reichten. Die Mütze verdarb alles. Aber ohne Mütze war man kein Kommunikant. Er nahm die mit Gold- und Grünranken und einem roten Herz Jesu verzierte Kommunionkerze aus der feinen Schachtel und probierte vor dem Spiegel aus, wie er sie am besten halten sollte. Weder zu fromm noch zu wenig fromm. Und in die andere Hand den *Schott*, Goldschnitt und Leder. Das hatte der Vetter verlangt. Sah nicht schlecht aus insgesamt. Halbschuhe, Kniestrümpfe, eine nicht zu lange, also die Knie eigentlich nicht berührende Hose, eine genau sitzende Jacke, der gewaltige weiße Kragen, die edle Kerze, das geradezu funkelnde Buch, aber über allem eben die blöde Mütze. Schief durfte sie nicht sitzen. Kein bißchen. Und zu weit hinten auch nicht. Also brav gerade und stur in die Stirn. Basta.

Drunten klatschten Mina und Luise in die Hände. Also so ein lieber Bub, rief Mina. Luise sagte nach der bei ihr üblichen Verzögerung: Woll. Josef, schon am Tisch, den bandagierten Fuß auf dem Stuhl, sagte: Agnus Dei persönlich. Die Prinzessin schmatzte und sagte: Appetitlich. Die Mutter, die bis jetzt noch nichts gesagt hatte, sagte streng: Adelheid, gell! Und zu Johann: Komm jetzt. Wie immer saß der dreijährige Anselm auf ihrer Hüfte und wiederholte alles, was die Mutter sagte. Das hatte er sich angewöhnt, weil die Erwachsenen, wenn er die Muttersätze nachmachte, immer lachten. Götte und Gotta warteten schon am Tisch unter der Uhr auf ihn. Die Falttür war offen. Luise hatte alle Tische für das Festessen gedeckt und mit Narzissen und Osterglocken geschmückt. Da kommt er ja, unser Kommunikant, rief die Gotta und lachte mit ihrem ganzen Gesicht. Die Mutter sagte: Wenn das der Papa sehen könnte. Und weinte. Diesen Satz sagte Kleinanselm nicht nach. Sie ging hinaus. Gleich darauf kam sie, diesmal den Dreijährigen an der Hand, zurück. Das sah fast aus, als habe der Dreijährige sie zurückgeholt und führe sie jetzt wieder herein. Die Hauptsache sei, daß es jetzt denen, die das Leben hätten, gut gehe, sagte der Götte. Das klang zurechtweisend. Inzwischen war Josef mit seiner Krücke im Nebenzimmer ans Klavier gehumpelt und spielte. Die Gotta sagte: Der kann's aber. Der Götte sagte nichts, sah aber zu dem klavierspielenden Josef hinüber, als wollte er sagen: Meinetwegen mußt du nicht so schnell spielen, Angeber!

Als sie gingen, sagte die Mutter wie immer, wenn jemand aus dem Haus in die Kirche ging, sie sollten doch ja auch aufs Grab gehen. Daß sie wegen des Geschäfts manchmal einen ganzen Monat lang nicht aufs Grab kam, quälte sie. Sie wußte ganz sicher, daß der Tote das nur mit immer neuer Enttäuschung zur Kenntnis nehmen konnte. Und es schien ihr ungewiß zu sein, ob er die Verhinderungen durch das Geschäft als Entschuldigung würde gelten lassen. Vielleicht nahm er ja nur wahr, daß sie nicht jede Woche aufs Grab kam, und wußte in seinem Totsein nicht, warum sie nicht kam. An Sonn- und Feiertagen durfte das Grab auch wegen der Leute nicht unbesucht bleiben. Ungeschmückt sowieso nicht. Aber was würden die Leute sagen, wenn schon ein Vierteljahr nach dem Tod niemand mehr aufs Grab käme! Das war immer ihre Predigt an Josef und Johann. Und wenn Frau Hotz oder Frau Ehrle, die an den Nachbargräbern standen, der Mutter berichteten, ihre Buben seien nach dem Hochamt gerade bloß schnell hin ans Grab, Weihwasser verspritzt und wieder weg, dann konnte die Mutter vor Kummer kaum noch sprechen. Sie schloß dann: Jetzt wisse sie, wie es ihr gehe, wenn sie unter dem Boden sei. Keiner werde ihr aufs Grab kommen und für sie beten. Bei solchen Ansprachen legte der kleine Anselm seinen Kopf an ihre Schulter.

Stolz ging Johann zwischen dem riesigen Götte und der lachenden Gotta durchs Dorf hinab. Der Götte aus Kümmertsweiler und die Gotta aus Kreßbronn waren nicht unbekannt im Dorf. So wurde hin- und hergegrüßt. Der Götte war schon fast eine Stunde unterwegs gewesen vom Hof in Kümmertsweiler bis nach Wasserburg. Er habe sich überlegt, ob er's Rennwägele nehmen, den Fuchs einspannen solle, habe dann aber gedacht, daß dem Fuchs mitten in der Frühjahrsarbeit ein Ruhetag gut tun werde, und, sowieso, die Straßen in Wasserburg seien ja jetzt fast alle geteert, das möge der Fuchs nicht. Die Gotta war mit dem Zug gekommen. Sie konnte natürlich, während man zwischen immer mehr Leuten dorfabwärts ging, nicht einfach nichts sagen. Das hätte ja ausgesehen, als sei man miteinander verkracht. Dem Jahr pressiert's diesmal, sagte sie. Der Götte nickte. Ich weiß kein Jahr, sagte sie, wo die Blüte so früh dran war. Der Götte nickte. Dann sagte er sogar: Das weiß man noch gar nie, daß es soviele Hasen geben hat wie dies Jahr. Johann hatte das Gefühl, der Götte wolle damit Johanns Erstkommunionsjahr auszeichnen. Aber als habe er selber gespürt, daß das für seine Verhältnisse zu positiv ausgefallen war, fügte er hinzu: Regnen, wenn's täte, das wär nicht schlecht.

Von Anita keine Spur. Wie will Herr Brugger auf dieser überfüllten Straße überhaupt mit seinem Mercedes bis an die Kirche kommen? Wahrscheinlich hatte Herr Brugger Anita schon abgeholt, und sie saß jetzt bei Bruggers auf dem gewaltigen Lederkanapee mit den geriffelten Messingknöpfen, die immer glänzten, als seien sie aus Gold. Auch von Anitas Eltern keine Spur.

Leider blies der Sturm die Wolken allmählich weg. Der Tag sah gleich gar nicht mehr bedrohlich aus. Der Götte mußte seinen Hut, Johann seine Kommunikantenmütze manchmal mit der Hand festhalten. Noch bevor sie an der Kirche waren, brach der Vierglockenschwall über sie herein, und genau in diesem Augenblick zerteilte die Sonne die Wolken und gleißte. Die Kirchgänger machten einander darauf aufmerksam.

Auf dem Friedhof ging man auseinander. Wenn alles vorbei war, würde man sich am Grab treffen.

Für die Kerzen waren Halter angebracht. Adolf war schon da. Also Anita auch. Tatsächlich war Johann der letzte. Aber es war noch nicht neun.

Sobald er kniete, wußte er nicht weiter. Er hatte ja nicht vor der Frühmesse schnell noch einmal beichten können, weil er dann jeden auf seinen Lebenswandel hingewiesen hätte. Also mit einer Todsünde zur ersten Kommunion. Daß eine gegen das sechste Gebot begangene Sünde eine Todsünde ist, weiß jeder. Also keine der kleinen läßlichen Nebensünden, die vom Himmel mit zeitlichen Strafen belegt werden, die man sogar ohne Mitwirkung eines Priesters durch bloßes Bereuen und Beten loswerden kann, sondern eine Todsünde, auf die, wenn er, zum Beispiel, jetzt stürbe, sofort die ewige Verdammnis folgte. Ja, die Sünde gegen das sechste Gebot war sogar die Haupttodsünde überhaupt. Schlimmer als diese Haupttodsünde war nur noch, wenn man, von dieser Sünde befleckt, zur Kommunion ging. Und das tat er. Würde er jetzt tun. Wenn nicht ein Blitzschlag, ein Erdbeben, eine sich auftuende Erde ihn an diesem Frevel hinderte. Er war bewußtlos. Er war nicht der, der alle eingeübten Bewegungen machte und alle gelernten Wörter sagte, er wollte der nicht sein, dieser Entsetzlichste, der im Stand der Todsünde an die Kommunionbank ging. Er sah immer wieder ganz schnell zu Anita hinüber. Sie kniete aufrecht, trug ihren Kopf hoch. Den mit einem weißen Kränzchen geschmückten Kopf. Sie war die Größte oder die Aufrechteste in der Mädchenbank. Anita zu sehen war etwas jenseits aller Verdammnis. Andererseits war sie der Ursprung aller Verdammnis. Er mußte trotzdem immer wieder ganz schnell hinschauen.

Der Pfarrer leierte wie immer. Bevor wir über diese Worte aus der Heiligen Schrift unsere Betrachtung anstellen, lasset uns beten: Vater unser, der du bist ... Wenn der Pfarrer von der Kanzel herab so ein Gebet angeleiert hatte und alle Leute angefangen hatten mitzubeten, hörte man ihn nicht mehr, sah nur noch seinen Bart wippen. Mit gesenktem Kopf fing er an zu beten, hob dann den Kopf, das heißt, jetzt hätte er jeden, der nicht mitgebetet hätte, gesehen.

Von der Predigt des Pfarrers nahm Johann keinen Satz wahr. Aber nachher hörte er in der Messe Herrn Grübels Stimme, die sich über den ganzen Kirchenchor hinaushob. Und er kniete neben Ludwig, dessen Vater singen konnte, wie nur noch Karl Erb singen konnte. Johann hörte diese Stimme nicht nur, er sah sie. Sie war das Licht der Lichter. Er kam sich durchdrungen vor. Es war, als singe er selber. Gegen die Todsünde. Gegen alle Strafen. Er sang.

Als die Wandlung vorbei war und die Kommunion eingeklingelt wurde, folgte Johann seinen Kommunionskameraden, senkte den Kopf, wie alle den Kopf senkten. Als er kniete und die weiße Pfarrerhand mit der weißen Hostie aus dem goldenen Kelch auftauchen sah, als die Hand die Hostie seinem geöffneten Mund näherte, ihm die Hostie auf die ein wenig vorgestreckte Zunge legte, dachte er: Nicht zergehen lassen, nicht schlucken. Wenn du sie irgendwie aus dem Mund nimmst, ist das Verbrechen vermieden. Aber wohin dann mit der Hostie? Der Leib des Herrn ist sie, also sie verschwinden lassen, wegwerfen, das ist genauso verbrecherisch, wie sie im Zustand der Todsünde im Mund zergehen zu lassen.

Da kniete er schon wieder in der Bank. Die Hostie zerging in seinem Mund. Ging auf in ihm. Und er lebte noch. Dafür dankte er. Dem Herrn. Mit dem Gebet, das eigentlich vorher gebetet werden sollte. O Herr, ich bin nicht würdig, daß du eingehest unter mein Dach, aber sprich nur ein Wort, so wird meine Seele gesund. Wahrscheinlich war er der einzige Unwürdige. Aber warum gab es dann dieses Gebet? Sei nicht so spitzfindig, du.

Nachher, mit brennenden Kerzen, der feierliche Auszug der Buben und Mädchen, die zum ersten Mal den Leib des Herrn empfangen hatten. Johann hatte genau hingeschaut, als Anita ihren Kopf der Hostie entgegengestreckt hatte; und wie sie dann zurückgegangen war zu ihrem Platz! Nicht gegangen, geschwebt. La Paloma.

Als man vor dem Friedhof auseinandergehen durfte, sah Johann schon Herrn Brugger von der *Krone* herkommen, Adolf rannte zu den Mädchen hin, holte Anita, ging mit Anita Herrn Brugger entgegen, sie würde mit dem Mercedes zurückfahren, klar. Er mußte noch einmal in den Friedhof, aufs Grab. Drei *Vaterunser* und *Gegrüßetseist-dumaria* beten und jedesmal dazudenken: Herr, gib ihm die ewige Ruhe, das ewige Licht leuchte ihm, Herr, laß ihn ruhen in Frieden, Amen. Und zum Großvater hin: Und dich auch. Schnell zu beten hatte keinen Sinn, da er mit Beten nicht vor der Gotta fertig sein durfte. Der riesige Götte stand, sah nicht aufs Grab, sondern nirgends hin, das aber mit großer Konzentration.

Auf dem Heimweg überlegte Johann, was er erfinden könnte, damit er nicht mit Gotta und Götte am Tisch essen müßte. Er wollte nicht zuschauen, wie Anita mit Adolf zusammen an einem Tisch saß und lachte. Sicher würde sie lachen. Herr Brugger erzählte immer Geschichten, über die man lachen mußte. Ihm fiel Tell ein. Er sagte einfach laut vor sich hin, daß es jetzt höchste Zeit sei für Tell. Der Götte klopfte ihm anerkennend auf die Schulter. Johann rannte zu Hause sofort die Treppe hinauf, rief dem an ihm hochspringenden Tell zu: Mensch, wenn ich dich nicht hätte, Tell! Und mit ihm hinunter, durch die hintere Tür hinaus und vor zum Bahnübergang, den Weg zum Lausbichel hinauf und abgebogen zu seinem Lager am Kirschbaum, und setzte sich auf das blaukarierte Handtuch, das er gestern nacht hier liegen gelassen hatte. Tell legte sich neben ihn hin. Der Sturm hatte noch mehr Blütenblätter herabgeweht. Johann saß wie auf einem Bett. Als das Zwölf-Uhr-Läuten hörbar wurde, wußte Johann, daß jetzt alle, die das Festessen in der *Restauration* einnehmen würden, auf ihren Plätzen saßen, er konnte gehen.

Mit Tell in die Küche, in die Ecke gerutscht, heute ohne Buch. Die Mutter probierte Frau Lutzenbergers Bratensauce. An solchen Festtagen half immer Frau Lutzenberger aus, und immer lobte die Mutter, was sie machte, so, daß Frau Lutzenberger errötete. Und Mina mußte nach der Mutter probieren und genau so loben. Die Gelobte lächelte, als nähme sie das Gesagte nicht so ernst, wie es gemeint war.

Daß im Dorf alles besser gemacht und getan wurde als überall sonst in der Welt, war für Johann nichts Neues. Wenn er in der Stube hinter dem Ausschank stand und den Stammgästen am Runden Tisch zuhörte, erfuhr er jedesmal ganz genau, was alles in Wasserburg besser war als überall sonst in der Welt. Die besten Wagenräder machte der Wagner Schäfler, die besten Beschläge der Schmied Frei, die besten Schlösser der Schlosser Groh, die besten Semmeln der Bäcker Werner, die besten Bratwürste der Metzger Gierer. Und das in einer Gemeinde, hatte einmal der Wagner Schäfler gerufen, wo ein Bauer, wenn er umfällt, dem nächsten ins Feld fällt. Und der Zimmermeister Brem hatte, auch am Runden Tisch, verkündet, er sei zwar nicht der beste Zimmerer der Welt, aber daß er aus seinem Sohn den besten Zimmerer mache, den es je gegeben hat, dafür garantiere er. Johann war dann immer richtig froh, gerade in dem Dorf leben zu können, in dem alles besser war als überall sonst in der Welt. Wenn er, zum Beispiel, hörte, was einem die Schreiner in anderen Orten für Schränke zumuteten, verglichen mit den Schränken, die der Schreiner Rechtsteiner schuf, dann konnte man doch nur von Glück sagen, daß man hier leben durfte. Da war es nicht mehr als recht und billig, daß Frau Lutzenbergers Sauce die beste Sauce überhaupt war.

Johann hatte die Gotta zum Zug nach Kreßbronn gebracht, der Götte hatte Behüt dich Gott gesagt und war in Richtung Bahnübergang gegangen. Den Lausbichel hinauf, zum Mittelsee hinab, den Winterberg hinauf, nach Hengnau nicht mehr ganz so weit hinab, in Hengnau hinauf, den Atzenbohl hinab, dann ganz steil hinauf, und er war droben in seinem Weiler, der mit sieben roten Dächern zwischen den Baumkronen schwamm. Droben beim anderen Großvater, der viel kleiner, allerdings auch viel breiter war als die hohe schmale Großmutter, die immer, wenn Johann am Tisch mitaß, dafür sorgte, daß Johann bei den gebratenen Kartoffeln, die aus der Pfanne gegessen wurden, zwischen den kräftig zugreifenden Onkeln nicht zu kurz kam. Droben, beim Fuchs und beim Ochsen und bei den sieben Kühen, die Johann alle dem Namen nach kannte, weil er schon jeder das Futter in die Traufe geworfen und auch dafür gesorgt hatte, daß keine zu kurz kam.

Um drei war Andacht. Um halbdrei stand Johann vor dem Wohnwagen mit den blauen Vorhängen. Anita erschien, drei Stufen höher, in der Wohnwagentür. Er sah sie in diesem Kleid zum ersten Mal aus der Nähe. Gleißend weiß, auch ihr Kränzchen auf dem Kopf. Und weiße Handschuhe. Und an einer weißen Kordel ein Täschchen. Genau so eins hatte die Mutter auf ihrem Hochzeitsbild in den Händen. Frau Wiener kam auch an die Wohnwagentür, sah aber überhaupt nicht festlich aus. Da wußte er, Anitas Eltern waren nicht in der Kirche gewesen, hatten nicht mit Bruggers am Tisch gesessen. Nur Anita. Johann war froh, als sie die drei Stufen herabgekommen war und neben ihm im Gras stand. Wahrscheinlich fand sie seine Mütze auch blöde. Wie der Schiffanbinder Schmied sah er aus. Er hatte nichts gegen den

Schiffanbinder Schmied. Aber er wollte nicht so aussehen.

Ist dir der Moosweg recht? fragte Johann. Anita sagte, sie kenne sich nicht aus. Johann erklärte ihr, daß das der Weg von gestern sei. Sie war einverstanden. Johann konnte durchatmen. Es hätte ja sein können, daß sie auch zur Nachmittagsandacht im Brugger-Mercedes kutschiert worden wäre. Obwohl es ja schon am Morgen komisch war: Herr Brugger kutschiert seine Frau, Anita und Adolf und dessen Paten vor die Kirche und verzieht sich in die *Krone*, die man die Sankt Nebenkirche nannte.

Ob Anita den Wal und den Vulkan von ihren Schenkelinnenseiten weggewaschen hatte? Das interessierte ihn mehr als alles andere. Und sie, als hätte sie seine Gedanken gehört, sagte: Die Bilder kleben noch. Wenn man sich bewegt, spannen sie. Er konnte, als sie das sagte und gleich auch noch lachte, nicht zu ihr hinschauen. Er ging etwas schneller. Er fürchtete, rot zu werden. Es spannt wirklich, sagte sie. Morgen nach Langenargen, sagte er. Sie wollte wissen, wie Langenargen sei. Ob's da auch Menschen gebe, die einem nachts auflauerten, einen fesselten und dann auf einen einprügelten. Johann sagte: Die, die das getan hätten, seien nicht aus Wasserburg. Woher weißt du das, fragte sie. Er zuckte mit den Schultern und machte ein Gesicht, als dürfe er mehr nicht sagen. Mein Vater will, sagte Anita, daß Axel zur Polizei geht, aber Axel sagt, das war doch die Polizei. Feige Hunde, sagte Johann. Der arme Axel, sagte sie. Es gebe keinen lieberen Menschen als Axel, und ausgerechnet den verprügeln sie. Das ist immer so, sagte Johann. Was? fragte sie. Daß die liebsten Menschen verprügelt werden, sagte Johann. Er merkte, daß Anita ihn jetzt bewundernd anschaute. Das tat ihm gut.

Und dieser Wind. Zum Glück wieder ein Sturm. Der Himmel, ein einziges Wolkengeschiebe. Und so niedrig, als kämen die Wolken direkt aus Nonnenhorn. Das Schilf, das die ganze Bucht umstand, machte jeden Windstoß mit, beugte sich, richtete sich auf und beugte sich wieder. Die Wiesen wogten, als wollten sie Wasser spielen. Ob Anita das merkte, daß sie und er an ihren Stirnen ein und denselben Sturm hatten. Am liebsten hätte er wieder gesungen. Aber man darf ja so gut wie nichts. Nicht einmal sagen, daß es ein toller Sturm ist, gegen den sie jetzt gehen! Die Pappeln! Das konnte man doch sagen. Schau, die Pappeln, wie die sich biegen! Alle vierzehn oder sechzehn Pappeln am Weg um das Schilf und die Bucht, schau, wie sie sich biegen, immer alle mit einander. Anita, Anita, schau doch! hätte er gerufen, wenn er etwas hätte rufen können. Dann wäre er vor ihr hergerannt, sicher, daß sie ihm folgte, vollends hin zum Schilf und durchs Schilf durch und hin zu der Stelle, wo im letzten Sommer das Boot angetrieben worden war, in dem Elsa und Valentin gekentert waren. Nachts, als sie auf den See hinausgefahren waren und dann vor lauter Gopen und Gumpen und Gautschen gekippt waren, die Nichtschwimmer, die.

Kannst du schwimmen, fragte Johann. Was glaubst denn du, sagte sie und lachte. Der Sturm blies ihr die Simpelfransen von der runden Stirn. Daß das die rundeste Stirn der Welt war, war auch sicher. Fast so braun wie Josef, wenn er vom Skifahren kam. Und dieses starke Augenblau. Der nie ganz geschlossene Mund.

Wenn bloß dieser Sturm ihm endlich die Mütze vom Kopf reißen und sie weit hinein in die gelb und violett wogende Wiese wehen würde! Er könnte der Mütze nachrennen, Anita hinter ihm, sie könnten wenigstens hinfallen und was denn nicht sonst noch.

Er fragte Anita, ob sie Winnetou gelesen habe. Sie wußte nicht, was er mit Winnetou meinte. Er konnte es ihr nicht erklären. Dann sagte er: Gehen wir nachher auf dem Seeweg heim? Bei diesem Sturm sei es auf dem Seeweg am schönsten. Er sagte: Wenn du keine Angst hast. Angst, sagte sie, vor was denn? Plötzlich wußte er auch nicht mehr, wovor sie Angst haben könnte. Anita und Angst!

Sie flog um die hohe Stange, ritt auf Vischnu, Anita Devi, Anita, Anita. Ihm wurde plötzlich klar, daß dieser Sturm ihren Namen trug. Wenn jemand Angst hatte, war er es.
Als der Friedhofskies unter ihren Schritten knirschte, ging er so rasch, daß sie nicht mehr mitkam. Er konnte nicht neben ihr gehen zwischen den Gräbern.
Drinnen war der Platz neben Adolf noch frei. Wie sollte er Adolf mitteilen, daß die Anita, die jetzt da drüben bei den Mädchen die sichtbarste war, auf ihren Schenkelinnenseiten einen Wal und einen Vulkan hatte. Einen Bartenwal und den Popocatepetl. Was, den kennst du nicht? Und den Popocatepetl auch nicht? Und wenn Adolf zurücksagen würde: Leck mich doch am Arsch mit deinem Poposowieso!, dann würde er ihm eine langen, mitten ins Gesicht, eine, wie Adolf noch nie eine gekriegt hatte, und dann würden sie kämpfen, und diesmal würde Johann gewinnen, das war sicher. In der Kirchenbank nicht zu machen. Er mußte die Schenkelinnenseitennachricht aufschieben. Er wollte jetzt einen Kampf mit Adolf. Johann war seit einem guten Jahr deutlich größer als Adolf. Adolf war vielleicht kräftiger, stämmiger, aber eben zwei oder drei Zentimeter kleiner. Johann mußte nur blitzschnell zugreifen, den rechten Arm dem um den Hals herum, Schwitzkasten, zugedrückt. Dann mußte der auf die Knie. Dann auf den Boden. Dann auf den Rücken. Johann würde ihm auf den Oberarmen knien, wie Josef immer auf Johanns Oberarmen kniete, wenn er ihn auf dem Rücken hatte. Aber dann würde Johann nicht wie Josef aufstehen, sondern sich noch ganz hinunterbeugen zu Adolf, ihm beide Hände um den Nacken legen und ihn vorsichtig aufheben und dabei sagen: Gell! Angeben wie zehn nackte Neger, und dann haut man ihn ungespitzt in den Boden! Du Plattfußindianer du, auf geht's, komm. Und würde ihm noch gar aufhelfen. Vielleicht noch einen Ausdruck anfügen, den Adolf neuerdings gern gebrauchte und der ganz sicher von Herrn Brugger stammte: Mein lieber Freund und Kupferstecher!

Während der Andacht flüsterte Johann Adolf und Paul zu, daß man auf dem Seeweg heimgehe. Er sagte das so, wie Adolf immer etwas sagte. Tatsächlich nickten sie links und rechts.

Die Lieder, die zur Andacht gehörten, sang Johann mit, als sei er mit der Orgelbegleitung allein. Er hörte auf jeden Fall nur sich und die Orgel. Immer wieder schaute er kurz zu Anita hinüber. Hörte sie ihn denn nicht? Sie mußte ihn doch hören. Er sang für sie. Aber sie schaute nicht herüber. Johann hatte in seinem Leben noch nie so gesungen. *Meerstern ich dich grüße.* Und *Heilig, heilig, heilig, heilig ist der Herr, heilig, heilig, heilig, heilig ist nur er. Er, der nie begonnen, er, der immer war, heilig, heilig, heilig, heilig immerdar.* Also, so hatte er wirklich noch nie gesungen. So war überhaupt noch nie gesungen worden. Von der schlimmsten Todsünde befleckt, hatte er den Leib des Herrn empfangen. Schlimmer konnte es nicht mehr kommen. Aber singen würde er. Schubert. *Heilig, heilig, heilig, heilig ist der Herr.*

Am Grab sagte er sein Gebet um die ewige Ruhe so schnell auf wie noch nie. Er mußte verhindern, daß die auf der Hauptstraße heimgingen. Mit Kropfjodler begrüßte ihn Adolf. Johann lachte nicht mit. Auf dem Seeweg heim, sagte Johann. Von ihm aus gern, sagte Adolf, er habe gutes Schuhwerk. Johann dachte an Männlichkeit. Schuhwerk, sicher auch ein Herr Brugger-Wort. Schuhwerk, Nachspiel, Charaktergröße, Charakterlump, Speichellecker, Lackaffen, Weiberwirtschaft, Bewährungsprobe.

Sie gingen zwischen *Krone* und Lehrerhaus zum See hinunter. Guido rief den Mädchen zu, sie sollten kommen. Seeweg! rief Adolf. Die Mädchen berieten sich. Nicht alle kamen, aber die meisten. Der Seeweg war nicht dauernd unter Wasser, aber jede Welle schlug über die Wellenbrechersteine herauf, überflutete den Seeweg stellenweise und strömte zurück. Man mußte immer losrennen, wenn die Welle zurückfloß und bevor die nächste kam. Johann fand, daß man gemeinsam mit den Mädchen losrennen, warten und wieder losrennen sollte. Er wollte Adolf beweisen, daß nicht Adolf, sondern er, Johann, dafür da war, Anita auf dem Seeweg vor Wellenschlag zu schützen. Aber Adolf versperrte den Seeweg und sagte: Wer den Seeweg benützen will, gibt zuerst die Antwort auf die Frage: Wenn der Bodensee einen Zentimeter sinkt, wieviel Kubikmeter fehlen ihm dann? Keiner und keine wußte das. Adolf: Vierundfünfzig Millionen Kubikmeter. Wer nichts weiß, zahlt. Zahlt eine Maut.

Männlichkeit, Nachspiel, Schuhwerk, Maut, dachte Johann.

Maut sei ein Zoll, früher habe der Zoll Maut geheißen, sagte Adolf.

Mit seiner dicken Kommunionkerze – er hatte tatsächlich die dickste Kerze von allen – versperrte er den Weg. Buben zahlen einen Pfennig, sagte er, die Mädchen einen Kuß. Wer nicht zahlt, geht auf dem Landweg, sagte er. Oder er besiegt mich. Dann kann er vorbei.

Jetzt hielt er die Kerze wie einen Degen. Paul rief: Das Zollboot kommt! Adolf drehte sich schnell zum See, in dieser Sekunde rannten Paul, Guido, Berni und Ludwig hinter Adolf vorbei. Der eine Helmut, der immer Kleingeld in der Tasche hatte, zahlte für sich und den anderen Helmut je einen Pfennig. Die Mädchen warfen Adolf Handküsse zu, er ließ sie vorbei. Johann merkte, daß Adolf das ganze Mauttheater nur wegen Anita veranstaltete. Er sagte zu Anita leise: Du gehst mit mir. Außer Anita und Johann waren jetzt alle durch. Sie rannten schon weiter, warteten auf die Wellenpause, rannten weiter. Die Buben starteten jedesmal mit Rufen, mit denen sie sich selber anfeuerten. Die Mädchen stießen helle Schreie aus.

Johann ging auf Adolf zu, senkte seine Kerze auch bis zur Degenhaltung. Es begann ein Gefecht. Anita benutzte das Kerzengefecht und schlüpfte durch. Sie rannte den anderen nach, blieb aber, bevor sie sie erreicht hatte, stehen, sah zurück. Das nahm Johann wahr, obwohl er sich auf Adolf konzentrieren mußte. Es ging darum, dem anderen die Kerze aus der Hand zu schlagen. Johann hielt seine Kerze, je näher er Adolf kam, um so senkrechter. Dann konnte Adolf nicht einfach auf Johanns Kerze einschlagen. Sie kamen einander so nahe, daß die Kerzen, die beide jetzt ziemlich senkrecht hielten, einander berührten, an einander rieben. Wer würde zuerst zurückzucken, ausholen und zuschlagen? Johann war so fest auf Adolf zugegangen, daß der ein bißchen zurückwich. Sollte er ihn an den Rand des Seewegs drängen? Daß er ins Wasser stürzte? Eine Welle, auf die sie jetzt nicht achten konnten, überspülte ihre Schuhe. Johann spürte, daß er diesen Blick von Adolf nicht lange aushalten würde. Am liebsten hätte er gesagt: Komm, wir lassen es. Das ging aber nicht. Daß er Adolf nicht anschauen konnte, wie der ihn anschaute, spürte er. Und da hatte der schon genau das getan, was Johann nur gedacht hatte. Seine Kerze zurückgerissen und gleich wieder damit zugeschlagen. Johanns Kerze war gebrochen. Und vor Schreck war Johann der *Schott* aus der Hand gefallen. Eine Welle spülte das schöne Buch gegen die Mauer. Bevor es mit in den See genommen wurde, griff Johann zu. Adolf kicherte und sagte: Eins zu null. Und rannte den anderen nach. Er war gleich bei Anita, ging neben ihr, auf der Seeseite, rief Halt, wenn eine Welle kam, rief Los, wenn die Welle den Weg freigegeben hatte, dann rannte er, Anita an der Hand, über die Stelle weg, ließ Anitas Hand los, bis zum nächsten Start. Johann kam mit gebrochener Kerze und durchweichtem *Schott* langsam nach. Vorne, wo der Seeweg endete, wo man an Hoppe-Seylers Park entlang zur Dorfstraße ging, sammelten sich alle. Thema: Adolfs Sieg. Alle bedauerten, daß Johanns Kerze kaputt und sein *Schott* aufgeweicht war. Ludwig legte den Arm um Johanns Nacken. Adolf sagte: Er hat angefangen. Johann dachte: Womit? Ludwig riet, den Docht der Kerze an der Bruchstelle abzuschneiden, dann hätte Johann eben jetzt schon eine herabgebrannte Kerze wie die anderen erst nach der letzten Maiandacht. Das wollte Johann tun. Er würde die Kerze erst wieder anzünden, wenn die Kerzen der anderen so weit herabgebrannt wären. Aber der *Schott*? Der war hin. Johann wußte, daß er nicht noch einmal einen *Schott* in Goldschnitt und Leder bekommen würde. Jetzt blieb nur einer in Pappe mit rotem Schnitt. Wie ihn der Döbele Franz hatte. Und Franz schien darunter kein bißchen zu leiden. Franz war drei Jahre älter, hatte die Kommunion, als sein Jahrgang dran war, wegen seiner Fliegerei versäumt, wohnte draußen am Bichelweiher und baute Segelflugzeuge, die wirklich flogen. Später wollte er Pilot werden. Außer Fliegen interessierte ihn nichts. Er kannte alle Flugzeuge der Welt, hatte den Zeppelin schon von innen gesehen. Er hatte einen Rotschnitt-*Schott* in Pappe. Ihm machte das offenbar überhaupt nichts aus.

Von der Linde an war Johann mit Anita allein. Sie sagte nichts. Er sagte nichts. Sie hätte doch sagen können, daß das nicht so schlimm sei, eine kaputte Kerze, ein aufgeweichtes Gebetbuch. Aber der *Schott* sollte ja ein Leben lang halten. Fünfzig oder sechzig Jahre lang sollte man daraus immer die Station des Kirchenjahrs mitbeten können, die dem jeweiligen Sonntag zugeteilt war. Sein Vater hatte allerdings auch keinen *Schott* mehr gehabt, sondern ein sehr kleines Gebetbuch, das in Kurzschrift gedruckt war. Er war sicher der einzige, der ein Gabelsberger Gebetbuch hatte, das so klein war und doch alles enthielt. Sollte er zu Anita sagen: Ich werde, sobald ich in Lindau Steno gelernt habe, sowieso das Stenogebetbuch meines Vaters benutzen. Er konnte das nicht sagen.

Schon von weitem sahen sie, daß die Zirkusleute am Abbauen und Einpacken waren. Ja, sagte Anita, wir fahren heute noch. Bei dem Wetter ist es am besten, man ist im Wagen und fährt.

Tatsächlich fing es jetzt auch noch an zu regnen. Johann sagte: Klar.

Darauf mußte er sich einstellen. Gewappnet sein. Gewappnet gegen den Anblick des Obstgartens ohne Vischnu und Manege und Zirkuswagen. Der Zirkus würde abziehen, weil es regnete, weil der Dumme August grün und blau geschlagen worden war, weil das die Polizei gewesen sein konnte. Gewappnet sein.

Johann, rief Anita, als er sich schon zum Weggehen umgedreht hatte. Er blieb stehen, sie kam und hielt ihm ihre Kerze hin. Tauschen wir, sagte sie. Sie werde ja nirgends, wo sie hinkämen, in eine Maiandacht kommen, da die meist so spät anfing, daß sie dann die Vorstellung versäumen würde. Also brauche sie keine Kerze mehr. Und zur Erinnerung reiche auch die kaputte Kerze von Johann. Und er habe dann wieder eine, der nichts fehle. Komm, sagte sie. Er gab ihr seine Kerze, nahm ihre.

Als er in seinem Zimmer mit Tell auf dem Bett lag – Tell machte sich, wenn er sich neben Johann legte, so lang wie ein Mensch –, überlegte er, ob es gut sei, daß Anita als Erinnerung an ihn diese kaputte Kerze hatte.

6. Ihr nach

Als Johann am Montagmorgen – es war kurz vor sechs – das Fahrrad seines Bruders über die Hintertreppe hinuntertrug, hatte er kein schlechtes Gewissen. Josef konnte sein Rad in den nächsten Tagen sicher noch nicht benützen.

Der Hof sah verwüstet aus. Das Gras unter den Bäumen niedergetreten. Strohreste und Sägmehl überall. Pfützen vom nächtlichen Regen. Die herabgeregneten Apfelblüten. Und kein Zirkus LA PALOMA mehr. Gestern, am Spätnachmittag, hatte der Noll Xaver mit dem von ihm selbst zusammengebauten Wundertraktor die Wagen allesamt aus dem Hof hinaus und fortgezogen. Daß der das auch am Sonntag besorgte, war typisch. Er bezeichnete sich als gottlos. Die Aufmärsche machte er in einer schwarzen SS-Uniform mit. Am Runden Tisch hieß es, er sei der intelligenteste Bauer in der ganzen Welt. Er konnte nicht nur alle Maschinen, die er brauchte, selber bauen, er konnte mit dem Gas aus seiner Stallgülle im Winter sein Haus heizen. Wo in der Welt gab es das noch?

Johann hatte dem Abtransport vom Abortfenster aus zugeschaut. Natürlich waren die Zirkusleute noch ins Haus gekommen, hatten die Platzmiete zahlen wollen, waren aber von der Mutter abgewiesen worden, nein, nein, nach allem, was passiert sei, wolle sie nicht auch noch Geld. Frau Wiener hatte seine Mutter umarmen wollen, das hatte die Mutter abwehren können, weil sie fast zwei Köpfe größer war als Frau Wiener. Anita hatte allen die Hand gegeben, zuletzt Johann. Also, du, hatte sie gesagt, bis zum nächsten Mal. Sie hatte wieder diesen wilden Pullover mit den blauweißroten Noppen an. Anita, Anita, hatte er gedacht. Sie hatte sich sogar noch einmal umgedreht und hatte gesagt: Vergiß mich nicht ganz. Johann hatte genickt. Und du auch nicht, hatte sie dann noch zum kleinen Anselm gesagt, der alles, wie immer, von der Hüfte der Mutter aus erlebte. Johann fand, Anita hätte diesen Satz vom Nichtvergessen nur zu ihm, nicht aber zum kleinen Anselm auch sagen sollen. Nachher war noch der Herr Direktor heraufgekommen und hatte sich noch lauter als Frau Wiener dafür, daß keine Miete zu bezahlen war, bedankt. Gnädige Frau, hatte er gerufen, ich sage nur: das haben Sie keinem Toten getan! Wir werden an Sie denken. Leben Sie wohl, gnädige Frau. Johann hatte gesehen, daß seine Mutter das Gesicht verzog, wie sie es verzog, wenn sie Schmerzen in der Gallengegend hatte.

Zum Glück hatte die Mutter vorher, als er auf den unter jedem Schritt ächzenden Gangbrettern vorgeschlichen war, nicht gerufen. Sobald er die Treppe erreicht hatte, rutschte er, um jedes weitere Geräusch zu vermeiden, auf dem Geländer hinunter. Man mußte, wenn man an der Zimmertür der Mutter zu einer ungewöhnlichen Zeit vorbeischlich, damit rechnen, daß sie rief: Johann, was ist? Sie konnte Josef von Johann an ihrer Art, sich vorbeizuschleichen, unterscheiden. Und ihr Schlaf erlaubte es ihr offenbar, immer alles zu hören, was im Gang passierte.

An der Tür zur Hintertreppe hatte er nachts noch den Riegel zurückgeschoben; jetzt hatte er die Tür nicht mehr zugemacht, nur noch angelehnt. Er wollte nichts mehr riskieren. Er fühlte sich, wie sich nach den Schilderungen von Döbele Franz die Flieger fühlen, wenn die Maschine vom Boden abhebt. Unter einer losen Dachplatte von Schmied Peters Ofenküche hatte er gestern abend eine Tafel Schokolade versteckt. Diese Tafel hatte die Gotta ihm aus ihrer Bäckerei als Kommuniongeschenk mitgebracht. Johann dachte, als er diese fabelhafte Tafel Waldbauer-Schokolade entgegennahm, sofort daran, sie mit Anita zusammen zu essen. Wie und wo, war ihm nicht klar. Um die Tafel Josefs Zugriff zu entziehen, hätte er die Tafel in seinem Geheimfach im Vertiko verstecken können, aber dann hätte er morgens die Bürotür aufmachen müssen, die Mutter hätte das Knacken der Klinke hören können. Deshalb hatte er gestern abend die Schokoladentafel noch schnell unter dieser losen Dachplatte versteckt. Die Ofenküche war ein winziges Häuschen am Rand des Obstgartens vor Schmied Peters Haus und Hof. Ein Häuschen nur zum Brotbacken. Und so nieder, daß Johann die Dachplatten leicht erreichte. Er versteckte öfter etwas, was Josef ihm nicht nehmen sollte, unter diesen losen Platten. Josef aß eben, was man geschenkt bekam, gleich auf und hätte, wenn Johann das Seine nicht versteckt hätte, auch das, was Johann geschenkt bekommen hatte, immer gleich aufgegessen. Johann genoß das Einteilen genauso wie das Essen.

Die Tafel Schokolade wickelte er in den blauen Schal, den er dafür mitgenommen hatte, klemmte das kleine Paket auf den Gepäckständer und fuhr los. Fuhr los, als müsse er um acht Uhr irgendwo sein. Er fuhr über den Moosweg zur Bucht, bog dann auf die Pappelallee ein, die nach Nonnenhorn führt. Das Schilf und die Pappeln rührten sich heute kein bißchen. Keine Wolke am Himmel. Günstiger konnte das Wetter für das, was er vorhatte, nicht sein. Als er zwischen Schilf und Fischerhütten dahinfuhr, dachte er, daß es in Langenargen oder bei Langenargen sicher auch eine Netzhenke mit Hütten gebe, in denen die Fischer ihre Netze flickten und lagerten. Er hatte zwar Geld dabei, er hatte ja Zugang zum Kassenschrank, aber er wollte nicht in einer Wirtschaft übernachten.

Weil er immer noch fuhr, als müsse er um acht irgendwo sein, kam er ins Schwitzen und stellte sich vor, er sei Old Shatterhands Rotschimmel und schäume große, schwere Flocken.

Er war noch nie mit dem Rad über Nonnenhorn hinausgefahren. Aber der Organist Jutz kam ja jeden Montag mit dem Rad aus Kreßbronn, um Josef und Johann Klavierunterricht zu geben. Und fuhr so langsam her und weg, daß man meinen konnte, er wolle einem nur zeigen,

wie langsam er, ohne umzufallen, fahren konnte. Allzu
weit konnte Kreßbronn nicht weg sein, wenn dieser
Langsamfahrer jeden Montag zur Klavierstunde herfuhr.
Heute nachmittag, Klavierstunde. Johann trat noch heftiger in die Pedale. Nichts wie fort. Nicht daran denken.
Fünf Mark die Stunde. Die mußte man, wenn man sich
nicht vorher abmeldete, auf jeden Fall bezahlen. Er sah,
wie sich das Gesicht der Mutter zusammenziehen, wie
klein ihr Mund werden würde, wenn sie dem Organisten
Jutz zehn Mark gab, obwohl nur eine Stunde stattgefun-
den hatte. Aber vielleicht war sie auch so geängstigt, weil
Johann verschwunden war, daß es ihr auf das Geld gar
nicht ankam. Und ein Strohwaggon war auch angesagt.
Ab Mittag würden die Bauern mit ihren leeren Wagen auf
die Brückenwaage fahren, die Waage mußte hochgekur-
belt, der leere Wagen gewogen und das Leergewicht auf
die Waagkarte gedruckt werden. Dann fuhr der Bauer
zum Waggon hinaus, lud Stroh auf, kam und wurde wieder gewogen, das Bruttogewicht wurde auch auf seine
Karte gedruckt, Waaggebühr wurde bezahlt nur für das
Nettogewicht. Johann stand, wenn die Mutter keine Zeit
hatte und Josef vom Klavier nicht lassen konnte, oft
nachmittagelang am Waaghäuschen unter der Kastanie,
wuchtete mit der riesigen Kurbel die Waagbrücke hoch,
die große Waagfläche kam ins Schwingen, am Waagbal-
ken verschob er das Gewicht, bis auch hier ein ebenes
Schwingen verebbte, dann druckte er aus, kurbelte die
Fläche herab, der Nächste bitte. Es wurde nicht viel verdient mit diesem Stroh-, Rüben- und Fallobst-Wiegen.
Aber die Mutter wollte das Wiegen nicht aufgeben. Die
Linde hatte auch eine Brückenwaage, dazu noch eine
überdachte. Wer nicht genauer überlegte – und wer überlegt schon genau –, meinte wohl, bei Johann und seiner
Mutter müsse er Schnee und Regen mitbezahlen. Was lächerlich war. Die jeweilige Witterung war ja sowohl beim
Brutto wie beim Tara beteiligt, das Netto war also wirklich das Netto. Aber manche Bauern machten, wenn es

während des Wiegens schneite oder regnete, Bemerkungen, die Johann demütigten. Sollten sie doch Herrn Witzigmann fragen, der für die Darlehenskasse die Verladungen oder Entladungen organisierte und abends alle Waagscheindurchschläge zusammenzählte, und dann kam als Gesamt-Netto ziemlich genau das heraus, was der Waggon enthalten hatte.

In die Pedale. Fort, fort, fort. Langenargen, Langenargen, Langenargen. Etwas anderes wollte er jetzt nicht wissen. Links, zwischen Weg und See, schon die Villen, in denen Zugezogene wohnten. Die neuesten Villen gehörten Ribbentrop und Streicher. Große Häuser, hohe Hecken und Zäune. Kohlen kriegten die wo anders her. Helmers Hermine hatte es abgelehnt, in der Villa von Ribbentrop und in der Streicher-Villa zu putzen. Sie war natürlich gefragt worden. Aber beide Villen lagen schon auf Nonnenhorner Boden. Und Helmers Hermine sagte, sie putze doch nicht in Häusern auf Nonnenhorner Boden. Sempers Fritz, der die Rohre in der Streicher-Villa gelegt hatte, erzählte am Runden Tisch, in dieser Villa gebe es einen unterirdischen Fluchtweg. Als von allen Seiten gefragt wurde: Wohin? hatte Fritz mit einem Zeigefinger ein Augenlid heruntergezogen und gesagt: Bootshaus, da liegen hundertvierzig PS, falls es brenzlich wird, ab in die Schweiz. Das kleinste Haus, an dem Johann vorbeikam, war das von Martha und Elisa Sauter. Ob die beiden Fräulein Sauter wußten, daß der Vater gestorben war?

Wenn sie Zeitung lasen, wußten sie es. Johann hatte in der Zeitung gelesen, wie der Vater am Dreikönigstag nachmittags um zwei Uhr begraben worden war. Frau Fürst hatte die Zeitung nicht übermütig auf den Tisch geworfen wie sonst, sondern hatte sie vorsichtig hingelegt, hatte sich neben Johann auf die Bank unterm Boiler gesetzt, hatte die Zeitung aufgeschlagen und mit ihrem Finger auf die Zeile gezeigt: Ein Tag der Trauer. Und sie war sitzengeblieben, bis Johann alles gelesen hatte. Daß es drei Tage und Nächte lang geschneit hatte, stand in der

Zeitung. Daß es erst gegen Mittag, kurz vor der Beerdigung, aufgehört hatte zu schneien, stand in der Zeitung. Das Dorf war im Schnee versunken, stand in der Zeitung. 55 Zentimeter hoch sei der Schnee gelegen. Der Schneeschlitten hatte die Straße frei machen müssen. Dann stapfte man hinter dem Totenwagen her, der von Herrn Waibel gelenkt und von seinen zwei Rössern gezogen wurde. So viele Leute hatte Johann noch nicht auf der Dorfstraße gesehen. Vor jedem Haus standen Schwarzgekleidete, die sich dem Zug anschlossen. Vielleicht sah man die Schwarzgekleideten so gut, weil alles so weiß zugedeckt war. In der Zeitung stand, wer alles gesprochen hatte. Für die Jahrgänger, für die Kameraden aus der Gefangenschaft, für den Kyffhäuserbund, für die Freiwillige Feuerwehr, für den Liederkranz, für die Kameraden des Infanterie-Regiments Prinz Karl von Bayern, für die Kameraden des ehemaligen Königlich-bayerischen 20. Infanterie-Regiments, für die Gastwirte und für die Kriegsopferorganisation. Nachher, in der überfüllten Kirche, sprach am längsten der Pfarrer. Johann hatte nur den auf- und abwippenden Kinnbart gesehen, gehört hatte er nichts. Ja, einmal hatte der Pfarrer ihn, Josef und Anselm direkt angesprochen, die drei zurückgelassenen Knaben des zu früh Heimgegangenen, hatte er gesagt, sollten das Andenken an den braven Vater hochhalten. Das von den Knaben stand natürlich nicht in der Zeitung. Auch daß die Kirche überfüllt gewesen war, stand nicht in der Zeitung. Aber eben die Redner. Siebenundvierzig sei der Vater gewesen, als er starb, stand in der Zeitung. Und wo er überall gekämpft hatte, stand auch da. Von dem ziemlich großen Vogel, der sich nicht hatte vertreiben lassen, stand nichts in der Zeitung. Daß Oberpostinspektor Zürn, der für den Kyffhäuserbund sprach, als einziger zwei Armbinden getragen hatte, die Kyffhäuserarmbinde und die Hakenkreuzarmbinde, stand nicht in der Zeitung. Hurra-Zürn, hatte der Vater gesagt. Er hatte auch die drei Knaben angesprochen, die jetzt in einer besseren Zeit auf-

wachsen dürften als ihr Vater, der allzu früh zum Großen Appell einberufen worden war.
In Nonnenhorn kam Johann gleich an dem Hof vorbei,
in dem Frau Molkenbuer wohnte. Ereolina. Das war auch
eines der Wörter seines Vaters gewesen. Popocatepetl ...
oder war es Potocapetepl? Er sagte beide Wörter so lange
vor sich hin, bis er nichts mehr wußte. Und schämte sich.
Das Andenken an den Vater hochhalten und dann gleich
seine Wörter vergessen! Er sah den Wörterbaum. Popocatepetl oder Pototapecetl, das Wort schwebte in den
unteren Ästen, er mußte es doch nur anschauen, Popocatepetl, natürlich Popocatepetl, was denn sonst, Rippenfellentzündung, Rabindranath Tagore, Theosophie, Bileam,
Jugendstil, Bhagawadgita, Swedenborg, Fluidum, Protoplasma. Und ließ gleich die oberen Äste kommen, die
Lieblingswörter des Vaters, Bangigkeit, Kleinodien, Wißbegierde, Übermut, Schaumkrone, Sommersprossen,
Trauerweide, Wiedergeburt, Himmelreich, Siebensachen,
Denkmal.
Noch bevor er richtig drin war in Nonnenhorn, hörte er
das Geräusch, das er kannte und fürchtete, dieses dünne
Pfeifen, wenn du mit dem Rad in einen Nagel gefahren
bist. Er stieg sofort ab. Und sah es, er hatte einen Platten.
Weil er nicht aufgepaßt hatte! Scheißwörterbaum! Er
jaulte auf. Ganz leise, nur für sich. Dieses leise Jaulen
hatte er bei Tell gelernt, dem er heute morgen verlogene
Vertröstungen ins Ohr geflüstert hatte. Josef schlief zwar
immer sehr tief, aber wenn Tell jetzt angefangen hätte,
auf seinen Morgenrechten zu bestehen, wäre Josef aufgewacht. Und das war, weil Johann nichts erklären konnte,
auf jeden Fall zu vermeiden.
Johann legte das Rad ins Gras. Gut, Flickzeug hatte er
dabei. Müßte er dabeihaben, wenn Josef in der Satteltasche untergebracht hatte, was da hineingehört. Aber Johann hatte noch nie einen Platten repariert. Wenn ihm
das mit Josefs Rad passiert war, hatte er das Rad einfach
nach Hege geschoben zu Hotze Franz, der war bei der

Bahn, reparierte aber abends alles, was an einem Fahrrad kaputtgehen konnte. Und weil Johann, solange Hotze Franz das Rad reparierte, lieber dessen Geißen kraulte, als dem Reparieren zuzuschauen, hatte er immer noch nichts dazugelernt. Jetzt das Rad zurückschieben nach Hege – unmöglich. Also doch selber flicken. Wenn der Nagel nicht in Schlauch und Mantel steckengeblieben war, brauchte man, um das winzige Loch zu finden, schon mal eine Wasserschüssel, durch die zog man den Schlauch, den man dazu noch einmal aufpumpen mußte, daß dann die Luft im Wasser durch das Loch hochstieg und so das Loch verriet. Also in ein Haus gehen und um eine Schüssel Wasser bitten? Wieder diese Empfindung, daß er sich wappnen müsse. Gewappnet sein müsse.

Jetzt, Büble, was haben wir denn für ein Problem, sagte eine Stimme hinter ihm. Er drehte sich um. Oh je, der Hutschief. Johann brachte kein Wort heraus. Ausgerechnet der Hutschief, dem sie immer, daß er sich ärgere, seinen Übernamen nachriefen. Johann konnte nur auf das im Gras liegende Rad zeigen. Du hast einen Platten, sagte der Hutschief. Johann nickte. Der Hutschief stellte sein eigenes Rad an den nächsten Baum, dann holte er, als habe ihn jemand damit beauftragt, aus Johanns Satteltasche das Flickzeug, stellte das Rad auf den Kopf und drehte das Hinterrad. Plötzlich hielt er es an. Glück gehabt, sagte er. Er zog den Nagel, einen richtigen Schuhnagel mit eckigem Kopf, aus Mantel und Schlauch, schraubte die Ventilkappe ab, löste die Ventilhalterung, konnte dann den Schlauch an der kaputten Stelle aus dem Mantel ziehen und die Stelle sauberschmirgeln, die Gummilösung auftragen, aus dem Flickzeug den geeigneten Gummiflecken heraussuchen und drauflegen und dann draufpressen, mit beiden Händen, eine ganze Zeit lang. Dabei sah er Johann vergnügt an. Dann den Schlauch wieder in den Mantel zurückgezogen, Ventil montiert, aufgepumpt, so Büble, auf geht's. Wo denn Johann hinwolle. Langenargen, sagte Johann. Er hatte sich vorgenommen, keinem zu sagen, wo er hinfahre. Jetzt hatte er sich verraten. Dann fahr nur zu, sagte der Hutschief, sonst wächst du noch an hier. Das, hatte Anita gesagt, sage ihr Vater immer. Der Hutschief ging zu seinem Rad, schaute noch einmal her, Johann sagte: Vielen Dank auch. Zum Glück hörte das der Hutschief noch. Schon recht, sagte er, wirfst mir halt auch einmal einen Stein in den Garten. Stieg auf und fuhr ab. Sein großer heller Rucksack hing ihm leer auf dem Rücken wie immer.

Als Johann sein Rad aufstellen wollte, sah er, daß neben dem Sattel ein Zettel lag. Darauf in lateinischer Schrift, die er von seinem Vater kannte, ein einziges Wort: Beatrijs. Etwas wegzuwerfen fiel ihm schwerer, als etwas aufzubewahren, also steckte er den Zettel ein. Während er durch Nonnenhorn fuhr, suchte sich Beatrijs einen Platz in seinem Wörterbaum. Zwischen Swedenborg und Bileam schwebte jetzt Beatrijs. Johanns Wörterbaum war das Gegenteil eines Weihnachtsbaums. Es war mehr eine Bewegung als ein Baum. Ein Baum aus Bewegung. Immer in Bewegung und immer ein Baum. Ein Apfelbaum in Bewegung.

Eine Zeit lang schaute Johann auf die Straße, auf der er fuhr, um dem nächsten Nagel ausweichen zu können. Aber dann vergaß er es. Fuhr einfach weiter. Durch Nonnenhorn durch. Als er an der Weinhandlung vorbeifuhr, in der Edmund Kaufmann lernte, wäre er gern abgestiegen. Jeden Morgen fuhr Edmund mit dem Sechsuhrzug hierher. Wenn er abends heimkommt, Appell, oder er stickt. Einen Heimabend lang hat er seine Stickerei erklärt. Als er fertig war, hat er gesagt: So, jetzt könnt ihr grinsen. Sein Vater hat das angefangen, als er arbeitslos war. Von ihm hat's Edmund übernommen. Eine Firma in Offenburg schickt Postkarten, auf denen Rothenburg oder Dinkelsbühl zu sehen ist, Edmund stickt daraus ein Bild, die Firma nimmt's und zahlt.

Einhundertachttausendsechshundertvierundzwanzig Sti-

che für Nürnberg. Seine Mutter kriegt für jede Zeitung
jeden Tag einen Pfennig. Nach dem Mittagessen in Memmingen will sein Vater ins Mehltretersche Auto steigen,
der Schmied Hans sitzt schon am Steuer, Herr Fürst hebt
den Fuß, fällt um und ist tot. Daß die Vornamen alle mit
e anfangen müssen, kommt von Frau Fürst. Sie heißt Er-
nestine. Eva heißt jetzt Edeltraud. Nach Paragraph 11,
hat Frau Fürst gesagt, als sie in den Häusern den neuen
Namen bekanntgegeben hat.
Weiter. Nach Thunau. Goren. Langenargen. Schon vor
der Argenbrücke stieg Johann ab. Diese Brücke hing mit
dicken Stahlseilen an vier gewaltigen Steinpfeilern, die ihrerseits aussahen, als gehörten sie zu einem Schloß oder
zu einer Burg. Auf die Kassenschranktür daheim im Büro
würden sie auch passen. Ihm wurde feierlich, als er sein
Rad über diese Brücke schob. Einen größeren Fluß als
die Argen konnte er sich nicht vorstellen. Und einen
durchsichtigeren auch nicht. Jeden Stein und jedes Stein-
chen sah man. Vor allem konnte er sich keinen lebendige-
ren Fluß vorstellen. Wie dieses Wasser herdrängte und
sich silbern brach an Steinen und weiterdrängte, als wolle
es möglichst schnell im See sein. Die Argen war ihm kein
unbekannter Fluß. An der Argen war er mehr als einmal
gewesen. Weiter oben in Apflau. Bei Verwandten. Vor
zwei Jahren im Herbst. Sie hatten ein großes Faß Most
geholt. Solange der Vater im Haus gewesen war, hatten
Josef und Johann an der Obstmühle herumgedreht. Johann konnte einfach keine Kurbel unprobiert lassen. Josef hatte eine Hand zwischen die Zahnräder gebracht,
und Johann mußte, während Josef schrie, die Kurbel zu-
rückdrehen und drehte zuerst in die falsche Richtung,
dann wieder zurück, die Hand sieht blutig zermatscht
aus. Ein Wunder, heißt es nachher, daß keine Sehne verletzt worden ist. Josef will doch später etwas werden, wozu Klavierspielen gehört. Die Mutter: So deutlich habe
der Schutzengel noch nie eingegriffen. Eine Hand zwischen zwei Zahnräder gedreht, und keine Sehne verletzt!

Nur die des kleinen Fingers. Und auch die kaum. Josef konnte den kleinen Finger seitdem nicht mehr ganz eng an den Ringfinger legen. Beim Klavierspielen störte ihn das überhaupt nicht. Nur beim Deutschen Gruß sah man, daß der kleine Finger wegstand. Edmund, der Fähnleinführer, hatte, als er Josef das erste Mal so grüßen sah, gesagt: Also, zur Leibstandarte kommst du schon einmal nicht mehr.

Nach der Brücke stieg Johann nicht mehr aufs Rad. Er wußte ja nicht, wohin.

Als er einem begegnete, der so alt war wie er, fragte er so beiläufig wie möglich, wo denn eigentlich der Zirkus sei in Langenargen. Der sagte: Auf der Hirschenwies. Ah, sagte Johann, auf der Hirschenwies. Aber seinem Gesicht sah der andere offenbar an, daß Johann noch nicht Bescheid wußte. Vom Bahnhof grad nab, Richtung Klosterstraße, dann die Klosterstraße hinein, an der Mauer entlang. Johann machte jetzt ein Gesicht, als sei nun wirklich alles klar. Merci, sagte er, und Servus und schob sein Rad weiter und hoffte, daß er so wenigstens zum Bahnhof kommen würde. Zum Bahnhof kommt man doch immer in einem Ort. Oder meint er das nur, weil er dem Bahnhof gegenüber wohnt? Langenargen war offenbar ein viel größerer Ort als Wasserburg, jede Straße hatte hier einen eigenen Namen. Auf einmal hörte er die Trompete. *La Paloma.* Sofort saß er auf dem Rad und fuhr der Musik nach. Dann die Stimme des Muskelmanns und, ihm antwortend, die Stimme des Dummen August. Und dann sah er die zwei mit ihrem römischen Rennwagen und den zwei Ponies. Sie priesen den Zirkus LA PALOMA an, heute abend auf der Hirschenwies. So etwas hat man noch nicht erlebt, hier nicht und sonstwo auch nicht, Leute kommt, schaut, staunt, wen wir nicht zum Staunen bringen, dem zahlen wir den Eintritt zurück. Mit Zins und Zinseszins, fügte der August hinzu.

Johann hatte das Gefühl, der August und der Muskelmann seien betrunken. Sie lachten immer selber über das, was sie gerade gesagt hatten. Beide taten ihm plötzlich leid.

Johann mußte denen nur folgen, so kam er zur Hirschenwies. Ein viel größerer Platz als der bei ihnen im Hof. Die sechs Wagen waren so plaziert, daß man von den Zirkusleuten nur die hin und her gehenden Füße sah. Er würde also hingehen. Grüß Gott, Anita ... Den Text hatte er auf der Herfahrt hundertmal vor sich hin gesagt. Aber das hieß nicht, daß er nachher, wenn er vor Anita stünde, auch nur ein einziges Wort herausbrächte. Adolf war einfach über die Manegenfassung gesprungen, war zu dem Käfig hingerannt, hatte zwischen den Stäben durchgelangt, Stricke und Ketten betastet und gesagt: Alles echt. Trommel und Akkordeon hatten ihn gefeiert, der Direktor hatte ihn gelobt. Mit Recht. Das war ganz fabelhaft gewesen, wie Adolf in die Manege sprang. Ohne jedes Zögern. Fabelhaft, Adolf. Johann bedauerte es jetzt, daß er Adolf nicht gebeten hatte, mitzufahren. Mit Adolf zusammen wäre es überhaupt kein Problem gewesen, hinzugehen, um die Wagen herum, so, da sind wir, grüß Gott allerseits. Aber das war unvorstellbar, Anita zusammen mit Adolf zu besuchen. Lieber gar nicht.

Johann ging zu seinem Fahrrad zurück, fuhr dann in Richtung See, setzte sich auf die Ufermauer und schaute ins Wasser. Heute rührte es sich überhaupt nicht, dieses Wasser. Sollte er in eine Wirtschaft gehen, etwas essen? Die Langenargener Lokale hatten schon die Tische im Freien gedeckt. Wahrscheinlich würden sie zu Hause heute auch die Tische auf der Terrasse decken. Obwohl jetzt der Gerichtsvollzieher Kalteißen schon lange nicht mehr ins Haus kam und Marken ans Klavier, ans Grammophon, ans Vertiko und an den Kassenschrank klebte, schickte die Mutter Johann immer noch ins Dorf, daß er langsam am *Café Schnitzler* und an der *Linde* vorbeifahre und zähle, wie viele Gäste dort säßen. Sollte er einfach sofort heimfahren, das Fahrrad über die Hintertreppe hinauftragen? Auf dem Oberlichtrahmen dieser Hintertür war von Silvester an der dunkle Vogel gesessen und hatte sich, wenn man ihn vertrieb, gleich wieder hingesetzt, bis am 3. Januar der Vater gestorben war. Dann war der Vogel verschwunden. Die zwei Pferde von Herrn Waibel, die unter ihren schwarzen Schabracken den Totenwagen zogen, waren das einzige Hörbare gewesen auf dem langen Weg vom Haus bis zum Friedhof. Was würde die Mutter machen, wenn er nicht da war? Nicht auffindbar war? Gut, Josefs Fahrrad fehlte auch. Aber was sollte sie sich da denken? Unvorstellbar, wie die Mutter sich sein Verschwinden erklären würde. Er mußte heim. Aber er mußte auch zu Anita. Ihr wenigstens die Tafel Schokolade bringen. Dann konnte er ja zurückfahren.

Er fuhr am See entlang seeaufwärts, also in Richtung Wasserburg. Bis zur Argenmündung fuhr er. Das Gelände wurde immer wilder. Ein paar Fischerhütten gab es da. Alles mehr unter Bäumen als in der Bucht daheim. Er probierte an einer der Hütten die Türe. Offen. Drinnen roch es nach Teer und nach Fisch. Diese Hütte kam in Frage. Zurück in den Ort. Zur Hirschenwies. Und diesmal fuhr er einfach hin, fuhr um den äußersten Zirkuswagen herum. Die Manege war fertig, der Mast für die Familie Wiener stand, die zwei kleineren Maste auch, am Tisch saßen Anita und ihre Eltern. Anita sah ihn, bevor ihre Eltern ihn sahen. Er wäre nicht noch näher hingegangen, wenn sie ihn, da sie ihn jetzt doch sehen konnte, nicht gesehen hätte. Wenn sie ihn jetzt nicht gesehen hätte, wäre er sofort heimgefahren. Aber sie sah ihn, sprang auf und rief: Johann. Er solle sich doch setzen, sagte der Vater. Nein, sagte Anita, sie habe noch gar nichts von Langenargen gesehen, sie wolle mit Johann durch den Ort bummeln. Bummeln war ein Wort, das er bis jetzt nur von Adolf kannte. Der hatte einmal gesagt, er werde sein Leben auf jeden Fall nicht verbummeln. Johann war diesem Wort aus dem Haus Brugger noch nie begegnet, weil es in den Büchern, die er las, nicht vorkam.

Er wollte das Rad an den nächsten Baum lehnen, aber
Anita sagte: Das Rad nehmen wir mit. Er fand das, sobald
er, das Rad schiebend, neben ihr ging, richtig. So war er
doch mit beiden Händen beschäftigt und wußte, wozu er
neben Anita herging: um das Rad zu schieben. Sie gingen
Richtung See, dann seeaufwärts, wie er vorher gefahren
war. Er spielte den Ortskundigen. Schlug vor, bis zur Argenmündung zu gehen. Sie hatte gestern abend gar nicht
gemerkt, daß man über einen Fluß gefahren war. Hängebrücke, keine Ahnung. Sie könnten, sagte er, an der Argen entlang bis zu dieser Brücke gehen. Es sei eine der
schönsten Brücken der Welt, wenn nicht überhaupt die
schönste. Sagte er, als sei er ein Kenner aller Brücken und
besonders aller Hängebrücken.
Wie geht es Axel Munz, fragte er.
Es tue ihm nichts mehr weh, aber er sei ganz trübsinnig.
Er wolle aufhören. Weg vom Zirkus. Überhaupt fort.
Wenn man ihn frage, wohin, sage er: Zu einer anderen
Polizei.
Als sie an der Argenmündung ankamen, sagte Johann:
Da. Und zeigte auf eine Bank. Er tat so, als sei das sein
Ziel gewesen. Unter der Bank hervor kamen die mächti-
gen Wurzeln des Baums, der sich über die Bank wölbte.
Und man sah auf den See. Johann setzte sich auf den vor-
dersten Rand der Bank. Anita setzte sich ganz zurück an
die Lehne, stellte die Füße auf die Bank, legte das Kinn
auf ihre Knie und umfaßte die Beine mit ihren Händen.
Johann packte die Tafel Schokolade aus und gab sie Anita. Bitte, sagte er. Danke, sagte sie und nahm die Tafel, riß
das Papier auf und hielt ihm die Schokolade so hin, daß
er sich ein Stück davon abbrechen sollte. Dann brach sie
sich ein Stück ab. So aßen sie die ganze Tafel auf. Jedesmal wenn sie ihm die Tafel hinhielt, daß er sich wieder
ein Stück abbreche, sah er Anita an. Er brach sich immer
nur ganz kleine Stückchen ab. Er wollte Anita öfter ansehen. Daß ihre Stirne so rund war. Daß die Ponies genauso
rund waren. Daß sie Augenwimpern hatte wie kein

Mensch sonst. Er merkte, daß er sie sich, als er sie nicht vor sich gehabt hatte, viel zu undeutlich vorgestellt hatte. Vor ihnen über dem Wasser flogen mit gestreckten Hälsen zwei Schwäne vorbei. Mit ihren riesigen Schwingen machten sie ein seufzendes Geräusch. Johann merkte, daß Anita das Geräusch auffiel. Die Luft schreit, weil sie von den Schwanenflügeln geschlagen wird, sagte Anita. Johann hätte am liebsten gesagt: Sag noch so etwas. Aber das kann man nicht sagen. Man weiß genau, was man nicht sagen kann. Und das, was man am liebsten sagen würde, ist das, was man am wenigsten sagen kann. Unaussprechbare Sätze fielen ihm ein. In den Gedichtbüchern, die vom Vater übriggeblieben waren, in denen er jetzt fast lieber las als im Karl May, gab es Sätze, die er auch gern gesagt hätte. Zu Anita gesagt hätte. Aber die waren unaussprechbar. Es fiele auf, daß die ein anderer für eine andere geschrieben hatte. Selber welche machen. Den Mund aufmachen, sich darauf verlassen, daß etwas herauskäme, was in diesem Augenblick möglich wäre: Sie auf dieser Bank, unter diesem Baum, keine zwanzig Meter vom See, drüben über dem See der Säntis, die weiß gepuderte Glucke aus Stein, hatte der Vater gesagt, der die Sonne am Buckel runterrutschen kann. Das konnte er auch nicht sagen.

Das Gedicht, das er von allen Gedichten in den Büchern des Vaters am häufigsten las, fing an: Schön ist Mutter Natur deiner Erfindungen Pracht über die Fluren gestreut. Das hatte er schon hundertmal vor sich hingesagt. Und jetzt ging es nicht. Wenn Anita lachen würde? Sollte er sie dann packen, ins Wasser werfen? Er schnaufte auf. Was denkst du, sagte Anita. Ich? Nichts, sagte Johann. Genau wie ich, sagte Anita. Schade, dachte Johann. Mein Vater hat gesagt, sagte er dann, die Eskimos reiben die Nasenspitzen aneinander, wenn sie sich begrüßen. Anita lachte. Dann sagte sie: Sollen wir? Er zuckte mit den Schultern. Komm, sagte sie und kniete schon auf der Bank. Er kniete ihr gegenüber, sie kam mit ihrem Gesicht näher, er näherte ihr sein Gesicht auch ein bißchen, aber weniger als sie das ihre ihm, dann rieben sie die Nasenspitzen aneinander, jede Nasenspitze umkreiste die andere Nasenspitze, an ihr reibend. Schön, sagte Anita. Ja, sagte Johann, die Eskimos, ein tolles Volk. In ihrer Sprache gibt es keine Schimpfwörter. Woher willst du das wissen, fragte sie. Von meinem Vater, sagte er, sprang auf, rannte ans Ufer hinunter, prüfte die Wassertemperatur, kalt. Schneeschmelzwasser von den Bergen. Trotzdem zog er Schuhe und Strümpfe aus, ging bis zu den Knien ins Wasser und rief: Komm. Sie kam herunter, zog Schuhe und Strümpfe aus, kam auch ins Wasser, schauderte, das war für Johann das Signal. Hin zu ihr und sie hochgewuchtet. Jetzt, Vorsicht, daß er nicht ausrutschte auf einem glitschigen Stein. Anita stieß hohe Töne aus. Sie hatte ihre Hände um seinen Hals gelegt. Das hatte sie, als er sie durchs Gras getragen hatte, nicht getan. Er trug sie ins tiefere Wasser. Anita sagte leise: Nicht so weit hinein, Johann. Er machte ein Gesicht, als gehorche er ihr ungern. Draußen stellte er sie vorsichtig ab, dann rannte er und holte den Schal, in den er die Schokolade verpackt hatte, mit dem trocknete er ihre Füße und Beine. Bis hinauf zu den Abziehbildern von Wal und Vulkan. Toll, sagte er. Was, sagte sie. Er: Daß der Wal und der Vulkan noch da sind. Sie: Ja, was glaubst denn du! Hast du meine Kerze nicht mehr? Er: Natürlich hab ich sie noch. Was glaubst denn du!

Johann traute sich nicht, Wal und Vulkan zu streicheln. Diese beiden Bilder jetzt streicheln oder auch nur berühren zu dürfen, mit bloßer Hand, ohne Schal und Abtrocknerei, das wäre das Schönste, was es auf dieser Welt geben kann. Alles verboten. Er rannte hinauf zu Baum und Bank, setzte sich, schob seine Hände unter die Schenkel und starrte der langsam über die Steine heraufkommenden Anita entgegen. Sie setzte sich neben ihn, schob ihre Hände genauso unter die Schenkel wie er. Aber sie starrte nicht auf den See hinaus wie er, sondern

sah zu ihm herüber. Daß sie jetzt so schauen konnte, begriff er nicht. Ihm ein lachendes Gesicht zudrehen! Jetzt! Ihm war es, als sei die Welt noch nicht erschaffen. Und von ihm hinge es ab, wie sie ausfiel. Mein Gott! Und da lachte die, als gehe es um nichts. Anita, Anita, sagte er. Er zog seine rechte Hand unter dem Schenkel heraus und legte sie zwischen sich und Anita auf die Bank. Als Anita das nicht bemerkte, nicht sofort bemerkte und durch ein Herausziehen und Nebensichhinlegen ihrer Hand beantwortete, wurde ihm siedig heiß, er mußte aufspringen und zu seinem Rad rennen. Am Rad blieb er stehen. Ohne sich noch nach Anita umzusehen, blieb er stehen. Er würde so stehen bleiben, bis ... bis ... bis alles vorbei wäre. Da donnerte ein Lärm herein, ein Flugzeug schoß über dem See dahin, zog hinter sich her drei riesige Wörter: PERSIL – ATA – HENKEL. Und war gleich nur noch ein Brummen in der Ferne. Man sah es länger, als man es hörte. Menschenskind, sagte Anita. Johann sagte: Ja.
Er schob das Rad. Sie ging neben ihm her. Anita griff plötzlich nach seiner linken Hand, die er, um das Rad zu schieben, nicht brauchte, und schwang sie im Takt ihrer Schritte. Und pfiff *La Paloma*. Meine Güte, konnte die pfeifen. Sollte er das Rad fallen lassen und klatschen? Anita hatte seine linke Hand mit ihrer Rechten so in Schwung versetzt, daß sie eigentlich hoch und weit hätte fliegen müssen, aber er hatte falsch reagiert, Hand und Arm wurden starr. Bis er das merkte, war es zu spät. Anita lachte. Er war froh, als sie endlich an der Hirschenwies ankamen und Anita sagte: Da wären wir. Er konnte nur nicken. Er wäre jetzt auch mit seiner Hinrichtung einverstanden gewesen. Anita sagte: Komm gut heim. Wenigstens ein Kopfschütteln gelang ihm noch. Er brachte heraus, daß er heute abend in die Vorstellung komme, daß er dann auf Wiedersehen sage. Wo er übernachte. Bei den Verwandten. In Apflau. Das sei ganz in der Nähe. Moment, sagte sie, verschwand hinter den Wagen und kam mit einer roten Eintrittskarte zurück. Freikarte, stand

7. Das Wunder von Wasserburg

Als Johann sich auf eine Bank in der dritten Reihe gesetzt hatte und sah, daß in Langenargen Platz war für fünf Bankreihen um die Manege und daß alle fünf Bankreihen sich füllten, ja, daß sogar dann noch Leute übrigblieben, die die Vorstellung stehend anschauten, da schämte er sich für den Hof daheim und überhaupt für Wasserburg. Langenargen war eben doch etwas ganz anderes. Die Brücke, die an den vier Pfeilern hing, die für jede Burg als Türme dienen konnten, entschied schon alles. Ein Ort, der über eine solche Brücke erreicht wurde, fing schon, bevor man dort war, an zu tönen. Und wie die Argen über die Steine hinschäumte. Und die Argen hatte er grüßen können als ein vertrautes Wasser, weil er und Josef, wenn sie beim Vetter genannten Großonkel in Ferien waren, immer schon am ersten Tag hinunterrannten an die dortige Argen, um von hellen Felsvorsprüngen in das dunkelgrüne Strömen hineinzuhechten und querdurch zu schwimmen; gewonnen hatte, wer beim Überqueren weniger weit hinabgetrieben wurde. Das war natürlich immer Josef gewesen. Bis jetzt.

Die Leute in Langenargen lachten lauter und klatschten öfter als die in Wasserburg. Verglichen mit den Leuten in Langenargen kamen ihm jetzt die in Wasserburg geduckt, mißtrauisch, fast lauernd vor, als säßen sie nicht da, um etwas Schönes zu erleben, sondern um zu beurteilen, ob alles abliefe, wie sie es glaubten verlangen zu müssen. Oder kam das daher, daß er nicht vergessen konnte, wie Herr Brugger, anstatt zu klatschen, sich mit der rechten Hand den linken Handrücken gekratzt hatte? Oder weil Axel Munz mißhandelt worden war? Ganz sicher waren die Leute in Langenargen feiner gekleidet. Oder meinte er das nur, weil er in Wasserburg die Leute alle kannte und dadurch die Kleider nicht mehr so fein wirkten? Der Direktor und der Dumme August konnten, weil die Leute so laut lachten, gar nicht mehr aufhören mit ihren Witzen. Diesmal handelte es sich darum, daß der Direktor immer mir und mich verwechselte. Der August erhielt, wenn er etwas richtig sagte, eine Ohrfeige, die ihn jedesmal umwarf. Dann sagte der August zum Direktor hinauf: Und wenn's doch ein falscher Irrtum ist, Herr Direktor? Und der Direktor rief dann immer: Zwischen mir und mich vertu ich mir nich, komm bei mich, bei mich da lernste Deutsch. Der von Ohrfeigen begleitete Unterricht endete erst, als der Dumme August keinen fehlerfreien Satz mehr sagen konnte.

Johann merkte, daß er nur an Anitas Auftritten interessiert war. Wie sie als Taube hereinschwebte, wie sie, von unten angestrahlt, mit Vater und Bruder hoch im Nachthimmel um die Stange herumflog, daß die rosa Gewänder flatterten, wie sie als Göttin Devi von Vischnu herumgetragen wurde! Er sah ihr wieder in die Achselhöhlen und wußte, daß er nie mehr etwas Schöneres sehen werde als Anita Devis Achselhöhlen. Die Haare in Anita Devis Achselhöhlen. Jetzt war zum Glück alles entschieden. Er würde ihr nachfahren und jeden Abend, wenn sie als indische Göttin einzog, in ihre Achselhöhlen schauen. Er war froh, als ihm plötzlich so deutlich wurde, was er zu tun hatte, wozu er auf der Welt war. Er würde es Anita jetzt gleich sagen. Und wenn er es nicht herausbrachte, bitte, sie würde es ja merken, daß er Abend für Abend im Publikum säße und immer der war, der am längsten und lautesten klatschte.

Als alle Leute gegangen waren, die Lichter gelöscht waren, die Manege nur noch im Mondlicht lag, kam Anita aus ihrem Wagen. Im gelben Bademantel, mit rotem Turban. Da wußte Johann, daß er es ihr jetzt noch nicht sagen konnte. Jetzt konnte er nur etwas sagen, was mit der Vorstellung zu tun hatte. Er sagte: Toll. Sie sagte: Danke. Er sagte: Also so toll. Sie sagte: Es war heute besser als bei euch. Vielleicht bleibt Axel Munz jetzt doch noch, weil er gemerkt hat, wie gern die Leute ihn mögen. Dann summte sie die Melodie, mit der die Zirkuskapelle heute das allmähliche Erlöschen der Lichter begleitet hatte: *Sag beim Abschied leise Servus.*

Johann merkte, daß er nicht ewig so vor Anita stehenbleiben konnte. Die Hand hatte er ihr schon gegeben. Irgendetwas gesagt hatte er auch. Also, sagte er. Also, sagte sie. Er machte noch einmal eine Kopfbewegung wie beim Nasereiben, erwartete aber nicht, daß sie mit ihrer Nase näher käme, sondern drehte sich um, ging zu seinem Rad, drehte sich noch einmal um, Anita stand da, hob sogar eine Hand zum Winken, dann rief sie: Bestell dem Adolf einen schönen Gruß von mir, er hätte sich ruhig auch blicken lassen können! Drehte sich und ging auf ihren Wohnwagen zu.

Johann stieg nicht aufs Rad. Er schob das Rad Richtung See, dann schob er es am See entlang, Richtung Argenmündung. Weil der See das Mondlicht vervielfachte, war es hier viel heller als in der Ortschaft. Er fand die Fischerhütte wieder. Durch die offene Tür kam so viel Mondlicht vom Himmel und vom See, daß er die Netze sah, auf denen er übernachten wollte. Johann nahm die schwere Gummischürze, die an einem Nagel hing, baute aus ihr auf dem Netzberg eine Art Höhle, dann lag er und jaulte leise wie Tell. Wenn Tell wußte, daß ihm im Augenblick, obwohl er im Recht war, niemand recht gab, jaulte er so leise. Das klang, als jaule er nur für sich. Aber er wußte natürlich, daß man ihn hörte und irgendwann auch reagierte. Johann wußte, daß sein Jaulen niemand hörte, daß niemand reagieren würde auf sein Jaulen. Er konnte trotzdem nicht aufhören zu jaulen. Er wollte jetzt lieber nichts denken, nur jaulen.

Als er die Tür aufmachte, war es draußen schon Tag. Sein Sattel war naß vom Tau. Er rieb ihn trocken mit dem Schal, mit dem er Anita getrocknet hatte. Bis zum Wal und zum Vulkan hinauf hatte er Anita getrocknet. Er fuhr ab. Orteinwärts. Hirschenwies. Kein Lebenszeichen. Sosehr er hinschaute, es rührte sich nichts. Die Ponies lagen im Stroh, der Büffel stand unter einem Baum. Zum Glück war noch niemand wach. Das Schlimmste, was hätte passieren können, wäre gewesen, Anita noch einmal zu begegnen. Bestell dem Adolf einen schönen Gruß von mir, er hätte sich ruhig auch blicken lassen können. Oh, daß ich einsam ward, so früh am Tage schon. Dieser Satz stellte sich wieder ein und wollte sich nicht mehr verlieren. Johann mußte ihn singen. So fuhr er aus Langenargen hinaus, und als er über die burgartige Hängebrücke fuhr, sang er frei, wenn auch nicht besonders laut, hinaus: Oh, daß ich einsam ward, so früh am Tage schon. Das sang er, wie der Stromableser Karl Erb aus Ravensburg *Wer nie sein Brot mit Tränen aß* sang. Als die Kirche von Wasserburg ihre gewaltige Zwiebel über die Bäume hob, schaltete er um auf die Messe. Er fuhr den oberen Weg, der Langgasse heißt und einen Kilometer lang links und rechts dicht gerahmt war von nichts als Blütenbäumen, die im Feld standen wie lauter Sträuße. Wenn er in der Schule einen Aufsatz schreiben müßte über diese Fahrt durchs Blühende, würde er schreiben: Es gibt dreierlei Weiß. Das Grünweiß der Birnblüte, das Rosaweiß der Apfelblüte und das reine Kirschblütenweiß. Unversehens rutschte er wieder in sein *Von Apfelblüten einen Kranz* hinein. Die Koloratur tat ihm gut. Je fester er sie nahm, um so leichter wurde er. Er hatte das Gefühl, es hebe ihn vom Sattel oder samt Sattel und Rad in die Luft. Er fuhr praktisch in der Luft über alle Blütenbäume hin, rechts drunten der See, die Bucht, die weit hinauslaufende Halbinsel, auf der die Kirche herrscht.

Was jetzt daheim sagen? Wahrscheinlich war die Mutter die ganze Nacht nicht im Bett gewesen. Sicher hatte sie den Landgendarm Stadler angerufen, daß der nach Johann herumtelephonieren lasse. Jetzt saß der Landgendarm Stadler sicher schon am Runden Tisch, hatte aus dem Futter seines Mantels, den er nie auszog – nicht einmal die fürs Radfahren hochgeklammerten Mantelecken ließ er, wenn er sich setzte, herab, weil er ja, so gemütlich er dem Wesen nach war, immer auch gleich weiter mußte –, hatte sein Notizbuch herausgezogen und nahm den Fall auf: Unerklärliches Verschwinden des zweitältesten Sohns der Witwe usw.

Johann fuhr, so schnell er konnte. Wenn der Landgendarm noch nicht gekommen war, stand die Mutter vor dem Haus. Auf der Terrasse. Oder auf der Bahnhofseite. Ging zwischen den beiden Kastanienbäumen hin und her. Beide Hände als Fäuste in den Schürzentaschen. Und jedem, der vorbeiging oder -fuhr, rief sie zu: Hast du vielleicht Johann gesehen? Er fehlt seit gestern morgen. Vielleicht schon seit vorgestern abend. Mit Josefs Fahrrad. Ohne etwas zu hinterlassen. Das paßt überhaupt nicht zu ihm. Es muß ihm etwas passiert sein. Bloß was? Daß Johann noch lebte, konnte sie sich vielleicht gar nicht mehr vorstellen. Johann würde sie doch, wenn er noch lebte, nicht ohne ein Lebenszeichen lassen. Der Schutzengel! Was blieb ihr da anderes übrig, als für Johann den Schutz seines Engels zu erflehen, daß der für eine halbwegs gesunde, aber eigentlich nicht mehr vorstellbare Rückkehr Johanns sorge.

Er blieb auf der Straße, die von Westen her ins Dorf und direkt zur Linde führt, dann erst bog er hinauf, um von unten herzukommen, in den Hof einzubiegen, das Rad ums Haus herumzuschieben, es über die Hintertreppe hinaufzutragen und im Gang abzustellen. Wie wenn nichts gewesen wäre. Dann in die Küche. Das Gewitter über sich ergehen lassen. Sich nicht wehren. Das Gesicht verelenden lassen. Weinen vielleicht. Bevor er in den Hof einbiegen konnte, raste von der Terrasse her Tell. Johann mußte das Rad an den Torpfosten lehnen, um dieser Begrüßung standhalten zu können. Und wie der bellte! Und jaulte! Und hochsprang! Und endlich, die Pfoten auf Johanns Schultern, stehenblieb und Johanns Hals ableckte.

Niklaus, offenbar vom Gebell angezogen, kam von der Remise her, wo er Säcke füllte, und fragte, was der Hund habe. Johann sagte, er wisse es auch nicht. Zuerst frißt er zwei Tage nichts, sagte Niklaus, dann führt er sich so auf. Hat er nicht gefressen, fragte Johann. Jetzt tu doch nicht so, du hast doch selber gejammert, weil er nichts mehr angenommen hat. Johann schaute Niklaus an. Vielleicht war Niklaus jetzt doch im Kopf nicht mehr ganz recht. Weil Johann sah, daß Niklaus vom Zirkus LA PALOMA weder ein Sägmehlstäubchen noch einen Strohhalm übriggelassen hatte, lobte er ihn. Niklaus hatte auch das zertrampelte Gras gemäht und weggeschafft. Das war sicher nicht leicht gewesen. Ohne dich hätte ich es nicht geschafft, sagte Niklaus. Auf jeden Fall nicht so schnell. Johann klopfte Niklaus auf die Schulter, schob das Rad zur Hintertreppe, trug es hinauf und hinein. Im Hineingehen sah er seine Schultasche auf dem Treppenabsatz liegen. Er holte die Schultasche, ging mit ihr, als komme er von der Schule, in die Küche, gab der Tasche einen Schubs, daß sie auf der Bank in die Ecke rutschte, rutschte selber nach, spürte Tells Kopf zwischen den Knien und dachte, daß es jetzt losgehen könne.

Mina war allein in der Küche. Ob die Schule heute früher aus sei, fragte sie. Johann sagte: Ja. Tell stieß mit der Schnauze gegen Johanns Knie und Schenkel. Immer wieder. Dazwischen bellte er. Der hat Hunger, sagte Johann. Jetzt auf einmal, sagte Mina. Ich tät ihn gerade noch ein bißchen betteln lassen. Gestern hat er dir alles zurückgewiesen, als wolle man ihn vergiften, und jetzt tut er, als müsse er sich beschweren.

Johann rannte sofort, holte die Schüssel, füllte sie, auch die Wasserschüssel füllte er, beide Schüsseln stellte er auf den Treppenabsatz an der Hintertür und sah zu, wie Tell gierig sein Futter verschlang und laut schlappernd seinen Durst stillte. Mina sah zum Küchenfenster heraus. Begreifst du das, gestern verweigert er jeden Bissen, und jetzt kann er nicht genug kriegen. Hat er gestern nichts gefressen, fragte Johann. Sag mal, sagte Mina, leidest du unter Gedächtnisschwund? Gestern hat er doch getan, als seist du ein Fremder. Ja, die Viecher haben eben genauso

Launen wie wir. Stimmt's? Johann nickte. Dann mit Tell in die Küche zurück, Tell legte den Kopf auf Johanns Füße.

Johann öffnete die Schultasche, holte die Hefte heraus, die er gerade in Gebrauch hatte, Rechnen und Aufsatz und Erdkunde und Geschichte. Er schlug das Aufsatzheft auf und las einen Aufsatz, den er nicht geschrieben hatte: Wieviel Heimat braucht der Mensch. Das Datum von gestern. Und Johanns Schrift.

Johann flimmerte es vor den Augen. Er schlug das Heft schnell wieder zu und steckte es wie etwas, das er unbedingt verheimlichen müsse, in seine Schultasche. Mina sagte, die Mutter warte schon auf Johann. Kann ich mir denken, dachte Johann. Sie will's dir sicher selber sagen, sagte Mina. Das hatte Mina noch nicht gesagt, da stand die Mutter unter der Tür. Oh je, dachte Johann. Die Mutter setzte sich Johann gegenüber. Gut, daß du schon da bist, sagte sie. Sie sei froh, daß nicht nur die Bauern von ihm jetzt überzeugt seien, sondern auch Herr Witzigmann. Weil er offenbar schaute wie einer, der schwer begreift, sagte sie: Ja. Heute vormittag sei der Herr Witzigmann gekommen mit dem Blatt, auf dem er die Gewichtskontrolle gemacht habe. Zweiunddreißigmal gewogen und die Summe der zweiunddreißig Nettogewichte sei bis aufs Kilo das Nettostrohgewicht des gestern ausgeladenen, an zweiunddreißig Bauern verteilten Strohwaggons. Und schon gestern abend am Runden Tisch hätten ein paar Bauern, die Stroh geholt und von Johann hatten wiegen lassen, Johann in den höchsten Tönen gelobt, wie freundlich er sei und dabei so genau und auch noch so flink, also richtig gratuliert hätten sie der Mutter. Ihr habe das so gut getan, weil sie doch immer in der Angst lebe, daß einmal eines ihrer Kinder etwas tue, was die Leute nicht verstünden. Sie habe genug mitgemacht mit Papa in dieser Hinsicht. Wenn das jetzt immer so weitergegangen wäre, hätte sie nicht mehr gewußt, wie sie das noch aushalten solle. Deshalb sei sie heute wie erlöst. Mein Gott, man kann doch nicht gegen die Leute leben, wenn man von ihnen leben muß, oder! Und wenn der Herr Witzigmann so von Johann spreche, dann heiße das etwas. Johann sah ihn vor sich. Bei der Beerdigung des Vaters hatte er für den Liederkranz gesprochen. Weil er die Stimme und die Musikalität des Vaters gelobt hatte, hatte Johann zuhören können. Jetzt, da diese warme, durchseelte Stimme verstummt ist, sind wir ärmer geworden. Das hatte er gesagt. Der strenge Herr Witzigmann, dem man, weil er immer mit der Liste kommt, auf der er die gewogenen Posten mit dem Nettogesamtgewicht vergleichen muß, immer mit Sorge entgegensieht. Eine gewisse Gewichtsdifferenz ist zu gewärtigen. Wenn sie nur nicht zu groß ist. Und dann auch noch zuungunsten der Darlehenskasse! Wenn auf dem Frachtbrief steht, der Kasse werde ein Waggon mit 135 Zentnern hingestellt und die von Johann und der Mutter gewogenen Posten ergeben nur 129 oder 131 Zentner! Also muß man beim Wiegen immer ein bißchen zugunsten der Kasse wiegen. Aber der jeweilige Bauer steht natürlich neben einem und schaut zu, daß die beiden Zungen der Waage eben neben einander stehen, wenn das Wiegen beendet wird. Und jetzt ein solcher Sieg. Herr Witzigmann sei froh, habe er gesagt, daß in Johann ein Bub heranwachse, auf den Verlaß sei.

Als Josef in die Küche humpelte, sagte er, sein Fahrrad sei wieder da. Er möchte bloß wissen, wer das gewesen sei. Die Mutter sagte: Jetzt bin ich aber froh. Als Josef Tell unterm Tisch liegen sah, sagte er: Ist der wieder normal? Mina sagte gleich: Auf jeden Fall frißt er wieder. Die Mutter sagte: Da kann man froh sein. Gestern habe er tatsächlich geglaubt, man müsse Tell erschießen, sagte Josef. Spinnst du, sagte Johann. Jetzt tu doch nicht so, als ob du nicht auch geglaubt hättest, er habe Tollwut. So hat der dich doch noch nie angebellt. Ich hab's dir doch angesehen, daß du Angst gehabt hast vor deinem eigenen Hund. Und nimmt kein bißchen Futter. Kann ja sein, daß er eine Kleinigkeit erwischt hat, und jetzt hat er's überstanden.

Johann streichelte Tells Kopf. Tell streckte den Kopf zwischen Johanns Knie. Johann sprang auf, rannte ins Büro und holte aus einer der unteren Vertiko-Schubladen ein nicht mehr gebrauchtes Wareneingangsbuch für das Gaststätten- und Beherbergungsgewerbe, in dem mit jedem Monat eine neue Seite angefangen wurde, auch wenn der Vormonat die Doppelseite nur zur Hälfte gefüllt hatte. Riesige leere Flächen gab es da jedesmal unter der brüchigen Handschrift der Mutter. Er zog gleich auf der Januar-Doppelseite einen Strich vom linken bis zum rechten Rand und schrieb eher in der Schreibart des Vaters als der Mutter:

Oh, daß ich einsam ward
So früh am Tage schon.

Dann versteckte er das Buch in der untersten Schublade. Falls wieder solche Zeilen auftauchten, jetzt wußte er, wohin damit.

Als Johann in die Küche zurückkam, um jetzt mit den anderen zu essen, sagte Josef: Der Herr Jutz hat gesagt, wenn du immer so spielen würdest wie gestern, könnte aus dir vielleicht doch noch ein Klavierspieler werden. So einen feinen Anschlag hättest du bis jetzt nicht gehabt. Johann sagte: Quatsch. Und Josef: Ich sage ja nur weiter, was er gesagt hat. Übrigens habe er gestern abend mit Edi Fürst gesprochen. Der Überfall auf den Dummen August sei nicht von Edi Fürst ausgegangen. Ein übles Subjekt sei der Dumme August schon, aber verprügelt hätten ihn Auswärtige. Er vermute, daß das die vom SS-Landsturm gewesen seien. Jetzt seid doch still, sagte die Mutter. Der Axel Munz ist ein großer Künstler, sagte Johann. Bei dir ist ja jeder ein großer Künstler, der das Gesicht verzieht, sagte Josef. Aber verprügeln müsse man so einen nicht, das habe Edi Fürst auch gesagt. Jetzt hört doch endlich auf, sagte die Mutter. Man kann doch auch über etwas anderes reden. Und fing an zu weinen. Alle schwiegen. Der kleine Anselm, der auf ihrem Schoß saß, zog die Augenbrauen in die Höhe, sah von einem zum anderen, vorwurfsvoll. Ihr seid schuld daran, daß sie jetzt weint. So schaute er seine Brüder an. Die Mutter sagte, es reiche doch, daß der Vater nichts als Schwierigkeiten gehabt habe mit den neuen Leuten, daß man fast um alles gekommen sei, das reiche doch, oder! Man könne doch still sein jetzt, oder! Ob denn noch nicht genug Unglück über die Familie gekommen sei!

Luise kam und bestellte zweimal Stamm für die zwei vom Zoll. Jetzt seid bloß still, sagte die Mutter und ging, den kleinen Anselm auf der Hüfte, in die Stube, um den beiden vom Zoll einen guten Appetit zu wünschen.

Johann und Tell rannten hinauf. Johann nahm seine Schultasche mit. Er zog sofort das Aufsatzheft heraus und las:

Ohne Heimat ist der Mensch ein elendes Ding, eigentlich ein Blatt im Wind. Er kann sich nicht wehren. Ihm kann alles passieren. Er ist ein Freiwild. Er kann gar nicht genug Heimat haben. Es gibt immer zu wenig Heimat. Zuviel Heimat gibt es nie. Aber jeder muß wissen, daß nicht nur er Heimat braucht, sondern andere auch. Das schlimmste Verbrechen, vergleichbar dem Mord, ist es, einem anderen die Heimat zu rauben oder ihn aus seiner Heimat zu vertreiben. Wie es Intschu tschuna, Winnetous edler Vater, gesagt hat, daß die weiße Rasse dem roten Mann das Land stehle, die Büffel abschieße, die dem roten Mann die Nahrung und die Kleidung lieferten, die Mustangherden vernichte, die Savannen mit Eisenbahnlinien zerstöre, also dem roten Mann die Heimat vernichte und damit den roten Mann selber. Die weiße Rasse tut, als sei sie etwas Besseres. Solange sie andere Rassen vernichtet, ist sie etwas Minderes, ist sie schlimmer als jede andere Rasse. Und christlich ist sie dann auch nur dem Namen nach.

Im Heft lag noch eine Halbseite mit Text und Noten. Ein Kreuz, Viervierteltakt. Text: Georg Schmitt. Weise: Ernst Heller. Das war der Lehrer. Und Georg Schmitt war der Spengler Schmitt. Johann las und summte.

Hab oft auf blumiger Aue
am rauschenden Bächlein geruht
hab nordische Schönheit gesehen
empfunden auch südliche Glut.
Doch nirgends fand ich den Frieden,
nie wurde mein Sehnen gestillt
bis du mein teueres Deutschland
meine schönsten Träume erfüllt.

Er würde das auf dem Klavier noch genauer probieren, jetzt war er zu aufgeregt. War er aufgeregt? Durcheinander war er. Wenn er auf dem Bett lag, sah er ganz von selbst auf das schräg von der Wand hängende Schutzengelbild. Er zog Tell, der neben ihm lag, eng an sich. Unter dem Engelbild Schlüsselblumen, die brennende Kerze. Nicht mehr ganz frisch. Er sprang auf, ging zum Bild hin und sah den Schutzengel zum ersten Mal genau an. Aber der war ganz auf das Kind konzentriert, das unter seiner schützenden Hand auf der geländerlosen Brücke über den Abgrund ging. Johann klopfte gegen das Glas. Der Schutzengel reagierte nicht. Tell saß neben Johann und sah auch zu dem Schutzengel hinauf.
Komm, sagte Johann, und ging mit Tell hinunter und hinaus. Zuerst Richtung Linde. Zwischen den Häusern blühende Bäume, blühende Büsche, die Sonne schien auf alles, ihm war feierlich zumute. Er bog ab, ging vor bis zu Schorers, dann links hinab, Richtung Feuerhaus. Natürlich grüßte er Herrn und Frau Schorer, die vor ihrem Haus keine Obstbäume oder Büsche duldeten, nur Rosen, und Rosen nur als Bäumchen; mit denen waren sie ununterbrochen beschäftigt. Herr und Frau Schorer grüßten immer auch Tell. Als er Hagens erreichte, sah er

schon Helmut im Gras. Lichtensteigers Helmut rupfte Gras auf der Wiese vor dem Haus und Hof seines Onkels. Gras für seine Hasen. Auf der anderen Straßenseite versuchte gerade Frommknechts Hermann seinen umgebauten Brennabor anzukurbeln. Als er Tell sah, rief er herüber: Mein Namensvetter, ich grüße dich. Johann sagte zu Tell: Ja, schau nur hin, daß du weißt, wie der richtige Tell aussieht.

Johann hatte, als er endlich einen Hund haben durfte, gewußt, daß der nur Tell heißen konnte. Frommknechts Hermann hatte in der Turnhalle den Tell gespielt. Josef den Knaben, von dessen Kopf der Apfel geschossen wurde. Josef hatte, kaum daß der schwere grüne Vorhang aufgegangen war, singen dürfen:

> *Es lächelt der See, es ladet zum Bade,*
> *Der Knabe schlief ein am grünen Gestade …*

Johann wäre so gern Josef gewesen.

Servus, Helmut, sagte Johann und half beim Grasrupfen. Helmut hatte unter der Holztreppe, die außen am Haus zu Lichtensteigers Wohnung hinaufführte, eine ganze Wand voller Hasenställe. Johann schickte Tell heim. Das war seine Lieblingsnummer. Tells Blick wurde, wenn er heimgeschickt wurde, ganz traurig. Johann mußte seinen Befehl wiederholen, mußte dreimal Marsch heim sagen, dann drehte sich Tell schwer um und trottete mißmutig heimzu.

Frau Schorer, die immer mit dem Boden beschäftigt war, während Herr Schorer oben die Gartenschere ansetzte wie der Friseur Häfele Schere und Kamm, richtete sich auf und rief Tell voller Mitleid zu – und sie hatte eine durchdringend hohe Stimme –: Muß er folgen, der Arme. Marsch heim, rief Johann noch einmal. Tell gehorchte.

Helmuts Hasen wurden unruhig, wenn Johann mit Tell in ihre Nähe kam. Und Johann tat nichts lieber, als die zwanzig Traufen mit frischem Löwenzahn vollzustopfen und immer wieder einen dieser großen Hasen herauszuholen. Wie weich und schwer die einem im Arm lagen! Die weißen waren ihm die liebsten. Weiße hatten sie auch gehabt. Als er noch nicht in die Schule ging. Plötzlich hatte der Vater Angorahasen gebracht. Jeden Tag mußten die gekämmt werden, die in den Kämmen hängenbleibende Wolle lieferte der Vater in Lindau-Reutin ab. Das sollte Geld bringen. Und brachte keins. Nach einem halben Jahr lieferten sie die weißen Hasen mit den roten Augen wieder ab, wo sie sie geholt hatten. Das Geschäft mit der Silberfuchsfarm hatten sie nach der Besichtigung der Silberfuchsfarm im Allgäu gar nicht erst angefangen. Als der Vater und Johann aus Ellhofen zurückgekommen waren und gemeldet hatten, mit der Silberfuchszucht werde es nichts, hatte die Mutter ziemlich laut Gott sei Dank gesagt. Der letzte Versuch war die Seidenraupenzucht gewesen. Im obersten Stock war ein Zimmer geräumt worden, die Raupen wurden gefüttert, aber dann starben die lieber, als daß sie die Kokons, aus denen die Seide hätte gewonnen werden können, produzierten.

Helmut sagte, die Auseinandersetzung mit dem Lehrer habe er unbändig gut gefunden. Wieso denn, fragte Johann. Wieso denn unbändig gut, fragte er noch einmal. Helmut sagte, als Johann seinen Aufsatz darüber, wieviel Heimat nötig sei, vorgelesen habe, habe der Lehrer, je länger Johann vorgelesen habe, um so heftiger den Kopf geschüttelt und habe dann doch, als er anfing, Johann über Heimat und Rasse zu belehren, gar nicht mehr viel zu melden gehabt. Und der Schlußsatz des Lehrers sei doch überhaupt unbändig gut gewesen. Welchen Schlußsatz meinst du, fragte Johann. Recht hast du natürlich nicht, aber reden kannst du schon ganz gut, habe der Lehrer gesagt, sagte Helmut. Ach so, das meinst du, sagte Johann. Das mit Adolf kannst du vergessen, sagte Helmut. Der Adolf sei einfach geladen gewesen auf Johann, weil Johann seinen Aufsatz so unbändig gut habe verteidigen können und er selber überhaupt nicht drangekommen sei. Glaubst du, sagte Johann. Wenn ich's dir sage, sagte Helmut. Der Adolf schreibe doch immer genau das, was der Lehrer hören wolle. Und dann nimmt der Lehrer Johann dran, läßt den vorlesen, und es gibt eine so lange Auseinandersetzung, daß Adolf nicht auch noch drankommen kann. Und das hat Adolf gefuchst, klar.

Als alle Traufen voll waren und aus allen Ställen nur noch das Mampfen zu hören war, das zarte Knacksen des Löwenzahns unter den Zähnen der Hasen, sagte Johann, ihm falle gerade etwas ein, er müsse ganz schnell heim. Servus, Helmut. Moment noch, rief Helmut, er müsse Johann unbedingt noch die Karte zeigen, die heute aus Madeira gekommen sei. Ob Johann meine, daß er die Karte morgen in die Schule mitbringen solle. Johann buchstabierte, was Helmuts Vater geschrieben hatte. Madeira, das Paradies auf Erden. Die KDF-Reise, jeden Tag noch schöner. Daß er von Helmut die Erstkommunion habe versäumen müssen, sei ihm trotzdem arg. Es grüßt Euch Euer Vater. Was meinst du, fragte Helmut. Unbedingt mitbringen, sagte Johann. Dann noch Servus, Helmut und Servus, Johann, und Johann rannte. Da pressiert's einem, sagte Frau Schorer, und auch Herr Schorer hielt, als Johann vorbeiraste, einen Augenblick die Gartenkünstlerschere bewegungslos in der Luft.

Ob Luise nicht Rauchwaren bräuchte, fragte Johann, noch heftig schnaufend, die Gläser spülende Luise. Luise überlegte und sagte: Woll. Und zählte auf, wie viele Salem, R6, Nil, Khedive und wie viele Stumpen und Virginias sie brauchte. Dann hinüber zur Mutter, die im Büro am Schreibtisch des Vaters saß, aber nicht schrieb. Wenn sie so am Schreibtisch saß, zählte sie Außenstände und Schulden zusammen und zog dann die Außenstände von den Schulden ab.

Er sagte, er brauche einen unterschriebenen Scheck für Rauchwaren. Und kriegte ihn und rannte hinaus. Als er sich noch schnell bei Tell entschuldigt und seine baldige Rückkehr versprochen hatte, rannte er wieder ins Dorf hinab. Diesmal bis zur straßensammelnden Linde, an der Konkurrenz *Linde* bog er ab und vor dem Feuerhaus hinein in den großen Hof hinter Bruggers Haus. Auch wer zu Frau Rauh wollte, die im ersten Stock des Bruggerhauses Rauchwaren en gros bereithielt, mußte das Haus über die Hintertreppe betreten. Direkt vor der Haustür saß Treff, Herrn Bruggers Jagdhund. Deutsch-Kurzhaar. Johann wurde begrüßt. Wahrscheinlich erinnerte sich Treff daran, daß Johann vor acht Tagen neben Treff gestanden hatte, als Herr Brugger seine Rede hielt. Adolf links von Treff, Johann rechts von Treff, Treff stehend, in der Mitte. Herr Brugger hatte Johann und Adolf aus ihrem Spiel herbefohlen. Sie hatten gerade probiert, wer den anderen, wenn beide auf einem Bein hüpften und die Arme überkreuzten, durch Draufloshüpfen umstoßen konnte. Verloren hatte, wer zuerst wieder mit dem vorher angezogenen Fuß auf den Boden kam. Der Kampf beziehungsweise das Spiel stand 10 zu 9 für Adolf, als Herrn Bruggers Pfiff ertönte. Herr Brugger hatte einen langgezogenen, dann plötzlich auf einem kurzen tieferen Ton endenden Pfiff extra für Adolf. Als sie sich links und rechts von Treff postiert hatten, sagte der breitbeinig vor ihnen stehende Herr Brugger, Treff habe sich einer Unfolgsamkeit schuldig gemacht, deshalb müsse er jetzt so nachhaltig wie möglich belehrt werden, dazu die Zeugenschaft der Buben. Und hatte angefangen: Mein lieber Treff, du bist ein schönes Tier, ein stolzer Vertreter deiner Rasse, geschmeidig, flink, dein Haar glänzt, dein Auge funkelt, deine Jagdleidenschaft läßt nichts zu wünschen übrig. Aber wer so reich talentiert ist, an den werden Anforderungen gestellt. Wenn du noch ein einziges Mal im Gelände ausbrichst, ins fremde Revier wechselst, kriegst du die Kugel. Ein guter Waldmann hält immer zu seinem Weidmann, sonst hört sich alle weidgerechte Jagd auf. Lernst du nicht, dich zu beherrschen, kriegst du die Kugel, oder du kommst nicht mehr in den Wald, kannst das Haus hüten, faul herumliegen, beim nächsten Versagen wirst du an den Bauern verkauft, kommst an die Kette, das Fressen dort ist mager, dein Fell glänzt nicht mehr, das Auge wird trüb, die Stimme rauh. Bald bist du ein überlästiger Fresser, wirst verschenkt an einen Häusler, dem es an allem fehlt, landest im Topf. Schicksal? Treff, du hast dich oft großartig bewährt, ich bin stolz auf dich. Aber dein Temperament ist deine Stärke und deine Schwäche. Entweder wir sind mit einander auf immer verbunden, Tag und Nacht, oder die Kugel oder das Elend an der Kette, endend im Topf. Du hast die Wahl, Treff. Ich verlasse mich auf dich, Treff. Verstanden? Und Treff war hin zu Herrn Brugger, hatte die Vorderbeine lang gemacht, sich mit der Schnauze zu Herrn Bruggers Schuhspitzen hingedehnt und hatte nicht mehr aufgehört, innige Laute auszustoßen. Bis er Herrn Bruggers Hand gespürt hatte. Die Hand kraulte ihn im Nacken. Da war sein Ton tiefer geworden, und er hatte sich hingesetzt, und zwar neben Herrn Brugger. Herr Brugger hatte gesagt: Wir haben uns verstanden, Treff. Das freut mich. Treff hatte schnell sein Gesicht an Herrn Bruggers Schenkel gerieben. Ist ja schon gut, hatte Herr Brugger gesagt, und zu Adolf und Johann: Merkt euch das, ihr zwei. Das gilt für uns alle.

Johann ging die Treppe hinauf. Wie immer öffnete Frau Rauh auf das erste Klingelzeichen. Obwohl in ihrem Wohnzimmer die Stapel der Rauchwarenpakete bis an die Decke gingen, roch es nach Parfüm. Frau Rauh war eine Dame. In Wangen hatte der Vetter Anselm Josef und Johann einmal in ein Geschäft mitgenommen, in dem es nichts als Parfüm gab. Er hatte für sich ein Kölnisch Wasser gekauft, der Verkäufer hatte Josef und Johann angesprüht. Beide hatten dann unheimlich geduftet.

Drunten stand Adolf bei Treff und sagte, wenn Johann die Treppe hinaufgehe, höre er sofort, daß es Johann sei. Keiner gehe so zögerlich die Treppe hinauf wie Johann. Johann war froh, daß Adolf herausgekommen war. Johann hätte sich nicht getraut, an der Glastür zu läuten, die zu Bruggers Wohnung führte. Aber er wußte nicht, wie er hätte heimgehen können, wenn Adolf jetzt nicht auf ihn gewartet hätte. Johann stellte die von Rauchwaren dicke Tasche an die Hauswand und hob beide Hände, spreizte die Finger und stellte sich vor Adolf auf. Der begriff sofort. Er fuhr mit seinen gespreizten Fingern zwischen Johanns gespreizte Finger, dann begann der Kampf. Es kam darauf an, die Hände des anderen so weit umzubiegen, daß der in die Knie mußte und dann auf beiden Knien vor einem kniete. Das war die Kampfart, in der Adolf fast immer der Stärkere gewesen war. Wegen seiner dickeren, kräftigeren Unterarme. Adolf war ein begeisterter Holzspalter. Mit großen Äxten spaltete er Brennholz zu hellen Haufen. Johann spaltete unter dem Remisenvordach vor der untersten Remisentür auch das Holz, das sie brauchten. Die unterste Abteilung der Remise war dann bis zur Decke voll mit dem von Johann gespaltenen Holz. Aber Adolf spaltete Holz nicht nur für Bruggers, sondern für Leute, die das selber nicht konnten oder nicht mehr konnten. Adolfs Mutter schickte ihn zu ärmeren alten Leuten und schärfte ihm ein, daß er nichts nehmen dürfe für das Holzspalten. Daran dachte Johann, als er spürte, wie schwer es war, Adolfs Hände auch nur einen Millimeter über die Senkrechte zurückzubiegen. Und Treff sprang auch noch bellend an Johann hoch. Der war natürlich auf Adolfs Seite. Allmählich gelang es Johann dann doch, Adolfs Hände ein klein wenig zurückzubiegen. Eigentlich hätte Johann jetzt, als er sich auf die Zehenspitzen stellte, um mit seinem Gewicht und seinem Druck, von oben kommend, Adolfs Hände noch vollends umzuknicken, Adolf so auf die Knie zwingen müssen, aber Adolf gab einfach nicht mehr nach. Obwohl seine Hände schon schräg zu ihm hin gebogen waren, hielt er jedem weiteren Druck stand. Und plötzlich kam der Gegendruck. Adolf gewann die Senkrechte zurück. Sie waren so weit wie am Anfang. Und Treff bellte und bellte. Johann sah in Adolfs Gesicht eine Art Sicherheit oder Ruhe oder Zuversicht. Adolf hielt sich für den Stärkeren, das erlebte Johann. Und dachte an den Gruß. Bestell dem Adolf einen schönen Gruß von mir, er hätte sich ruhig auch blicken lassen können. Johann spürte, wie sich in ihm Kraft sammelte zum nächsten, zum letzten Angriff. Falls Adolf angreifen würde, sähe Johann das schon, bevor der Druck in den Händen ankam, in Adolfs Augen. Bei Old Shatterhand gelernt. Beim Kampf gegen Metan-akva, den Blitzmesser genannten Kiowa. Der Entschluß kündigt sich an durch eine jähe Erweiterung der Pupillen. Aber dann kam der Ruck samt Druck, ohne daß sich vorher in Adolfs Augen irgendetwas gezeigt hätte. Johann mußte in die Knie und auf die Knie. Jetzt erst hörte Treff auf zu bellen. Johann stand auf. Geschieht dir recht, sagte Adolf und grinste. Und plötzlich war Johann gar nicht mehr so dagegen, daß er Adolf unterlegen war. Natürlich hätte er Adolf gern in die Knie und auf die Knie gezwungen. Wenn einen, dann Adolf. Aber wenn von einem bezwungen werden, dann von Adolf. Und hier in Bruggers Hof, wo jeden Augenblick Herr Brugger auftauchen konnte, mußte Adolf doch siegen. Johann hätte sich geniert, Adolf vor den Augen seines Vaters zu besiegen. Und seit Adolf so gegrinst hatte, konnte er leichter reden mit ihm. Adolf ging mit Johann heim wie immer.

Gestern und heute vormittag sei ihm Johann unsympathisch gewesen, sagte Adolf. Johann bückte sich und hob einen riesigen Nagel auf. Was hier für Nägel herumliegen, sagte er. Rostige, sagte Adolf. Nach einem solchen Nagel würde er sich, sagte er, überhaupt nicht bücken. Johann ließ den Nagel fallen.

Der Lehrer habe sich auch geärgert über Johann, sagte Adolf. Johann sagte: Jetzt hör doch damit auf. Sie gingen, ohne etwas zu sagen, bis an die Terrassenstufen. Jetzt hätte Johann eigentlich wieder mit Adolf hinunter- und der wieder mit ihm heraufgehen müssen und so hin und her, bis entweder bei Bruggers oder bei Johann die Mutter eingegriffen hätte. Aber Johann konnte heute nicht mit Adolf zurück. Adolf wartete darauf, das sah er. Es tat ihm gut. Er hoffte, Adolf finde es nicht richtig, daß Johann jetzt einfach nicht mehr mitging. Er hoffte, Adolf sei sauer, kriege eine Wut. Adolf sagte, er habe Johanns Aufsatz nicht so toll gefunden. Zum ersten Mal sei ihm Johann wie ein Angeber vorgekommen. Johann konnte nur sagen: Jetzt hör doch damit auf. Also, sagte Adolf. Also, sagte Johann. Adolf drehte sich um und ging. Er ging nicht nur, er marschierte, das war überdeutlich. Seine Arme schwangen, er ging übermäßig aufrecht. Plötzlich rannte er los.

Johann drehte sich um, ging ins Haus und lieferte bei Luise die Rauchwaren ab.

Tell hatte, sobald er Johann zurückkommen sah, den Platz vor seiner Hütte verlassen, und da Johann ihn nicht mehr wegbefahl, ging er jetzt mit Johann ins Zimmer hinauf. Sie legten sich beide aufs Bett. Johann starrte zum Schutzengel hinüber. Der erinnerte ihn an Anita. Flügel hatte sie ja auch gehabt als Taube. Als er die Augen zumachte, sah er, wie der Hutschief weggefahren war mit seinem weit hinunterhängenden hellen Rucksack. Er dachte jetzt so gern an den Hutschief. Hatte der nicht auch Flügel gehabt? Am liebsten dachte er aber an La Paloma. An die Göttin, die Taube, die Göttin. Er stand noch einmal auf, ging in das Zimmer nebenan, in dem die Eltern geschlafen hatten, bis der Vater hatte ins Zimmer auf der anderen Gangseite gelegt werden müssen. Er holte aus dem Bücherregal das Buch, aus dem er dem Vater zuletzt die Stelle hatte vorlesen müssen, wo das Wort Entsprechung vorkam. Es war das letzte Wort gewesen, von dem der Vater gesagt hatte: Du mußt es nur anschauen. Es war vorgekommen in diesem Buch, das ein Emanuel Swedenborg geschrieben hatte. Johann wollte die Seiten finden, die er dem Vater noch zwischen Weihnachten und Neujahr vorgelesen hatte. Er fand die Seite, auf der stand, man nenne alles, was in der natürlichen Welt aus der geistigen entstehe, etwas Entsprechendes. Und die Lehre der Entsprechung sei eine Lehre der Engel. Das las er ein paar Mal. Jedesmal ließ es sich leichter lesen. Wie wenn man auf dem Klavier ein paar schwierige Takte so lange wiederholt, bis sie für die Finger gar keine schwierigen Takte mehr sind. Die Lehre der Entsprechung sei eine Lehre der Engel. Entsprechung. Das gehörte in den Baum zu Bangigkeit, Kleinodien, Wißbegierde, Übermut, Schaumkrone, Sommersprossen, Trauerweide, Wiedergeburt, Himmelreich, Siebensachen, Denkmal, Beatrijs, Entsprechung. Zu seiner Überraschung schwebte Beatrijs nicht mehr zwischen den Namen, sondern zwischen Denkmal und Entsprechung. Zum Anschauen, hätte der Vater gesagt.

Einen Satz schaute und schaute er an: Folglich sind sämtliche Vorgänge des Körpers in Gesicht, Rede und Gebärden Entsprechungen.

Vielleicht konnte er einmal einen ganzen Satz in den Wörterbaum fliegen lassen, um ihn jederzeit anschauen zu können.

Die brennende Kerze spiegelte sich im Glas des Engelbildes. Das Spiegelbild der brennenden Kerze ließ von dem Engel nur noch die Flügel und den Kopf übrig. Er stand auf, blies die Kerze aus. Tell blieb auf dem Bett liegen. Johann legte sich noch enger zu Tell hin als vorher, streichelte ihn, wie er ihn noch nie gestreichelt hatte, holte die Bibel aus dem Regal und las Tell vor, was der Vater im letzten Winter, als sie über Engel gesprochen hatten, ihm vorgelesen hatte. *Bileams Eselin.* Das bist du, Tell, du bist der einzige, der gemerkt hat, daß es nicht ich, sondern der Engel war. Wie Bileams Eselin, die den den Weg versperrenden Engel sah, sich an ihm vorbeidrücken wollte, dann, weil der Engel das nicht zuließ, in die Knie ging, dreimal geschlagen wurde von Bileam, bis der Herr dem Bileam die Augen öffnete, daß er den Engel des Herrn auch auf dem Weg stehen sah.

Er würde Anitas Gruß nicht ausrichten, niemals. Es tat

weh, sich von Adolf zu entfernen. Ohne diese Entfernung von Adolf konnte er, was ihm Anita aufgetragen hatte, nicht unterlassen. Anita und Adolf gehörten zusammen. Er war allein. Da niemand da war, jaulte er ein bißchen. Aber nur ein bißchen. Als Tell mitjaulte, konnte er aufhören. Er sagte Tell seine zwei Zeilen auf, aus denen er einmal ein Gedicht machen würde.

Oh, daß ich einsam ward
So früh am Tage schon.

In diese Sprache würde er sich einschließen, sobald es hier nicht mehr auszuhalten war. Bangigkeit, Kleinodien, Wißbegierde, Übermut, Schaumkrone, Sommersprossen, Trauerweide, Wiedergeburt, Himmelreich, Siebensachen, Denkmal, Beatrijs, Entsprechung. Er verglich die Wörter seines Vaters mit den Wörtern, die Adolf von seinem Vater hatte. Männlichkeit, Schuhwerk, Nachspiel, Charaktergröße, Charakterlump, Speichellecker, Lackaffen, Weiberwirtschaft, Bewährungsprobe. Er beneidete Adolf nicht um das Wort Männlichkeit, aber um die Ruhe, mit der er das Wort aussprach. Als handle es sich um eine Automarke. Er konnte sein Vorläufig-Schwanz-Wort nicht einmal gebrauchen, wenn er nur mit sich sprach. Er hatte gehört, wer alles Schwanz sagte, und wie die das sagten. Und so wollte er von diesem Liebsten an sich nicht reden. Er konnte nicht einmal Arsch sagen. Die Mutter sagte immer After. Das war das einzige hochdeutsche Wort in ihrer Sprache. Wenn sie es aussprach, wirkte sie beklommen. Johann würde dieses Wort ganz sicher nie aussprechen. Alle diese angebotenen Wörter taten weh. Du bist der Du bist, sagte er. Und sein Teil antwortete: Ich bin der ich bin. Und Johann sagte leise: IBDIB, hörst du mich?
Josef sagte ja auch, am liebsten spiele er Klavier nur für sich. Johann würde Wörter finden nur für sich.

8. Abschied

Vor dem ersten Blickwechsel mit dem Lehrer hatte Johann Angst. Der Lehrer wurde im Dorf nicht nur in hundert Erwähnungen andächtig verehrt, sondern wegen seiner Ausbrüche auch gefürchtet. Die kämen, hieß es, von der Silberplatte. Johann machte auf jeden Fall seine viel zu langen Haare naß und kämmte sie so eben und glatt auf seinen Kopf, als es überhaupt ging. Wenn der Lehrer von Tangojünglingen und Schmachtlocken sprach, fühlte sich Johann gemeint.

Daß er Gösers Trudl und Lichtensteigers Helmut traf, war ihm recht. Als Trudl anfing, von gestern und vorgestern zu sprechen, wußte er nicht, wo er hinschauen sollte. Sie fand es pfundig, daß er sich so eingesetzt hatte für sie. Er mußte einfach den Kopf schütteln, Also, Trudl, gell! sagen. Das ließ sie nicht gelten. Doch, rief sie, und der eine Helmut nickte heftig dazu, doch, doch, dieser Wüterich hätte mich glatt totgeschlagen, wenn du nicht aufgestanden und Herr Lehrer, ich bitte austreten zu dürfen! gerufen hättest. Wie er dich dann angeschaut hat, da habe ich Angst gekriegt um dich. Ich habe mich ja, als er sich dir zudrehte, sofort aufgerappelt, habe den Harmoniumschlüssel, der, als ich dagegenflog, herausgefallen war, noch schnell ins Harmonium zurückgesteckt, und mich dann sofort auf meinen Platz geschlichen, weil ich sah, jetzt bist du dran. Du hast ihn aus dem Takt gebracht. Er ist ein gutmütiger Mensch, das weiß man ja, aber wenn er seinen Rappel kriegt, ist alles möglich. Ich habe das Gefühl gehabt, jetzt ist es aus mit mir. Und da dein Ruf: Herr Lehrer, ich bitte austreten zu dürfen! Und er haut dir nicht sofort eine runter, obwohl du ihn genau da gestört hast, wo er am empfindlichsten ist, nämlich beim Prügeln. Und daß er Austreten nur in der Pause erlaubt, weißt du auch, und dann fragst du auch noch mitten in seinen Rappel hinein, oh je, hab ich gedacht, der arme Johann. Und wie er dich anschaut! Aber du, du hältst den Blick aus, schaust ihn sogar kaltblütig und doch ganz milde an, und er geht langsam auf dich zu, anstatt dir eine saftige zu kleben, eine, die dich mindestens ans Harmonium wirft, geht vorbei an dir, geht auf die Tür zu, öffnet sie und verbeugt sich ein bißchen und sagt: Bitte, Herr Johann, treten Sie aus. Und du an ihm vorbei, ich glaube sogar, du hast noch Danke, Herr Hauptlehrer gesagt, und er war plötzlich wieder der liebe Lehrer Heller, den man mögen kann! Weil Johann darauf nichts hatte sagen können, hatte er von etwas anderem angefangen. Am liebsten hätte er gar nichts mehr gesagt. Er mußte sich jetzt zusammennehmen, sich vorbereiten, daß er beim ersten Blickwechsel mit dem Lehrer nicht einfach davonrennen würde. Im Schulzimmer redeten alle von gestern. Also von Johann. Adolf flüsterte Johann zu: Jetzt kannst du wieder angeben wie zehn nackte Neger, gell.

Der Lehrer kam herein, stellte sich vorne auf, rief Heil Hitler und nahm das Heil-Hitler-Herr-Lehrer der Schüler entgegen. Der Lehrer schaute nur Johann an. Und wie. So milde wie noch nie. Nach der Schule sagte Ludwig zu Johann: Man könnte meinen, der wolle sich einschmeicheln bei dir. Adolf sagte: Klar, weil der Johann jetzt als Angeber auftritt. Tangofrisur, Schmachtlocke, Künstlermähne, halt ein Stenz. Allerdings war dieser Vormittag auch Johanns vorletzter Vormittag in der Schule. Ab Montag würde er in die Oberschule gehen, nach Lindau. Zwei, Berni und er, würden ab nächsten Montag Oberschüler sein.

Als das Elfuhrläuten einsetzte, unterbrach der Lehrer wie immer den Unterricht. Er stellte sich dann immer so hin, daß alle sehen sollten, wie er unter dem Schwall der Kirchenglocken, die überlaut aus der nebendran stehenden Kirche herüberdröhnten, zu leiden hatte. Er hielt sich die Ohren zu. Sein Gesicht, eine Schmerzgrimasse. Nachdem die Glocken ausgeschwungen hatten, sagte er: Adolf, geh zur Tür und laß den Dichter ein. Adolf, sein Lieblingsschüler, war solche Aufträge gewöhnt. Sofort war er an der Tür, öffnete sie, und hereintaumelte, ja fiel fast, der Spenglermeister Schmitt. Johann kannte wahrscheinlich den Spenglermeister Schmitt am besten. Fast jeden Tag der erste am Runden Tisch. Also nach neun war der Spenglermeister noch nie aufgetaucht. Sein Bier wurde eingeschenkt, sobald er die Stube betrat. Johann hatte manchmal, wenn er zuschaute, wie der Spenglermeister das Glas, ohne einmal abzusetzen, austrank, den Eindruck, der Spenglermeister trinke nicht um seinetwillen, sondern müsse vor allem seinen prachtvollen Schnauz tränken. Heute, das sah Johann sofort, hatte er mehr sich als den Schnauz getränkt. So schwankend hatte Johann ihn noch nicht erlebt. Doch, einmal. Da hatte der Spenglermeister vergessen gehabt, wer er war. Die Mutter hatte bei Frau Schmitt anrufen müssen und fragen, ob ihr Mann zu Hause sei. Erst als der Spenglermeister von seiner Frau gehört hatte, daß er nicht zu Hause sei, hatte er es für möglich gehalten, daß er der, der nicht zu Hause war, sei.

Adolf griff nach einer Hand des Schwankenden und führte ihn nach vorn zum Lehrer; der bot den Stuhl hinter dem Lehrerpult an. Als der Spenglermeister saß, rief der Lehrer, alle sollten den Dichter mit dem Deutschen Gruß grüßen. Er selber hob sofort den rechten Arm, streckte die Hand so flach und durchgedrückt hinaus, daß sie sich nach oben bog, alle machten's nach und riefen: Heil Hitler, Herr Schmitt. Der Spenglermeister stand auf, riß die Absätze zusammen, legte die Hände wie ein Soldat an die Hosennähte, senkte ganz kurz das Kinn und rief: Zu Befehl. Dann fiel er schon wieder auf den Stuhl zurück, merkte, daß er etwas vergessen hatte, sprang noch einmal auf, streckte die rechte Hand weit hinaus, rief Heil Hitler und fiel fast schon während dieser Grußbezeugung wieder auf den Stuhl zurück. Der Lehrer rief: Irmgard, Leni! Beide sprangen auf, zogen gemeinsam aus einem neben dem Harmonium stehenden

Korb einen Kranz, ein Kränzchen eher, eigentlich viel zu klein für vier Hände, aber das war offenbar so abgemacht oder befohlen, sie mußten zu zweit das kleine Kränzchen aus dem Korb heben, mußten das Kränzchen vierhändig zum Spenglermeister tragen und dem das Kränzchen auf den Kopf legen, vielleicht sogar, daß es nicht gleich wieder herunterrutsche, auf den Kopf drücken. Der Spenglermeister schaute verwundert, ließ aber seine Hände auf seinen Knien. Sobald er das Kränzchen auf dem Kopf hatte, richtete er sich, so gut es ging, auf.

Der Lehrer sagte, mit diesem Lorbeerkranz ehre die Schule Wasserburg die hervorragende dichterische Leistung des Heimatdichters Georg Schmitt. Und daß er mehr sei als ein Heimatdichter, daß er mit seinen Versen das ganze Deutschland meine und singe, das beweise das Lied, das er, der Lehrer, in Töne gesetzt habe, damit es alle singen könnten. Gab mit der Stimmgabel den Ton an, sagte Drei, vier! und dirigierte alle vier Klassen, die sich jetzt in ihren Bänken erhoben hatten, um zu singen:

Hab oft auf blumiger Au
am rauschenden Bächlein geruht,
hab nordische Schönheit gesehen,
empfunden auch südliche Glut.
Doch nirgends fand ich den Frieden,
nie wurde mein Sehnen gestillt,
bis Du mein teueres Deutschland
meine schönsten Träume erfüllt.

Mit diesem Lied geleitet ihr nun den Dichter durchs Dorf hinauf, gebt ihm das Ehrengeleit. Wieder rief er: Adolf! Adolf holte den Spenglermeister ab, führte ihn hinaus und sorgte dafür, daß er, ohne zu stürzen, über die breite Sandsteintreppe hinunter in den Schulhof kam. Dort stellten sich alle auf, vorne der Spenglermeister zwischen Adolf und Guido, dahinter die vier Klassen. Der Lehrer rief: Abteilung Marsch, hob die Hand zum deutschen

Gruß, die Kolonne setzte sich in Gang, Frommknechts Hermann, der für alles Musikalische zuständig war, gab den Ton an, der Gesang ertönte. Das Lied wurde wiederholt, bis man vor Schmitts Häuschen angekommen war. Frau Schmitt, von allen Näherinnen des Dorfes die einzige, die man als Schneiderin bezeichnete, hatte einen Korb voller Brezeln vorbereitet. Die Brezeln waren aufgeschnitten und mit Butter bestrichen. Das Lorbeerkränzchen nahm sie ihrem Mann vom Kopf, dann teilte sie Brezeln an die Schülerinnen und Schüler aus und lobte dabei jeden und jede für den Gesang. Johann hatte, da er die Melodie am Vortag noch gelernt hatte, gut mitsingen können. Alles, was übers c hinausging, war seine Spezialität. Da wetteiferte er mit Ludwig, der auch eine mühelos hochsteigende Stimme hatte. ... *nie-hie wu-hur-de mein Se-he-nen gestillt.* Das ging bis zum fis. Johann hatte das Gefühl, alle anderen sängen nur, daß Ludwig und er ihre Stimmen steigen lassen konnten. Schade, daß Adolf vom Singen gar nichts hielt. Musik, in Ordnung, sagte er. Musik, wo sie hingehört. Das klang nach Herrn Brugger.

Als sich nachher alles auflöste, blieb Adolf an Johanns Seite und ging mit Johann weiter, an seinem Elternhaus vorbei; zuletzt, als sie, nach der Linde, allein waren, sagte Adolf: Gestern und vorgestern hätte ich dich umbringen können. Johann dachte: Hättest du's doch probiert. Aber er sagte: Ich hätte dich auch schon manchmal umbringen können. Ich dich gestern und vorgestern zum ersten Mal, sagte Adolf. Ich dich auch vorgestern zum ersten Mal, sagte Johann. Dann sind wir quitt, sagte Adolf. Als sie bei der Terrassentreppe angekommen waren, machten sie kehrt, und hinab ging's zu Bruggers und wieder herauf und wieder hinab und wieder ... Sie gingen jetzt nicht mehr die Hauptstraße hinab bis zum Lindenbaum und dort um die Lindenwirtschaft herum zu Bruggers, sondern auf dem hinteren Weg, der nicht geteert war und so gut wie immer unter und zwischen blühenden Bäumen verlief.

Gott sei Dank hatte Adolf das mit dem Umbringen gesagt. Seit Adolf das gesagt hatte, konnte Johann ihm wieder in die Augen schauen. Jetzt konnten sie wieder reden miteinander. Keiner sagte bei diesem Hin und Her etwas, was der andere nicht schon wußte. Aber nichts wurde so gesagt, wie es schon einmal gesagt worden war. Dieser Tag war ja ein Tag, der noch nie dagewesen war. Sie redeten, wie sie nur an diesem Tag reden konnten. Sie waren so etwas wie Könige. Sie fühlten sich so, weil sie miteinander zwischen ihren Häusern hin- und hergingen und über alles, was ihnen einfiel, verfügen konnten. Johann wartete darauf, daß Adolf von Anita anfangen würde. Er würde sagen: Sie hat dich grüßen lassen. Sie hat eigentlich auf dich gewartet. Sie will nur dich, nicht mich.

Als da immer mehr Sätze zwischen ihm und Adolf hin- und hergingen, als sie beide wieder spürten, daß dieses Miteinanderreden überhaupt nie mehr aufhören würde, als Frau Schorer beim dritten Vorbeigehen ihr Da haben's zwei aber wichtig! rief, als Johann spürte, daß es völlig gleichgültig war, worüber sie redeten, da spürte Johann auch, daß er auf Anita verzichten konnte. Er würde ihren Gruß ausrichten, sich degradieren zu einem Boten, der nicht in Frage kam. In Frage kommst allein du, Adolf, würde er sagen, von dir hat sie angefangen, dich läßt sie grüßen. Aber selber als erster Anita nennen – das konnte er nicht. Er konnte, wenn Adolf sprach, Adolf anschauen. Adolf hatte trotz des furchtbaren Haarschnitts einen schönen Kopf. Wie der Hals überging in den Kopf. Man sah's so genau, weil es keine Haare gab, die auch nur einen Millimeter verdeckten. Kein langer Hals. Adolf war ein Schafbock. Ein glatt rasierter Schafbock.

Und plötzlich fiel Anitas Name. Adolf sagte, Anita sei schon ein bißchen eine lahme Henne. Nichts ist sie so wenig wie das, dachte Johann. Wahrscheinlich sah Adolf eine völlig andere Anita. Vielleicht meinte er ihr Benehmen, wenn sie nicht in der Manege erschien, nicht um die

Stange flog, nicht auf Vischnu ritt. Eine lahme Henne, deutlich ein Ausdruck von Herrn Brugger. Noch nie hatte Ludwig oder Guido oder Paul oder der eine Helmut oder der andere von einem Mädchen gesagt, es sei eine lahme Henne. Johann war froh, daß Adolf so etwas völlig Unpassendes über Anita gesagt hatte. Er bewunderte Adolf, weil der nicht in den Boden versank vor lauter Anbetungsdrang, sondern so etwas zwar Falsches, aber doch irgendwie Stolzes, Selbständiges hatte sagen können. Wie stark, wie erhaben mußte Adolf sein, daß er Anita eine lahme Henne nennen konnte. Für Johann war's ein Grund, Anitas Gruß jetzt doch nicht auszurichten. Das blieb sein Geheimnis. So ein Geheimnis zu haben fühlte sich gut an. Abgesehen davon: Wie hätte er denn Adolf beweisen können, daß er in Langenargen gewesen war? Für Adolf war er doch hier gewesen. Adolf würde es für nichts als Angeberei halten, wenn Johann sagte, er sei in Langenargen gewesen, habe das und das erlebt. Und doch wäre Adolf der einzige, der verstanden hätte, was Johann passiert war, der einzige, der so etwas auch schon erlebt hatte. Und er hatte es keinem außer Johann erzählt. Der Döbele Franz hatte, als er im Winter, weil er weit draußen wohnte, bei Bruggers mittagessen durfte, in Bruggers Hof einen zu Brettern versägten Holzstamm gesehen. Die gesägten Bretter waren durch Holzklötzchen von einander getrennt, daß sie trocknen konnten. Aber wie sie auf einander lagen, sah man noch genau, was das für ein Baum gewesen war. Der Döbele Franz, hatte Adolf gesagt, habe fast geweint, als er diese Bretter gesehen habe. Wenn er solche Bretter hätte, wäre das Flugzeug, das ihm vorschwebe, so gut wie gebaut. Adolf holt sofort den Handwagen aus dem Schuppen – der Vater war im Allgäu unterwegs –, und weil ihn der Döbele Franz mit seiner Begeisterung angesteckt hat, ruft er: Zwei kannst du haben. Und der Döbele Franz: Die zwei aus der Mitte. Die werden aufgeladen und hinaustransportiert zum Wasserburger Bühl, wo Döbeles und

andere Familien, die nicht viel haben, so zusammenwohnen, wie man sich das im Dorf drin nicht vorstellen kann. Als sie dort draußen die zwei Bretter abladen, hört Adolf den Pfiff. Den Pfiff seines Vaters. Diesen langgezogenen und dann plötzlich auf einem kurzen, tiefen Ton endenden Pfiff, mit dem Herr Brugger Adolf von überall herrufen kann. Aber doch nicht, wenn Adolf mindestens zwei Kilometer vom Dorf weg ist! Aber er hört den Pfiff und rennt, den leeren Handwagen mit sich reißend, heimzu, sieht sofort das Auto des Vaters, der Vater ist also zurück, früher als erwartet. Adolf begreift selber nicht mehr, was er getan hat. Der Döbele Franz hat ihn verhext. Diebstahl, das Schlimmste überhaupt. Ein Charakterlump. Ihm steht eine Bestrafung bevor wie noch nie. Und sieht die Mutter unter der Tür, neben ihr erscheint schon der Vater. Gut, daß du da bist, ruft der. Mehrere Stück Vieh, gerade in Simmerberg gekauft und schon nach Konstanz verkauft, müssen in Lindau aufs Schiff verladen werden. Sieben Kühe ruhig über die Schiffsbrücke zu bringen, das ist genau das, wozu man niemanden so gut brauchen kann wie Adolf. Und geht schon zum Auto. Adolf folgt. Und das Auto steht ausgerechnet neben den Baumbrettern. Und was sieht Adolf? Die zwei mittleren Bretter, die er mit dem Döbele Franz abtransportiert hat, fehlen nicht mehr. Da habe er, hatte Adolf gesagt, ein Gefühl gehabt, als sei er so leicht, daß es ihn gleich in die Luft nehmen werde. Der Döbele Franz, habe er gedacht, würde jetzt sagen: Ich hebe ab.
Johann kam sich elend vor. Adolf hatte ihm alles erzählt. Er aber verheimlichte Adolf alles.
Sie standen jetzt wieder bei Bruggers hinter dem Haus.
Plötzlich sagte Adolf, wenn er Johann wäre, würde er nicht in die Schule nach Lindau gehen. Mensch, bleib doch da, sagte Adolf. Der Lehrer Heller sei der beste Lehrer weit und breit, das müsse Johann doch zugeben. Eine einmalige Charaktergröße. Denk an die Wilhelm Tell-Aufführung. An Schlageters Tod. Mehr als beim

Lehrer Heller kannst du nirgends lernen. Johann konnte nicht widersprechen.

Josef lernte Französisch und würde bald Latein lernen. Der Vater hatte gesagt, wer nicht Französisch kann, hat Pech gehabt. Weder Ludwig noch Guido, noch Paul, weder der eine noch der andere Helmut erwartete von ihm, daß er dableibe. Aber Adolf schon. Und Johann war froh, daß Adolf das erwartete, ja sogar verlangte. Zum Glück konnte Adolf das nicht hinnehmen, daß Johann in die Schule nach Lindau gehen würde. Also du, sagte Adolf und boxte Johann gegen die Brust, zwei-, dreimal. Johann wehrte sich nicht. Es waren keine Schläge, sondern Berührungen, Aufforderungen. Johann sollte zugeben, daß Adolf besser wisse, was richtig sei für Johann, als Johann. Adolf fing noch einmal an. Noch einmal gegen die Schule in Lindau. Jetzt kamen die Wörter, die sein Vater gegen Studierte benutzte: Tintenschlecker, Hungerleider, Faulenzer, Sesselfurzer, Drückeberger, Schlappschwänze. Adolf konnte nicht wissen, daß Johann diese Wörter schon von Adolfs Vater gehört hatte, und zwar gegen Johanns Vater wie auch gegen Johann und Josef gerichtet.

Also du, sagte Adolf. Johann sagte: Also. Bis morgen, Adolf. Und drehte sich um und ging so langsam der Linde zu, daß Adolf ihn leicht hätte zurückrufen können.

Oh, Johann, hörte er noch. Aber es klang, als habe es Adolf mehr zu sich gesagt als Johann nachgerufen.

Johann war elend zumute, als er Richtung Linde ging. Umschauen konnte er nicht mehr. Wenn Adolf noch einmal riefe, würde er umkehren. Bleiben. Bei Adolf. Für immer.

Um an der Linde die Kurve zu kriegen, die ihn Adolfs Blicken entziehen würde, sagte er sich alle Wörter vor, die Adolf von seinem Vater mitbekommen hatte. Männlichkeit, Schuhwerk, Nachspiel, Charaktergröße, Charakterlump, Speichellecker, Lackaffen, Weiberwirtschaft, Bewährungsprobe. Johann hatte Adolf immer bewundert, wenn Adolf das Kinn hob und die Sätze mit diesen

Wörtern hinaussprach. Die Wörter, die seinen Baum bewegten, das spürte Johann, konnte er nicht aussprechen: Bangigkeit, Kleinodien, Wißbegierde, Übermut, Schaumkrone, Sommersprossen, Trauerweide, Wiedergeburt, Himmelreich, Siebensachen, Denkmal, Beatrijs, Entsprechung.

Kaum war Johann an der straßensammelnden Linde in seine Straße eingebogen, sah er zwei Männer auf sich zukommen, die er noch nie zusammen gesehen hatte: Herrn Schlegel und Hanse Luis. Herr Schlegel schleifte seinen Spazierstock mehr, als er ihn führte. Unvorstellbar, daß er am edlen Griff je wieder den Degen entblößte und riefe: Von Friedrich dem Großen persönlich, gleich nach der Schlacht bei Leuthen. Der große schwere Mann ging, als sei er sich selber zu schwer geworden. Vielleicht wäre er überhaupt nicht mehr gegangen, wenn ihn Hanse Luis nicht an der Hand genommen und gezogen hätte. Herr Schlegel ließ sich ziehen. Johann sagte sein Grüß Gott, Hanse Luis rief: Wo ischt Manila? Auf den Philippinen, rief Johann. Pernambuco? rief Hanse Luis. Siebenundsiebzigeinhalb Stunden, rief Johann. Lakehurst–Friedrichshafen? rief Hanse-Luis. Fünfundfünfzig Stunden, rief Johann. Und dreiundzwanzig Minuten, sagte Herr Schlegel kraftlos. Respekt, Respekt, rief Hanse Luis und machte, ohne Herrn Schlegels Rechte loszulassen, eine tänzerische Verneigung zu Herrn Schlegel hin. Herr Schlegel murmelte: An die rote Wand gestellt und erschossen. Hanse Luis ließ Herrn Schlegels Hand los, legte seinen linken Unterarm quer unter seine Brust, stützte den rechten Ellbogen in die linke Handfläche, bedeckte mit seiner rechten Hand schnell seinen Mund, ließ die Hand sich drehen und zum Deutschen Gruß erstarren. Johann lachte, um Hanse Luis zu sagen, er habe verstanden, daß Hanse Luis die Mutter nachmache.

Hanse Luis konnte alle Leute nachmachen. Es mußte keinen beleidigen, von Hanse Luis nachgemacht zu werden. Hanse Luis machte von jedem das nach, was für den das

Typische war. Man spürte, daß es ihm Spaß machte, Leute
so nachzumachen, daß jeder sofort sah, wen er meinte.
Vor ein paar Wochen hatte er am Runden Tisch Herrn
Harpf nachgemacht. Herr Harpf war der neue Ortsgruppenleiter. Herr Minn wollte nicht mehr Ortsgruppenleiter sein. Herr Minn hatte selber aufgegeben. Sein Sohn
war beleidigt worden. In der *Restauration*. Der Hauptlehrer Heller hatte einen Vortrag gehalten: Weihnachten,
ein deutsches Fest. Hatte sich lustig gemacht über die
jungfräuliche Geburt Jesu Christi. Die Mutter hatte, als
sie Josef und Johann schilderte, wie es zugegangen sei, gesagt, sie habe gedacht, unser Herrgott könne sich so etwas nicht gefallen lassen. Irgendwie habe sie einfach um
das Haus Angst gehabt, in dem so etwas gesagt wurde.
Gleich wird es einstürzen, habe sie gedacht, und sie alle
begraben. Weil sie das angehört hätten, ohne etwas zu sagen. Ohne unseren Herrgott in Schutz zu nehmen gegen
eine solche Gemeinheit. Sie habe kaum noch schnaufen
können. Sagen sowieso nichts. Aber auch sonst habe von
allen Männern und Frauen keiner und keine etwas gesagt.
Ein paar hätten sogar gelächelt. Die kennt man ja. Das
sind die Verlorenen. Denen kann niemand mehr helfen.
Und dann meldet sich der junge Minn zu Wort. In der
Uniform der Marine-SA, der er angehört, steht er auf
und protestiert gegen die Art, wie der Hauptlehrer hier
über ein christliches Dogma spreche. Er, Max Minn, sei
evangelisch, sein Dogma sei es nicht, aber er fühle sich
durch die Redensarten des Parteigenossen Hauptlehrer
Heller schwer beleidigt. Nun hat ja der junge Minn diese
Angewohnheit, daß er alles mit Schsch zudeckt. Durch
die Erregung noch mehr als sonst. Es blieb fast nur ein
Gezisch, sagte die Mutter, aber verstanden habe man alles. Die, die vorher gelächelt hätten, seien aufgesprungen.
Entweder entschuldige sich Max Minn sofort beim Parteigenossen Hauptlehrer, oder sie würfen ihn sofort hinaus. Er entschuldigte sich nicht. Also warfen sie ihn, obwohl er sicher auch selber gegangen wäre, hinaus. Zu

fünft, zu sechst oder zu siebt griffen sie nach ihm. So viele Hände, wie nach ihm griffen, hatten gar nicht Platz an ihm. Seine Brille verlor er dabei, sie wurde zertreten. Am nächsten Tag war Herr Minn senior zurückgetreten und hatte auch noch sein Parteibuch zurückgegeben. Und noch einer hatte das Parteibuch zurückgegeben, der kleine Herr Häckelsmüller. Da der kleine Herr Häckelsmüller nie, seine Frau aber jeden Tag mehr als einmal in die Kirche ging, nahm man seinen Austritt aus der Partei – und er war immerhin Mitglied seit 1924 – als das Werk seiner Frau. Man nahm einfach an, ihr Gebet sei endlich erhört worden, sie habe ihren Mann herausgebetet aus der Gottlosenpartei.

Fräulein Agnes, die evangelische Kirchenmesnerin – inzwischen hatten sich ja die Evangelischen, weil alle wieder verdienten, eine eigene Kirche bauen können –, Fräulein Agnes, deren Parteimitgliedsnummer kein Jahr jünger war als die des kleinen Herrn Häckelsmüller, soll sich, als Häckelsmüller die Partei verließ, geweigert haben, ihren Nachbarn Häckelsmüller noch weiterhin allabendlich die Milch mitzubringen.

Seitdem war Herr Harpf vom Zoll Ortsgruppenleiter. Er hatte einen fränkisch-bayerischen Dialekt, eine blank blecherne Stimme und bewegte sich, wenn er als Ortsgruppenleiter auftrat, wie eine Glockenspielfigur. Das mußte Hanse Luis nachmachen. Neulich in der *Restauration* führte er gerade sein Ortsgruppenleiter-Theater auf, alle lachten und merkten nicht, daß inzwischen Herr Harpf selber eingetreten war und alles gesehen und gehört hatte. Zum Glück hatte er auch lachen müssen. Wenn er einmal krank sei, hatte er gesagt, könne Hanse Luis ihn vertreten.

Johann schaute Herrn Schlegel und Hanse Luis nach, bis sie zwischen der Gärtnerei und der Metzgerei verschwunden waren. Dann gingen sie wahrscheinlich zu Bogers Paul, dem Küfer, um dort etwas zu trinken, weil Herrn Schlegel nichts mehr ausgeschenkt werden durfte.

Wirtshaus- und Alkoholverbot für Herrn Schlegel. Eine
Amtliche Bekanntmachung. Frau Fürst hatte die Zeitung
nicht nur hingelegt, sondern selber aufgeschlagen, hatte
darum gebeten, daß auch Luise erscheine und Kenntnis
nehme von dem, was sie aufschlug und vorlas. Wegen
Trunksucht sei gegen Baumeister David Schlegel ein
Wirtshausverbot verhängt worden. Wer ihm noch etwas
ausschenke, verliere die Konzession. Frau Fürst schaute
von einem zum anderen, überzeugte sich davon, daß alle
alles zur Kenntnis genommen hatten. Und sagte in einem
freundlicheren, versöhnlicheren Ton Heil Hitler allerseits
und ging. Also nie mehr eine David-Versammlung, hatte
Johann gedacht. Herr Schlegel hatte an seinem Namens-
tag immer alle Davide der Pfarrei zum Seewein eingeladen. Elf Davide waren es im letzten Jahr gewesen. Vorbei.
Tell sprang auf, als er Johann kommen sah. Johann befahl
ihm, vor seiner Hütte unterm Remisenvordach zu bleiben, bis Johann bei ihm sein würde. Remise – wahrscheinlich würde er immer, wenn dieses Wort drankam,
an Adolf denken, weil Adolf versucht hatte, Johann zu
beweisen, daß das, was Johann Remise nannte, ein Stadel
sei. Ein größerer Schopf ist ein Schuppen, hatte Adolf gesagt, oder ein Stadel. Die obere, die kleinere Remise sei
ein Schuppen. Die größere ein Stadel. Kein Mensch im
ganzen Ort sage Remise zu einem Schuppen und zu einem Stadel.
Daß sie kein Vertiko hatten, hatte Johann eingesehen,
auch wenn er den Sekretär weiterhin Vertiko nannte, aber
bei der Remise, bei ihren beiden Remisen gab er nicht
nach. Er vermied es allerdings, das Wort Remise in
Adolfs Gegenwart zu verwenden. Adolf konnte es offenbar nicht durchgehen lassen, daß Johann einen Schuppen
Remise nannte und einen Stadel auch.
Am Säcke füllenden Niklaus vorbei ging Johann mit Tell
hinauf ins Haus. Aus dem Nebenzimmer Josef mit seinen
nicht enden könnenden Bachstücken. Die haben den ewi-

gen Umgang, hatte die Prinzessin gesagt. Aber zum Spülen passe es. Droben legte er sich mit Tell aufs Bett. Draußen läutete der Zug ab, Schritte knirschten im Kies, dann klangen sie hohl auf den Bohlen der Waage, aber da setzte Josef zu einem Crescendo an, das alles übertönte. Die Sonne fiel schräg herein und teilte das Zimmer scharf in Licht- und Schattenflächen. Das gemächlich tickende Läuten des Läutwerks, wenn die Schranken heruntergelassen wurden, drang dann doch wieder durch Josefs Klavierspiel durch. Johann sagte Tell seine zwei Zeilen ins Ohr:

> Oh, daß ich einsam ward
> So früh am Tage schon.

Tell schüttelte sich. Da mußte sich Johann natürlich zu Tell hindrehen, ihn mit beiden Händen am Hals packen und ihn erst recht schütteln. Das war nämlich das, was Tell für Glück hielt, von Johann geschüttelt zu werden.

III. Ernte

1. Vergangenheit als Gegenwart

Magda will Johann mit einer Schere ein Stück aus der Unterlippe herausschneiden. Er hat nicht verhindern können, daß sie eine Schere erwischte. Er sieht schon, daß er Magda nicht davon abbringen kann, ihm in die Unterlippe zu schneiden. Sie sind im Zug. Es ist ziemlich dunkel. Der Zug hält. Johann bewirkt, daß sein Gepäck hinausgeworfen wird. Zwei Koffer. Johann ist draußen. Entkommen. Es ist der Bahnhof Wasserburg. Der eine Koffer gehört gar nicht ihm. Das ist ihm peinlich. Wegen Magda. Er hat irgendeinen Trick angewandt, um ihr zu entkommen. Das hätte er, findet er, nicht tun dürfen.

Vergangenheit ist in der Gegenwart auf eine Weise enthalten, daß sie nicht aus ihr gewonnen werden kann, wie man einen Stoff, der in einem anderen Stoff enthalten ist, durch ein kluges Verfahren herausziehen kann, und man hätte ihn dann als solchen. Die Vergangenheit als solche gibt es nicht. Es gibt sie nur als etwas, das in der Gegenwart enthalten ist, ausschlaggebend oder unterdrückt, dann als unterdrückte ausschlaggebend. Die Vorstellung, Vergangenheit könne man wecken wie etwas Schlafendes, zum Beispiel mit Hilfe günstiger Parolen oder durch einschlägige Gerüche oder andere weit zurückreichende Signale, Sinnes- oder Geistesdaten, das ist eine Einbildung, der man sich hingeben kann, solange man nicht merkt, daß das, was man für wiedergefundene Vergangenheit hält, eine Stimmung oder Laune der Gegenwart ist, zu der die Vergangenheit eher den Stoff als den Geist geliefert hat. Die, die sich am sehnsüchtigsten um die Vergangenheit bemühen, sind am meisten in Gefahr, das, was sie selber hervorgebracht haben, für das zu halten, was sie gesucht haben. Wir können nicht zugeben, daß es nichts gibt als die Gegenwart. Denn sie gibt es ja auch so gut wie nicht. Und die Zukunft ist eine grammatische Fiktion.

Sollten wir statt Vergangenheit Gewesenheit sagen? Wäre sie dann gegenwärtiger? Die Vergangenheit mag es nicht, wenn ich ihrer habhaft werden will. Je direkter ich mich ihr nähere, desto deutlicher begegne ich statt der Vergangenheit dem Motiv, das mich gerade jetzt heißt, die Vergangenheit aufzusuchen. Öfter ist es ein Mangel an Rechtfertigung, der einen ins Vergangene weist. Man sucht Gründe, die es rechtfertigen könnten, daß man ist, wie man ist. Manche haben gelernt, ihre Vergangenheit abzulehnen. Sie entwickeln eine Vergangenheit, die jetzt als günstiger gilt. Das tun sie um der Gegenwart willen. Man erfährt nur zu genau, welche Art Vergangenheit man gehabt haben soll, wenn man in der gerade herrschenden Gegenwart gut wegkommen will. Ich habe einige Male zugeschaut, wie Leute aus ihrer Vergangenheit förmlich herausgeschlüpft sind, um der Gegenwart eine günstigere Vergangenheit anbieten zu können. Die Vergangenheit als Rolle. Es gibt wenig in unserem Bewußtseins- oder Benehmenshaushalt, was so sehr Rollencharakter hat wie die Vergangenheit. Daß Menschen mit unangeglichenen Vergangenheiten zusammenleben könnten, als die Verschiedenen, die sie auch durch ihre Vergangenheiten sind, ist Wunschdenken. In Wirklichkeit wird der Umgang mit der Vergangenheit von Jahrzehnt zu Jahrzehnt strenger normiert. Je normierter dieser Umgang, um so mehr ist, was als Vergangenheit gezeigt wird, Produkt der Gegenwart. Es ist vorstellbar, daß die Vergangenheit überhaupt zum Verschwinden gebracht wird, daß sie nur noch dazu dient, auszudrücken, wie einem jetzt zumute ist beziehungsweise zumute sein soll. Die Vergangenheit als Fundus, aus dem man sich bedienen kann. Nach Bedarf. Eine komplett erschlossene, durchleuchtete, gereinigte, genehmigte, total gegenwartsgeeignete Vergangenheit. Ethisch, politisch durchkorrigiert. Vorexerziert von unseren Gescheitesten, Einwandfreisten, den Besten. Was auch immer unsere Vergangenheit gewesen sein mag, wir haben uns von allem befreit, was in ihr so war, wie wir es jetzt nicht mehr möchten. Vielleicht könnte man sagen: wir haben uns emanzipiert. Dann lebt unsere Vergangenheit in uns als eine überwundene. Als bewältigte. Wir müssen gut wegkommen. Aber nicht so lügen, daß wir es selber merken.

Der Vergangenheit eine Anwesenheit wünschen, über die wir nicht Herr sind. Nachträglich sind keine Eroberungen zu machen. Wunschdenkens Ziel: Ein interesseloses Interesse an der Vergangenheit. Daß sie uns entgegenkäme wie von selbst.

2. Ernte

In diesem Herbst stand er nicht barfuß auf der Leiter. Er hatte einen Sack über die Schulter gehängt, in den viel mehr Äpfel gingen als in die kleinen Rupfen von früher. Der Sack wurde, wenn Johann Apfel um Apfel hineingleiten ließ, so schwer, daß das, barfuß auf der Leitersprosse, nicht auszuhalten gewesen wäre. Er war in diesem Jahr so wenig barfuß gelaufen wie noch nie, also nicht abgehärtet. Im Frühjahr die Schnürstiefel der Heimatflak, im Sommer die Knobelbecher des Arbeitsdienstes. Und bald, hoffentlich bald, sollten folgen die Bergschuhe der Gebirgsjäger. Wer sich freiwillig meldete, durfte wählen. Johann hatte Panzer gewählt wie Josef, war als Brillenträger abgelehnt worden, hatte dann Gebirgsjäger gewählt.

Bei jedem Apfel, den er vom Zweig brach, dieses zarte Knacken des brechenden Stiels. In den Ohren noch das stoßende Gehacke der Zwillingsflak. Trotzdem, das harte Gehacke der Zweizentimeterkanonen war ihm lieber als das Geschrumse der Achtacht. Er hatte in Chieming, wo die Ausbildung mit Scharfschießen beendet wurde, eines dieser schlanken langen Zweizentimeter-Geschosse mitlaufen lassen. Sie lagen einem so schön und kühl und glatt in der Hand. Vierzehn Tage lang auf den rechteckigen Fetzen gefeuert, den das Flugzeug von morgens bis abends vorbeizog, kein Treffer. Im April wird in einer einzigen Nacht Friedrichshafen zusammengebombt, und in dieser Nacht jagen sie übungshalber Leuchtspurmunition in den schwarzen Himmel über dem Chiemsee. Johann wollte treffen. Wenn er zielte, war er nichts mehr als dieser Zielende. Das Ziel saugte ihn förmlich ein. Es war ihm ganz unvorstellbar, daß er nicht mitten hineinträfe. Sein Jungvolk-Schießbuch war ihm heilig, er bewahrte es in seinem Geheimfach auf. Josefs Luftgewehr war längst sein Luftgewehr. Josef hatte, schon bevor er

eingerückt war, keine Lust mehr gehabt, auf die mit Reißnägeln auf der Remisentür befestigten Zielscheiben zu
schießen. Die Tür strotzte inzwischen vor Löchern, aus
denen noch die kleinen, beim Einschlag verformten Bleikugeln herausschauten. In Fürstenfeldbruck hat der Arbeitsmann Johann von 36 möglichen Ringen 33 geschossen. Liegend freihändig. Ab 34 hätte es Sonntagsurlaub
gegeben. Die Mutter wartete Tag und Nacht darauf, daß
wenigstens einer käme, Josef oder er. Im Juli war Johann
von Stralsund sofort nach der Siegerehrung abgefahren,
war in Berlin ausgestiegen, nur um umzusteigen in den
nächsten, nach Süden fahrenden Zug. Die anderen von
der Mannschaft wollten erst einen Tag später fahren,
wollten in Berlin aussteigen, das qualmende Berlin bestaunen.

Als Johann nach sechsundzwanzig Stunden Fahrt in Wasserburg ausstieg, sagte Herr Deuerling: Geh weida, geh
zua, was kommst auch erst jetzt! Der Josef hat den Mittagszug nehmen müssen.

Johann hatte nicht gewußt, daß Josef auf Urlaub kommen
würde. Er hatte es nur gehofft. Josef hatte seine Ausbildung hinter sich, war schon Unteroffizier, bevorstand die
Frontbewährung. Davor, Abstellungsurlaub.

Johann hatte gehofft, Josef werde noch eintreffen, bevor
Johann im August in Fürstenfeldbruck zum Arbeitsdienst einrücken mußte.

Josef zu treffen, direkt von Stralsund kommend, das
wär's gewesen. Ihm zu erzählen, wie sie abgeschnitten
hatten in Stralsund. In Dänholm eigentlich. Aber das
kannte Josef. Zwei Jahre zuvor hatte er selber mitgemacht
bei den Reichsmeisterschaften. Im Race nur vierte dieses
Jahr. Um eine halbe Bootslänge. Aber im Stilpullen erste.
Und im Winken auch. Reichsmeister. Und zwar durch
Johann. Der Nächstbeste, ein Berliner, hatte einsvierzig
mit zwölf Fehlern gelesen, Johann kam mit null Fehlern
auf einsdreißig. Er wäre auf einszwanzig oder einszehn
gekommen, aber die von der Marine gestellten Signalgä-

ste brauchten, wenn Johann das Wort, das gerade gewinkt wurde, schon hinüberschrie, bevor es zu Ende gewinkt wurde, viel zu lange, bis sie mit dem nächsten Wort begannen. Johann kannte jedes zehnbuchstabige Wort der deutschen Sprache schon nach drei, spätestens nach vier Buchstaben. Winkte der HIN..., schrie Johann doch schon HINDENBURG. Winkte der STEU..., schrie Johann, wenn STEUERMANN schon dran gewesen war, STEUERBORD. Winkte der REGE..., schrie Johann REGENBOGEN. Winkte der TAN..., schrie Johann TANNENBAUM. Winkte der TOPP.., schrie Johann TOPPLEINEN. Winkte der SIGN..., schrie Johann SIGNALGAST. Winkte der ANK..., schrie Johann ANKERKETTE. Winkte der KOEN..., schrie Johann KOENIGSBERG. Winkte der LEU..., schrie Johann LEUCHTTURM. Aber bis der Winker von dem neben ihm stehenden Zeitnehmer das nächste Wort eingesagt bekam und weiterwinkte, verging wieder eine Sekunde. Mindestens. Trotzdem, Reichsmeister im Winken war er geworden. Wolfgang, der zweite Wolfgang im Dorf, war mit Zwölfnull der beste Läufer gewesen. In der Gesamtwertung waren sie die achte von neununddreißig Mannschaften geworden. Und wenn Josef noch dabeigewesen wäre, das haben alle gesagt, und das hätte er Josef, falls der dagewesen wäre, gern brühwarm heimgebracht, dann wären sie wieder wie vor zwei Jahren zweite geworden. Mindestens. Mit Josef als Steuerbord-Schlagmann wären sie diesmal im Race als erster Kutter durchs Ziel gegangen, hätten die Berliner, die Hamburger und die Heidenheimer nach Strich und Faden versägt. Ohne Josef als den Takt bestimmenden und ihn bis aufs äußerste steigernden Schlagmann war kein Race zu gewinnen. Das sagten in Stralsund alle zehn plus Steuermann.

Blöde, wenn etwas so danebengeht. Er fährt zurück wie wahnsinnig, und Josef ist schon wieder weg. Es war keine schöne Fahrt gewesen. Julihitze. Abteile und Gänge überfüllt. Nur Soldaten. Unglückliche Soldaten. Gröhlend, brüllend, verbittert, schweigend. In verwegenen, ja wüsten Uniformen. Johann der einzige Zivilist. Die Marine-HJ-Uniform hatte er noch im Bahnhofsklo in Stralsund ausgezogen und im Rucksack verstaut. Er fand die Marine-Uniform übertrieben. Fast affig. Sie war nur direkt am Wasser oder eigentlich nur auf dem Wasser erträglich. Am scheußlichsten die runde Mütze. Ein schildloser Runddeckel, über dessen steilen steifen Rand das bißchen Tuch sich spannte. Nie zur Marine! Nie eine Mütze ohne Schild! Daß sich trotz dieser Uniform überhaupt jemand zur Marine meldete, war ihm unverständlich. Er genierte sich jedesmal, wenn er in dieser Kluft durchs Dorf hinab zum Appell mußte. Die Mütze setzte er immer erst drunten am See auf.

Zwischen Stralsund und Berlin hatte der Zug plötzlich angefangen zu schwanken. Johann wußte sofort Bescheid. Er wunderte sich, daß außer ihm niemand aufsprang. Er hielt es nicht aus auf seinem Notsitz im Gang. Er wollte, wenn dieser Zug kippte, nicht wieder im Gang erwischt werden. Fiel der Zug auf die Seite des Gangs, würde die Wagenwand aufgerissen und gegen die Abteile gequetscht werden. Diese trinkenden, rauchenden, gröhlenden oder dösenden Soldaten waren unansprechbar. Er mußte den Schaffner finden. Oder eine Notbremse. In der nächsten Geraden, wenn der Zug das Tempo wieder steigerte, würde der letzte Wagen, der am heftigsten schwankte, von den Schienen springen, dann zur Seite kippen, den vorletzten Wagen mit sich reißen, der würde den nächsten mit sich reißen, bis dann eben der Zug, der den letzten Wagen schon mit aufgerissener Seite auf dem Schotter schleifte, zum Stehen kam. Genauso war es doch passiert, zwischen Dornbirn und Bregenz, am 4. März, als Johann mit Gerhard am Sonntagabend vom Skifahren heimfuhr. Johann hatte, als er durch das Fenster sah, daß man sich unter fürchterlichem Krachen und Prasseln dem Schotter zuneigte, noch seine Brille abgenommen, aber einstecken hatte er sie nicht mehr können, es gab einen letzten Ruck und Krach, dann eine Stille, irgendetwas rieselte noch. Eine Abteilwand war zwischen Gerhard und Johann, die im Gang standen, herabgesaust. Johann kletterte durch die Abteiltür nach oben, zum Abteilfenster hinaus und zum nächsten wieder hinein und wieder hinunter in den aufgerissenen Gang, und fand Gerhard, bis zum Gürtel im Schotter, im Dreck, nur an den Skihosen kannte er ihn. Und grub gleich, räumte Schotter weg, kam zu dem zerrissenen Gesicht, zum zerschlagenen Kopf. Trotz der vier Jahre Unterschied war Gerhard Johanns Freund gewesen wie keiner zuvor. Keine Spur von Kampf. Jeder wollte es dem anderen rechtmachen. Zweistimmig gepfiffen haben sie im Wald. Und einander ausgelacht, so oft es ging. Aber nie ernst gemeint. Überhaupt nichts ernst gemeint. Außer vielleicht das, was durch Blicke auszudrücken war. Johann war mit dem Ersatzzug heimgefahren. Gerhards Eltern waren schon von Herrn Deuerling verständigt worden. Johanns Mutter hatte nur noch die Lippen bewegt, aber keinen Ton herausgebracht. Sieben Tote. Alle im letzten Wagen. Außer Johann alle verletzt. Das erste, was die Mutter wieder herausbrachte: Dein Schutzengel. Und jetzt in einem Zug, der gleich genauso umstürzen würde wie der bei Haselstauden in Vorarlberg! Johann suchte einen Schaffner, den er warnen konnte, daß der es dem Lokomotivführer zurufen würde: Fahr langsamer, sonst haut es uns hinaus. Aber er fand keinen Schaffner. Nur Soldaten, unansprechbare. Die redeten von der Front, von Verwundungen, von Krankenschwestern, die sie so und so durchgezogen hatten. Und mit dem neuen MG 42 hatten sie draufgehalten, daß die Russen gerannt seien, bis ihnen die Socken qualmten. Johann war das qualmende Berlin eingefallen. Jede leere Flasche warfen sie durch die offenen Fenster hinaus. Weit hinaus. Nicht achtlos, sondern entschlossen. Als wären's Handgranaten. Sie wollten etwas Verbotenes tun. Jeder Flasche, die sie hinauswarfen, riefen sie nach: Kampf dem Verderb. Die Parole, die erfunden worden war, damit immer überall mit allem schonend und sparend umgegangen werde.

Leuna, sagten die Soldaten, als der Zug eine halbe Stunde lang an einer Röhren- und Gestängewildnis entlangfuhr. Da werde das Benzin gemacht. Aus Kohle. Sobald wir autark sind, ist der Krieg gewonnen! Einer gröhlte: Heute nacht oder nie. Ein anderer fiel ein: Autarkie, Autarkie. Seit dem ersten Vierjahresplan wußte jeder, was das ist und daß es das Wichtigste überhaupt ist für Deutschland. Johann fiel Herr Breuninger ein, der Zeichenlehrer in Lindau, der in der Fünften die Autarkie als Kampf um Rohstoffe illustrieren ließ und jeder neuen Fünften immer den von ihm erfundenen Vers aufsagte, und zwar so, als fiele ihm der jetzt gerade erst ein: Auch das Kartoffelkraut kann nützen, man muß nur viel davon besitzen. Das hätte er den die Autarkie preisenden Soldaten gern erzählt. Aber vielleicht hatten ihn die noch gar nicht bemerkt. Das mußte ihm, weil sein Kurzhosenzivil zwischen diesen Uniformen lächerlich wirkte, recht sein. Dabei liebte er seine dunkelgrüne Manchesterhose über alles. Er kam sich darin historisch vor. Als sie einen schlüpfrigen Witz nach dem anderen erzählten, wies dann doch einer auf Johann und sagte: Du mer dänn Bu net verderwe. Der Ton erinnerte ihn an Elsa, die weghängende Unterlippe, Löffelsches mit Herrn Deuerling und ihren Ausruf, wenn sie Empörendes berichtete: Isch han gedenkt, isch freß mei Fieß. Aus Eened bei Humborsch. In der Mondnacht gekippt. Die Nichtschwimmerin. Mit dem Nichtschwimmer Valentin aus Mindelheim. Schon erstaunlich, daß der Prinzessin sogar zu dieser Nachricht ihr Spruch eingefallen war: Hoch das Bein, die Liebe winkt, der Führer braucht Soldaten.

Johann führte jeden Apfel sorgfältig durch die Sacköffnung und ließ ihn erst los, wenn er die schon im Sack sich häufenden Äpfel berührte. Über ihm, im unendlich hohen und genauso blauen Oktoberhimmel, schoben sich fast lautlos die silbern gleißenden Stiftchen der aus Italien einfliegenden Bomber. Ob Stuttgart, Ulm, Augsburg oder München drangekommen war, erfuhr man abends im Radio. Hier in der Gegend warfen sie nur auf dem Rückweg Bomben ab, die sie über den Städten nicht losgeworden waren. Neulich sieben zwischen Lochau und Bregenz.

Wenn der Sack voll und schwer wurde, der Strick in der Schulter einschnitt, tastete sich Johann Sprosse für Sprosse nach unten, hob den Sack über den Kopf und reichte ihn dem wartenden Niklaus, weil der darauf bestand, daß nur er die Äpfel, sie zu schonen, langsam und gelinde genug aus dem Sack in seinen bremsend hingebreiteten Arm und in die Kiste rollen lassen konnte. Bevor Johann sich den geleerten Sack wieder umhängte, sah er noch auf die Stelle am Stamm des Gravensteinerbaums, von der aus Tell noch vor einem Jahr zugeschaut hatte, wenn Johann Niklaus den Sack übergab. Tells Lieblingsplatz. In der ersten Septemberwoche war der Brief des jetzt neunjährigen Anselm in Fürstenfeldbruck eingetroffen. Johann, wir haben den Tell erschießen lassen müssen. Herr Brugger hat's tun müssen.

Johann hatte in Fürstenfeldbruck die Post vom ersten Tag an immer erst gelesen, wenn er auf seinem Bett lag. Er hatte, als sie ins Quartier eingewiesen wurden, darauf bestanden, das obere Bett zu beziehen. Wenn jemand über ihm schlafe, bekomme er Alpträume. Als er Anselms Brief gelesen hatte, drehte sich zur Wand und heulte. Anselm schrieb, Tell habe, als Johann zum Arbeitsdienst eingerückt sei, von niemandem mehr Nahrung angenommen, sei zweimal ausgebrochen, habe müssen eingefangen werden, um sich gebissen habe er, bis Herr Brugger, der Jäger und Viehhändler, es fertiggebracht habe, ihm einen Maulkorb überzutun. Dann sei er von Herrn Brugger in den Hof geführt worden, Anselm habe Herrn Brugger Tells Lieblingsplatz zeigen müssen, an den Gravensteinerstamm sei Tell gebunden worden, dann habe Anselm den Handwagen zwei Meter vor Tell in die Wiese ziehen müssen, habe sich auf die Ladefläche stellen und rufen müssen: Tell, schau! Tell habe zu ihm hinaufgeschaut, und in dem Augenblick habe Herr Brugger abgedrückt. Der Tell hat überhaupt nicht leiden müssen.

Johann hatte zwei Tage nichts essen können in Fürstenfeldbruck. Er hatte sich krank melden müssen. Man kann nicht zum Essenfassen antreten und dann nichts essen. Auch war er zum Aufsager des täglichen Tischspruchs geworden. Wenn in der Halle alle Essen gefaßt hatten und jeder schon an seinem Platz vor seinem Essen stand, mußte noch ein Tischspruch gesagt werden. Der kam mal von dem, mal von jenem. Eines Tages war keiner mehr gekommen. Raustreten, brüllte der Unterfeldmeister. So lange im Laufschritt um die Halle, bis einer einen Tischspruch hat. Nach der dritten Umrundung – und es war ein regnerischer Tag – war Johann so weit, meldete sich, es wurde wieder eingerückt, jeder stand vor seinem inzwischen kalt gewordenen Essen, Johann intonierte mit heller Stimme, was er gerade gereimt hatte:

Die Sonne strahlt, hell ist die Welt,
Wo ein Kamerad zum Kameraden hält.
Drum ist in unsren Herzen Sonnenschein,
Mögen die Zeiten auch voll düstrer Schatten sein.

Zum Glück hatte niemand gelacht, als Johann an diesem Regentag die Sonne strahlen ließ. Von diesem Tag an hatten sich alle auf Johann verlassen. Er reimte die Sprüche jetzt immer abends vor dem Einschlafen:

Für uns gibt es heute nur die eine Wahl,
Wir müssen härter sein als Feindesstahl.

Als er Kleinanselms Brief gelesen hatte, wußte er, daß er nichts mehr essen konnte. Nie mehr. Also würde er den Tischspruch für den nächsten Tag und die Sprüche für

alle folgenden Tage einem Kameraden mitgeben. Den
Tischspruch brüllen:

> Freudig führen wir den Spaten
> Als Deutschlands jüngste Soldaten.

und selber nichts essen, das ging wohl nicht. Er wollte
nicht nur nichts mehr essen. Auch nichts mehr sehen.
Nichts mehr hören. Nichts mehr fühlen. In jedem Brief
hatte er heimgeschrieben, Anselm solle, bitte, diesen Brief
auch Tell vorlesen, solle Tell von Johann grüßen und Tell
an dem Johannbrief riechen lassen. Er hatte in jedem
Brief auf die linke obere Ecke gespuckt, hatte um die
Stelle einen Kreis gezogen und daneben geschrieben:
Hier riechen lassen!
Als Tell während Johanns Fahrt nach Langenargen von
niemandem Futter angenommen hatte, hätte Johann lernen können, daß er Tell nie allein lassen durfte. Aber er
hatte sich natürlich freiwillig melden müssen, daß er vor
allen anderen wegkäme, also auch vor allen anderen zum
Arbeitsdienst eingezogen werden würde. Ihm hatte es ja
nicht schnell genug gehen können! Er hatte Tell umgebracht! Nicht Herr Brugger. Vierzehn Tage später hatte
die Mutter geschrieben, Herr Brugger sei abgeholt worden, verhaftet, zum Volksschädling erklärt, wegen eines
Vergehens gegen die Kriegswirtschaftsgesetze, Vieh verschoben für viel Geld. Armer Adolf, dachte Johann und
schrieb der Mutter, sie solle ihm Adolfs Adresse besor-
gen.
Immer wenn Johann von der Leiter herunterkam und
Niklaus den Sack überreichte, sah er die Tell-Stelle am
Gravensteinerbaum. An diesem Stamm war er mit Tell im
Gras gesessen, hatte *Child Harold's Pilgrimage* gelesen
und übersetzt und Tell vorgelesen, in Englisch und in
Deutsch. Und Oden von Klopstock hatte er Tell vorgelesen. Tell hatte es gern, wenn man ihm Oden von Klopstock vorlas. Johann wäre nie auf den Gedanken gekom-

men, Tell Prosasätze vorzulesen. Aber Gedichte schon. Die flossen, schwangen, tanzten und tönten, dafür hatte Tell einen Sinn, das sah man, wenn man ihm vorlas. Dazu gehörte allerdings, daß man ihn mit einer Hand in seinem Nacken den Rhythmus spüren ließ. Als der kleine Anselm den toten Tell unter dem Gravensteinerbaum beerdigen wollte, hatte Herr Brugger gesagt, das sei verboten. Hunde mit Tollwutverdacht kämen in die Abdeckerei. Und hatte Tell in eine Blechwanne geworfen. Die Blechwanne hatte er mit Dusans Hilfe, der mit zehn anderen Serben und Polen jetzt bei Schmied Galles im Stadel hauste, fortgeschafft.

Noch einmal zwei Tage ohne Essen hatte Johann sein müssen, als ihm Josef in einem Brief aus Ostrowiece, einem Ort, wie er mitteilte, südlich von Warschau, schrieb, der kleine Anselm habe ihm einen ganz lieben Brief geschrieben, Hauptinhalt: Wir haben den Tell erschießen lassen müssen. Am Abend dieses Tages habe er, Josef, zusammen mit dem polnischen Musiker, bei dem er einquartiert sei, einem ausgezeichneten Jazz-Trompeter, regelmäßig in Radio Warschau zu hören, mit dem zusammen habe er den Trauermarsch aus der Chopinschen b-moll-Sonate gespielt. Josef auf dem Akkordeon. Josef hatte ja, als er Anitas Mutter akkordeonspielend erlebt hatte, am Morgen nach der Vorstellung an Wieners Wohnwagentür geklopft und gefragt, ob er einmal auf dem Akkordeon spielen dürfe, und hatte gleich *La Paloma* nachgespielt. Dann gebettelt, eins bekommen, und nach ein paar Monaten so gut wie alles gespielt auf dem Akkordeon.

Die Mutter hatte gesagt, als Johann aus Stralsund zu spät zurückgekommen war, obwohl er praktisch von der Siegerehrung weg- und auf den Bahnhof gerannt und ohne Aufenthalt durchgefahren war, Josef habe während seines Abstellungsurlaubs praktisch nur Klavier gespielt. Tonleitern, hatte Johann gesagt. Die Mutter hatte genickt. Schon als Josef in der Karwoche vier Tage dagewesen war, hätte man den Eindruck haben können, Josef sei nur gekommen, um Tonleitern zu üben. Vor allem die in der Gegenbewegung. Die mit vier oder fünf b's, die Johann nicht geschafft hatte. Josef perlte sie nur so herunter, obwohl die Sehne des kleinen Fingers an seiner rechten Hand verletzt war. Beim Üben des Grußes auf dem Kasernenhof habe der abstehende kleine Finger zuerst Ärger erregt. Jeder Schleifer mußte, damit er das durchlassen konnte, zuerst selber Josefs kleinen Finger in die vorgeschriebene Position drücken und dann zugeben, daß der, sobald man ihn losließ, wieder ins Abseits sprang. In Friedenszeiten, hatte einer gesagt, wäre Josef mit so einem abstehenden Finger nicht in einen ROB-Kurs aufgenommen worden.

Von Palmsonntag bis Karfreitag war Josef plötzlich nicht mehr der neunzehnjährige Bruder eines Siebzehnjährigen gewesen. Nicht mehr der Bruder, mit dem man wegen jeder Kleinigkeit streiten mußte, der einem andauernd etwas wegnahm oder eine Arbeit aufhalste, die er selber nicht tun wollte. Josef war auf einmal zutraulich gewesen. Hatte auf einmal alles wissen wollen von Johann, über Johann. Außer Magda, für die und an die Johann Gedichte schrieb, hatte Johann noch keinem Menschen gestanden, daß das Gedichteschreiben seine liebste Beschäftigung sei. Das konnte er Josef jetzt gestehen. Und Josef hatte nicht gelacht, sondern hatte ganz ernsthaft und doch nicht ernsthaft, aber ganz sicher ohne jede Spur von Spott gesagt: Du könntest mich ja einmal eins sehen lassen. Johann hatte nichts antworten können. Wahrscheinlich war er feuerrot geworden.

Johann hatte Josef, als der zurückfuhr nach Böblingen, zum Zug begleitet. Die Mütze über der schwarzen Uniform gefiel Johann nicht. Ein gleißender, total starrer und auch noch schwarzer Schild unter der zu steifen, zu runden, zu förmlichen wenn auch grünlichen Mütze. Die Gebirgsjägermütze, die er bekommen würde, war schnittiger, vor allem weicher, also anschmiegsamer. Josef hatte allerdings einen schmaleren Kopf, da war eine starre, weit ausrundende Mütze eher erträglich. Aber auf Johanns Rundkopf eine solche starre Rundmütze – unmöglich. Manchmal dachte Johann, wenn er sich im Spiegel sah, daß man seinen Rundkopf für einen Wasserkopf halten könnte. Obwohl er seit Jahren die Waggons leerschaufelte, die Säcke schulterte und in Dachböden und Keller trug, außer den Armmuskeln und der Schulterpartie hatte sich nichts gebildet, was nach Kraft aussah. Wenn er jetzt von morgens sieben bis nachmittags halbvier mit Dusan dreihundertzwanzig Zentner Briketts aus dem Waggon in Waibels Wagen geschaufelt hatte, und der Vieruhrgüterzug stellte einen Waggon ab mit dreihundertsiebzig Zentner Steinkohlen, und wenn sie den um halbzwölf Uhr nachts auch leer hatten und an diesem ganzen langen Tag ihnen nur Magdas Bruder Wolfgang hatte zwei oder drei Stunden helfen können, dann zählte Johann diese Arbeitsleistung am nächsten Tag Josef im Brief noch einmal auf, weil er wußte, daß Josef sich wundern würde. Früher der eher schwächliche Johann, und jetzt lädt er zwei Waggons aus. Von sieben Uhr morgens bis nachts um halb zwölf. Johann hatte das Gefühl, er könne gar nicht genug vollbringen. Und alles noch viel schneller, als es irgend jemand von ihm erwarten konnte. Er wollte überraschen. Alle. Am meisten die Mutter. Eigentlich nur sie. Alle sollten Bravo rufen. Aber nicht seinetwegen. Seinetwegen nur ihretwegen.

Manchmal konnte Johann nicht mehr auf der Leiter stehenbleiben, so ging es zu in seinem Innern. Er hastete hinunter, schwang Niklaus den erst halbvollen Sack hin, wollte eigentlich wegrennen, hinauf zu seinen Heften, zu seinen Gedichten. Dann stieg er aber doch wieder leiteran. Er mußte fertig werden. Ihretwegen.

Am liebsten waren Johann zum Heruntertun diese leuchtend roten und vollovalen Prinz-Ludwig-Äpfel. Einer schöner als der andere. Dieser Sorte sah man an, wie gut sie schmeckte. Inzwischen brauchte er niemanden mehr, der ihm die Leitern stellte. Als er, vom Arbeitsdienst zurück, im Hausgang zum ersten Mal der Prinzessin begegnet war – sie spülte jetzt für den Pächter –, hatte sie ihn mit ihrem einen Auge von oben bis unten angeschaut. Er sie mit beiden Augen. Die hatte eine Haarpracht. Dicht und kraus. Wie damals beim Dummen August. Dann hatte sie gesagt: O Schmerz laß nach. Und Johann hatte gesagt: Wie geht's der Prinzessin Adelheid? Sie, statt zu antworten, immer noch Johann musternd: Der Fachmann staunt, der Laie wundert sich. Dann: Wenn jetzt nicht bald was passiere, sei ihr Johann zu alt. Und hatte gelacht. Sie lachte ja nie richtig, sondern machte Ha-ha-ha-ha. Mehr als viermal Ha-ha machte sie nie. Dann: Ja, du Mannsbild, hoch das Bein, die Liebe winkt, der Führer braucht Soldaten. O Schmerz laß nach, hatte Johann in ihrem Ton gesagt. Du kannst mir beim Mondschein begegnen, hatte sie ihm nachgerufen, als er den Fuß auf die Treppe nach oben setzte. Jetzt fehlte nur noch: So was lebt, und Schiller mußte sterben, dann hatte sie bald alle ihre Sprüche aufgesagt. Aber er hatte gespürt, daß er lieber nicht die Treppe hinaufgegangen, sondern bei der Prinzessin stehengeblieben wäre. Vielleicht gab es Sprüche, die er vergessen hatte. Überhaupt war es doch völlig gleichgültig, was jemand sagte. Wie die Prinzessin ihre Sprüche herausgebracht hatte! Wie sie da stand! Auf den Zehenspitzen zuletzt, die Arme schlingerten wie im Wasser. Die ungleichen Augen taten nicht mehr weh. Die krause Haarmasse glich alles aus. Und der viel zu große Mund. Hatte er vergessen gehabt, daß die Prinzessin einen riesigen Mund hatte? Und seit Kriegsanfang hieß sie *Der Stuka.* Außer der Mutter nannten sie alle nach diesem fast senkrecht aufs Ziel zustürzenden Kampfflugzeug. O Schmerz laß nach. Also wirklich, wo man hinsah, Frauen. Im Ort wimmelte es von Frauen. Und die waren angezogen, wie Frauen hier noch nie angezogen waren. Lauter Großstädterinnen. Ausgebombte. Flüchtlinge. Vielleicht hatten sie diese Kleider selber genäht, wollten aussehen wie Hilde Krahl, Hansi Knoteck, Ilse Werner, Brigitte Horney, Marika Röck. Abenteuerliche Krägen und Taillen und Säume und Stulpen. Und jede hatte zwei bis vier Kinder dabei.

Unter den Bäumen, die Johann bis Allerheiligen geleert haben mußte, weil die Mutter sich sonst vor den Kirchgängern genieren würde, warteten die Kinder von Frau Woschischek auf Falläpfel. Ausgebombt im Ruhrgebiet, untergebracht im Anbau, der früher Stall gewesen war, Pferdestall, den die Mutter dann an Herrn Mehltreter zur Produktion von Bohnerwachs vermietet hatte. Jetzt waren Ausgebombte wichtiger als Bohnerwachs. Frau Woschischek und ihre drei Kinder hausten in der rechten Hälfte des ebenerdigen Anbaus. Die linke Hälfte war immer noch Schweinestall. Im Augenblick nährte darin eine Muttersau neunzehn Junge. Vierundzwanzig waren es gewesen, fünf hatte sie schon erdrückt. Johann und Niklaus lösten einander nachts ab im Wachen und Beiseiteräumen der Ferkel, aber wenn man dann einmal einnickte, war schon wieder eins unter die gewaltige Mutter gekommen. Die zwölf bis fünfzehn Wehrlichsten hoffte man durchzubringen. Frau Woschischek nebenan empfing, wenn ihre Kinder schliefen, Besuche und nahm dafür Geld. Meister, Gesellen, Lehrlinge, Urlauber, Bauern, Knechte, auch Schüler schlichen sich abends zu ihr. Die vergitterten, mehr breiten als hohen Fenster waren mit rötlichen Vorhängen verhängt. Aber die Wand zwischen Stall und Stall war dünn, also kriegte Johann, wenn er bei der Muttersau Nachtwache hatte, trotz des nebenan ewig laufenden Volksempfängers, immer wieder einmal ein paar Wörter und Geräusche mit, die ihn wachhielten. Er kam sich vor wie ein Forschungsreisender in einem unbekannten Erdteil. Wenn Herr Woschischek für zwei Wochen aus Rußland kam, war Frau Woschischek, wie sie selber sagte, die glücklichste Frau der Welt. Herr Woschischek war nicht größer als die wirklich kleine Frau Woschischek, und seine Brillengläser waren so dick, daß man sich nicht vorstellen konnte, er sehe durch sie überhaupt durch. Und dann noch in Rußland. Lucile, die nur ein paar Wörter Deutsch konnte, aber alle, die in die Küche kamen, durch Gesten charakterisierte oder nachmachte, bog, wenn Frau Woschischek vorbeikam, die Finger ihrer kleinen weißen linken Hand zur Röhre und bohrte den Zeigefinger der Rechten hinein. Lucile hatte noch rötere Haare, als Mina gehabt hatte, die längst Alfreds Frau war und dem längst Eingerückten den Hof in Höhenreute umtrieb. Lucile hatte eine viel hellere Haut als Mina. Eigentlich war Lucile weißhäutig. Eine schneewittchenweiße Haut hatte sie. Und war aus Paris. Dreiundzwanzig und geschieden. Das sagte jeder, der Lucile erwähnte: Paris, dreiundzwanzig und geschieden. Seit Lucile die Küche beherrschte, hatte die Prinzessin einen neuen Spruch geschaffen: Scheiß Paris, London ist größer. Jede Art von Mißbilligung drückte sie jetzt in diesem Satz aus. Scheiß Paris, London ist größer. Wahrscheinlich hat Lucile als einzige den gegen sie entwickelten Satz nie verstanden. Lucile kochte jetzt für den Pächter, dem die Mutter, solange Johann in Fürstenfeldbruck Arbeitsmann und Sprüchemacher gewesen war, die Wirtschaft verpachtet hatte, weil dem im April in Friedrichshafen in der einen Nacht zwei Hotels zerbombt worden waren. Johann wohnte, seit er vom Arbeitsdienst zurück war, mit der Mutter in den Zimmern acht und neun. Aus Zimmer acht waren durch eine Holzwand zwei Zimmer geworden. In der kleineren Hälfte schlief Lucile, in der anderen stand jetzt ein kleiner Herd, ein Sofa und ein Tisch und, vom Großvater, der zierliche Kirschbaumschrank. Auf dem Sofa schlief Johann; die Mutter und Anselm schliefen in Zimmer neun. Johann konnte drunten nicht mehr in die Küche gehen, auf der Bank den Lesenden spielen, um zu hören, wie die Männer auf Lucile einredeten. Aber nachts lag er, wenn er nicht Dienst im Stall hatte, dicht an der Holzwand und horchte auf alle Geräusche Luciles. Er hörte, wenn sie sich im Bett umdrehte. Und er hörte, wenn sie *Komm zurück* summte oder vor sich hin sang. Er stellte sich dann vor, sie wisse, daß er jetzt zuhöre, ja, sie summe und singe nur, weil er zuhöre. Dann drehte er sich auf seinem Sofa möglichst geräuschvoll um, summte auch etwas, natürlich nicht *Komm zurück*. Er summte *Oh sole mio*. *Oh sole mio* hatte ihm schon deutliche Tenorerfolge eingebracht. Aber auch auf sein vor Innigkeit förmlich vergehendes *Oh sole mio* reagierte Lucile nicht. So nah bei Lucile und doch durch die Wand getrennt von ihr, konnte er nicht einschlafen. Er mußte an seinem immer noch namenlosen, also IBDIB genannten Geschlechtsteil herummachen, und zwar so lange, bis er sich übergeben konnte. Dabei stellte er sich vor, er gehe durchs Ziel. Wie die Sprinter in der Wochenschau, die in der letzten Zehntelsekunde noch ihr ganzes Dasein nach vorn rissen, als müßten sie im letzten Augenblick sich selber voraus sein. Durchs Ziel, durchs Ziel, durchs Ziel. Andererseits ging er inzwischen mit Magda. Des zweiten Wolfgang Schwester. Auch aus dem Ruhrgebiet. Aber aus einer ganz anderen Familie. Es hieß offenbar überhaupt nichts, daß man im Ruhrgebiet daheim war. Frau Woschischek sah samt ihren Kindern aus, als könnten sie sich nicht jeden Tag waschen. Wenn sie dann wieder einmal gewaschen waren, staunte man, der Baumeister Schlegel hätte, wenn er noch gelebt hätte, sofort Respekt, Respekt gerufen. Magda und Wolfgang waren die auffallend schönsten Erscheinungen überhaupt. Wenn sie morgens mit einander zum Zug kamen, wußte Johann nicht, wen er gieriger anschauen mußte. Allerdings, Gedichte machte er nur für Magda. Kein Tag, an dem er ihr nicht ein Gedicht geschrieben hätte. Aber höchstens jedes zehnte Gedicht übergab er ihr. Er spürte deutlich, daß es ein Nachteil gewesen wäre, ihr täglich sein Geschriebenes zu überreichen. Manchmal konnte er, wenn er, an Magda denkend, auf dem Bettrand saß, nicht aufhören, bevor er fünf oder gar sechs Gedichte geschrieben hatte. Auf den Knien. Ins

Wachstuchheft. Er erlebte an Magda so viel, worauf er antworten, was er, damit er es ganz empfand, rühmen mußte. Den Ton gab unwillkürlich immer der Dichter an, den er gerade las. Er las nichts anderes mehr als Gedichte. Was in der Zeitung stand, unlesbar. Romane, unlesbar. Nur noch Gedichte. Aus den Büchern, die vom Vater übriggeblieben waren, griff er nur nach Gedichtbüchern. Bei der Heimatflak, beim Arbeitsdienst las er nur Gedichte. Und schrieb mehr Gedichte, als er las. Auf ein gelesenes Gedicht kamen mindestens zwei wenn nicht drei geschriebene. Auch wenn er unter dem überirdisch feinen Brummen der im Himmel fliegenden silbernen Bombenflugzeuge die Stiele der Prinz-Ludwig-Äpfel brach, hörte das Gedicht in ihm nicht auf. Rascher, als es den empfindlichen rotgewölbten Prachtsäpfeln bekömmlich war, ließ er sich dann doch manchmal an der Leiter hinab, schwang den Sack über den Kopf und zu Niklaus hin, daß der, weil die Äpfel doch zu schonen waren, protestierte, dann raste er hinauf, über die Hintertreppe hinein ins Haus und hoch in den ersten Stock, riß das gerade diensttuende Heft und den Füller aus der Schublade des Großvaterschranks, der in dem abgeteilten Zimmer, weil er so schön war, alles andere häßlich machte, schrieb, damit er kein Wort verliere und jedes an seiner Stelle erscheine, das neueste Gedicht hin und schrieb doch langsamer, als er gerannt war, schrieb erhaben langsam, weil ihm feierlich zumute war. Gedichte waren eben feierlich. Auch eigene. Dann stand es da. In Buchstaben, nicht so gewölbt und rundbogig reich wie die Buchstaben des Vaters, aber sie glichen doch seinen schwingenden Linien mehr als den splittrigen und eher zerquetschten Einzelbuchstaben der Mutter. Die Schrift der Mutter bestand inzwischen nur noch aus Einzelbuchstaben, und jeder sah zerquetscht aus, eigentlich wie eine Gotikruine. Eine Unterschrift hätte die Mutter nicht mehr nachmachen können. Nach der immer feierlich endenden Niederschrift ging Johann, viel langsamer als er gekommen war, in den

man sich ihr nur mit Gedichten verständlich machen dürfe. Das war Johanns Gefühl. Endlich! Endlich, eine Adressatin. Die Hoffnung, verstanden zu werden, regte ihn auf. Seit er Schüler in Lindau war, war er mit keinem Mädchen mehr gegangen. Unvorstellbar, in Lindau ein Mädchen kennenzulernen. Auch war er kein höherer Jungvolk- oder HJ-Führer. Die hatten es einfacher. Im Sommer vor einem Jahr hatte er auf dem Dampfersteg gerade seine Angel ins Wasser gehängt, als die *Krone*-Tochter und die Doktors-Tochter vom Land her auftauchten; beide gingen auch in Lindau zur Schule. Johann hatte, als er die beiden kommen sah, seine Angel gleich wieder eingezogen, hatte schnell den Wurm von der Angel gerissen. Die beiden Mädchen gingen in diesem Augenblick direkt hinter ihm vorbei, blieben nicht stehen, riefen nicht seinen Namen, wie es sich, da sie täglich im selben Zug zur Schule und wieder zurückfuhren, gehört hätte; sie waren ganz auf den Dampfer konzentriert, der gerade heranfuhr und anlegte. Jetzt sah Johann, daß die beiden Mädchen zwei Lindauer Jungvolkführer erwarteten. Die standen in erdfarbenen Umhängen über ihren dunklen Uniformen auf dem Schiff, jeder hob grüßend einen Arm. Sah gut aus, wie die zwei Uniformierten ihre Hände noch über die Mützen hinaus hochhoben. Die Hände standen still in der Luft. Die beiden Mädchen winkten heftig. Dann waren die Uniformierten auf dem Steg, Händeschütteln, und ab ging's, dem Land zu. Johann hatte rechtzeitig noch seine Angel, ohne Wurm dran, wieder ausgeworfen und tat jetzt so, als habe er für nichts Augen als für seinen Korken, der ganz wild herumtanzte, als beiße weiß Gott was für ein Trumm Fisch an. Natürlich wußte Johann, daß nur die vom anlegenden und wieder abfahrenden Schiff verursachten Wellen und Wirbel den Korken so tanzen ließen, aber er brauchte jetzt eine Ablenkung. Erst als die hinter ihm vorbeigegangen waren, schaute er ihnen nach. Daß sie vorbei waren, hörte er. Die beiden Lindauer hatten als Führer Uniformen mit eckig hinausstehenden

Hosen, die man Breeches nannte. Und die dazu gehörenden Schaftstiefel. Und mit denen donnerten sie über die Stegbretter, die beiden Mädchen schwebten nebenher. Da war es Johann bewußt geworden, daß er barfuß war. Aber es war ja Hochsommer. Schönstes Wetter. Und keinerlei Appell im Dorf. Die beiden Lindauer Führer – er kannte sie, sie waren in Lindau zwei Klassen über ihm, Uhlmann und Dummler hießen sie – waren in Uniform und Stiefeln und Umhängen nur per Schiff hierhergefahren, um diese beiden Mädchen zu besuchen. Eine der beiden hatte, als sie hinter Johann vorbeigegangen waren, gesagt: Ein Mann mit Brille, mein letzter Wille. Also, das hatte er sich doch nicht eingebildet. Das hatte er gehört. Und er wußte auch, welche der beiden diesen Satz, der nur auf ihn, den mit Brille, gemünzt sein konnte, gesagt hatte. Da zog er die Angel endgültig ein, ging mit gesenktem Kopf, als suche er etwas Verlorenes, auf dem Moosweg, weil er da am ehesten ohne Begegnung blieb, heim und schrieb auf eine neue Seite des Wachstuchheftes das notwendige Gedicht.

> Stöhnende Enge zum Licht
> Prunkvolle Leere in Farben
> Ewig gequältes Gedicht
> Daß dich die Dunklen erwarben
> Verzeiht man dir nicht.

Wenn aber Frau Woschischek in ihrer Stalltür erschien und nach den Kindern rief oder gar wenn Frau Helling vorbeistöckelte, dann hatte sein Gedicht Pause. Frau Helling wohnte im Haus nebenan, im Souterrain, wo früher Frau Fürst mit ihren Kindern gewohnt hatte. Frau Helling war aus Berlin. Ihr Mann photographierte den Krieg. Aber nur den Luftkrieg. Er konnte öfter in Friedrichshafen landen und seine Frau besuchen. Ein glatzköpfiger, immer ein bißchen schmunzelnder Mann. Herr Helling rauchte so viel wie er trank und rauchte und trank doch viel weniger

als seine Frau, die geschminkteste Frau, die je in Wasserburg erschienen war. Entweder war er in der Gaststube
oder sie. Wenn er da war, hieß das, daß sie Besuch hatte
wie Frau Woschischek. Aber Frau Helling war eine ehe-
malige Tänzerin. Sie war nicht klein und überhüftig wie
Frau Woschischek, Kinder waren ihr fremd, dafür ging sie,
die geschminkteste Frau der Welt, auf den höchsten und
spitzesten Absätzen der Welt. Daß man auf so etwas überhaupt gehen konnte, wurde tagtäglich von allen bestaunt.
Obwohl Herr und Frau Helling nie mit einander in die
Wirtschaft kamen, standen beide, unabhängig von einander, immer an der selben Stelle des Ausschanks, an der
Stirnseite. Weder er noch sie setzte sich je. Sie standen,
solange sie blieben und tranken. Bier und Schnaps. Und
bei beiden hätte man an dem, was sie trugen, nicht sagen
können, ob es Sonntag oder Werktag sei. Das war ja überhaupt ein Kennzeichen der Hertransportierten und Zuge-
reisten, daß die Bessergestellten von ihnen auch am Werktag gekleidet waren wie am Sonntag, die Ärmeren aber
auch am Sonntag wie am Werktag. Natürlich redeten die
Männer am Runden Tisch darüber, wie es sei bei Frau
Helling. Aber nie in Herrn Hellings Anwesenheit. Herr
Helling sprach, wenn er Bier und Schnaps trank, ausschließlich über seine Frau. Er lobte sie, pries sie, erzählte, was für eine Künstlerin sie in Berlin gewesen sei,
bevor sie, eine Kriegsfolge, dem Alkohol zum Opfer gefallen sei. Johann hätte trotz allen Zuhörens nicht ent-
scheiden können, ob Frau Helling die Männer, die zu
ihr kamen, mehr verachtete als die sie. Die Männer am
Runden Tisch rühmten Frau Helling genau so, wie sie sie
verachteten. Ohne sie zu rühmen, hätten sie sie nicht verachten, und ohne sie zu verachten, hätten sie sie nicht
rühmen können. Frau Helling konnte ihre Kunden verachten, ohne sie rühmen zu müssen. Sie nannte keine Namen, aber aus ihren überschminkten Lippen kam über
Männer nur Hohn. Und dazu lachte der Runde Tisch.
Sempers Fritz rief: Die gibt's uns aber. Da Frau Helling

und ihre Kunden aus irgendeinem Grund, den Johann nicht kannte, einander in der Verachtung übertreffen mußten, bildete sich ein einzigartiges Verachtungspotential. Aber was sich da bildete, war offenbar nichts gegen die Verachtung, die Herrn Helling erfüllte, wenn er über die Kunden seiner Frau, natürlich ohne Namen zu nennen, und über seine Frau sprach. Er nahm nichts übel. Er sprach ja so gut wie nichts aus. Aber er verachtete. Das sah man. Sein Mund war ein lippenloser ebener Strich, der, wenn Herr Helling verachtete, ein bißchen schwankte. Das reichte.

Johann hörte alles, registrierte alles, er wußte nicht, warum und wozu. Aber daß es mit Forschung zu tun hatte, spürte er. Mit den Gedichten hatte es nichts zu tun. Nur Magda hatte mit Gedichten zu tun, wie Gedichte nur mit Magda zu tun hatten.

Jeden Sonntag nach der Kirche rannte er, sobald er glaubte, er sei lange genug am Grab gestanden, und das sei von denen an den benachbarten Gräbern bemerkt worden, heim, rannte ins geteilte Zimmer acht und holte aus der Schrankschublade die Gedichte, die er in der vergangenen Woche geschrieben und am Samstagabend ins reine geschrieben hatte, und brachte sie Magda.

Wenn einer mit einer ging, hieß es im Dorf, er poussiere sie. Als die Prinzessin, die anscheinend nur Geschirr spülte, aber doch alles mitkriegte, einmal im Gang zu Johann gesagt hatte, ob er immer noch die da draußen poussiere – Wirst schon wissen, Richtung Nonnenhorn halt –, da hatte er, gröber als er war, den Zeigefinger in die Schläfe gebohrt und eine möglichst wüste Grimasse gezogen. Die Prinzessin rief ihm nach: Ich sag's ja, jeder Besen findt seinen Stiel. Ha-ha-ha-ha. Johann konnte, wenn es um Mädchen und Frauen ging, manche Wörter nicht ertragen. Wenn jemand sagte, er gehe mit Magda, sagte er nichts. Er würde sich nicht so ausdrücken. Aber *poussieren* ließ er das nicht nennen. Ihm fehlte auch dafür ein Wort. Darum schrieb er die Gedichte. Und lieferte sie ab. Magda gab durch nichts zu erkennen, ob sie seine Gedichte lese oder nicht lese, ob ihr die Gedichte gefielen oder nicht gefielen. Johann war eher froh über diese Zurückhaltung. Er konnte sich, wenn er nicht gerade dichtete, schon vorstellen, daß es für jemanden, dem Gedichte nicht das Wichtigste überhaupt waren, peinlich sein konnte, so angesprochen zu werden:

> Peitsche in die wirren Leiber
> Deiner flüchtigen Gespanne,
> Jage sie mit schrillem Rufe
> Deinen Feuergipfeln zu.

Daß Magda auf seine Gedichte nichts sagen konnte, war ihm gerade noch vorstellbar. Ihr seine Gedichte nicht mehr hinzutragen oder ihr etwa gar keine Gedichte mehr zu schreiben – das konnte er sich nicht vorstellen.

Bis Johann zu Hause seine Gedichte geholt hatte, saß Magda, die natürlich auch in der Kirche gewesen und von Johann beobachtet worden war, immer schon am Klavier. Unter dem Vorwand, die Mutter zu begrüßen, überzeugte er sich zuerst in der Küche davon, daß Magdas Mutter beschäftigt war, dann trat er möglichst lautlos ins Wohnzimmer und legte die Gedichte der letzten Woche auf den Notenstoß auf dem Klavier, stellte sich hinter Magda, berührte ihre Haare, zuerst mit den Händen, dann mit dem Mund. Auch an ihren Hals kam er. Mit den Händen. Und ein einziges Mal unter ihren Kragen. Mit einer Hand. Die glitt am Hals hinab und gleich nach vorne, vorn hinab, Richtung Brust. Sofort hörte Magda auf zu spielen, Johann erschrak, riß die Hand zurück, Magda spielte weiter. Ihre Mutter rief, ob Johann zum Essen bleiben wolle. Danke, nein. Auf der Treppe begegnete er noch dem zweiten Wolfgang. Der ging inzwischen mit der *Krone*-Tochter. Die war auch nicht von hier und sogar evangelisch. Na, Schwager, sagte Wolfgang und ging noch einmal mit Johann hinunter, setzte sich auf die rund um einen dicken Stamm laufende Bank, patschte mit der Hand neben sich, Johann folgte. Dann redeten sie. Wolfgang gab den Ton an. Da er später Medizin studieren würde, drückte er sich jetzt schon am liebsten diagnostizierend aus. Was Johann empfand, warum er, was er empfand, empfand –, Wolfgang konnte es ganz genau sagen. Am liebsten mit lateinischen Wörtern. Eine Zeit lang saßen sie immer auf der Bank, dann würden sie dorfeinwärts gehen, bis zu Johanns Haustür, umkehren, wieder hinaus und wieder zurück. Wie früher mit Adolf. Weil Wolfgang auch in Lindau in die Schule ging, hatte er Adolf abgelöst. Wenn nicht Wolfgangs Mutter, als sie zum dritten oder vierten Mal wenden wollten, vom Balkon herunter geklagt hätte, daß das Essen jetzt endgültig kalt sei, wären sie ewig so weitergegangen.

Wolfgang hatte sich, sobald er mitgekriegt hatte, daß Johann immer nach Schulschluß Kohlen ausladen und zuführen mußte, beteiligt. Und zwar in einer Art Begeisterung, die die Kohlenarbeit zu einem Sport machte. Die Waggons mußten jetzt, weil es zu wenig Waggons gab, immer in einem halben Tag geleert sein. Früher war Standgeld erst nach vierundzwanzig Stunden zu zahlen, jetzt nach acht, und dreimal soviel. Also fiel die Schule aus. Was sie taten, wurde *kriegswichtig* genannt. Johann hatte, seit Josef eingerückt und Johann fünfzehn war, einen Führerschein, durfte den neuen TEMPO-Dreirädler fahren und konnte, weil Wolfgang hinten auf der Brücke durch Hin- und Herhechten für die Balance sorgte, trotz der Instabilität des Dreirads die Kurven mit Schwung nehmen. Schon um Leute zu erschrecken oder wenigstens zum Staunen zu bringen. Wolfgang war ein geborener Sportler. Und schwarzhaarig wie der erste Wolfgang, aber nicht glatt-, sondern kraushaarig. Nach der Kohlenarbeit spritzten sie einander in der Waschküche mit dem Schlauch ab. Johann vermied es, bei Wolfgang dorthin zu schauen, wo das war, was Adolf Männlichkeit genannt hatte. Johann wehrte sich dagegen, dorthin zu schauen.

Er hätte nie versuchen können, es durch unauffällige, noch nichts verratende Floskeln so zu deichseln, daß Wolfgang und er dann im Bahnhofsabort gelandet wären, einem Extrahäuschen, dessen türloser Einlaß von einem gewaltigen Thujariegel vor den Blicken Vorbeigehender geschützt war. Adolf hatte er dorthin und hinein dirigieren können, ohne daß Adolf gleich gemerkt hatte, was Johann vorhatte. Dann standen sie vor der geteerten und mehr nach Teer als nach Urin riechenden und schwarz glänzenden Wand, und Johann hatte versucht, Adolf zu etwas mehr als zum gemeinsamen Wasserlassen beziehungsweise Schiffen zu verführen. Das war ihm auch dann und wann gelungen. Johann hatte aber das Gefühl, Adolf verachte ihn, wenn er an Adolfs Männlichkeit herummachen wollte. Dabei tat Johann, wenn er Adolf hinter den Thujawulst und vor die Teerwand bugsierte, jedesmal viel weniger, als er vorgehabt hatte. Der gewaltige Thujawulst vor der türlosen Öffnung zog Johann an. Allein und mit anderen, hieß das dann im Beichtstuhl. Die Thujazweige waren so dicht, daß man weder Stämme noch Äste sah. Wenn man hineingriff in die Thuja, griff man ins Grüne, Duftige, Weiche. Waren das nicht Haare? Aber Wolfgang hinter den Thujawulst zu bringen war weder möglich noch wünschbar. Wolfgang war ein Jahr älter. Rasierte sich. War Magdas Bruder. Und überhaupt. Mädchen waren vorzuziehen. Jetzt. Johann kriegte das mit, ohne daß er es richtig begriff. Von Mädchen und Buben sollten auf einmal nur noch die Mädchen übrigbleiben, obwohl er bis jetzt von denen weniger gehabt hatte als von den Buben. Einmal hatte er vier Zeilen geschrieben, die er Magda nie zeigen würde.

> Oft hab ich still mich schon gefragt,
> Was in dir wohl lebe,
> Ob je in dir die Liebe tagt,
> Ob Holz du und ich Rebe.

Aber was Berni von Frau Woschischek erzählte und was Johann an Frau Helling beobachtete, machte ihn auch nicht an. Da regte sich nur forscherisches Interesse. Die Prinzessin, ja, die Prinzessin schon. Die Prinzessin war ein Andrang, eine Wucht. Stuka paßte. Trotzdem, ein Gedicht an die Prinzessin, unvorstellbar. Und Lucile? Sie hatte noch keine Sekunde lang bemerkt, wer auf der anderen Seite lag, mit der Bettdecke raschelte, sich möglichst laut umdrehte, innig summte, sang und pfiff. Nichts, was von drüben hörbar wurde, war eine Antwort, auf die man wieder hätte antworten können. Schon ihr Blick war unübersetzbar ins Deutsch eines Siebzehnjährigen. Wirklich grüne Augen unter wirklich roten Haaren und eine nichts als weiße Haut. Was auch immer passierte, Lucile spitzte die Lippen und zog die Brauen hoch. Sogar als am Silvesterabend die in der Turnhalle stationierten Soldaten, nachdem sie zuviel getrunken hatten, in die Küche gestürmt waren und die französische Köchin hatten kennenlernen wollen, die den besten Italienischen Salat und die besten Russischen Eier der Welt bereitet hatte, war Lucile auf die inzwischen kalte Herdplatte geklettert, hatte die Lippen gespitzt und mit dem Kochlöffel auf die Soldaten eingeschlagen, bis die auf dem Küchenboden knieten und *Komm zurück* sangen, das dirigierte sie dann mit dem Kochlöffel. Vielleicht waren Frauen einfach unerreichbar. Es war doch überhaupt nicht sicher, daß die Frauen an dem, woran Johann am meisten interessiert war, auch nur im mindesten interessiert waren. Ja, wenn man dafür zahlte. Siehe Frau Woschischek, Frau Helling oder die Bordellfrauen, von denen die Urlaubssoldaten am Runden Tisch erzählten. Das allerdings mußten ungeheure Frauen sein. Edi Fürst, inzwischen schon Leutnant, hatte am Runden Tisch behauptet, diese Frauen könnten mit ihren unteren Lippen Fünfmarkstücke von der Tischplatte nehmen. Zumindest in Paris könnten sie das.

Magda durfte er mit so etwas nicht kommen. Magda saß

am Klavier oder kniete in der Kirchenbank oder ging neben Johann den Moosweg herauf, und es war nichts so sicher wie, daß sie nicht an das dachte, woran er, wenn er nicht aufpaßte, ununterbrochen dachte. Wahrscheinlich dachte kein Mensch so ununterbrochen an das, woran Johann so ununterbrochen dachte. Unkeuschheit hieß es im Beichtstuhl und verdarb ihm jedesmal die vollkommene Reue, also die Absolution, also die Kommunion. Er war längst daran gewöhnt, daß er den Mund für die Hostie aufmachte, ohne im Stand der heiligmachenden Gnade zu sein. Die Quittung dafür würde ihm präsentiert werden. Nachher, in der Ewigkeit, auf die hin man ja eigentlich lebte. Die Mutter hatte klar genug gemacht, wie dumm es sei, sich durch Todsünden in diesem kurzen Leben hier die ganze Ewigkeit zu verderben. Vor allem, dann sähe man sich dort nicht. Er würde fehlen. Die Mutter würde im Himmel umsonst auf ihn warten. Spätestens dann wüßte sie Bescheid über ihn. Von allen Menschen dieser Welt konnte er ihr am wenigsten sagen, woran er ununterbrochen dachte. Eine Zeit lang hatte er gehofft, Adolf hineinzuziehen in die ihn Tag und Nacht beherrschende Unkeuschheitsstimmung. Im vergangenen Jahr, im November, hatte er einen letzten Versuch gemacht, mit Adolf das Wichtigste gemeinsam zu haben. Der Versuch war lächerlich mißglückt. Die Musterung hatte noch einmal alle Schulkameraden zusammengeführt. Der Tag der Musterung war für Johann ein Angsttag gewesen, wie es noch keinen gegeben hatte. Sich nackt ausziehen mit Adolf, Ludwig, dem einen und dem anderen Helmut, mit Berni, Guido und Paul! Er wußte, daß sein IBDIB nicht ruhig bleiben konnte, wenn Johann die bedeutenden Anhängsel der anderen sah. Er konnte doch an deren Teile gar nicht denken, ohne daß sein Teil anschwoll, sich aufrichtete, blöde in die Gegend stand. Und je unerlaubter es war, desto jäher richtete sich sein Teil auf. Und dann so hinüber in den Saal, vor die einzelnen Tische, vor die Kommission, den Militärarzt, den Sanitäter, den Schreiber und so weiter. Johann hatte sich am frühen Morgen zweimal durchs Ziel gebracht, um ruhiger zu sein. Und dort hatte er immer mehr zur Decke als zu den anderen hingeschaut und hatte sich befohlen, an Szenen zu denken, die ihn ablenken konnten. Wie er mit Lichtensteigers Helmut einmal Ende Januar auf einer Eisscholle abgetrieben war, in den Nebel hinein; sie hatten nicht mehr gewußt, in welcher Richtung das Land lag, und wenn nicht ein Wind zu Hilfe gekommen wäre, der den Nebel weggeblasen hätte, wären sie wohl auf ihrer Zweimalzweimeterscholle erfroren. Mit solchen Vorstellungen und einer Art innerster Nichtanwesenheit schaffte er es, daß sein Teil nicht aufstand. Aber dann wurde getrunken. Gemustert und für k.v. befunden, durfte man trinken, soviel man wollte. Kriegsverwendungsfähig, das mußte gefeiert werden. Er hatte es geschafft, den bis zur Geh- und Sprechunfähigkeit alkoholisierten und nur noch kichernden Adolf mit sich zu nehmen. Er schlief ja, seit Josef eingezogen war, allein in Zimmer neun. Aber Adolf war so betrunken gewesen, daß er sich nicht einmal mehr hatte ausziehen können. Der war in Josefs Bett gefallen, hatte sofort geschnarcht, dann sich erbrochen, und Johann hatte ihn und das Bett reinigen müssen. Keine tolle Nacht, die letzte Adolfnacht. Kriegsverwendungsfähig, hatte er gedacht, als er Adolfs Kotze mit dem nassen Handtuch zusammenstrich und mit der eingesammelten Kotze im dunklen Gang zum Ausguß schlich, jeden Augenblick fürchtend, das durch kein Schleichen vermeidbare Dielenächzen wecke die Mutter, und sie riefe dann: Johann, was ist? Nichts, würde er antworten. Daß Adolf das Bett vollgekotzt hatte, würde sie früh genug entdekken. Adolf hatte sich freiwillig zur Flak gemeldet. Johann hatte nicht gewagt zu fragen: Warum denn das? Zur Flak meldeten sich Feiglinge, Drückeberger. Wer sich zur Flak meldete, gestand dadurch, daß er nicht an die Front wollte, daß andere an die Front sollten. Gerade wenn Johann nicht an die Front gewollt hätte, hätte er das nie dadurch eingestanden, daß er sich zur Flak meldete. Die anderen gehen hinaus an die Front, und du hockst in irgendeiner Befestigung und schießt in die Luft! Daß Adolf das fertigbrachte! Und ohne darüber auch nur ein Wort zu verlieren. Offenbar war es ihm egal, was Johann darüber dachte.

Am nächsten Morgen hatte der Anruf aus Geiselharz jedes andere Thema erledigt. Der Vetter genannte Großonkel war eingesperrt worden. Von da an hatte die Mutter von ihm nur noch als vom armen, armen Anselm gesprochen. Der Neunjährige, der immer noch am häufigsten an ihrer Hand zu finden war, wußte, daß mit dem armen Anselm nicht er gemeint war. Eingesperrt der Vetter, dem alle so viel verdankten. In Rottenburg im Gefängnis. Das letzte, was Johann von dem Vetter genannten Großonkel bekommen hatte, war ein leuchtend heller, eng anliegender Zweireiher, so hell und so anliegend, wie ihn außer Johann nur noch Johannes Heesters trug, wenn er in seinen Filmen den Frauen ins Gesicht sang. An seinem sechzehnten Geburtstag – Josef war schon bei den Panzern – hatte Johann allein bei Bredl in Wangen wählen dürfen. Jeden Anzug, den er probierte, führte er dem mit weit auseinandergestellten Knien zuschauenden Vetter vor. Obwohl niemand aussprach, warum der Geiselharzer Anselm eingesperrt worden war, wurde Johann allmählich klar, daß der Vetter seine Käser, die bei ihm in der *Sennerei zur Alpenbiene* arbeiteten, berührt oder bedrängt oder mißbraucht haben sollte. Der Vetter wurde, wenn er erwähnt wurde, jetzt nach einem Paragraphen genannt. Er sei ein Hundertfünfundsiebziger. Wenn Männer das aussprachen, taten sie's hohnvoll, Frauen schien er leid zu tun. So ein Unglück, sagte die Mutter, der arme, arme Anselm. Wenn die Mutter Otmar Räuchle, den von ihrem Onkel ausgesuchten Käser, geheiratet hätte, hätte er ihr die *Alpenbiene* vererbt, samt schwarzglänzendem Klavier, rotgepolsterten Stühlen, glasbehütetem Bücherschrank mit einer vielbändigen Geschichte der Schweiz, vierundzwanzig Halbledergoldschnittbänden von Meyers Konversationslexikon, mehreren Brettern voller Romane, dazu eine Standuhr, die sich immer wieder wie aus einem Schlaf heraus aufmachte, doch noch einmal zu schlagen. Die Mutter hatte dem Onkel ein paar Jahre lang die Wirtschaft geführt. Otmar Räuchle, der jüngste Käser ihres Onkels, hat ihr, sobald etwas blühte, Blumen ins Zimmer geschmuggelt. Die pflückte er, wenn er von Amtzell, wo er daheim war, morgens um halbsechs nach Geiselharz ging. Er hat dieser Blumen wegen jedesmal einen Umweg machen müssen, weil er sich mit seinem Blumenstrauß der Käserei nicht auf der Straße, nicht von vorne nähern konnte. Die anderen Käser und die Bauern, die schon die Milch anfuhren, hätten ihn ausgelacht. Er hat jeden Tag einen Bogen um den Ort gemacht und ist auf der Wiesenseite, also von hinten, an das Wohnhaus gekommen und dann irgendwie immer ungesehen ins Haus und in Augustas Zimmer. Jedesmal stand die Vase, die die Mutter immer vom Nachttischchen auf den Tisch gestellt hatte, wieder auf dem Nachttischchen und war prall voll mit frisch gepflückten Blumen. Otmar sagte nie etwas, aber er steckte sich immer eine der Blumen ins Knopfloch. Wenn eine Kuckucksnelke aus dem Knopfloch seines Käserkittels leuchtete, leuchtete nachher in Augustas Zimmer ein Kuckucksnelkenstrauß von ihrem Nachttischchen.

Otmar war ihr durchaus recht, aber sie kriegte Briefe aus Wasserburg, und sie beantwortete jeden Brief. Allerdings ließ sie sich jedesmal Zeit. Sie hätte nichts lieber getan, als jeden Brief sofort zu beantworten, aber sie verlangte von sich, daß zwischen dem Briefempfangstag und dem Briefbeantwortungstag mindestens eine Woche verging. Das hielt sie für richtig. Sie schaute den zuletzt gekommenen Brief jeden Tag mindestens einmal an. Bevor sie ihn wieder las, schaute sie ihn an. Wie ein Bild. Die violette Tinte. Die besonderen Buchstaben. Geschrieben mit einer Feder, die ganz fein, aber auch ganz schön schwer und

breit werden konnte. Liebe Augusta! Er war der einzige
Mensch, der ihren Namen nicht verkürzte. Der erste seit
dem Herrn Pfarrer. Der hatte auch Augusta gesagt. Als
der Wasserburger Briefschreiber zum ersten Mal nach
Kümmertsweiler gekommen war, um Äpfel einzukaufen,
hatte ihn Augustas Mutter eingeladen, zum Vespern da-
zubleiben. Typisch Mutters Mutter. Mutters Vater hätte
niemals jemanden einfach zum Vespern eingeladen. Aber
Mutters Mutter war eine geborene Meßmer, das sind
Viehhändler seit eh und je; verglichen mit dem Unsiche-
rerhof war das Meßmersche Anwesen in Hemigkofen ein
Gutshaus. Anna Meßmer war die erste, die auf Unsicherers Hof ein Pferd mitgebracht hatte. Ihre Vorgängerin,
Augustas Großmutter, war zwar nur aus Bruggach her-
übergekommen, aber ihre Adresse scheint wenig dauer-
haft gewesen zu sein. Ihre Mitgift muß hauptsächlich aus
rabenschwarzen Haaren, zwetschgenkernförmigen Augen und einer nicht so weißen Haut bestanden haben.
Schon der Name verhieß nichts Hiesiges: Emritz. Erstaunlich, daß Augusta trotz dieser Großmutter ihre
Kindheit lang eine unbezähmbare Angst vor Zigeunern
gehabt haben soll. Daß sich Johann jeden Abend, bevor
er sich ins Bett legte, noch bückte und schaute, ob nicht
ein Zigeuner oder sonst ein Bedrohlicher unter dem Bett
liege, das hat er von der Mutter gelernt, übernommen,
beibehalten, auch wenn Josef, solange er noch mit ihm
das Zimmer teilte, ihn immer ausgelacht hatte. Wer sollte
denn und wie in Wasserburg, im ersten Stock, unters Bett
kommen! Josef war offenbar weniger ängstlich als Johann
und die Mutter. Die Mutter hatte ihre Angst vor jederzeit
möglichen Furchtbarkeiten wahrscheinlich nicht von ihrer Mutter, der wohlversorgt und gefahrlos aufgewachse-
nen Meßmertochter aus Hemigkofen, geerbt, sondern
eher von ihrem Vater, dem es seine Mutter, die schwarzhaarige Theres Emritz mit den so und so geschnittenen
Augen, mitgegeben haben kann. Dann hätte sich Augusta
eine Kindheit und Jugend lang angstvoll gebückt, um un-

term Bett letzten Endes auf gefährliche Verwandtschaft zu stoßen. Die wohlausgestattete, mit einem prachtvollen Fuchs aus Hemigkofen heraufgekommene Viehhändlerstochter hatte, heißt es, einen Kampf zu bestehen mit der schwarzhaarigen Schwiegermutter, der sie Thaddäus, den ältesten Sohn, weggeheiratet hatte. Fritz, das Pferd, das sie mitgebracht hat, hielt es in Unsicherers Stall zuerst überhaupt nicht aus, führte sich so auf, daß die Kühe, neben denen es sein Gelaß hatte, so gut wie keine Milch mehr gaben. Und Schweif und Mähne waren morgens immer zur Hälfte verzopft. Tierarzt und Pfarrer taten, was sie konnten. Die nächtlichen Anfälle wurden seltener, fanden aber doch immer wieder statt. Es war ein Kampf. Erst als die schwarzhaarige, zwetschgensteinäugige Schwiegermutter tot gewesen sei – das war allerdings der Fall schon nach drei Jahren –, haben, heißt es, die Unruheanfälle ganz aufgehört. Und Schweif und Mähne blieben von jetzt an unverzopft. Aber Fritz, der Fuchs, konnte von da an über keine Pfütze mehr gehen. Er hielt sein Bild im Wasser nicht aus, oder Wasser überhaupt war ihm schrecklich. Bei Regenwetter war er draußen kaum zu einer ruhigen Gangart zu bringen. Bei Gewitter suchte er auf der Weide zwischen den Kühen Schutz. Thaddäus entschloß sich zum Verkauf. Ein Händler aus Rorschach griff zu, nahm Fritz mit, wollte ihn in Lindau über die Ladebrücke an Bord des Trajektschiffes bringen, das für Transporte in die Schweiz zuständig war, aber der Fuchs merkte der Brücke an, daß sie über Wasser führte, regte sich auf, ging hoch, setzte über das Geländer, stürzte ins Wasser und ertrank. Bezahlt war er. Es hieß dann, er habe Wasser immer gescheut, weil er dieses Ende geahnt habe. Die Meßmertochter sei in ihr Schlafzimmer gerannt, als es ihr mitgeteilt wurde. Am nächsten Tag habe sie dem Pfarrer in Gattnau das Geld gegeben, daß er drei Messen lese für ihre Schwiegermutter. Allmählich war die geborene Meßmer dann die Herrin im Haus, und ihr Thaddäus, der kleiner war als sie, ließ sie walten. Er hatte sich ja vom Fritz-Erlös wieder ein Pferd anschaffen können, einen ganz braven Braunen, der, wenn Thaddäus in Tettnang Wein oder Hopfen abgeliefert und noch ein Glas getrunken hatte, den Weg nach Kümmertsweiler auch dann fand, wenn der Bauer auf seiner Bank eingenickt war. Und der Wegschlitten wurde jetzt auch dem Unsicherer-Hof anvertraut. Die Eichenpresse für den Wein war sowieso schon bei Unsicherers. Gemeinderat war der Thaddäus dann fünfunddreißig Jahre lang. Und hat sich jeden Morgen am Brunnentrog im Freien gewaschen, dabei immer zuerst den Nacken dem kalten Wasserstrahl hingehalten, dadurch blieb er zeitlebens vom Zahnweh verschont. Seine Frau, die Meßmertochter, tischte also gern auf, redete nicht viel, aber doch lieber als ihr Mann Thaddäus. Der arbeitete, als sei er nur dazu auf die Welt gekommen, und ging jeden Morgen um fünf ins Eckesholz, mit oder ohne Gewehr. Der Obsthändlersohn aus Wasserburg hat sich zum Vespern einladen lassen, kam dann wohl eine Zeit lang jeden Samstag über die drei Buckel und die zwei Bäche herauf, stellte sein Fahrrad an den Gartenhag, immer an die Seite, auf der die Stockrosen blühten, löste die Klammern von den Hosen und fragte nach Augusta. Schon daß er den Namen der Tochter nie abkürzte, kann der geborenen Meßmer, der an Erscheinung gelegen war, gefallen haben. Aber dann sei er plötzlich nicht mehr gekommen. Augusta ging, wenn sie am Samstagnachmittag heimkam, noch nach Gattnau hinunter und sagte dem Pfarrer, der ihren Namen so unverkürzt sagte wie der Obsthändlersohn aus Wasserburg, was sie gesündigt zu haben glaubte, ging wieder, rannte wieder nach Kümmertsweiler hinauf, jedesmal hoffend, das Fahrrad stehe am Hag, auf der Stockrosenseite, das einzige Rad, unter dessen Sattel ein gelbes Blech am Rahmen befestigt war, auf dem in roter Schrift *Effendi* stand; sie hatte jedesmal, vor Freude darüber, daß der Fahrradbesitzer da war, vergessen zu fragen, was das bedeute oder heiße. Nachdem die Stockrosenseite des Gartenhags

innerhalb von drei Monaten an sieben Samstagen ohne das Fahrrad des Obsthändlers und Gastwirts geblieben war, hatte sie durchs dunkle Beichtstuhlgitter hindurch gesagt, jetzt sei es entschieden, sie gehe ins Kloster. Sie wird, als sie den Beichtstuhl verließ, das Gefühl gehabt haben, der Pfarrer schaue ihr durch den Vorhangspalt nach. Sie muß sich wichtiger vorgekommen sein als je zuvor. Ich will ins Kloster, hatte sie gesagt. Sie hatte, als sie zum Beichten niederkniete, sicher nicht vorgehabt, das zu sagen. Aber plötzlich, während sie ihre mageren Sünden aufsagte, fiel es ihr ein: Wenn ich heimkomme und das Fahrrad lehnt nicht unter den Stockrosen am Hag, dann geh ich ins Kloster. Sie wollte nicht ins Kloster. Aber sie wollte auch nicht mehr sinnlos herumrennen in dieser Welt, wenn nachher dieses Fahrrad nicht am Gartenhag lehnen würde. Sie war zweiundzwanzig. War sieben Jahre in Stellung gewesen. Hatte das Kochen gelernt in der Liebenau, und im *Bären* in Tettnang. Und ihres Vaters Bruder, der Onkel Anselm, wollte sie verheiraten mit Otmar Räuchle, seinem Lieblingskäser aus Amtzell. Wenn den Onkel in den Wirtschaften, wo er immer für die ganze Runde bezahlte, jemand fragte, warum er selber nicht geheiratet habe, kratzte er mit der linken Hand auf dem rechten Handrücken, lächelte ausgiebig – wirklich, er wiegte das Lächeln förmlich in seinem breiten Gesicht – und sagte dann: Ich bin ein zu ungeduldiger Mensch.
Von Geiselharz hatte sie nicht jeden Samstag heimrennen können. Das war zu weit. Aber dann, an diesem Samstag, plötzlich, ganz plötzlich hatte sie den Onkel gebeten, übers Wochenende heimzudürfen. Er hatte sie mit seinem Ford nach Wangen chauffiert, sie war mit dem Zug nach Oberreitnau gefahren, dann über Unterreitnau und Bechtersweiler an Rickatshofen vorbei nach Kümmertsweiler gerannt, dann hinab nach Gattnau zum Beichten und hatte dem Pfarrer gesagt: Ich will ins Kloster. Gedacht hatte sie: Wenn der heute nicht kommt, geh ich ins Kloster. Ihr war klar, daß es eine Sünde war, so zu denken.

Und eine noch schwerere Sünde: dem Pfarrer zu sagen, man wolle ins Koster, wenn man überhaupt nicht ins Kloster will. Aber sie würde ja ins Kloster gehen, wenn sie nachher heimkäme und das Fahrrad mit dem *Effendi*-Schild stünde nicht am Stockrosenhag. Sie würde sich hinausstürzen aus diesem Leben. Ins tiefste Kloster hinein. Nach Sießen, zu den Franziskanerinnen. Sie mußte morgen früh, vor dem Kommunizieren, noch einmal beichten. Aber ja. Egal, ob jetzt nachher das Fahrrad am Hag steht oder nicht, du kannst Gott nicht erpressen: Wenn der heute nicht kommt, geh ich ins Kloster. Das ist eine Erpresseridee. Der Pfarrer hatte gesagt: Was für ein schöner Entschluß, Augusta. Zum ersten Mal hatte er beim Beichten ihren Namen genannt. Sonst weiß man eigentlich nie, ob der Beichthörende einen überhaupt kennt. An den Sünden hoffentlich nicht. Und dunkel ist es auch hinter den Beichtstuhlvorhängen. Sie solle Gott dafür danken, hatte der Pfarrer gesagt, daß er ihr diesen Wunsch eingegeben habe. Nicht jedem eröffne Gott einen so kurzen, so direkten Weg zu sich. Augusta müsse versuchen, sich dieses Wunsches, den Gott ihr eingegeben habe, würdig zu erweisen. Hegen und pflegen müsse sie diesen Wunsch wie einen Keim, einen Lebenskeim zum ewigen Leben. Da hatte sie nicht mehr zu gestehen gewagt, daß sie es noch nicht ganz sicher wisse, ob sie ins Kloster gehe. In der Schule war sie Pfarrers Liebling gewesen. Er hatte sie auf seinem Schoß sitzen lassen, um sich von ihr die Gallengegend wärmen zu lassen. Gleichzeitig hatte sie der Klasse aus dem Katechismus vorlesen müssen. Da die Pfarrköchin an Lähmungen litt, immer wieder ganz plötzlich überfallen wurde von Lähmungen, hatte Augusta, weil Kümmertsweiler näher bei Bechtersweiler lag als Gattnau und der Doktor in Bechtersweiler wohnte, die Medizin für die Pfarrköchin beim Doktor Moser holen und im Pfarrhaus abgeben müssen. Der Doktor hatte gesagt, wenn sie die Schule hinter sich habe, könne sie zu ihm ins Haus kommen, seiner Frau helfen.

Augusta tat's. Blieb aber nur ein Jahr. Putzen, kochen, das Pferd versorgen, Holz spalten. Die Frau des Doktors, selber eine Doktorstochter, war zu fein, von ihr konnte Arbeit nicht erwartet werden. Immerhin sorgte der Doktor dafür, daß Augusta nach diesem Jahr in der Liebenau angenommen wurde, damit sie das Kochen lerne.

Es geht fast nur aufwärts von Gattnau nach Kümmertsweiler. Aber nach dieser Beichte rannte sie. Erst droben, wo der Hügel sich rundet, um drüben in die nächste Senke abzufallen, wurde sie langsamer. Da zweigt der Fußweg ab. Den nahm sie. An der Halde entlang. Sie preßte die Hand auf ihr Seitenstechen, und als es nicht aufhörte, bückte sie sich, griff den nächsten Stein, spuckte auf die Unterseite und legte ihn wieder hin, das sollte helfen. Sie mußte sich gefaßt machen auf den Anblick der leeren Stelle am Hag. Wieso sollte er ausgerechnet heute heraufgekommen sein? Es wurden zwar gerade die Äpfel heruntergetan, aber daß Augusta ausgerechnet heute von Geiselharz gekommen war, konnte der Wasserburger nicht wissen. Nicht ahnen. Sie war im letzten Halbjahr schon an sieben Samstagen heimgekommen, ohne daß er dagewesen war. Sie würde, wenn das *Effendi*-Rad nicht unter den Stockrosen stünde, noch am selben Abend zurück nach Oberreitnau laufen, von dort ihren Onkel Anselm anrufen, ob er sie in Wangen abholen könne. Wenn nicht, zu Fuß hinaus nach Geiselharz. Aber der Onkel fuhr ja so gern Auto. Am besten, sie holte, falls das Rad da nicht lehnte, und es würde da nicht lehnen, gleich ihre Tasche, rannte weiter nach Oberreitnau, jetzt war es noch hell. Zwischen Bechtersweiler und Rickatshofen geht es zweimal durch den Wald, das ist schon am Tag gefährlich, aber sobald es nachtet, nicht mehr passierbar. Zürnewible lupft jedem und jeder den Hut, spricht eine Verwünschung aus und setzt einem den Hut wieder auf die Verwünschung drauf. Noch schlimmer als das Zürnewible waren die zwei Feuerrösser. Augusta stürbe vor Schreck, wenn die auf sie zusprengten. Schneeweiß ist davon bis jetzt noch jedem, dem sie begegnet sind, das Haar geworden.

Wenn der Onkel Anselm sie schon heute wieder in Wangen abholte, wüßte er, daß etwas nicht so gegangen ist, wie es hätte gehen sollen. Und würde sofort wieder vom Amtzeller Otmar anfangen. Wenn er ihr einen Brief des Wasserburgers übergab, sagte er: Der Otmar hat auch keine schlechte Schrift. Wenn der Postbote ihr den Brief selber gab, sagte er: Wenn das, was drin stehe, so schön sei wie die Schrift, könne man ihr gratulieren. Augusta würde den Amtzeller Otmar, gegen den sie nichts haben konnte, nicht heiraten. Sie konnte nicht. Entweder den Wasserburger oder ins Kloster. Ihn vergessen, das konnte nur im Kloster vollbracht werden. Und vergessen mußte sie ihn, sonst verginge sie ja. Sie bat Gott jetzt schon um Vergebung ihrer Sünde. Es sei nicht so erpresserisch gemeint gewesen, wie es bei ihm droben angekommen sein konnte. Daß ihr Onkel Anselm versuchen würde, ihr das Kloster auszureden, wußte sie. Jetzt nimm halt den Otmar, würde er sagen. Und würde Otmars Vorzüge aufzählen: groß, gescheit, gut. Und aussehen tut er auch nicht schlecht, oder? Es tat weh, dem Onkel etwas abzuschlagen. Niemand hat, seit sie von daheim weg ist, so viel für sie getan wie ihr Onkel Anselm. Als sie in der Liebenau – sie war kaum vierzehn Tage dort – das erste Mal in den Keller geschickt worden war, um den Weinkrug zu füllen, war sie, um ja mit dem Wein sofort wieder oben zu sein, vom Weinfaß weggelaufen, ohne den Hahn zuzudrehen. Das Faß war leergelaufen. Der teure Bozener, hin. Sie hatte eine Nacht lang geheult, der Wirt hatte gerufen: Ich will dich nicht mehr sehen. Sie hatte, bevor sie in ihr Dachbodenbett fiel, von der Öffentlichen aus den Onkel angerufen und ihm die Katastrophe gemeldet. Am nächsten Morgen war er da, bezahlte den Wein, sie konnte bleiben. Dem Onkel beziehungsweise der Staubwolke, die vom Auto und vom Onkel nichts übrigließ, winkte sie nach, bis nichts mehr zu sehen war. Wenn Augusta am Sonntag zweimal in die Kirche ging, sagte der Onkel: Einmal tät reichen.

Augusta wußte, was der Onkel Anselm sagen würde, wenn sie sagte, sie wolle ins Kloster. Daß es dir geht wie derselben Nonne, die das Kind, das sie geboren hatte, erstochen hat, dann hatte sie's in den Nonnenbach geschmissen, und wenn man auf dem Krummen Steg über den Bach geht, schreit einem das Kind heute noch nach. Der Onkel Anselm war ja auch in Kümmertsweiler geboren worden und hier aufgewachsen mit seinen drei Brüdern Thaddäus, Kaspar und David. Nach der Arbeit auf den Feldern, die bis an den Nonnenbach reichen, wusch man sich in den Windungen und Ausbuchtungen des Bachs und wartete darauf, daß das ermordete Nonnenkind anfange zu schreien.

Du gehst noch immer zu schnell, hat sie sich, je näher sie den Häusern kam, vielleicht gesagt. Was würden die Nachbarn denken und sagen, wenn sie Unsicherers Älteste, die jetzt in Geiselharz in Stellung ist, am Samstagnachmittag von Gattnau heraufrennen sähen! Kümmertsweiler besteht aus so wenigen Häusern, daß es praktisch nur Nachbarn gibt. Jeder lebt unter den Augen von allen. Bei Beckes war sie vorbei, vor Günthörs bog sie ab, dann um Unsicherers herum – nur bei Hochzeiten und Beerdigungen wurde der nach Süden gelegene Haupteingang benutzt –, und sah schon den Misthaufen, sah den Stadelanbau und den Garten, und am Hag sah sie unter den weißen, aber violett gesäumten Stockrosen das Fahrrad des Wasserburgers mit der *Effendi*-Plakette.

Ein Jahr später wurde geheiratet. Augusta wurde eine Wirtin in Wasserburg. Als sie ihrem Vater später erzählte, daß sie um ein Haar ins Kloster gegangen wäre, hat er gesagt: Mir wär unser Herrgott als Schwiegersohn lieber als jeder andere.

Der milde, immer zu allem helfende, Vetter genannte Onkel Anselm hat es ihr nicht nachgetragen, daß sie seinen Otmar nicht nahm. Und jetzt war der eingesperrt, ein

Hundertfünfundsiebziger, ein warmer Bruder, und wie die Redensarten alle tönten. Als der Vetter Großonkel Johann bei Bredl in Wangen den ebenso hellen wie eng anliegenden Zweireiher hatte auswählen lassen, war Johann, sobald er wieder zu Hause war, in diesem Anzug nach Lindau gefahren und hatte sich bei Photo Eckerlein abbilden lassen. Stehend. Rechts neben einem edlen Sessel stehend. Die linke Hand so auf die Sessellehne gestützt, daß der linke Jackenärmel das Handgelenk mit der goldenen Armbanduhr freigab. Der Vetter Großonkel war Josefs und Johanns Firmpate gewesen, jedem hatte er eine goldene Armbanduhr geschenkt. Schade, daß das Bild den Goldglanz der Uhr nicht wiedergeben konnte. Leider hatte Johann nicht gewagt, sich auch noch in dem auch vom Vetter Großonkel geschenkten hellbeigen Popelinmantel photographieren zu lassen. Ein Raglanschnitt sei das, hatte der Verkäufer bei Bredl in Wangen gesagt. Jedesmal, wenn Johann in diesem Mantel vor dem Spiegeloval stand, dachte er dieses Wort: Raglan. Ihm kam es vor, als rage er aus diesem Mantel wie eine Blume aus einer Vase. Er konnte sich nicht satt sehen an sich. War er nicht auch etwas, das fliegen konnte? Er mußte doch nur die Arme ausbreiten, und schon waren es Schwingen, die Luft ein Element, das nur darauf wartete, ihn zu tragen. In jede Höhe, jede Weite. Sein Leben würde ein einziger Aufschwung sein. Das wußte er. Wenn er im Raglanmantel vor dem Ovalspiegel stand. Natürlich hatte er Angst vor diesem Aufschwung und Höhenflug. Je höher hinauf, desto krasser der Sturz. Klar. Dieses Gefühl war ihm eingeimpft. Trotzdem wollte er hinauf. Nichts als hinauf. Der Mutter beweisen, daß Stürzen nicht sein Fall war. Andererseits saß der, von dem er bisher alles Schöne hatte, seit November im Gefängnis. Der bronzefarbene Mann mit den kurzen, dichten silbernen Haaren. Ein bevölkerungspolitischer Blindgänger, hatte Herr Brugger gesagt. Johann hätte den Großonkel gern in Schutz genommen. Aber er traute sich nicht. Das wirkte auf ihn

selber, als gebe er Herrn Brugger und Herrn Deuerling und allen, die so redeten, recht. Das wollte er aber überhaupt nicht. Widersprechen wollte er und wußte nicht, wie. Der arme Onkel Anselm habe im Gefängnis innerhalb von sechs Wochen zweiunddreißig Pfund abgenommen, hatte die Mutter gesagt. Nur noch Haut und Knochen. Johann wehrte sich dagegen, sich den Großonkel so vorzustellen. Obwohl der arme Anselm dort sicher nicht seine schönen Anzüge tragen durfte, stellte sich Johann ihn nur in seinen Anzügen vor. Seine Anzüge umgaben den Großonkel immer wie eine Tuch gewordene Flüssigkeit. Der Flüssigkeitseindruck wurde noch dadurch verstärkt, daß diese Anzüge immer musterlos waren und keine bestimmte Farbe hatten. Eigentlich immer ein helles Violett. Aber schon so hell, daß das Violett mehr eine Ahnung war als eine Farbe. Jetzt leuchteten diese Anzüge also in den mittelalterlichen Gefängnisgängen in Rottenburg. Johann stellte sich vor, der Vetter genannte Großonkel habe die Aufseher mit ganzen Ladungen von Käse und Butter bestochen, dafür ließen sie ihn dann seine Anzüge tragen. Johann wollte den Großonkel bewahren vor dieser Anstaltskleidung. Warum mußte man Leute, wenn man schon glaubte, sie einsperren zu müssen, auch noch demütigen?
Uniformen kamen ihm manchmal auch demütigend vor. Erst als Leutnant kam man so daher, daß man's aushalten konnte. Deshalb fehlte in keinem seiner Briefe an Josef die Frage: Wann bist du Leutnant? Er stellte sich vor, Josef Oberleutnant, er Leutnant, und zwischen ihnen die Mutter. Dann müßte das Dorf zugeben, diese Familie unterschätzt zu haben. Das Dorf war der Inbegriff der Menschheit. Die war höchst genau vertreten durch Frau Bank Gierer, Helmers Hermine, Herrn Sattler Gierer und all die anderen Gierers, Grübels, Zürns, Stadlers und Schnells. Die gingen ja, solange Johann nach den Äpfeln griff, alle ununterbrochen auf der Straße auf und ab und grüßten hinauf zu ihm in den Baum und freuten sich, daß

er wieder da sei, und fragten, wie es gewesen sei beim RAD, arbeiten sei er ja gewöhnt, und wie lange sei er jetzt da, und was hört man von Josef, hoffentlich geht es ihm gut, man ist ja schon froh, wenn man überhaupt noch lebt, hoffentlich kommen bald bessere Zeiten, also Johann, mach so weiter, schöne Äpfel hast du da, wenn die so gut sind, wie sie aussehen, kannst du zufrieden sein, also, behüt dich Gott. Aber als Sempers Fritz vorbeikam und heraufrief, daß aus Kindern Leute würden, rief Johann zurück: Und aus Soldaten Gefreite. Fritz rief zurück: Schnaps ist gut für Cholera UND für Beförderung. Es war bekannt, daß Fritz, weil er seine Einheit in Eichstätt mit Schnaps belieferte, schnell Gefreiter geworden war. Fritz bestand darauf, daß Johann sofort herunterkomme und mit an den Runden Tisch gehe. Eine Granatensauerei sei passiert, noch keine halbe Stunde her. Johann, komm gleich, oder du siehst mich nie mehr, rief er. Johann übergab Niklaus den erst halbvollen Sack. Fritz zog Johann auf die Straße, und bevor sie zur Terrasse einbogen, griff er noch Dulle, der jetzt gerade gar nicht in die *Restauration* wollte, aber gleich sah, daß Sempers Fritz in einer Stimmung war, in der man ihm nichts abschlagen durfte. Sempers Fritz brauchte Publikum. Hin an den Runden Tisch, an dem schon die saßen, die Johann um diese Tageszeit immer schon dort gesehen hatte. Luise mußte Seewein bringen. Sobald Fritz bemerkte, daß Johann nur nippte, unterbrach er seine Erzählung und sagte: Trink, trink, Brüderlein trink! Er bestellte Seewein für alle am Tisch. Herr Spengler Schmitt, sein Lehrmeister in allem, der Wagner Schäfler, der Maurermeister Späth, der Schmied Frei, der Leo Frommknecht, der Schulze Max. Herr Seehahn saß an seinem Tisch und spuckte Wörter aus. Es war das erste Mal, daß Johann, seit das Geschäft verpachtet war, am Runden Tisch saß. Fritz war sofort der, dem alle zuhören mußten. Er bot noch selber gedrehte Zigaretten an. Besser eine Selbstgedrehte in der Hand als eine Senussi auf dem Dach, rief er.

Weil Fritz nicht in der Stimmung war, in der man eine Ablehnung verkraftet, wehrte sich Johann nicht, rauchte aber so vorsichtig, wie er trank. Und erlebte wieder, wie am Runden Tisch geredet und wie zugehört wurde. Jeder drehte sich auf seinem Stuhl so, daß er Sempers Fritz direkt auf den mit verqueren Lippen weit vorspringenden Mund sehen konnte. Luise mußte, wenn Fritz ein Glas Seewein geleert hatte, schon das nächste Glas gefüllt vor ihn hinstellen, das wußte sie. Also, also, Kameraden aller Jahrgänge, loset, was einem eingerückten, also das Ehrenkleid der Nation tragenden ehemaligen Spenglergesellen hat zugefügt werden dürfen von einem Lausbuben, der die Kaufmannslehre nicht hat beenden mögen vor lauter Militärbegeisterung, ihr wißt, von wem ich rede, den Namen sag ich nicht, weiß ich nicht, mein Gott, unser einziger EK I-Leutnant halt, mit Sturmgeschütz und Panzerglump, Fähnleinführer a.D. halt und Stickereikünstler, der den Spenglerlehrling, dann -gesellen immer schon lieber geschnitten als gegrüßt hat. Nicht hergeschaut hat er früher, wenn das Spenglergewand an ihm vorbeigedeucht ist. Also gut, und jetzt, vor noch nicht dreißig Minuten, verkommt der Spenglergeselle a.D. und jetzige aktive Gefreite dem EK I-Leutnant und Stickrahmenkünstler. Natürlich senkt der Spengler seinen Blick, wendet dann sein Auge zu Metzger Gierers Schaufenster, weil er da eine Dosenpyramide entdeckt hat und wissen will, was eine Dosenpyramide im fünften Jahr des schrecklichen, uns aufgezwungenen Krieges anzubieten hat. Aber der EK I-Leutnant brüllt den ganz und gar undekorierten Gefreiten an. Noch einmal zurück bis zu Gärtner Hartmanns und noch einmal hermarschiert und dann den Herrn Leutnant gegrüßt, sonst setzt's eine Meldung. Strafkompanie ist das wenigste, was auf solche Befehlsverweigerung fällig ist. Aber der Spenglergeselle a.D. und jetzige Gefreite tut schwerhörig. Steht wie ein Muli im Regen, macht nicht hüh und nicht hott. Aber der Leutnant, das Zeitungsträgerinkind, ruft dem bewegungslosen Spengler a.D. zu: Und mit der Meldung wird dann auch die Musterungsschweinerei endlich aufgearbeitet. Da hielt es den aktiven Gefreiten nicht mehr. Die Musterungsschweinerei heißt jetzt auf einmal dieser furchtbare Irrtum, der dem nicht immer gleich hellen Spenglerbuben damals hat passieren können. Ihr wißt es alle. Euch tut es leid wie mir, daß der Jugendliche, der ich gewesen bin, an den Tischen der Musterungskommission vorbeidefiliert ist, von jedem Tisch ein Papier mehr mitgenommen hat, *kv* und *Pioniere* und was halt alles hat festgehalten werden müssen, wenn das Vaterland wissen will, was es von dir zu erwarten hat. Und der damalige Spenglerbub geht hinaus auf den Gang, und verwirrt wie er ist, verfehlt er die Tür, hinter der das ganze Papier wieder abgeliefert wird, daß die in Kempten ihn rechtzeitig zu den Fahnen rufen können. Zwei Jahre hat der dumme Mensch, verwirrt von der zur Musterung gehörenden Nacktheit, die man nicht gewöhnt ist, versäumt, zwei Jahre, sag ich voller Bedauern, hat der, der ich war, keinen Dienst tun dürfen für das Vaterland. Was könnte ich heute sein! So aber, ein Gefreiter halt. Wie ja übrigens der Führer auch einer war. Aber Sempers Fritz könnte mehr sein, wenn die Musterung bei ihm nicht zu diesem Versehen geführt hätte, daß er die Papiere heimgenommen statt denen in Kempten überlassen hat. Und das nennt der EK I-Leutnant Musterungsschweinerei, will's aufwärmen, das heißt, der will mich in die Strafkompanie expedieren, das kann ich aber nicht wollen. Das sichere Ende wär's. Also nichts wie hin zu Gärtner Hartmanns und im Paradeschritt an dem vor Metzger Gierers Schaufenster postierten EK I-Leutnant vorbei. Und gegrüßt, daß es eine helle Freude ist. Aber dann um Bruggers herum und hinten herauf und wieder vor auf die Straße. Soviel kann ich gar nicht saufen, wie ich jetzt kotzen möchte. Daß es nicht falsch verstanden wird: weil ich erschrocken bin. Daß einem so etwas überhaupt passieren kann! Einen EK I-Leutnant nicht grüßen! Also, das sag ich euch: so etwas darf einem nicht passieren. Und schon gar nicht, wenn der Höhere unser ausgezeichneter Edi Fürst ist, den wir schon sehr früh nur Edmund genannt haben. Kein Mißverständnis, Herren Kameraden: mir graut vor mir. Ich bedaure es durch und durch, wenn ich Anlaß bin zu Mißverständnissen jeder Art. Ich stehe auf und grüße unseren Führer, weil ich den verehre, achte und liebe, weil ich weiß, er weiß nicht alles, was der und jener in seinem Namen tut. Heil Hitler. Luise, du sollst nicht grüßen, sondern servieren. Siehst du nicht, wie mich dürstet, Mensch.

Danach war nicht mehr über diesen Vorfall gesprochen worden. Nur noch einmal hatte Sempers Fritz halblaut gesagt: Hat mir ja schon früher die Weiber ausgespannt, der Herr Leutnant. Ich habe immer nur den Ramsch gekriegt.

Sempers Fritz war der einzige geblieben, dem es gelungen war, Johann von der Leiter zu holen. Allerdings, wenn Herr Taubenberger die Straße heraufkam, sprang Johann von selbst von der Leiter, schwang Niklaus den Sack hin, egal ob der voll war oder nicht, und hinaus auf die Straße und den Postboten gefragt: Was von Josef? Einmal in der Woche mußte ein Brief eintreffen. Wenn Herr Taubenberger einen Brief von Josef in seiner gewaltigen, ihn selber klein machenden Briefträgertasche hatte, holte er den heraus, schon bevor man bei ihm war, und schwenkte ihn in der Luft, um zu zeigen, daß ihn dieser Brief genauso freue wie die Empfänger. Wenn er die Frage: Was von Josef? mit Nein beantworten mußte, tat er es wortlos, schüttelte nur den Kopf und zeigte, daß er sich einen Ruck geben mußte, um überhaupt weitergehen zu können, um diesen grauenhaften Beruf weiterhin ausüben zu können, einen Beruf, der einen zwang, den Leuten zu sagen, heute sei schon wieder kein Brief von dem dabei, um den sie sich, weil schon lange kein Brief mehr gekommen war, Tag und Nacht ängstigten. War ein Brief gekommen, wurde er erst geöffnet, wenn alle drei beieinander waren. Der neunjährige Anselm bestand darauf, Josefs Briefe vorlesen zu dürfen, egal, ob über dem Brief stand: Mein lieber Anselm oder: Meine liebe Mama, oder: Meine Lieben. Noch vor der Anrede las Anselm, was immer oben rechts stand: Im Osten, 19. September 1944. Im Osten, 27. September 1944. Im Osten, 6. Oktober 1944. Im Osten, 15. Oktober 1944. Im Osten, 20. Oktober 1944. So erfuhren sie, daß es Josef so weit ganz gut gehe, nur sei er immer noch nicht zum Einsatz gekommen, vorne hätten sie den Russen dreißig Kilometer zurückgeworfen, und er stehe mit seinem Wagen in der Werkstatt, auf jeden Fall gefällt ihnen das Leben hier besser als das in der Kaserne, leider hat sich einen Tag davor sein Ladeschütze erschossen, ihnen allen ein Rätsel, er habe ja das Glück gehabt, gleich als Richtschütze in einen *Panther* einsteigen zu dürfen, in Polen sei alles sündhaft teuer gewesen, ein Kilo Birnen zum Beispiel habe 20.- Reichsmark gekostet, hier in Ungarn sei ihnen das Obst von den Leuten an den Zug gebracht worden, endlich sind sie an der rumänischen Grenze angekommen, haben am Abend noch mit dem Panzer den Kamm der Karpathen überquert, am 29. September fuhr er endlich, endlich zum ersten Mal in den Einsatz, war nicht viel los, sie standen bei der Infanterie, zur Sicherung, der Iwan schoß den ganzen Tag mit Ari, Pak und Granatwerfern, erreichte aber nichts, sie konnten halt nicht aus dem Wagen, an die Schießerei hat sich Josef schnell gewöhnt, hat dabei noch ein Buch gelesen, von Hesse, am Abend haben sie mit ein paar Panzern noch einen Vorstoß gemacht, sahen auf zwölfhundert Meter zwei Russenpanzer stehen, einen *Stalin* und einen *T 34*, ein Sturmgeschütz schoß auf den *T 34*, traf nichts, Josef schoß, mit dem ersten Schuß hat der gebrannt, wie Josef sich gefreut hat, am ersten Tag ein solches Glück, allerdings, der *T 34* hat schon nicht mehr fahren können, trotzdem, es war eben der erste, gleich darauf kriegen sie einen Treffer, vorne auf die Schrägfläche, hat anständig gefunkt, der Wagen ging in die Knie, wenn das Ding ein bißchen höher gekommen wäre, wäre er wohl am Stock gegangen, aber außer Kleinigkeiten blieb's beim Schrekken, gestern wieder ein Brief von Euch, ein schönes Gefühl, hier draußen, zu wissen, daheim denkt jemand an einen, er hat vorher geglaubt, am besten wäre es, wenn man gar niemanden hätte, wie leicht, wie unbeschwert könnte man da in den Krieg ziehen, jetzt hält er das für schlimm, niemanden zu haben, der einem eine Träne nachweinen würde, ohne die in der Heimat hätte dieser Kampf keinen Sinn, laßt ihm, wenn möglich, die Lindauer Zeitung an seine neue Anschrift schicken, plötzlich mußten sie wieder nach vorn, mit ein paar Panzern haben sie ein Bataillon Russen zurückgeschlagen, in der Nacht kriegte sein Wagen einen Treffer, sie mußten ausscheiden, also kann er wieder schreiben, Hühner und Schweine laufen dort massenweise herum, sie haben Griesbrei gemacht und echten Bohnenkaffee, der Russe soll bei Groß-Wardein durchgebrochen sein, sie sind wieder einmal auf der Fahrt durch Ungarn, hoffentlich geht es gut zu Hause, sie erfahren ja fast nichts, man erzählt sich so viel von den neuen Waffen, hoffentlich kommen die bald, überall sind sie von der Bevölkerung jubelnd begrüßt worden, die Russen haben hier furchtbar gehaust, Leute erschossen, Frauen vergewaltigt, in Groß-Wardein haben die Leute ihnen Wein und Brot und Käse und Speck gebracht, er hat seine erste Auszeichnung bekommen, das Panzersturmabzeichen in Silber, die Urkunde schickt er heim, wie geht es daheim, hoffentlich bekommt er bald Post, er hat bei den Kämpfen um Groß-Wardein in zwei Angriffen neun Paks und zwei Panzer abschießen können, beim letzten Angriff war bei ihm ein Offizier einer anderen Kompanie eingestiegen, der will Josef jetzt für das EK einreichen, das wäre natürlich eine Wucht, gestern ist der Russe mit achtzig Panzern durchgebrochen, und Josef hat nicht dabeisein können, weil seine Kanone nicht mehr genau schießt, ob sie daheim noch etwas von seinen Freunden hören, wo ist Hermann Trautwein, wo der Edi Fürst, wo der Saki und wo Jim, die Adressen, bitte, wenn möglich,

Angst hat er bis jetzt kaum gehabt, höchstens, wenn die Einschläge ganz nah am Wagen lagen, dann hat er den Kopf natürlich eingezogen, der Befehlshaber seiner Armee hat die Brillanten bekommen, er ist so froh, daß die Mutter jetzt die Wirtschaft verpachtet hat; wenn er das nächste Mal heimkommt, wird es bestimmt sehr schön; wenn nur der Krieg bald aufhört, bestimmt wäre es das Furchtbarste, wenn der Russe in unsere schöne Heimat käme, sie könnten ruhig glauben, was ihnen die Propaganda sagt, wie die Russen mit den Leuten umgehen, hat er jetzt selber erlebt, und wenn sie mit den Ungarn schon so umgehen, dann würde es uns noch viel schlechter gehen, im Augenblick schießt nur die eigene Artillerie über sie hinweg, aber beim Russen weiß man nie, was kommt, obwohl er in den letzten Tagen furchtbare Verluste gehabt hat; bis der Johann an die Front kommt, ist der Krieg sicher aus, sie warten dort mit Sehnsucht auf die neuen Waffen; um ihn soll die Mutter keine Angst haben, für ihn beten soll sie, bitte; seine Division, ja sogar sein Regiment, das Panzer-Regiment 23, ist im Wehrmachtsbericht genannt worden, die Lage ist brenzlig, gestern waren sie eingekesselt, heute soll wieder ein Ausgang frei sein, so schnell lassen sie sich nicht fangen; vorgestern hat er den Sohn vom Hornstein aus Nonnenhorn getroffen, heute mittag haben sie sich sogar Pfannkuchen gebacken, beinahe wie daheim haben sie geschmeckt, in Groß-Wardein hat er Schokolade gegessen, bis er nicht mehr gekonnt hat, vom Krieg hören sie daheim ja sicher mehr, als man dort bei ihnen hört; endlich wieder Post von daheim, und zwar ein Brief mit seinen Bildern aus dem Urlaub, er hat sich so gefreut; ihm geht es gut wie immer, im Augenblick ist er in Debrecen, zur Zeit herrscht ein ziemliches Durcheinander, der Russe greift dauernd an und immer mit großer Übermacht, Josefs Division ist dem Russen seit langem ein Dorn im Auge, dauernd versucht der Russe sie einzukesseln, er hat es auch schon geschafft, aber nie für länger; gestern ist Josef von einem Kriegsberichter gefilmt worden, als er sein Hemd nach Läusen durchsuchte, er hat es zu spät gemerkt, hoffentlich kommt das nicht in der Wochenschau; sie warten mit Sehnsucht auf die neuen Waffen; mit den herzlichsten Grüßen verbleibe ich Euer Josef.

Abends wurde ihm geschrieben. Entweder schrieb die Mutter ihm, oder der kleine Anselm schrieb ihm, oder Johann schrieb ihm. Der kleine Anselm schrieb, Josef solle ihm einen Splitter mitbringen. Die Mutter schrieb, wenn doch endlich der Krieg aus wäre. Johann schrieb: Hoffentlich kommt mein Stellungsbefehl bald.

Na, junger Mann, rief Frau Woschischek hinauf zu Johann. Johann wußte, schon bevor er hinunterschaute, daß sie, wenn sie so rief, breitbeinig stand und ihre Fäuste in die Hüften stemmte und ihre Unterlippe weit vorschob. Dazu den verwegensten Blick, dem Johann je begegnet ist. Frau Helling sah einen immer ganz von oben herab an und so, als habe man sie, schon bevor man den Mund aufmachte, beleidigt. Johann mußte ohnehin gerade hinunter, nicht nur den Sack leeren, sondern auch die Leiter umstellen. Der Prinz-Ludwig-Baum war leer. Jetzt kam – immer als letzter – der Welschisnerbaum dran. Diese Sorte reifte am langsamsten. Johann zeigte beim Abwärtssteigen überdeutlich, daß er wegen des übervollen Sacks und nicht wegen Frau Woschischeks Zuruf herunterkam. Er übergab Niklaus den Sack, damit er die Äpfel unbeschädigt in die Kisten bugsiere. Frau Woschischek sagte: Darf man? Aber bitte, ja, sagte Johann eifrig. Et darf ja auch mal umjekehrt gehen, sagte sie, holte sich ein Prinz-Ludwig-Prachtexemplar und biß gewaltig hinein. Sie meine, sagte sie kauend, daß Eva den Apfel esse und nicht Adam. Johann sagte zu Niklaus: Komm. Zum Umsetzen der Leiter brauchte er Niklaus nur noch, wenn zum Umlegen und Wiederaufrichten der Leiter den Holmenenden Widerpart geboten werden mußte. Daß Frau Woschischek beobachtete, wie er die riesige Leiter umlegte und wieder aufrichtete, tat ihm gut. Aber er war auch froh, als er wieder auf der Leiter stand und einen grünen Welschisner nach dem anderen wegknickte und im geräumigen Sack verschwinden ließ.

Berni hatte, Frau Woschischek betreffend, Andeutungen gemacht, die das, was Johann selber wahrgenommen hatte, ungeheuer belebten. Frau Woschischek gehe vor einem hin und her in Unterwäsche und Stöckelschuhen. Dabei schaue sie zu einem her. Mit einem feurigen Blick, hatte Berni gesagt. Mit dem Zeigefinger vor dem Mund deute sie an, daß wegen der hinter dem Vorhang schlafenden Kinder alles leise vor sich gehen müsse. Ihre Unterwäsche sei schwarz. Ob es Johann glaube oder nicht, Frau Woschischeks Unterwäsche sei schwarz. Und wie schnell man wieder draußen sei. Im Handumdrehen nämlich. Im Handumdrehen sorge sie dafür, daß man spritze. Und damit sei Schluß. Das sei so. Überall. Kostenpunkt fünf Mark. Ganz schön teuer. Andererseits auch wieder billig.

Wenn Frau Woschischek samt Bagage bei Berni im Haus untergebracht worden wäre, würde Johann auch zu ihr gehen. Vielleicht. Vielleicht auch nicht. Vielleicht aber doch. Aber vielleicht eben doch nicht. Daß in ihm, wenn er an Frau Woschischek dachte – und er dachte öfter an sie, als ihm recht war –, nicht eine einzige Gedichtzeile entstand, hieß doch auch etwas. An Magda konnte er gar nicht denken, ohne daß sich in ihm Wörter regten, sich zu Zeilen formten, Strophen bildeten zum Gedicht. Der Augenblick, in dem Josef in der Karwoche gesagt hatte, er würde gerne mal eins sehen, war ihm zum Augenblick aller Augenblicke geworden, die er mit Josef erlebt hatte. Montag, früher Nachmittag, es hatte noch einmal geschneit gehabt, er mußte zwei Waggons Stroh auswiegen, hatte die Waage gekehrt und tariert, die Bauern fuhren an und ab, Johann kurbelte die Waagbrücke hoch und ließ sie dann wieder runterschnurren, amtete routiniert als Wiegemeister, die Bauern schauten ihre ausgedruckten Waagkärtchen, weil Josef, der Urlauber, dabeistand, oh-

nehin kaum an. Und weil Josef gesagt hatte, er würde
gern mal eins sehen, hatte Johann dem Bruder, als der
wieder in Böblingen in der Kaserne war, geschrieben, daß
er, Johann, sich am Gebietswettbewerb für Literatur in
der Sparte Drama beteiligen werde. Sich in der Sparte Lyrik zu beteiligen, würde er nicht wagen. Außer Magda
hatte noch kein Mensch seine Gedichte gesehen. Es war
unvorstellbar, diese Gedichte jemandem zu zeigen, an
den sie nicht gerichtet waren. Und an Magda waren sie
gerichtet. An sie oder an die ganze Menschheit. Der ganzen Menschheit hätte er sie schon gezeigt, aber nicht diesem oder jenem. Josef schon. Wahrscheinlich. Daß Josef
gern eins gelesen hätte, nein, nicht gelesen, gesehen hätte
er gern eins –, das hatte ihm Josef nähergebracht. Er hätte
ihn streicheln können. Irgendwann einmal würde er Josef
ein Gedicht sehen lassen. Jetzt noch nicht. Außer Magda
konnte er noch keinen Menschen seine Gedichte sehen
lassen. Vorerst Sparte Drama. In einer einzigen Woche
ein Drama in fünf Akten. In einer Maiwoche allerdings.
Beim RAD in Fürstenfeldbruck die Nachricht: erster Preis
für *Die Stadt in Nöten*. Eines Sonntagmorgens nach
Augsburg hinüber, in die bisher größte Halle seines Lebens, eine Urkunde in gotischer Schrift, ein Buch über
die Eroberung von Narvik durch General Dietl. Kriegs-
buch. Keine Lektüre für ihn. Der Mutter nichts gesagt.
Noch nicht, hatte er gedacht. Das Drama spielte im 15.
Jahrhundert. Im nächsten Brief hatte er Josef die Zeremo-
nie in der großen Halle in Augsburg beschreiben müssen.
Josef sollte erfahren, wie Johann den Sieger in der Sparte
Lyrik beneidet hatte. Den habe er anschauen, anschauen
und anschauen müssen. Der sei aufgetreten, auf der
Bühne gestanden, habe Urkunde und Buch entgegenge-
nommen, als sei er gar nicht da. Eine weit hinausgewölbte
Stirn, beneidenswert lange Haare, und in Zivil, das stelle
man sich einmal vor, Sparte Lyrik, der einzige Zivilist in
der ganzen Halle, Johann natürlich in dieser entsetzlichen
Arbeitsdienstkluft, Knobelbecher aus dem Dreißigjähri-

gen Krieg, der aber, der Lyrik-Sieger, in einem grau ge-
sprenkelten Knickerbocker-Anzug, so edel wie die Anzüge des Freiherrn von Lützow, und eine dunkelgrüne
Schleife, Seide wahrscheinlich, dunkelgrün, sensationell,
aber das Unbändigste: der Gesichtsausdruck, die reine
Abwesenheit. Traumtänzer, hatte Johann gedacht und das
auch dem Bruder geschrieben. Eigentlich so, wie er selber
gern gewesen wäre. Keiner konnte nachher sagen, er sei
von dem Sieger in der Sparte Lyrik bemerkt worden.
Wahrscheinlich wohnte der zwischen Wörtern. Da hätte
Johann auch gern gewohnt. Das ließ schon die ewig her-
aufquatschende Frau Woschischek nicht zu. Die redete
drauflos. Vielleicht war es ihr sogar egal, ob man ihr zuhörte oder nicht. Aber Johann fühlte sich verpflichtet,
immer wieder einmal hinunterzuschauen. Niklaus hörte
ihr bestimmt nicht zu. Der sah geradeaus. Frau Woschischek schimpfte über einen ewig besoffenen Barras-
Hengst, Unteroffizier bei den in der Turnhalle Einquar-
tierten, Tag und Nacht belämmere sie dieser Zwerg. Sie
sagte das so, als müsse Johann ihr helfen. Johann sagte
hinab zu ihr, heute abend komme er und werfe den raus.
Das hatte er jetzt vor. Den stämmigen Zwerg mit der
schiefen Nase kannte er. Vorgestern abend hatte der
drunten herumgebrüllt. Johann war runtergegangen, hatte sich, zum zweiten Mal seit das Geschäft verpachtet
war, wie ein Gast an den Runden Tisch gesetzt, hatte bei
Luise einen Apfelsaft bestellt, hatte Luise gebeten, nicht
auf Sempers Fritz zu hören, der als Gefreiter am Tisch
saß und Luise zurief: Eine Halbe für Johann, Semper
zahlt alles. Sempers Fritz verbrachte den größten Teil seines Urlaubs am Runden Tisch. Der schiefnasige kleine
Unteroffizier war hin und her marschiert, hatte an jedem
Tisch, an dem jemand saß, haltgemacht und gebrüllt,
ihm gehöre, weil er beim nächsten Schub dran sei, ab
nach Rußland, heiße das, ihm gehöre jede Frau, soll sich
bloß keine zieren, die legt er um, bevor sie den Mund auf-
bringt, weil nämlich sein Marschbefehl schon unterwegs

ist, beim nächsten Schub ist er dabei, ab nach Rußland, heißt das, und zwar für immer, also gehört ihm jetzt, bevor es ihn dort endgültig putzt, jede Frau, sonst pfeift er doch auf den Heldentod ... Der einzige, der auf den Herumbrüllenden durch mehr als besorgtes oder belustigtes Aufschauen reagiert hatte, war Herr Seehahn gewesen. Der war aufgestanden an dem Tisch an der Wand, an dem er immer allein saß, hatte die rechte Hand zum Deutschen Gruß gehoben und sich wieder gesetzt. Aber Johann hatte am wörterspuckenden Seehahnmund ablesen können, daß der Seehahntext weiterlief: Falsche Schlange, Hundsfott damischer, Stierbeutel elendiger ... Plötzlich war die Prinzessin erschienen, hatte den Unteroffizier ein Bürschchen genannt, wenn er sich nicht sofort anständig benehme, werde sie ihn, obwohl er das Anlangen nicht lohne, hinausbefördern, und falls er frech werde, sage sie ihm, er sei über dreißig, für sie komme aber keiner über zwanzig in Frage, und sie habe schon ganz andere als ihn, wenn er das nicht kapiere, ungespitzt in den Boden gehauen. Und der Brüller war an ihre Schulter gesunken, hatte losgeheult, die Prinzessin hatte zu zwei Soldaten, die auch in der Turnhalle einquartiert waren, im Befehlston gesagt, sie sollten sich gefälligst um ihren Vorgesetzten kümmern. Die hatten den Betrunkenen hinausgeführt. Die Prinzessin nahm den Beifall der Gäste entgegen. Bravo, Stuka, bravo, Stuka! Und als Bravo, Stuka gerufen wurde, hatte sie sich überallhin verneigt wie eine Künstlerin und war verschwunden.

Als Johann Niklaus den nächsten Sack übergab, sagte er mehr in Frau Woschischeks Richtung als wirklich zu ihr, er werde heute abend die Wache übernehmen. Frau Woschischek jubelte etwas, das klang wie Juppheidi, und zog ab. Johann war es nicht ganz wohl, als er ihrem nach links und rechts ausschlagenden Hintern nachsah. Vielleicht war ja wieder Vollalarm heute abend. Zur Zeit war fast jeden Abend Vollalarm. Dann unterbliebe alles. Man säße im Keller neben einander, einander gegenüber und hörte dem Motorengebrumm der Bomberverbände zu. Bis zur Entwarnung. Dann war es hoffentlich zu spät. Schade. Und Gott sei Dank. Aber schade auch. Sehr schade. Vielleicht nahmen die Bomberverbände heute einen anderen Weg. Im Handumdrehen, hatte Berni gesagt und gelacht. Einen Lachlaut ausgestoßen hatte er. Kehlig. Was der plötzlich für eine tiefe rauhe Stimme hatte. Und dann noch hinzugefügt, sobald Frau Woschischek einem an den Schwanz lange, sei man hinüber, ab gehe die Post, Sitzung beendet, der Nächste bitte, wer hat noch nicht, wer will noch mal.

Sie waren, als Berni das erzählte, nach dem Kino nachts zu Fuß von Lindau heimgegangen. Johann fand, daß die Dunkelheit und das Nebeneinandergehen Bernis kühnen Text erst ermöglichten. Im Zug, einander gegenüber, bei Tageslicht, da hätte auch Berni, der sicher kühner war als Johann, diesen Text nicht bringen können. Nicht nur einmal hatte der Schwanz gesagt. Als sie am Schwandholz vorbeigekommen waren, hatte Johann erzählen wollen, was er in der Nacht auf den Pfingstsonntag am Rand dieses Waldes erlebt hatte. Er hätte Berni gern das Ergebnis dieser Nacht mitgeteilt. Mit Luises Schwester war er die ganze Nacht auf dem von Josef übernommenen Kleppermantel gelegen. Im Schwandholz. Am Waldrand. Auf Moos. Er neben Rosi, an ihr, auf ihr, hinter und vor ihr. Aber es war trotz allen Drängens und Pressens zu nichts gekommen. Rosi war ja nur ein paar Tage dagewesen, ihre Schwester zu besuchen, am Pfingstmontag würde sie zurückfahren nach Südtirol. Es war ein unbegreiflicher, ganz und gar stummer Kampf geworden. Rosi hatte sich gewehrt, aber nicht so, daß Johann das Gefühl gehabt hatte, aufgeben zu müssen. Er war ihr vielleicht näher gekommen, als er Irmgard oder Gretel je gekommen war. Er war auch nicht sicher gewesen, ob es an ihm lag, daß er nirgends hineinkam in Rosi. Sie wälzten sich, arbeiteten wortlos, griffen, suchten, keuchten. Johann hatte sich das Bild vorgestellt, das er im Goldschnitt-Lexikon des

Vetters Großonkel gesucht, gefunden und studiert hatte. Die weibliche Geschlechtsgegend stahlstichhaft scharf abgebildet und bezeichnet. Vagina. Er zog Zwetschge immer noch vor. Eine Übersetzung des Bildes in die Wirklichkeit war nicht gelungen. Er hatte dann doch zu reden angefangen. Hoffend, daß dadurch eine Stimmung entstünde, die Rosis Verschlossenheit ein bißchen milderte. Aber er hatte natürlich nicht das sagen können, was er dachte. Sein Darumherumreden hatte nichts geholfen. Als es schon hell war, hatte er noch einmal Rosis Mund mit seinem Mund so zugedeckt und zugepreßt, als wolle er so für immer verharren. Sie hatte sich, vielleicht nur weil sie nicht ersticken wollte, unter ihm hervorarbeiten müssen, gut, gut, gut, dann eben nicht, und war aufgesprungen, hatte den Kleppermantel langsam zusammengerollt, beide waren wiederum langsam und ganz stumm dem Dorf zu gegangen. Johann hatte gedacht: Hoffentlich begegnen wir nicht Schuhmacher Gierers Hedwig oder Frau Schorer oder sonst jemandem, der gerade in die Frühmesse geht. Die Vögel hatten wieder einmal so laut gesungen wie noch nie. Von allen Bäumen hatten sie auf Rosi und Johann herabgesungen. Nicht gesungen, geschrien. An der Hofecke noch eine Berührung am Hals, dann durch die Hintertür hinein und hinauf. Er konnte sich jetzt nicht auch noch darum kümmern, wie Rosi zu ihrer Schwester ins Bett käme. Luise wohnte ja bei Schuhmacher Gierers. Unterm schrägen Dach waren drei Betten frei geworden. Julius, Ludwig und Adolf waren in Rußland. Ludwig als Toter.

Natürlich gelang es nicht, ins Zimmer zu kommen, ohne daß die Mutter Johann, was ist? gerufen hätte. Der Ruf drückte überdeutlich aus, daß die Mutter die ganze Nacht wach gelegen und auf Johann gewartet hatte. Er rief zurück: Nichts. Dieses Nichts machte er so hart, so böse wie überhaupt möglich. Er hatte in der Gegend, für die er keinen Namen hatte, Schmerzen. Stechende Schmerzen. Er kniete im Bett, krümmte sich, legte sich, bog sich. Es half nichts. Die Folge der nachtlangen Mißhandlung im Schwandholz. Sein Pfingsten. Als der Schmerz allmählich nachließ, streichelte er sich. O du, dachte er. Und er hörte direkt, spürte förmlich die Antwort: IBDIB. Und dachte: Er ist der Er ist. Und weil jetzt sein Pfingsten gekommen war, verstand er das als Vornamen. Er ist der Er ist. EIDEI.

Johann hatte nicht sofort mitgrinsen können, als der Flakausbilder in Chieming den Ballistikunterricht mit Pinkelpute bebilderte. Um einen bestimmten Punkt auf der Pissoirwand zu treffen, müsse die Pinkelpute nicht auf diesen Punkt, sondern höher gehalten werden.

Heute abend Frau Woschischek. Er würde heute abend Frau Woschischek IBDIB einmal anbieten. Und wenn sie ihn auslachte? Er könnte ja sagen, das sei das arabische Wort für Schwanz. Oder das litauische. Besser, das litauische.

Als er wieder auf der Leiter stand und nach den grünen Welschisner-Äpfeln griff, sah er durch die Äste eine gelbbraune, fast mehr gelbe als braune, auf jeden Fall aber ganz hellbraune Uniform die Dorfstraße heraufkommen. Nur der Ortsgruppenleiter hatte eine so hellbraun leuchtende Uniform. Und das war eben längst nicht mehr Herr Minn, der Bootsbauer mit dem weißen Spitzbart, sondern Herr Harpf vom Zoll, dessen Blechstimme und Puppenbewegungen Hanse Luis so gern nachmachte.

Als Herr Harpf die Reden hielt, die das Jahr über gehalten werden mußten, fiel Johann auf, daß Herr Minn am Schluß seiner Reden immer gesagt hatte: Gott erhalte uns unseren Volkskanzler. Herr Harpf schloß immer mit der Aufforderung zu einem dreifachen Siegheil auf unseren Führer und Reichskanzler Adolf Hitler.

Wenn Herr Harpf, seit der Krieg erklärt worden war, in seiner weithin leuchtenden Uniform am Werktag durch das Dorf ging, wußte jeder, daß in dem Haus, zu dem er gehen würde, ein Familienmitglied gefallen war. Es war sein Amt, in die Häuser zu gehen und zu sagen, der Mann oder der Sohn oder der Bruder sei gefallen. Johann konnte sich nicht mehr rühren, nachdem er die Uniform gesehen hatte. Der Ortsgruppenleiter konnte ja noch zu Schmied Peters und Schuhmacher Schorers abbiegen, weiter hinten an diesem Weg wohnten noch Rehms, Heitingers, Schäggs. Oder er konnte auf die andere Seite abbiegen. Zu Hagens. Oder weiter oben noch zu Schuhmacher Gierers. Oder überhaupt vorbeigehen, weiter, zum Bahnhof. Aber Johann sah, daß der Ortsgruppenleiter zur Terrassentreppe abbog. Da rutschte Johann, ohne noch Sprossen zu benutzen, an den Holmen herab, warf den Apfelsack weg, rannte hinaus auf die Straße, hinter dem Ortsgruppenleiter her, um noch vor dem ins Haus zu kommen. Der mußte ja durch den Hausgang, dann die Treppe hinauf in den ersten Stock, dort klopfen. Johann holte den Ortsgruppenleiter ein, als der die Stiefelspitze auf die oberste Stufe setzte. Die Mutter, gerade im Gang, gerade unter der geöffneten Tür von Zimmer vierzehn. Auch geteilt. Fünfköpfig war da eine Familie untergebracht. Die Frau stand mit ihrem Achtjährigen, die Mutter stand mit Anselm, alle hörten die Ortsgruppenleiterstiefel auf den ächzenden Stufen. Drehen sich um. Ihm zu. Die Mutter sieht ihn und schreit. Und Anselm auch. Die Mutter rennt den Gang entlang ins geteilte Zimmer acht. Johann bleibt hinter dem Ortsgruppenleiter. Der Schrei hört nicht auf. Ein einziger Ton. Von Anselm hört man nichts mehr. Johann spürt selber nichts. Er erlebt nur, was die Mutter erlebt. Der Ortsgruppenleiter geht in die zur Küche gemachte Zimmerhälfte. Die Mutter hat die Tür offengelassen. Die Mutter steht, sieht dem Ortsgruppenleiter entgegen, gibt keinen Ton mehr von sich. Johann hat das Gefühl, ihre Augen sehen nichts. Sonst hat sie Augen wie Zwetschgenkerne. Jetzt ist ihr ganzes Gesicht nichts als diese Augenaufgerissenheit und ein Mund, der weder zu ist noch offen. Sie weiß nichts mehr. Johann überholt den Ortsgruppenleiter, stellt sich neben die Mutter, aber nicht auf die Seite, auf der schon der

3. Ausflug

Der blaue Brief. Stellungsbefehl. Herr Taubenberger mußte sich durch Unterschrift bestätigen lassen, daß er
Johann den Stellungsbefehl persönlich ausgehändigt
hatte. Einrücken. Endlich. Am 5. Dezember. Jägerkaserne
Garmisch. Bloß, wie der Mutter den Stellungsbefehl zeigen? Skifahren, Bergmärsche, Mulikolonnen auf ein-
geschneiten Gebirgspfaden, lange Abende in hochge-
legenen, über der Baumgrenze gelegenen Hütten, viel
Gesang, die schönste aller möglichen Uniformen ... Die
Mutter fing gleich von Schnells an. Vor vierzehn Tagen die
Nachricht, Schnelle Johann sei gefallen, der Gottesdienst
wird bestellt, am Tag davor, die Verlobte: Nachricht von
Kameraden, Schnelle Johann ist verwundet, liegt in Schlesien im Lazarett, also die Kränze in den Keller, zwei Tage
später, der jüngere Bruder, Josef, ist gefallen, die Kränze
wieder herauf, am Tag darauf, Johann ist auch tot, gestern, der jüngste, Paul, vermißt. Die Mutter wiederholt
ein ums andere Mal, wie es bei Schnells gegangen ist.
Paul, vermißt. Und wo ist Ludwig, wo Guido, Berni, der
eine Helmut und der andere? Nur von Bruggers Adolf ist
sicher, daß er in Sicherheit ist. Zwar nicht bei der Flak,
aber – eher noch sicherer – bei einer Funkausbildungsab-
teilung der Luftwaffe in Frankreich, beim Abteilungsstab
Nachrichtengeräteverwaltung, ein interessanter Posten,
mehr habe Adolf nicht schreiben dürfen, hatte Frau
Brugger zur Mutter gesagt, mit der sie auf dem Friedhof
ins Gespräch gekommen war. Frau Brugger sei froh, daß
ihr Mann, seit er eingesperrt ist, ihr erlaube, wieder in die
Kirche zu gehen.
Wie die Mutter litt, das machte Johann zum Zuschauer.
Er konnte sich Josef nicht tot vorstellen. Er hatte dafür
keinen Sinn. Er sah Josef vor sich. In hundert Situationen.
Lebendig. Für den Tod fehlte ihm das Wahrnehmungs-
vermögen.

Jetzt wird eingerückt, was denn sonst! Bloß, wie der Mutter entkommen? Bis er ausgebildet ist, ist der Krieg vorbei. Die Wunderwaffen stehen dicht vor dem Einsatz. In Fürstenfeldbruck haben sie die Kabelgräben gezogen an der Rollbahn für Turbinenjäger, Raketenjäger, Überschalljäger, ME 115, die da auch schon gestartet und gelandet sind. Ein Donner, daß man eine Zeit lang weder etwas sagen noch etwas verstehen konnte. Beim ersten Mal hatte Johann gedacht: der Jüngste Tag. Diese Flugzeuge seien, hieß es, unverwundbar. Und er in Garmisch, Gebirgsmärsche mit einem Rucksack, der nicht halb so schwer sein wird wie ein Kohlensack, von Front und Krieg keine Spur. Er redete auf die Mutter ein.

In der Jägerkaserne folgte er den Schildern, landete im Dachboden, vollgestellt mit zweistöckigen Betten, eroberte ein oberes Bett wie in Fürstenfeldbruck, und wieder eins, das an die Wand grenzt; unter ihm ein Jochen aus Hannover, der schon am ersten Abend das kleine Grammophon ankurbelte und eine der beiden Platten auflegte, die er aus seiner unvorstellbaren Großstadt mitgebracht hatte, die er dann – einmal die, einmal die andere – jeden Abend auflegte, und jedesmal wurde er umdrängt, sobald der Foxtrott losging:

> Jeder Junggeselle
> hat auf alle Fälle,
> das gehört zum guten Ton,
> ein kleines Grammophon.

Oder:

> Was kann der Sigismund dafür,
> daß er so schön ist,
> was kann der Sigismund dafür,
> daß man ihn liebt?
> Die Leute tun, als ob die Schönheit ein Vergehn ist,
> soll'n sie doch froh sein, daß es so was Schönes gibt.

Mit Händen und Füßen demonstrierte jeder, daß der Fox ihn mitriß. Johann, der direkt über dem Apparat lag, zappelte nicht mit, er sang mit. Von Abend zu Abend sangen immer mehr mit. Man hörte die Platte dann nicht mehr.

Johann drehte sich zur Wand und las im Licht seiner Taschenlampe die Gedichte, die er dabeihatte. Von Stefan George waren sie. Wolfgang, Wolfgang zwei nämlich, war, weil er mit der *Krone*-Tochter ging, öfter an dem Liegestuhl vorbeigekommen, auf dem der Scharführer Gottfried Hübschle sich von seinem Armdurchschuß und Schenkelsteckschuß erholte. Wolfgang, dem nicht so leicht etwas entging, sah, daß der Scharführer Gedichte las, und sagte sofort, sein Freund Johann lese nicht nur Gedichte, sondern mache sogar selber welche. Johann mußte hin, saß Nachmittage lang auf dem Stuhl neben dem Liegestuhl, wollte gehen, wenn die Scharführereltern herunterkamen aus Hergensweiler, aber der Scharführer ließ das nicht zu, wollte von seinem Vater und seiner Mutter weniger hören als die von ihm, vom kleinen Hof in Hergensweiler überhaupt nichts, er werde, wenn der Krieg vorbei sei, ein Gut in der Ukraine bekommen, falls er es nicht vorziehe, Offizier zu bleiben. Vielleicht geht er überhaupt zurück auf die Ordensburg. Das war die hellste Zeit in seinem Leben. In Sonthofen. Tage wie Feuer. Die leuchten, sagte er, um so heller, je länger sie zurückliegen.

Gottfried Hübschle sprach auch in Gegenwart seiner Eltern hochdeutsch. Das fand Johann erstaunlich, weil beide Eltern kein Wort hochdeutsch herausbrachten. Sie versuchten es auch gar nicht. Der Vater sagte ohnehin nicht viel. Aber er nickte eifrig, wenn sein Sohn sprach. Die Scharführermutter, die, solange sie da war, ihre Handtasche ganz genauso umklammert hielt, wie Johanns Mutter auf dem Hochzeitsbild ihr weißes Täschchen umklammert hält, nämlich so, als fürchte sie, es werde ihr weggerissen, ließ sich durch das Hochdeutsch ihres Sohns

nicht drausbringen. Gott sei Dank, dachte Johann. Es tat
fast weh, sich vorzustellen, diese kleine, dünne, spitznäsi-
ge, verschaffte Frau hätte versuchen sollen, hochdeutsch
zu sprechen. Sie sah viel älter aus als ihr Mann; den hätte
man eher für den Bruder als für den Vater seines Sohns
halten können; und sie für die Mutter von beiden. Beide
Eltern waren glücklich, daß ihr Gottfried verwundet war
und damit aus dem Schlimmsten heraus. Wenn die Eltern
wieder gegangen waren, hielt es der Sohn für angebracht,
Johann seine Eltern zu erklären. Er sprach von ihnen wie
von einer Tierart. Voller Liebe. Voller Mitleid auch. Nicht
mehr zu helfen sei denen. Krumm und gebrochen für
immer. Geschöpfe der Mühsal und der Angst. Angst
vor oben, Angst vor unten. Zweitausend Jahre Religi-
onsknechtschaft, Feudalknechtschaft, Zinsknechtschaft,
Knechtschaft eben. Damit sei Schluß jetzt. Erhoben habe
sich der Mensch, vorerst der deutsche Mensch, aber andere seien schon dabei, ihm zu folgen, jetzt wird der neue
Mensch geschaffen. Der angstfreie Mensch. Nur der ist
schön. Und nur der schöne Mensch ist liebenswert, le-
benswert.
Gottfried Hübschle sah Johann nicht an, wenn er so redete. Er mußte nichts betonen, weil, was er sagte, offenbar
über jeden Zweifel hinaus das Richtige, Rechte, Wahre
war. Er wiederholte, was er sagte, Johann zuliebe. Für
ihn selber wäre es nicht nötig gewesen, das noch einmal
zu sagen. Nur Johann zuliebe. Da ihm an Johann liege.
Sie hätten mehr gemeinsam, als jetzt ausgesprochen werden könne. Nach dem Krieg reden wir weiter, sagte er.
Wenn es uns noch gibt.
Obwohl in dem, was der Scharführer so betonungslos da-
hinsagte, manchmal Wörter wie aus Zarathustrasätzen
vorkamen, spürte Johann, daß das alles andere als Zara-
thustrasätze waren. Eher Kirchensätze. Johann war froh,
wenn der Scharführer wieder das Gedichtbuch aufschlug
und vorlas. Er las die Gedichte mit einer Stimme, die
kaum noch seine eigene war. Es war, als kostümiere er

seine Stimme, damit sie würdig werde, diese geräumigen und leuchtenden Gedichte vorzutragen. Eines Nachmittags sagte er, er würde dieses Buch am liebsten bei Johann lassen, da er jetzt zurückmüsse in den Osten. Der Armdurchschuß und der Schenkelsteckschuß seien verheilt. Und jeder russische Panzer, den er dort knacke, rolle nicht über die Reichsgrenze. Die Kameraden bräuchten ihn. Nirgendwo sei er nötiger als dort. Er überlege bloß noch, ob er die Nummer unterm linken Oberarm, die bei dem Durchschuß zerfetzt worden sei, noch einmal eintätowieren lassen solle oder ob das ein Wink des sogenannten Schicksals gewesen sein könnte, die SS-Identität nicht mehr gar so zu pflegen, was Johann meine? Gottfried Hübschle hatte, als er das sagte, Johanns rechte Hand in seinen Händen. Dabei schaute er Johann so in die Augen, daß Johann wußte, der Scharführer habe durch diese Frage ausdrücken wollen, ihm sei es überhaupt wichtig, mit Johann Lebensfragen zu besprechen. Johann sagte: Nicht mehr eintätowieren. Er hatte, so oft von dieser SS-Tätowierung unterm linken Oberarm geredet wurde, immer eine Art Mitleid empfunden mit jedem, der so gebrandmarkt war. Zur SS zu gehören war schon schlimm genug. Ein Haufen Gottloser, von denen es hieß, daß sie alles, was ihnen befohlen werde, täten. Unterwerfung bis zur Selbstauslöschung, das hieß für Johann SS. Sicher war Gottfried Hübschle keine solche Uniformmaschine. Aber es gab Gerüchte, daß die SS im Osten keine Gefangenen mache. Johann hielt es für Propaganda, weil es doch wohl unvorstellbar sein durfte, jemanden, der sich dir gefangen gibt, dann noch zu erschießen. Er hatte Gottfried Hübschle fragen wollen. Hatte sich geniert, so etwas zu fragen. So etwas für möglich zu halten ist niederträchtig. Aber warum tat ihm jeder im Dorf leid, der sich vom Dorfgendarm zur SS anwerben ließ? Einfach weil es hieß, daß die alles täten, was ihnen befohlen wurde. Der neue Gendarm kam zwar in die Wirtschaft, aber er hatte nie auch nur angedeutet, daß Josef oder Johann sich zur SS melden sollten. Das ging nicht, weil bekannt war, wie die Mutter über Gottlosigkeit dachte.

Gottfried Hübschle, der ein EK I und ein silbernes Verwundetenabzeichen trug, war aufgestanden, zog Johann ganz schnell zu sich hin und sagte: Guter Bub. Dann gab er Johann das Buch, sagte, Hergensweiler sei ja nicht aus der Welt, also, bis nach dem Krieg. Richtete sich wieder auf – er war mindestens einsneunzig –, grüßte elegant militärisch und ging. Johann hatte zum ersten Mal Gedichte, die in seinem Jahrhundert geschrieben worden waren. *Das Jahr der Seele.* Ein nachtblaues Buch mit goldenen Buchstaben. Und was für Buchstaben. Auch innen, auf geradezu hallenden Seiten, diese Buchstaben von urtümlicher Eleganz. Die auf diesen ägyptisch wirkenden Seiten ehrwürdig erscheinenden Gedichte konnte Johann anschauen, ohne sie immer gleich zu lesen. Und erst vor ein paar Jahren sei der Dichter gestorben. Das war eine Nachricht. Das hatte er nicht zu vermuten gewagt, daß in seinem eigenen Jahrhundert solche Gedichte gemacht werden konnten. Gedichte, das war Klopstock, Goethe, Schiller, Hölderlin – und Schluß. Ein paar Hainbündler noch. Auf jeden Fall 18. Jahrhundert. Und jetzt so nah, solche Gedichte. Gedichte, die auf Johann nicht weniger wirkten als die von Klopstock bis Hölderlin. Und dieser Dichter – das war nichts als ungeheuerlich – sei, hatte der Scharführer gesagt, kurz vor seinem Tod in Wasserburg gewesen. Johann war schon geboren, als Stefan George im Dorf gewesen sein sollte. Nein, im Dorf war er sicher nicht. Am See war er, in der *Krone* eben. Aber wenn er einmal auf den Zug gegangen sein sollte, dann wäre er an der *Restauration* vorbeigekommen. Diese Mitteilungen hatte Johann als eine Gunst erlebt. Am liebsten stellte er sich vor, er sei auf den Terrassenstufen gesessen, dreijährig oder fünfjährig, und vorbeigegangen sei, von einem Freund begleitet, dieser Dichter. Der Scharführer hatte Johann ein Bild gezeigt, auf dem der Dichter genauso aussah wie seine Gedichte. Urtümlich, elegant. Johann mußte seitdem auf alles im Ton dieses Dichters reagieren. Und wenn's zu ganzen Gedichten nicht reichte, setzte er einfach einzelne Zeilen aufs Papier, aus denen er später Gedichte entwickeln würde.

War mein Herz nicht wie das Deine voll
und Gott in allen meinen Nächten groß?

Ich haßte stets am Steg der Feigheit Zaun
und sucht' im Vielen immer das Zuviel.

Als Johann mit Rucksack und Tasche die Treppe heruntergekommen war, um nach Garmisch zu fahren, war gerade das Mädchen aus der Küche gekommen, an dem er schon ein paar Male vorbeigegangen war. Im Haus, vor dem Haus. Er hatte grüßend genickt, sie hatte zurückgenickt! Sie spielte Klavier, so ausdauernd und ausdrucksvoll, wie Josef gespielt hatte. Sie hatte offenbar auch diese innere Festigkeit, die dafür sorgte, daß die Töne, wie schnell oder wie langsam sie zu kommen hatten, immer gleich eine Ordnung gründeten. Man wußte über die Maße sofort Bescheid. Wie wenn man in eine Kirche hineinschaut und das Raumprinzip gleich aufnimmt in sich. Als Johann vom Arbeitsdienst zurückgekommen war, hatte er zur Pächtersfamilie hinuntergehen und sich vorstellen müssen. So etwas lag ihm nicht. Er sah und hörte so gut wie nichts, als er die Prozedur absolvierte, danach rannte er hinauf, als werde er verfolgt. Wenn das Klavierspiel von unten herauf hörbar wurde, setzte sich die Mutter sofort hin und fing an zu weinen. Wenn sie sich dann ein wenig gefaßt hatte, sagte sie: Lena. So hieß die Pächterstochter. Die Mutter sagte das jedesmal dazu: Lena. Sie mußte sich das laut vorsagen, damit sie sich nicht in der Vorstellung verliere, da unten spiele Josef. Obwohl inzwischen ein Bericht des Kompanie-Offiziers eingetroffen war, der Josefs Tod, wenn auch nicht genau, so doch genauer meldete, als der Ortsgruppenleiter es konnte, obwohl dieser Brief mitteilte, daß es in Niyregyhaza passiert sei und daß Josef mit seiner Besatzung umgekommen sei und beerdigt worden sei in Miskolc, Kriegerfriedhof, 1. Grabreihe, Grab Nr. 7 – die Mutter wollte oder konnte es nicht glauben. Der Kompanie-Offizier hatte in der Schreibung des Namens einen Buchstaben falsch geschrieben. Offenbar hatte er Josefs Namen nie schriftlich vor sich gesehen. Die Mutter hielt sich an diesen falschen Buchstaben. Sie verlangte von Johann, daß der noch einmal an die *Einheit Feldpost-Nr. 40 345 E* schreibe und um noch genauere Mitteilung bitte. Johann tat's, die Antwort stand noch aus. Weiß Gott, wo diese *Einheit* inzwischen hingeraten war. Aber immerhin war noch, bevor Johann abgefahren war, Josefs Wehrpaß zugeschickt worden. Zugeschickt vom Wehrmeldeamt Lindau. Und 51 Mark waren per Post gekommen von der *Einheit*, handgeschrieben war auf dem Zahlungsabschnitt vermerkt: *Frontzul. v. 1.9. – 21.10.* Johann rechnete nach: 51 Tage = 51 Mark Frontzulage. Aber die Mutter verlangte weitere Nachrichten. Solange sie die nicht hatte, mußte sie sich, wenn die Pächterstochter drunten Klavier spielte, immer wieder vorsagen: Lena. Offenbar ging es der Mutter nicht anders als Johann: Sie konnte sich Josef nicht tot vorstellen. Trotzdem litt sie, als sei Josef tot. Johann litt nicht. Er wollte an die Front.

Aus der Küche war sie gekommen, wahrscheinlich um ins Nebenzimmer zu gehen, ans Klavier, es war ja noch früh am Vormittag, noch kein Gast da; aber als sie gesehen hatte, daß von der Treppe her Johann kam und Rucksack und Tasche verrieten, daß er abfuhr, und wohin man zur Zeit fuhr, war bekannt, da war diese Lena wieder einen Schritt zurückgetreten, war also, als Johann an ihr vorbeigegangen war, wieder im Holzrahmen der Küchentür gestanden und hatte dieses eine Mal nicht nur freundlich genickt, sondern gesagt: Alles Gute. Da hatte auch er nicht nur genickt, sondern gesagt: Danke. Dann aber nichts wie weg. Als habe der Zug schon abgeläutet.

Der Mutter hatte er droben die Hand gegeben. Mehr als die Hand wurde nie gegeben, weder beim Kommen noch beim Gehen. Sie mußten sich nicht durch mehr als ein Ineinanderlegen der Hände ausdrücken. Die Mutter wußte so gut wie Johann, daß eine Verabschiedung etwa drüben an der Bahnsperre ganz unmöglich gewesen wäre. Kleinanselm hätte vielleicht mitgehen und winken können, aber der hatte Schule.

Wenn Johann auf dem oberen Bett lag und Gedichte machte, hatte er das Gefühl, daß diese Lena ihm zusehe. Diese Lena war, auch durch die Küchentürrahmung, zu einem Bild geworden. Simpelfransen, wie Anita. Simpelsfransen, hatte Adolf gesagt, der jetzt in Frankreich war, Nachrichtengeräteverwalter, ein interessanter Posten. Diese Lena hatte zu ihren Simpelfransen keinen Bubikopf, sondern einen Haarvulkan. Gleich hinter den Simpelfransen war eine schwarze Haarvulkanwelle in die Höhe geschleudert worden, war als Welle stehengeblieben über der Mitte der Simpelfransenstirn, und links und rechts davon fluteten die schwarzen Haare hinab bis auf die Schultern, aber nicht gerade, sondern in Wellen fluteten sie hinab, und genau da, wo sie die Schultern berühren sollten und auch berührten, bogen sie sich zurück, aber nach innen und innen wieder nach aufwärts; das führte dazu, daß die Haarflut unten am breitesten war; die Haarflut klatschte auf die Schultern und zersprang in die Breite und bog sich nach innen, um wieder nach oben zu kommen. Und zwei vollkommen runde und nichts als dunkle Augen. Darüber zwei schwarze, nicht besonders deutliche Brauen. Johann konnte, wenn diese Lena so küchentürgerahmt in seiner Vorstellung auftauchte, nicht aufhören, sie sich vorzustellen. Er konservierte diesen Augenblick. Er lebte, wenn er schrieb, von der Vorstellung, daß jemand ihm zuschaue. Nicht aus der Nähe und schon gar nicht über die Schulter. Aus einer Entfernung eben, aus der seine Empfindungen beim Schreiben für den Zuschauer noch miterlebbar waren. Johann wollte beobachtet sein. Beachtet eben. Seit der Nacht auf den Netzen in Langenargen war er süchtig nach Beachtung. Er war noch nie so allein gewesen wie in der Nacht auf den Netzen. Anita hatte ihn nicht wahrgenommen. Sie hatte in ihm nur einen Boten gesehen, dem sie Grüße an Adolf mitgeben konnte. Daß er Adolf diese Grüße nicht ausgerichtet hatte, ging ihm nach, tat ihm gut, ärgerte ihn, beschämte ihn, er war immer noch einverstanden mit seinem Betrug. Beide hatte er betrogen, Anita und Adolf. Das tat ihm gut. Immer noch. Dann hatten ihn die *Krone*-Pächterstochter und die Doktorstochter, als sie ihre Lindauer Führer vom Schiff abholten, nicht beachtet. Magda hatte ihn beachtet. Zu wenig. Aber sie hatte. Als er sich von ihr verabschiedet hatte, hatte sie gesagt, wenn er von dieser Lena im Haus Briefe bekomme, werde er von ihr nie mehr einen Brief bekommen. Was die sich vorstellte. Wie sollte er von dem Mädchen mit den Augen, die aussahen, als seien sie nicht zum Sehen, sondern zum Gesehenwerden da, wie sollte er von einem Mädchen, in dessen Haaren man sich vergraben könnte, einen Brief bekommen! Magda fand, es sei unverschämt, daß Lena Lena hieß. Lena gehöre zu ihrem Namen. Sie werde sich ab sofort wieder Magdalena nennen. So habe sie geheißen, bis sie nach Wasserburg gekommen sei. Dieser Lena müsse demonstriert werden, daß der Name besetzt sei.

Johann wunderte sich über die Heftigkeit, mit der Magda über diese Lena sprach, die er doch so gut wie gar nicht kannte. Überhaupt nicht kannte er die. Meistens war die in einem Internat am Untersee. Und wenn sie da war, meistens am Klavier. Gut, im letzten Augenblick war sie dagewesen, hatte Alles Gute gesagt, er hatte Danke gesagt. Und der Blickwechsel hatte nicht länger gedauert, als man für Danke braucht.

Jetzt kritzelte er in sein Heft, als sänge er die Zeilen:

Es blühen noch über grauem Gestein
viel wunderrote Rosen.

Er sang nicht weiter. Oder doch nicht so, wie er wollte.
Er bog und krümmte sich, er wollte sich fühlen, spüren.
Er war Pfeil und Bogen zugleich. Er würde sich hoch
hinaufschießen. Nur das interessierte ihn. Nur das. Er
sagte sich Strophen auf, die er gelesen hatte. Und wenn er
keine Strophen mehr wußte, sagte er sich eigene Strophen
auf. Wenn eine darunter war, die er sich merken wollte,
schrieb er sie auf:

Wenn schwer das Dämmer in die Stadt
Die Herde blauer Schatten trieb
Erhob ich mich, vom Ruhen matt
Und fragte mich, was mir noch blieb.

Sie wurden eingekleidet, vereidigt, ausgebildet. Geschlif-
fen wurden sie von einem Schleifer, den sie, so murmelten
sie abends zwischen den Betten, wenn's hinausginge mit
ihm, ins Feld, als erstes abknallen würden. Mutprobe,
nannte der das: von dem schräg, aber steil ansteigenden
Erdwall zwischen den einzelnen Bahnen des Schießstan-
des mußten sie sich nach hinten hinunterfallen lassen.
Das war, auch wenn die steil schrägen Wälle mit Schnee
bedeckt waren, unangenehm. Wenn es einer gar nicht
schaffte, sich so rückwärts hinunterfallen zu lassen,
schien sich dieser Feldwebel zu freuen. Den nahm er sich
vor, ließ ihn pumpen, rennen, kniebeugen, mit vorgehal-
tenem Gewehr robben, bis der nicht mehr konnte. Und
sagte immer dazu, daß sie ihm, sobald sie *hinaus* kämen,
dankbar sein würden für diese Ausbildung.
Die Vereidigung hatte sich Johann schwieriger vorgestellt, als sie dann war. Das Nachsprechen der Formel
ging ihm von den Lippen wie der *Vorsatz* beim Beichten.
Eine Formel mehr. Nachsagen und aufsagen und versprechen, was ihn nichts anging. Er hatte nichts gegen diese

Texte, aber ihn gingen sie nichts an. So wenig wie die Texte, die sie beim Marschieren sangen. Die waren nur dazu da, daß man singen konnte. Am liebsten waren ihm ohnehin die Lieder, die Jodelpartien erlaubten. Er jodelte um die Wette mit einem aus Lenggries, der Sepp hieß und ihn an Josef erinnerte. Dieser Sepp jodelte besser, das merkte Johann schon beim ersten Ausmarsch. Bei dem überschlug sich die Stimme viel leichter, geschmeidiger, strahlender als bei Johann. Johann hätte ihn gerne gefragt, wie er das mache, aber er genierte sich. Nur im Schießen war Johann konkurrenzlos. Kimme und Korn vollkommen eben ins Ziel heben, Druckpunkt fassen, ausatmen, abdrücken. Johann begriff nicht, wie man danebenschießen konnte.

Im Januar, zur Hochgebirgsausbildung aufs Kreuzeck. Vordem ein Hotel. Siebzehnhundert Meter hoch. Johann hatte nur ein Buch dabei: *Also sprach Zarathustra*. Wenn sie unterm hellen Mond oder unter der grellen Sonne sechs oder acht Stunden lang hinter einander durch den Schnee tappten, stellten sich bei Johann Zarathustras Hochtonsätze ein. Im letzten Winter hatte er dem Vater, als der das Buch hatte nicht mehr halten können, aus diesem Buch vorgelesen, hatte beim Vorlesen der Zarathustra-Sätze erlebt, daß er sang. Er wuchs, er sang, er wuchs.

Johann führte ein Maultier. Selber trug man auch einen halben Zentner. Die Maultiere trugen die Maschinengewehre und die Munition. Gelegentlich kippte einer um, mußte vom Sanitäter übernommen werden. Johann hatte das Gefühl vollkommener Unermüdbarkeit. Zarathustra-Energie.

Felskanten, Schneewächten, blaue Schatten, funkelnde Schneewölbungen, Zarathustra-Milieu.

Er kam sich hochmütig vor und genoß es, sich hochmütig vorzukommen. Er glühte vor Einsamkeit. Wenn sie ihre Gefechtsübungen auf den Skiern machten, war ihm wohl. Am wohlsten bei sinnlosen Übungen, aber auf Skiern.

Frisch verschneit, Berge und Wälder. Die Ruhe über den Sonnenwänden und die Ruhe über den Wänden im Schatten. Sonnenruhe. Schattenruhe. Einsamkeit. Die Schießerei bei Gefechtsübungen konnte die Winterweltruhe nicht stören. Die Ruhe wurde durch diese Schüsse erst richtig groß. Wenn sie abwärts übten auf Skiern und Johann zwischen einzelnen Tannen im Schnee lag, vergaß er fast, was er hier sollte, weil er den Tannen zuhören wollte, wie sie schwiegen unter dem Schnee. Die Tannen trugen den Schnee vom Schatten hinauf in die Sonne. Zwischen den weit auseinanderstehenden Tannen lag das Licht im Schnee. Und sonnte sich. Seiner Farbe freute sich der Schnee. Die Tannen in Gruppen. Richtiger konnten sie nicht stehen. Unbedingt feierlich. Abends hängt der Himmel durch. An tausend Tannen reißen die Wolken ihre Bäuche auf und gehen silbern unter. Mitten in der Gefechtsübung konnte Johann sich einsam fühlen. Neben ihm im Schnee, über ihm im Licht stand Zarathustra. Johann fühlte sich aufgenommen. Er war seiner Jüngerschaft sicher. Als Liebender. Wenn Zarathustra *Bruder* sagte, fühlte Johann sich angesprochen. Er hätte am liebsten den ganzen Tag eine ganz andere Sprache gesprochen als die dienstübliche. Und sagte dann zu seinem Meister, der vor ihm, über ihm im blendenden Licht im Klarheitshimmel stand: Ich bin geboren für diesen Tag, mit ihm will ich enden. Und wußte nicht, warum er das sagte. Er mußte den Eindrücken, um sie faßbar zu machen, antworten. Was er sah, hörte, spürte, beantwortete er, erst dann gab es, was er sah, hörte, spürte. Wenn er auf Wache zog, sich draußen postierte und die Bergwinterszene wahrnahm, spürte er die Aufforderung zu antworten. Der Schnee häuft schöne Wälle Schweigen um uns auf, sagte er dann. Die Flocken genannten Flocken fallen. Was sind denn die Flocken als Silben eines Gedichts. Dann sagte er: Ich schaue dem Schneien zu wie einer Handlung. Dann erst schneit es.
Dieses Fallen und Schweben und Wirbeln und Treiben

der Flocken war voll einer Tendenz, der er nur mit langen, immer wieder vor dem Aufhören zurückweichenden, eher kreisenden als weiterkommenden, dann aber doch eine Richtung nicht verleugnenden und schließlich im Unsichtbaren landenden Sätzen entsprechen konnte. Das Schneien, eine Geschichte. Kein Gedicht mehr. Zarathustras unerschöpflich wirkender Gesten- und Klang- und Stimmungsvorrat, eine Art Ermutigungssubstanz. Den Sturz aus der geführten in die freie Sprache zu überleben.

Zwei Stunden Wache, vier Stunden Ruhe, so zerrann die Wachdienstnacht. Am Morgen, wenn es vorbei war, hatte er das Gefühl, im Theater gewesen zu sein. Aber als Schauspieler.

Wenn sie bei Schneefall übten und er ins Gegenstandslose fuhr, außer seinen Skiern nichts mehr sah und sich mit einem Ellbogen auf das Knie stützte, das über dem Bergski stand, und so ins Unbegrenzte dahinglitt, wahrnehmend nur noch, was das Gelände über die Skier den Knien mitteilte, dann dachte er: Hier sollte niemand sein. Aber daß er da war, war ihm recht. Unvorstellbar, der Ernstfall, für den, was sie hier übten, brauchbar sein sollte. Nichts von dem, was man zwischen Alpspitze und Zugspitze trieb, konnte je brauchbar sein. Er fühlte sich ohnehin, als sei er gar nicht, wo er war.

Aber er mußte auch die Mutter am Leben erhalten. Durch Lebenszeichen. Und sie daran erinnern, daß sie noch den Beitrag an den Kohlenwirtschaftsverband überweisen müsse, weil der wieder fällig war. Dann, gegen Ende Februar, am Montagmorgen, las der Kompanieführer, der zivil ein Lehrer war, die Namen der Reserve-Offiziersbewerber vor, die jetzt auf den ROB-Kurs nach Mittenwald-Luttensee kommen sollten. Johanns Name nicht dabei. Sofort hin zu dem milden Menschen, der die Kompanie befehligte. Ja, tut ihm leid, sagte der, er hätte Johann gern mitgeschickt auf die Offizierslaufbahn, aber der Oberjäger, dem Johann zur Ausbildung auf dem Kreuzeck zugeteilt worden war, hat Johann so negativ beurteilt, daß eine Offizierslaufbahn nicht verantwortet werden kann. Ihm tue es arg leid, sagte der schwäbische Lehrer-Offizier, da Johanns schriftliche Arbeiten, die über Bismarck und die über das Führen von Mulikolonnen im Hochgebirge, mehr als zufriedenstellend ausgefallen seien. Johann schlug die Absätze zusammen, machte kehrt und ging, rannte in den Schlafsaal und legte sich aufs Bett und schnaufte gegen das Heulen an. Wer nicht gehorchen könne, könne nicht befehlen, hatte der Kompaniechef gesagt. So gesagt, als müsse Johann, da er dieser Erzbedingung des Militärwesens nicht genügt hatte, einsehen, daß ihm mit der Zerschlagung seiner Offiziersambition kein Unrecht geschehen sei. Johann war noch nie durchgefallen. Doch, in Langenargen. Er lag jetzt auf seinem Feldbett wie auf den Netzen in Langenargen. Abgelehnt. Durchgefallen. Aus. Die Szene, die den Ausschlag gegeben hatte, konnte er nicht bedauern. Die wollte er nicht rückgängig machen. Die Gruppe, zehn Mann, im Kreis um das MG 42 herum. Einer nach dem anderen legte sich neben das MG in den Schnee und sagte auf, was er tat. Ein Föhntag Ende Januar. Eine wunderbare Vermehrung der Sichtbarkeit. Der Oberjäger plötzlich: Ob Johann friere? Nein, Herr Oberjäger. Warum er dann mit der Fußspitze wippe? Johann: Dafür könne er keine Begründung angeben. Der Oberjäger: Ob ihm die Ausbildung am MG 42 vielleicht langweilig vorkomme, ob er das durch das Wippen mit der Schuhspitze habe zum Ausdruck bringen wollen? Johann: Er sei sich dessen nicht bewußt gewesen. Der Oberjäger: Dazu habe Johann nämlich auch noch schräg in die Luft geschaut. Es hätte nur noch gefehlt, daß er gepfiffen hätte. Aber er, der Oberjäger, wolle alles tun, daß es dem Gruppenschlaumeier Nummer eins nicht langweilig werde. Und ließ Johann rennen, hinlegen, robben, pumpen usw. Befahl ihn zurück. Dann unvermittelt. Ganz schön schwarz der Schnee, was. Johann sagte, er finde den Schnee weiß. Der

Oberjäger war schon aufgeregt und regte sich noch mehr auf. Johann sah das silberne Verwundetenabzeichen, aber er konnte nicht mehr zurück. Je heftiger der Oberjäger Johann befahl, den Schnee schwarz zu finden, desto weniger war Johann fähig zu sagen, der Schnee sei schwarz. Dann, auf dem Bett, nach zerschlagener Aussicht, fand er, daß der Schnee an diesem warmen Januarföhntag tatsächlich genauso schwarz wie weiß gewesen sei. Aber das hatte er nicht zugeben können. Wie das im Dorf erklären? Es würde ihn ja keiner fragen. Die Nachricht genügte: Johann wird kein Offizier.

Abkommandiert zur Marschkompanie nach Oberammergau, zu einem Haufen aus vielfach Verwundeten. Lauter Gefreite und Obergefreite. Er selber kriegte zwar keinen Gefreitenwinkel an den Arm, aber den kleinen Stern schon. Oberschütze. Der kleinste Rang, den es überhaupt gab. Auf dem oberen Bett des zweistöckigen Bettgestells dachte er an Gottfried Hübschle. Und genierte sich. Schon auf der ersten Stufe gestolpert, gefallen.

Johann hatte bis jetzt in jedem Quartier ein oberes Bett und immer eins an der Außenwand erobert. Mitten im Saal hätte er nicht liegen wollen. Auch in Oberammergau nicht, wo man den Saal des Passionstheaters mit Betten vollgestellt hatte. Die Außenwand erinnerte ihn an Gottfried Hübschle. Auf dem Lazarettschiff von Libau nach Stettin waren er und der unter ihm mit dem zweistöckigen Bett an die Stahlwand des Schiffs geschoben worden, mindestens zwei Meter unter dem Wasserspiegel. Dreimal U-Boot-Alarm. Zum Sani hatte Gottfried Hübschle gesagt, daß er und die anderen Bettlägerigen, die bis an die Schiffswand geschoben worden waren, im Fall eines Torpedotreffers nicht mehr hinaus- und hinaufkämen. Das sei richtig, hatte der Sani gesagt, es sei ja auch wichtiger, daß die, die noch beweglich sind, weiter vorne liegen, da die sich, falls man getroffen werde, noch selber helfen könnten. Gottfried Hübschle hat dann nur noch zugehört, wie das Wasser draußen an der Schiffswand leise vorbeizischte. In Oberammergau rauschte der Frühlingssturm um das Festspielhaus. Johann war durchgefallen, konnte seitdem nicht mehr *Zarathustra* lesen. Der Obergefreite, der unter ihm lag, verlangte, daß Johann sich für seine Tätowierungen interessiere. Auf der haarlosen Brust ein großer Adler, der eine nackte Frau in seinen Krallen hält, auf dem einen Arm ein Schlangenweib, auf dem anderen ein Jungmädchenkopf. Zuletzt war er bei der Kurland-Armee gewesen. Da gab's Urlaub nur, wenn man einen Kameraden, der am Endsieg zweifelte, denunzierte. Was tut man nicht alles, sagte der Obergefreite, wenn's eim ans Schlawittchen geht. Offenbar war er so gerade noch aus dem abgeschnittenen Ostpreußen herausgekommen. Das sagte er, als er und Johann 200 Luftschutzsandtüten zu füllen hatten, mehr vor sich hin als zu Johann. Im Zivilleben war er Briefträger gewesen. In Güstrow. Er konnte Hundegebell nachmachen. Johann sollte dann sagen, welche Rasse. Johann bat ihn, das Schäferhundbellen auszulassen. Abends, wenn das Licht schon gelöscht war, bellte der Obergefreite im unteren Bett leise sein Hundebellprogramm durch. Das störte Johann weniger als der Gestank der noch nie gewaschenen Füße, der von unten unabweisbar heraufdrang. Einmal stand der Obergefreite noch einmal auf und sagte: Johann, hörst du mich? Johann sagte: Ja. Dann sagte der Obergefreite ganz leise, er müsse andauernd die Hunde nachmachen, weil er als SA-Mann bei der Judenverfolgung mitgemacht habe und jetzt andauernd daran denken müsse, ob er das büßen müsse. Wenn er singen könnte, würde er singen, um sich abzulenken, aber er sei unmusikalisch. Was er denn getan habe, fragte Johann. Angezündet, sagte er, und geschlagen. Geschlagen, sagte Johann. Er hatte sagen wollen: Warum denn geschlagen. Das hatte er nicht sagen können. Ja, geschlagen, sagte der und wimmerte. Johann drehte sich zur Wand, der Obergefreite legte sich wieder hin, wimmerte aber weiter. Geschlagen, dachte Johann, warum denn geschlagen. Und dieser Fußschweißgestank.

Von allen Arten von Gestank, denen Johann in den Kasernenunterkünften bis jetzt ausgesetzt gewesen war, war ihm Fußschweißgestank am meisten zuwider.

Dann, von einem Tag auf den anderen: anstatt mit dieser Marschkompanie zu irgendeiner Front, wurde er nach Wörgl befohlen. Zu einem Unteroffizierslehrgang. Feldmarschmäßig ausstaffiert. 3 Garnituren Wäsche, 2 Paar Socken, 1 Zeltstock, 2 Zeltheringe, 1 komplette Drillichuniform, 1 komplette Jägeruniform, 2 Wolldecken, 1 Zeltplane, 1 Kochkessel, 1 Gasmaske, 1 Gasplane, 1 Paar Schuhe, 1 Stahlhelm, dazu Brotbeutel mit Feldflasche, 6 Patronentaschen und Gewehr mit Seitengewehr.

Auf der Fahrt ins Inntal, erste Kriegstöne. Täglich jagten dann die Doppelrumpf-Tiefflieger das Inntal entlang und schossen und bombten ungestört drauflos. Der Major, der den Lehrgang in Wörgl leitete, litt offenbar darunter, daß man diese Doppelrumpf-Lightnings über sich hinwegdonnern lassen mußte und nichts tun konnte, als in voller Deckung zu verharren, bis sie davondonnerten. Der Major, dessen linke Brusthälfte mit Auszeichnungen gepflastert war – am meisten fiel auf das Deutsche Kreuz in Gold –, befahl, daß die ihm anvertraute Truppe mit den Gewehren auf die Tiefflieger schießen sollte. Vor allem die, die Gewehre mit Zielfernrohren hatten, sollten die Lightnings beschießen. Einer wußte, daß diese Flugzeuge so gepanzert waren, daß Gewehrkugeln nichts ausrichten konnten. Aber dem Major wagte man das nicht zu sagen. Er kam zu jedem Appell auf seinem Pferd. Er saß auf seinem Schimmel, rief, der Endsieg stehe bevor, die weiterentwickelten V1 und V2 seien jetzt gleich einsatzfähig, der U-Bootkrieg werde eine neue ... Johann sah in den Frühlingshimmel und dachte: Du blauer Helm über dem Inntal. Wenn der Major vom Führer sprach, hörte Johann zu. Noch vor einem Monat beim Führer gewesen, welche Ruhe, welche Kraft, und wie er zuhören kann, und plötzlich ganz impulsiv, arbeitet immer bis in die Morgenstunden, dann hat er die Lösung, in ihrer Einfachheit so genial, daß keiner der Mitarbeiter darauf gekommen wäre.

Im Gelände, wohin man zum Dienst ausrückte, wäre der Schimmel ein zu auffallendes Ziel für die Lightning-Bordwaffen gewesen. Man rückte ohne den Major aus und wunderte sich darüber, daß ein vielfach erfahrener Major hatte sagen können, von den Schützen mit Zielfernrohren erwarte er baldigst eine Erfolgsmeldung. Drei bis fünf Flugzeuglängen Vorhalt hatte er befohlen. Das aber hieß, daß im Fadenkreuz des Zielfernrohrs auch nur leere Luft erschien, wie über Kimme und Korn. Jemand wußte, daß der Major als NS-Führungsoffizier in Rußland gewesen war. Johann hatte, wenn sie bei einem Lightning-Anflug am Waldrand in Deckung gingen, keinen einzigen Schuß abgegeben. Es war März und war April, er lag am Waldrand, sah auf den schäumenden Inn hinab. Von Innsbruck her näherten sich die Franzosen, von Rosenheim her die Amerikaner. Wenn die Franzosen in Innsbruck waren, waren sie auch in Wasserburg. Damit war der Krieg aus. Noch vier andere, die auch aus besetzten Orten stammten, waren dieser Meinung. Da der Major, der abends, wenn er betrunken war, auf einem Steckenpferd durch die Unterkünfte ritt, das Inntal zur Lebensader der Alpenfestung und die Alpenfestung zum Garanten für den Endsieg machen wollte, beschlossen Johann und die vier anderen, sich von diesem Redner zu entfernen. Ihre Rucksäcke waren voller Jagdwurstdosen. Sie hatten noch ein Lager, das gleich den Amerikanern gehören würde, leeren dürfen. Sobald es dämmerte, zogen sie los, aufwärts, nach Norden. Und staunten, als sie den Weg gefunden hatten, der hinaufführte. Hunderte oder Tausende zogen da hinauf. Die Nacht im Heu, morgens weiter. Und schon wieder im Trott. Einfach denen nach, die vor einem gingen. Immer im Wald jetzt. Irgendwann nicht mehr aufwärts, sondern abwärts. Irgendwann hörte der Wald auf. Weiter unten würde er wieder beginnen. Nach einer Kurve, plötzlich Kettenhunde mit Motorrädern quer über dem Weg. Das Feldgendarmerie-Blech breit über der Brust. Sofort wurde man angebrüllt. Marsch, marsch, dreihundert Meter weiter unten eine Sammelstelle, dort hat man sich zu melden, ein Kampfverband wird gebildet zur Verteidigung der Alpenfestung. Sobald sie von den Kettenhunden nicht mehr gesehen wurden und die Sammelstelle noch nicht in Sicht war, gingen die fünf wie unabsichtlich ein bißchen neben dem Weg und verschwanden, als wieder Büsche und Bäume erreicht waren, im Wald. Alle anderen zogen weiter hinab zur Sammelstelle. Der Wurmser, ein Mittenwälder, hatte dieses Absetzmanöver dirigiert. Sobald der Wald sie aufgenommen hatte, ging's wieder aufwärts. Aber, als man droben war, nicht mehr abwärts ins Österreichische, sondern auf dem Kamm weiter, Richtung Westen. Immer wieder einmal versank man bis zum Bauch im faulen Frühjahrsschnee. Plötzlich, auf einer Lichtung, eine Hütte. Mit vorgehaltener Pistole empfing sie ein kleinerer Dicker. Stabsintendant. Sobald er sie als friedlich erkannt hatte, lud er sie ein. Die ganze Hütte voller Vorräte. Sie sollten sich bedienen. Er hauste hier mit zwei Helferinnen, die zusammen jünger waren als er. Die sollte man ihm nehmen, sagte der Wurmser. Richard, der Pfarrer werden wollte, sagte: Pscht. Ferdl, der Hoteliersproß aus Garmisch, sagte, daß er die nicht mit der Mistgabel anrühren würde. Da ihre Rucksäcke noch so gut wie voll waren, stopften sie, wo es möglich war, noch Zigarettenschachteln hinein. Dann adieu, Herr Stabsintendant.

Gegen Abend stiegen sie hinab, bis sie zu einem Hof kamen, schliefen im Heu, tauschten ihre Uniformjacken gegen alte Bauernjoppen mit Hornknöpfen, aßen Milch mit Brocken aus Ohrenschüsseln, erfuhren, daß das Reich kapituliert habe, daß sich alle Soldaten sofort bei Gefangenensammelstellen zu melden hätten. Wer etwa noch mit Waffen angetroffen werde, werde als Werwolf behandelt, das heißt, erschossen. Sie hatten noch ihre Pistolen. Die

wurden ihnen aber noch vor Garmisch abgenommen. Der Wurmser hatte sich schon verabschiedet, weil er auf einen Hof bei Mittenwald gehörte, mit einem letzten Jodler hatte er sich, als er schon hundert Meter weiter drunten war, verabschiedet. Johann hatte nicht zurückgejodelt. Er hätte alles darum gegeben, so jodeln zu können. Wie eine hundert Meter weit reichende, glänzende Peitschenschnur hatte sich dieser letzte Jodler in der Luft gehalten. Und keine halbe Stunde später standen zwei Männer in gestreifter Gefängniskluft vor ihnen und nahmen ihnen Uhren, Pistolen und Zigaretten ab. Johann war froh, daß der Wurmser sich schon verabschiedet hatte. Der war nämlich sprunghaft und eigensinnig und stolz, überhaupt unberechenbar. Der hätte sich vielleicht gewehrt. Und die zwei hatten ja Pistolen. Die konnten offenbar gar nicht genug Pistolen kriegen. Johann dachte an die schöne große Nullacht des Vaters. Er würde ohne Pistole aus seinem Krieg heimkommen. Kein Problem. Herbert, der Sattlerlehrling aus Mindelheim, sagte: Das waren Dachauer. Das waren Schwule, sagte der Hoteliersproß, die hatten den rosa Winkel. Als sie über Garmisch waren, verabschiedete sich der Hoteliersproß. Er wollte nicht nur Hotelier werden, sondern auch Geiger. Die drei anderen, Herbert, Richard und Johann, lagen am Waldrand und schauten ihm nach. Von Terrassen und aus offenen Fenstern hörten sie Grammophonmusik. Jazz. Amerikanische Soldaten lagen und saßen herum, die Beine auf Tischen. Der Sattlerlehrling Herbert, Richard aus Radolfzell und Johann lagen in den Büschen und schauten und lauschten. Solche Soldaten hatten sie noch nie gesehen. Das waren keine Soldaten, das waren Filmschauspieler.
Eine Zeit lang kannten sie sich jetzt aus. Zwischen Kreuzeck und Garmisch hatten sie geübt. Garmisch vorbei, der Mindelheimer ging. Herbert, mach's gut. Macht's ihr auch gut. Richard und Johann wußten nicht, wie lange sie brauchen würden bis Füssen. Ab Füssen, sagte Johann,

kenn ich mich aus. Das stimmte zwar nicht, aber er hoffte, er werde von Füssen an, immer oben bleibend, nach Immenstadt finden und, weiterhin oben bleibend, nach Oberstaufen und dann, den See sehend, hinaus ins bloß noch Hügelige strebend, aber den Wald behaltend, nach Lindenberg, Heimenkirch, nach Wangen, vielleicht war sogar Geiselharz möglich, und hinab über neunundreißig liebliche Weiler ins ganz von Kirschen, Birnen und Äpfeln umblühte und eingeblühte Wasserburg. Du bleibst bei mir, Richard, bis man weiß, wie alles geht. Aber schon am dritten Tag ihrer Zweisamkeit fuhr ihnen auf einem ihrer Waldwege ein grünliches, offenes Auto in die Quere, besetzt mit vier Soldaten; ein paar Tage später erfuhren sie, daß diese geländetüchtigen Karren Jeeps genannt wurden. Auf die Kühlerhaube wurden sie, nachdem sie nun gefangen genommen waren, gesetzt, und abwärts ging's in Kurven. Johann und Richard klammerten sich an die Windschutzscheibe, um nicht vom Kühler zu rutschen. Drunten, auf der geteerten Straße, wurden sie einem Panzerspähwagen aufgeladen, hockten zwischen schwingenden Antennen, lagen mehr, als sie hockten, der drehte mächtig auf, kurvte hin vor eine breite offene Einfahrt, vor der Soldaten herumsaßen, schwarze und weiße. Es war das Eisstadion von Garmisch. Und auf allen Bänken und auf der Spielfläche lagen und saßen Gefangene. Richard und Johann fanden einen Platz auf einer Bank, die nicht mehr unterm freien Himmel war. Johann hätte am liebsten geheult. Aber dann gab es Bücher. Die Bibliothek des Reichssenders München hatte hier Unterschlupf gefunden. Statt sich zum Außendienst anzustellen, für bessere Verpflegung Panzer zu waschen, wurde Johann Bibliothekar. Und als er sechs Wochen später an einem Sonntag von einem Leutnant in einem Jeep heimtransportiert wurde, war sein Rucksack voller als je. Voller Bücher nämlich. Vor allem Stifter. Den hatte er gleich zu lesen angefangen. Mit einer Bibliothek auf dem Rücken kam Johann heim.

Der Leutnant, vor dem man sich eigentlich fürchtete, weil er immer eine Peitsche bei sich trug, war einmal bei Johann stehengeblieben, als Johann ein Gedicht in das gerade diensttuende Notizbuch eintrug. Er hatte, als es auf dem Kreuzeck geschneit hatte, deutlich genug erlebt, daß er kein Gedicht mehr schreiben würde. Ob er an Magda oder an Lena dachte, er würde sich anders fassen. Vielleicht im Zarathustra-Ton. Aber als er sich als Gefangenen erlebte, zerfloß sein Vorsatz, er mußte einfach der Hand folgen, die einer Stimmung folgte, gegen die er nichts machen konnte. Er kam sich bedenkenlos vor, als er drauflosnotierte. Und er bemerkte, daß der amerikanische Leutnant, vor dem sich alle, weil er nie ohne Peitsche auftrat, fürchteten, gerade noch einen Meter von ihm entfernt war. Und schrieb weiter.

Und sind auch die Gipfel verschlungen,
Kühnen Gesängen einst Ziel,
So lebt mir im Tal noch viel Liebes.

Poems, sagte der Leutnant. Johann wurde rot. Der Leutnant klopfte ihm anerkennend mit dem Stiel der Peitsche auf die Schulter. Er schlug zu, sobald er auf einen aus der SS traf. Diese SS-Leute, kaum älter als Johann, waren bei Crailsheim gefangengenommen worden. Der Leutnant wollte wissen, wo Johann zu Hause sei. Lake of Constance, sagte Johann. Jetzt interessierte sich der Leutnant noch viel mehr für Johann. Die Vorfahren seiner Mutter seien aus einer am Bodensee gelegenen Stadt namens Graubunden nach Amerika ausgewandert. Johann versäumte es, dem Leutnant zu sagen, daß Graubünden keine am Bodensee gelegene Stadt, sondern ein Schweizer Kanton sei. Er tat so, als sei der Bodensee so groß, daß man nicht alle an ihm gelegenen Städte kennen könne.

Abschied von Richard. Richard hatte sich jeden Tag zum

Außendienst gemeldet, hatte dort auch Anschluß gefunden. Er durfte bei einem Militärgeistlichen ministrieren. Also, Richard, mach's gut. Johann, mach's besser. Und jetzt hinaus, hinüber und hinab ins Juni-Land.

Die Franzosen wollten, daß der Leutnant sein Mitbringsel in Lindau in der Sängerhalle abliefere. Da hatten sie ihre Gefangenen. Aber der Leutnant fuhr mit Johann so lange von Seevilla zu Seevilla, bis er den Capitain Montigny gefunden, den in seiner Sonntagskonversation gestört und es erreicht hatte, daß der Capitain Johann ganz schnell ein Laissez-passer ausstellte, das ihn vor weiterem Zugriff schützen sollte. Beim Bahnübergang, vor Bahnwärter Stoibers Haus, ließ der Leutnant, der eine randlose Brille trug, Johann aussteigen. Johann bedankte sich. In Englisch. Er hatte zwar sechseinhalb Jahre Englisch gelernt und immer Zweier oder Einser ergattert, aber da nur einmal im Jahr, nämlich in der letzten Stunde vor den Weihnachtsferien, wirkliches Englisch erklang, nämlich eine Platte, auf der George Bernard Shaw sagte, sein Name sei George Bernard Shaw, hatte er von dem, was der Leutnant zu ihm sagte, fast nichts verstanden.

Als Johann am Gleis entlang auf die sinkende Sonne zuging, war es ihm unangenehm, daß er sich bei diesem Leutnant so wenig bedankt hatte.

Das war immer so bei ihm. Wenn ihm etwas geschah, wofür er sich hätte bedanken sollen, füllte ihn das, was man für ihn getan hatte, so aus, daß er erst viel später merkte, wie wenig sein Dank dem, was man ihm erwiesen hatte, entsprach. Daß er heimkommen konnte an einem rein goldenen Junisonntagabend, den Rucksack voller Bücher – er hatte einfach die, die ihm die liebsten waren, eingepackt, und kein Mensch hatte etwas dagegen gehabt –, am Gleis entlang, an der Auktionshalle vorbei, vorbei an der Lagerhalle, in der die Mutter Herrn Witzigmann die Bürgschaft übergeben hatte, vorbei an der Gleisstelle, an der der geschwärzte Boden anzeigte, daß Johann hier jahrelang Koks-, Steinkohlen- und Brikettwaggons ausgeladen hatte, an der Güterhalle vorbei, aber von da aus sah er schon das Haus, die Terrasse voller Soldaten, an der Hauswand und unter den blühenden Kastanien ein Dikkicht von Fahrrädern, und auf der Straße zwischen *Restauration* und Bahnhof und auf dem Platz, auf dem sich immer die Vereine zum Abmarsch aufstellen, fuhren jetzt Soldaten auf Fahrrädern im Kreis herum. Johann blieb stehen. Da war ke.in Durchkommen. Die stören durfte er schon gar nicht. Die holten immer neue Räder von der Hauswand, fuhren wild im Kreis herum, warfen die Räder dann weg und holten neue. Sie fanden das Herumkurven, Ineinanderhineinfahren und Räderwegwerfen offenbar sehr lustig. Es waren braune bis schwarze Soldaten. Wahrscheinlich Afrikaner. Und Niklaus ging zu jedem weggeworfenen Fahrrad hin, hob es auf und stellte es zum Räderdickicht zwischen Hauswand und Kastanienbäumen. Johann bog ganz von selbst zu dem tiefer gelegenen Häuschen von Schuhmacher Gierers ab, ging hinter diesem Haus entlang und dann auf den Weg, der zwischen dem blühenden Birnenspalier zum Rosenrankenbogen hinauf und auf die Dorfstraße führt, überquerte die und ging über die fünf Stufen hinauf in die Terrasse, links und rechts die Tische voller Soldaten, die Luft schwirrte von französischen Lauten. Zirka fünf Schritte noch bis zu den zwei Stufen, die von der Terrasse zur offenen Haustüre führten. Das wurden die fünf schwersten Schritte seines bisherigen Lebens. Zum Glück war die Terrasse mit Efeukästen unterteilt. Aber unsichtbar bleiben würde er nicht. Er war bereit, festgenommen zu werden. Er hatte zwar das Laissez-passer des Kommandanten Montigny in der Tasche, aber wenn ihm das einer vor seinen Augen zerriß, konnten sie machen mit ihm, was sie wollten. Ihn nach Frankreich transportieren. In ein Bergwerk. Sogar aus dem Eisstadion in Garmisch waren immer wieder ganze LKWs voller Gefangener abtransportiert worden, nach Frankreich, ins Bergwerk. Er hatte sich, solange er im Eisstadion gehockt und gelegen war, nicht rasiert. Es gab Wasseranschlüsse. Man konnte anstehen, Wasser holen, sich rasieren. Johann hatte das Gefühl gehabt, er könne sich, solange er Gefangener sei, nicht rasieren. Also war ihm eine Art Bart gewachsen, in dessen hartes Gekräusel zu greifen ihm angenehm war. Jetzt, zwischen den aufgeregt klingenden französischen Soldaten, ahnte er, daß die einen gut Rasierten leichter zwischen sich durchlassen würden als so einen Bärtigen. Über die hirschhornknöpfige, eher gelbe als grüne Trachtenjacke war er jetzt froh. Die reizte sicher weniger als eine Uniformjacke. Seinen Wehrpaß hatte ihm der Leutnant, dem er ihn für den Capitain hatte mitgeben wollen, lächelnd zurückgegeben. Er hatte auf das gefälschte Geburtsjahr gezeigt. Als sie in einem der Einödhöfe erfahren hatten, daß nur gefangengenommen werde, wer 1927 und früher geboren sei, hatten sie ihre Siebener mit dem Daumen undeutlich gerieben und Achter daraus gemacht. Aber man sah natürlich, was da versucht worden war. Aber er hatte ja, mit richtigen Daten, sein Laissez-passer. An das mußte er denken, dann gelangen fünf feste Schritte, ein so zuversichtliches Gehen, daß er eine Art Unansprechbarkeit ausstrahlte. Hoffte er. Die fünf Schritte zwischen den Efeustöcken. Wer hat die Efeustöcke aus ihrem Winterquartier im Keller geholt, dachte Johann. Das helle Durcheinander der Französischlaute war weltfüllend. In jedem Augenblick konnte einer aufspringen und ... Daniel in der Löwengrube, dachte er. Aber Daniel hatte seinen Gott, dieser Gott verschloß, wenn man an ihn glaubte, die Rachen. Johann hatte nur Angst. Die Haustür war offen. Die beiden Flügel der Schwingtüre auch offen. Dann war er im Gang. Sah schon rechts neben der Küchentür das gerahmte farbige Bild von feinen Damen und Herrn, die an Deck des Ozeanriesen Tennis spielten. Jetzt hoffte er, daß auch sonst noch einiges so sei, wie es gewesen war. Kurz vor der Küchentür würde er nach links abbiegen und vorne, kurz vor dem Fenster, nach rechts, die Treppe hinauf, und droben, auf ächzendem Boden vor bis zur Tür Nr. 8 ... Aber bevor er an der Küchentür nach links abbiegen konnte, stand in der Küchentür Lena. Ein dunkles und ein helles Violett stritten sich in schrägen Linien in ihrem Kleid, das ihr eng anlag und einen Ausschnitt hatte, der eher zu weit ging. Johann dachte an die das Haus beherrschenden Soldaten. Deine Mutter ist in der Andacht, sagte der Mund unter den Augen, den Haaren. Johann sagte Danke, rannte die Treppe hinauf, warf den Rucksack ab, blies die Kerze aus, die unter dem Schutzengelbild brannte, machte sogar ein Kreuzzeichen, fand das aber zum Grinsen, rannte hinab und durch die Hintertür hinaus, dorfabwärts. An der *Linde* vorbei, offenbar nicht besetzt, aber auch kein Zeichen von Bewirtschaftung. Er mußte keine Gäste mehr zählen in der *Linde, im Café Schnitzler.* Noch bevor er den *Schnitzler*-Garten erreicht hatte, sah er im Schaufenster des Cafés einen Mann sitzen. Hauptlehrer Heller. Er saß so, daß man ihn direkt von vorn sah. Saß aufrecht, aber mit geneigtem Kopf. Rührte sich nicht. Lange konnte Johann nicht hinschauen. Sobald er das Schild, das dem Hauptlehrer umgehängt worden war, gelesen hatte, rannte er davon. Ich war ein Nazi, stand auf dem Schild. Und es war unterschrieben von Hauptlehrer Heller. Johann ging dann gleich wieder langsamer. Er wollte nicht auffallen. Er begegnete einigen Einheimischen und grüßte. Erst an seiner Stimme erkannten sie ihn. Und sagten das auch. Ihn freute es, daß sie sich an seine Stimme erinnerten. Trotz Trachtenjoppe und Bart. Als er auf dem Friedhof war, überlegte er: Konnte er jetzt die Kirche von hinten betreten wie die Erwachsenen, oder sollte er, wie früher, von der Seite hinein. Auf jeden Fall zwischen den Zinnen der Friedhofsmauer hinuntergeschaut in den See. Wie beim Schneien auf dem Kreuzeck drängte es ihn, was er sah, zu beantworten, und antwortete: Zum Schönsten zu zählen, der Wasserstand im Juni. Und ein Zentimeter weniger, sind vierundfünfzig

Millionen Kubikmeter weniger. Dachte er. Hoffentlich war Adolf nichts passiert.

Drinnen dann, in den vorderen Block oder in den der Männer. Er entschied sich für den vorderen Block. In dem aber für die letzte Bank. Sobald er die Tür geöffnet hatte, schon als er nach der Klinke griff, die immer noch hoch angebracht wirkte, hörte er den Gesang. Sofort in die letzte Bank des vorderen Blocks, hingekniet, das Kreuz gemacht, zugehört, dann langsam sich auf den Sitz zurücksinken lassen. So etwas hatte er noch nie gehört. So etwas hatte er sich überhaupt nicht vorstellen können. Das *Ave Maria*. Gesungen von ... nicht von einem Menschen, sondern von einer Stimme. Ihm fiel der Engel ein. Die Andacht war schon zu Ende. Dieser Gesang war der Beschluß. Die Stimme kannte er natürlich. Die Platte hatte der Vater gekauft. Der weltberühmte Stromableser aus Ravensburg. Das Stimmwunder überhaupt. Karl Erb. Er mußte sich nicht umdrehen, um zu wissen, daß droben vor der Orgel Herr Grübel stand oder kniete. Neben dem Sänger. Vetter Anton. Herr Grübel, sechzig vorbei, das hohe c, mühelos. Also, ein Tenor bist du nicht, dachte Johann. Du bist überhaupt kein Sänger. Das hast du gewußt. Hör lieber zu. Das *Ave Maria*, wasserhell, kühl. Ins Abendlicht. Irdisch und überirdisch ist dasselbe. Das *Ave Maria*, so gesungen, nicht ängstlich, nur überhaupt nicht zupackend, eine vollkommene Zurückhaltung. Ein Nichtsalsgeschehenlassen. Das zweite Ave dunkel. Aber durchsichtig. Verfliegend.

Komisch, dieses Gefühl, reich zu sein, ohne zu wissen, an was. Du stehst auf einem Gipfel und hast keine Ahnung, wie er heißt. So weit hast du noch nie gesehen wie jetzt.

Als die Stimme wieder landete, war es in der Kirche still. Dann verrieten ein paar Holzlaute, daß jemand aufgestanden war. Schrittlaute. Kirchentürlaute. Johann schloß sich an. Am Grab stand die Mutter, stand Anselm, der fast schon so groß war wie die Mutter. Johann trat hinter beide, legte ihnen die Hände auf die Schultern. Die Mut-

ter gab einen Laut, Anselm rief leise: Der Johann. Dann wandten sich alle drei, wie es sich gehörte, dem Grabstein zu. Josef stand jetzt auch drauf. 1925 – 44. Niyregyhaza. Die Lippen der Mutter bewegten sich betend. Auch Anselm schien zu beten. Johann konnte nicht. Das Herr-gib-ihm-die-ewige-Ruhe-das-ewige-Licht-leuchte-ihm-Herr-laß-ihn-ruhen-in-Frieden-Amen kam nicht mehr. Er hätte es herrufen müssen. Obwohl die Mutter betete, flüsterte sie noch in ihr Gebet hinein, denn nach dem Flüstern betete sie weiter: Grüß auch Frau Brugger. Ein paar Gräber weiter stand betend Frau Brugger. Ihr Grab war das frischeste. Die Mutter flüsterte: Herr Brugger, im April, im Gefängnis. Anselm genauso leise: Vielleicht umgebracht von Mitgefangenen. Die Mutter: Pschscht.
Johann grüßte kopfnickend zu Frau Brugger hinüber, die antwortete kopfnickend. Johann wollte den Auszug des Sängers nicht versäumen. Das Grab lag so, daß der Sänger und die, die ihm das Geleit gaben, hinter Johann vorbeigehen würden. Er würde so lange wie betend stehen, bis die kamen. Der Sänger und sein Geleit würden von der Kirchentür bis zum Friedhofausgang ganz anders gehen und sprechen als alle anderen Kirchgänger. Vielleicht sprach der Sänger noch mit dem Pfarrer. Wenn bloß Frau Brugger endlich ginge. Dann hörte er die Stimme. Auch als Sprechstimme eher überirdisch. Johann drehte sich einfach um. Anselm drehte sich auch um. Die Mutter verharrte im Gebet. Karl Erb, neben ihm Studienrat Lohmüller, der ihn wahrscheinlich begleitet hatte, Kreszenz, die ihn auch hätte begleiten können, und zwei Damen, die durch nichts verrieten, daß gerade ein mehrjähriger Krieg verloren worden war. Vornehme Damen, sozusagen. Eine redete laut und extrem Schwäbisch auf den Sänger ein, sie nannte ihn Herr Professor. In der kurzen Strecke, die Johann zum Zuhören blieb, sagte sie zweimal den Namen Richard Tauber, und wie sie mit ihm befreundet gewesen sei. Der Sänger ging, als gehe er nicht. Das lag an seinem hoch erhobenen Kopf. Vielleicht hörte er

gar nicht, was die Dame auf ihn einredete. Der uralte Studienrat paßte neben den Sänger, da er immer Anzüge aus dem 19. Jahrhundert trug, die aber aussahen wie neu. Die Erscheinung des Studienrats machte den Auftritt des Sängers zum Theater. Der Sänger lächelte. Sah aus wie ein alter vornehmer Indianer. Oder wie eine alte vornehme Indianerin. Johann mußte an den Vetter Großonkel denken. Johann verneigte sich so deutlich, daß der Sänger es bemerkte und mit einem Blick und einer Handbewegung antwortete. Johann hatte durch seine Verbeugung signalisiert: Ich werde Sie und Ihre Stimme nie vergessen. Erst als die den Friedhof verlassen hatten, konnte er sich vom Grab lösen.

Frau Brugger hatte darauf gewartet, Johann zu begrüßen. Schlimm genug, daß ihr Mann das nicht mehr habe erleben dürfen. Aber Adolf wird sich freuen, wenn er hört, daß Johann zurück ist. Adolf ist in Buchloe, bei dem berühmten Viehhändler Wechsler, Eberhard Wechsler, der hat wieder zurückkehren dürfen aus Zürich, nachdem die Unmenschen abgedankt haben. Solange Wechsler in Zürich leben mußte, hat ein Strohmann die Firma Wechsler geführt, über den ihr Mann immer in Verbindung blieb mit Wechsler. Wechsler, selber kinderlos, möchte jetzt Adolf adoptieren, ihn zum Nachfolger heranbilden. Etwas Besseres könne man sich doch für Adolf gar nicht wünschen. Zum Glück sei Adolf ja auf Adolf Stefan getauft und habe sich jetzt schon von dem wüsten Vornamen umschreiben lassen, es wäre nett, wenn Johann ihn beim nächsten Treffen gleich richtig ansprechen würde. Johann sagte gleich: Also wirklich, da kann man dem Stefan nur gratulieren.

Da Johann nicht noch einmal am Hauptlehrer Heller vorbeigehen wollte, sagte er, er würde gern durchs Moos heimgehen. Und er sagte dazu, warum. Der arme Mann, sagte Frau Brugger, acht Sonntage so sitzen, aber verdient hat er es schon. Es war eine schlimme Zeit. Sie sah zur Mutter hin, die nickte. Sobald Frau Brugger sich verabschiedet hatte – sie wollte noch einmal am Lehrer vorbeigehen –, erzählte Anselm, die Prinzessin habe, als die Franzosen mit Panzern ins Dorf gefahren seien, nicht wie alle anderen im oder wenigstens am Haus bleiben können, sondern sei denen entgegengerannt, habe sich von den Panzersoldaten, lauter jungen Kerlen, auf den Panzer hinaufziehen lassen wollen, dann habe sie es doch nicht geschafft, sei unter den Panzer gekommen, die Beine überfahren, verblutet. Er könne Johann die Stelle zwischen dem Bahnhof und den Kastanienbäumen zeigen. Der Blutfleck sei noch zu sehen. Aber Lucile sei jetzt überhaupt die Königin. Wenn Lucile sich für einen einsetzt, kriegt man sogar sein Fahrrad zurück. Ohne Luciles Hilfe hätten sie nicht im Haus bleiben dürfen. Unten sei ja alles Unteroffiziersmesse. Lena müsse praktisch Tag und Nacht Klavier spielen für die. Johann zog eine Art Grimasse, als Anselm das sagte.

Als sie durch die Hintertür ins Haus kamen, hörten sie schon das Klavier aus dem Nebenzimmer. Schlager. Wahrscheinlich französische. Ziemlich gefühlvolle.

Droben holte Anselm aus der Schrankschublade zuerst einen Brief von der *Einheit Feldpost-Nr. 40345 E.* Johann las unterm 16. 1. 1945:

> *Die Kp. bestätigt den Empfang Ihres Briefes vom 21. 11. 44. Natürlich erfüllen wir gerne Ihren Wunsch und teilen Ihnen über den Tod Ihres Sohnes nähere Einzelheiten mit. Der Panzer, in dem Ihr Sohn als Richtschütze saß, war zur Verteidigung der Stadt Niyregyhaza eingesetzt. Im Verlauf des harten Abwehrkampfes erhielt sein Wagen einen Volltreffer, wobei sofort die Munition detonierte und der Wagen ausbrannte. Ihr Sohn fand dabei einen schnellen und schmerzlosen Tod. Ich wünsche Ihnen weiterhin alles Gute und grüße Sie mit Heil Hitler! I. V. Leutnant.*

Die Unterschrift war nicht lesbar. Niyregyhaza, dachte Johann, das wäre ein Wort für den Vater gewesen. Zum Buchstabieren. Er sah es schon im Wörterbaum. Nach Entsprechung schwebte es. Niyregyhaza. Anselm sagte: Der Edi Fürst ist auch gefallen. Der Jim auch. Der Saki auch. Der Trautwein Hermann auch. Lange Josef auch. Ellenrieders Alois auch. Friedls Arthur auch. Frommknechts Severin auch. Und ... Jetzt laß doch, sagte die Mutter. Bloß noch das vom Hübschle in Hergensweiler, sagte Anselm, der sei, weil die Franzosen geglaubt hatten, der SS-Mann auf dem großen gerahmten Bild in der Stube sei er, von den Franzosen vors Haus geschleift und mit den Kolben totgeschlagen worden. Die Frau sei seitdem in der Anstalt. Der Gottfried Hübschle sei ja schon im Januar als vermißt gemeldet worden.

Johann müsse doch Hunger haben, sagte die Mutter. Hunger, sagte Johann, wenn du meinst. Also, sagte die Mutter, sie mache jetzt etwas zum Essen. Aber daß er tatsächlich da sei, könne sie immer noch nicht glauben. Johann sagte, er wolle sich umziehen. Er wusch sich am Ausguß, ließ sich, an den Großvater in Kümmertsweiler denkend, das kalte Wasser zuerst über den Nacken laufen, schnitt sich den Bart ab, rasierte den Rest sorgfältig weg, lachte, weil der zuschauende Anselm Schad' drum sagte, ging dann zum Schrank und griff nach einer seiner Jacken, obwohl ihm die von Josef, die mit dem grünlichen Fischgrätmuster, besser gefallen hätte. Er spürte, daß sich das nicht gehörte: heimkommen und die Jacke des gefallenen Bruders anziehen. Er mußte sich gut anziehen jetzt. Das schon. Von unten hörte man einen Tenor ein sehnsüchtiges Lied singen. Begleitet vom Klavier. Also von Lena. Er könnte sich nach Magda erkundigen. Er erkundigte sich nicht. Er hörte dem Schmalztenor zu, hörte die Begleitung, sah die Begleiterin. Anselm sagte: Pfundige Brüder hat sie. Johann sah Anselm an, als wisse er nicht, wovon der rede. Woher weiß der, an wen ich denke, dachte Johann. Wie alt bist'n du, sagte Johann.

Gleich elf, sagte Anselm. Stimmt ja, sagte Johann. Die Mutter rief zum Essen. Kartoffeln und Butter und Rauchfleisch. Aus Kümmertsweiler, sagte sie. Johann zog den Rauchfleischduft tief ein.

4. Prosa

Den ganzen heißen Sommer lang gelesen. Den aufdringlichen Sommer draußen gehalten durch die edlen Jalousien. Edel kamen ihm die Jalousien vor, seit er in Romanen über sie gelesen hatte. Gelesen, aber immer bereit, Schritte zu hören auf den ächzenden Dielen des Gangs, dann aufspringen, die Tür aufreißen und Lena abfangen, sie einfach nicht durchlassen, weil sie, drei Schritte weiter, im Zimmer zehn auf der anderen Gangseite, verschwände, und durch diese Tür durfte er ihr nicht folgen. Also sie abfangen und sie irgendwie an die Gangwand bugsieren, sie einfach festhalten. Zu sich ins Zimmer neun durfte er sie auch nicht führen. Das war so unmöglich, wie ihr ins Zimmer zehn zu folgen. Also blieb nichts, als sie, sobald sie von der Treppe in den Gang einbog, egal was gerade gelesen wurde, abzufangen, festzuhalten und ihr so in die Augen zu schauen, daß sie wußte, jetzt hatte sie mit seinem Mund zu rechnen. Das war, noch im August, geschehen. Aus nichts als einander Anschauen war ein nichts als einander Küssen geworden. Und wie ihm das Wort zuwider war! Küssen! Quatsch mit Sauce, dachte er, wenn er das Wort hörte. Er sprach es nicht aus. Nie, in seinem ganzen Leben nicht, würde er dieses Wort in den Mund nehmen. Gib mir einen Kuß. Auch nicht. Obwohl ihm das Hauptwort wegen seiner rasch zu einem deutlichen Schluß führenden Fügung sympathischer war als das Tätigkeitswort. Er führte das so aus, daß es ihr wehtun sollte. Sie sollte spüren, daß er nichts dafür könne. Richtig unzurechnungsfähig wollte er sich benehmen. Benahm er sich. Im August. Ab August. Immer im Gang. Immer wenn ihre Schritte, ihre Absätze, ihre Stökkelschuhabsätze den Gang entlangtrommelten, daß den Brettern das Ächzen verging. Sie war die einzige, die so ging, daß die Bretter praktisch gar nicht mehr zum Ächzen kamen. So ging sie. Aufgesprungen, Stifter, Heine,

Faulkner weggeworfen. Hinaus in den Gang und sie gefangen. Mit seinem Mund hackte er auf ihren Mund ein, als sei ihr Mund etwas, das man ganz schnell niederbügeln müsse. Mindestens bluten mußte ihr Mund, wenn er aufhören würde mit diesem Sieniederbügeln. Er mußte verhindern, daß sie auf die Idee kam, sie werde geküßt. Von ihm geküßt. Johann küßt Lena. Grauenhaft.

Nachdem er sie das erste Mal so gefangen und mit seinem Mund bearbeitet hatte, bis sie blutete, konnte er, weil seine Unzurechnungfähigkeit und Kußverhinderungswut ihr jetzt ja bekannt waren, beim zweiten, dritten, vierten, fünften, sechsten, siebten, bis zum tausendsten Mal, wenn er sie fing, hielt und mit dem Mund überfiel, konnte er sich jetzt trauen, milder, langsamer, nachdenklicher, gelinder, entgegenkommender zu wirken, fast gar ihrerseits die Vermutung zulassen, daß er wisse, was er tue.

Und was sollte er von dem, was in ihm vorging, sagen und was nicht? Alles sagen, unmöglich. Die Gedichte, die sich wieder aufdrängten, schrieb er zwar hin, aber sie enthielten ihn so gut wie nicht. Und Lena schon gar nicht. Sie enthielten nur sich selber. Er war wütend auf diese herrschsüchtigen Gedichte. Aber unterdrücken konnte er sie nicht. Noch nicht. Er schrieb auf, was er träumte. Was nachher auf dem Papier stand, war zwar nicht das, was er geträumt hatte, aber es enthielt ihn doch eher als die Gedichte. Die Gedichte polierten eine Deutlichkeit, die er nicht hatte. Eine Übersichtlichkeit, die ihm fremd war. Eine Ordnung, die er lächerlich fand. Auch ärgerte ihn die beim Gedichteschreiben unwillkürlich entstehende Edel-Stimmung. Am meisten ärgerte ihn, daß er anfing, auch Lena Gedichte auszuhändigen. Sie sagte jedesmal: Danke, Johann. Sie nahm seine Gedichte entgegen wie Blumen. Eigentlich wollte sie an ihnen riechen, das sah man. Aber sie beherrschte sich. Er hätte ihr lieber die Träume, die er aufschrieb, überreicht. Er traute sich nicht. Die Träume schrieb er in ein altes Wareneingangsbuch, das große Freiflächen bot. Da hatte er also geträumt, er lese in einem Buch, halb Krimi, halb Zukunftsroman – er hatte gerade *Atomgewicht 500* von Hans Dominik gelesen –, daß eine Frau Kinder gebiert, die von Geburt an Krawatten tragen, mit Krawatten auf die Welt kommen, mit angeborenen Krawatten also, fleischfarbenen, und sie bestehen aus Fleisch. Eine Krawattennadel, und sie würden bluten. Er sagte zu Josef, der ihm über die Schulter schaute und von dem er sofort wußte, daß er zu ihm ein endgültiges Vertrauen haben konnte: Warum fällt mir so etwas nicht ein? Und war gleichzeitig, noch im Traum, ganz glücklich, weil er spürte, daß er von den angeborenen Krawatten doch nur träumte, der Einfall war also nicht der eines anderen Schriftstellers, sondern sein eigener, also noch zu benutzen. Aber als er dann wirklich erwachte, wußte er nicht, was man mit angeborenen Krawatten anfangen könnte. Nur aufschreiben. Den Traum. Das tat er.

Vom frühen Abend an tönte von unten Schmachtgesang mit Begleitung. *Besame, besame mucho.* Der Unteroffizier, der das jeden Abend singen beziehungsweise heulen mußte, schlug Lena, wenn sie beim Begleiten einen Fehler machte, auf die Finger, manchmal sogar, ohne daß sie einen Fehler machte. Seit Johann das wußte, konnte er, sobald diese Musik hörbar wurde, nicht mehr lesen oder schreiben.

Natürlich war er die ersten fünfzig Mal, wenn Lena die Treppe heraufkam und den Gang entlang auf ihr Zimmer zehn zustöckelte, ihr nur wie zufällig begegnet. Einfach an der Tür gewartet, beim ersten Stöckelgeräusch die Tür geöffnet, ihr entgegengegangen, als wolle er hinuntergehen, das Haus verlassen. Das mußte er dann auch tun. Entweder durch die Hintertür hinaus und dann die Einfahrt hinauf zum Herrn Seehahn, zum Beispiel, der an einem auf der Terrasse geholten Tisch zwischen den Kastanienbäumen saß und auf Listen herumkritzelte. Herr Seehahn sprach Französisch. Wer ein Fahrrad, ein Radio oder sonst etwas Beschlagnahmtes zurückhaben wollte, mußte das bei Herrn Seehahn beantragen. Herr Seehahn trug jetzt täglich den Päpstlichen Hausorden am grünen Revers seiner fahlen Trachtenjacke. Vor ihm die Listen mit allem Beschlagnahmten. Als Johann zum ersten Mal zu Herrn Seehahn hingegangen war, hatte der gesagt: Johann, auch wieder im Land? Und hatte weitergemacht in seinem Text. Und auf seinen Listen. Johann hatte sofort gehört, daß es sich immer noch um falsche Schlangen, elendige Stierbeutel und damische Rindviecher handelte. Was Johann jetzt doch wunderte, war die Heftigkeit, mit der Herr Seehahn seine Schimpfsilben ausstieß. Es klang, als antworte Herr Seehahn auf eine ganz scheußliche Erfahrung, die er gerade hatte machen müssen. So schimpft man, direkt nachdem man eine scheußliche Erfahrung hat machen müssen. So schimpfte Herr Seehahn seit Jahrzehnten. Johann hätte am liebsten nach der Art seines Vaters gesagt: Herr Seehahn, ich staune. Der Niklaus mußte die Fahrräder, Radioapparate und Feldstecher aus der ganzen Pfarrei bewachen, Herr Seehahn mußte sie verwalten.

Wenn Johann, um Lena begegnen zu können, hinuntergehen mußte, aber das Haus nicht verlassen wollte, ging er in den Keller, in jene Ecke, in der das Vertiko gelandet war. Er holte alles aus allen Schubladen und Geheimfächern heraus und trug es hinauf. Er konnte ja beim Hinaufgehen Lena ein zweites Mal begegnen. Das hatte er fortgesetzt, bis er hatte glauben können, auch Lena komme öfter herauf und den Gang entlang, als es durch das Holen und Bringen von irgendwas nötig gewesen wäre.

Vom 1. Juli an wurde er sogar vierzehn Tage lang aus der unter französischer Regie stehenden Küche des Hauses verpflegt. Johann mußte mit sechs anderen die Zäune an der Dorfstraße streichen. Die Zaunlatten. In Blau, Weiß und Rot. Und warum? Hermine wußte es, da sie dem Ortskommandanten Lapointe die Wirtschaft führte. Am 14. Juli würde der General Lattre de Tassigny mit dem

Schiff in Wasserburg landen, dann vom Landungssteg dorfaufwärts bis zur Linde fahren, dort rechts hinabbiegen auf die Straße nach Reutenen, um in der Villa Hasselbach General Koenig zu besuchen. Am französischen Nationalfeiertag sollten die Latten aller Zäune General Lattre de Tassigny in den französischen Farben entgegenleuchten. Solange Johann und der Schulze Max und der Dulle und Hanse Luis und Sempers Fritz und Helmers Franz und Herr Minn Zaunlatten strichen, wurden sie aus Luciles Küche, der es an nichts mehr fehlte, versorgt. Für die Anstreicher wurde zwischen den Kastanienbäumen serviert. An Herrn Seehahns Tisch. Und es war Luise, die auftrug.

Mit den Franzosen kann man auskommen. Das war der erste Satz, den Johann vom Schulze Max hörte. Sempers Fritz, der mit einer geschulterten Schaufel zu Fuß von Schleswig-Holstein nach Wasserburg gegangen war, sagte, ihm seien die Franzosen am Arsch lieber als ihre Vorgänger im Gesicht. Beim Streichen der Latten diskutierten Sempers Fritz und Helmers Franz darüber, ob eine Schaufel oder eine Gabel auf der Schulter besser sei, um nach einem verlorenen Krieg von weit her heimzukommen, ohne gefangengenommen zu werden. Sie konnten sich nicht einigen. Helmers Franz blieb dabei, daß eine Gabel besser sei als eine Schaufel, weil sie deutlicher auf die Landwirtschaft hinweise, und darauf komme es an. Sempers Fritz sagte, die Schaufel sei besser, weil unabhängig von der Jahreszeit möglich. Überhaupt, nach dem ersten Krieg sei das Heimkommen ein Kinderspiel gewesen. Heimkommen, sich umziehen und Schluß. Diesmal sei es ja erst richtig gefährlich geworden, wenn man daheim war. Ihn hatten die Franzosen verhaftet, einen Tag nachdem er sich, weil er doch Essensmarken brauchte, auf der Gemeinde gemeldet hatte. Wer ihn verpfiffen hat, weiß er, eines schönen Tages ist der dran. Also ging's nach Lindau, hinein in die überfüllte Sängerhalle, von der jeden Tag die Transporte nach Frankreich abgingen, ins

Bergwerk, zum Straßenbau, zu Arbeiten halt, die einem erstklassig ausgebildeten Spengler nicht liegen. Also hatte er einem Mitgefangenen vier stinkende Fußlappen für zwei Zigaretten abgekauft, und der Dummian war selig, Fritz aber hatte sich mit diesen Lappen in der Latrine die Hände eingebunden, war über den Stacheldraht geklettert, hatte den Kleinen See so lautlos durchschwommen wie ein Schwan, war am Aeschacher Ufer gelandet, lautloser als eine Ente, hatte in Aeschach bei einer früheren Flamme geklopft, ihr, bevor sie laut werden konnte, den Mund zugehalten und von ihr, das war überhaupt sein Glück, erfahren, daß jede zweite Nacht ein Elsässer zu ihr komme, spätere Heirat nicht ausgeschlossen. Dem hatte Fritz erzählen dürfen, wie er bei der Musterung das Wehrkreiskommando geleimt hatte, dem Elsässer hat es gefallen, jetzt hat Fritz den Entlassungsschein, ohne den dich jeder Strolch kassieren kann. Jetzt müsse er dem Elsässer noch stecken, daß der Harpf nicht verdient habe, mit lauter Erznazis auf dem Kamelbuckel eingesperrt zu sein. Als Fritz am Runden Tisch den Witz mit den Nachthäfen erzählt habe, sei er verpfiffen worden, und er wisse auch da von wem, und eines schönen Tages ist der dran, die Franzosen brauche er dazu nicht, aber der Harpf sei damals nachts zu ihm gekommen und habe durchs Fenster gefragt, wie lange sein Urlaub noch dauere, zwei Tage, habe der Fritz gesagt, und darauf der Harpf: Dann komm ich am dritten. Was das für ein Witz gewesen sei, wollte Hanse Luis wissen. Warum werde jetzt auf die Böden der Nachthäfen das Hakenkreuz gemalt, hieß damals die Frage, sagte Fritz, und die Antwort war: daß die Arschlöcher sehen, was sie gewählt haben. Ach den, sagte der Schulze Max, den habe er auch oft genug erzählt und sich dann immer gewundert, daß er nicht nach Dachau kam.

Schon allerhand, daß man solche Widerstandskämpfer zwingt, Zaunlatten zu streichen, sagte Hanse Luis. Schwätz keinen Papp, sagte der Fritz, der Harpf muß raus. Der Dulle fand das auch. Als der Kreisleiter Vogel noch Ende März den Polen habe hängen lassen wollen, der etwas mit Stuka gehabt habe, habe der Harpf, als der Pole, ein achtzehnjähriges Bürschchen, den Strick um den Hals, schon auf dem Stuhl gestanden sei, da habe der Harpf zum Kreisleiter gesagt: Herr Kreisleiter, muß das denn noch sein? und der Kreisleiter habe gebrüllt: Jetzt stoßen Sie den Stuhl um! Aber der Harpf habe den Stuhl nicht umgestoßen. Das hat dann übereifrig der Dr. Fröhlich übernommen. Den haben die Polen samt dem Kreisleiter im Mai sofort gejagt, gekriegt und totgeschlagen, beide an einem Tag. Den Kreisleiter droben in Heimersreutin, in einem Hohlweg, den Augenarzt im Frauenklo im Bahnhof in Lindau. Aber er ging wenigstens in Rock und Bluse ins Damenklo, sagte der Schulze Max. Und Seidenstrümpfe soll er ooch anjehabt ham, sagte der Dulle. Ist doch auch wahr, sagte Hanse Luis, man hat gar nicht mehr gewußt, ist man Männlein oder Weiblein, so ein Tohuwabohu war das auf einmal.

Als Frau Fürst mit ihrer Zeitungstasche vorbeiging, wurde sie von allen gegrüßt. Sie schien es nicht zu hören. Johann hatte, kurz bevor er eingerückt war, noch mit Frau Fürst zu tun gehabt, weil sie alle Hühner der Gemeinde aufzuschreiben hatte, damit jeder, der mehr als zwei Hühner hatte, die Eier abliefere.

Jetzt ging sie wieder wie mit zugenähtem Mund. Herr Minn sagte: Arme Frau. Ist doch auch wahr, sagte Hanse Luis. Was derselbige Dirigent vom Musizieren gesagt hat, daß miteinander anzufangen keine Kunst ist, aber miteinander aufhören schon, das kann man jetzt auch vom Krieg sagen. Der Edi Fürst, sowieso schon ein Uniformgockel ersten Ranges, und noch im Januar das Ritterkreuz, das bringt ihn noch gar um sein braves Spatzenhirn, muß der am 13. Mai noch dran glauben, bloß weil er nicht hat kapieren können, daß es wahr ist, was ihm die Russenlautsprecher zubrüllen: Krieg aus, Waffen weg, Schluß mit Schießen. Aber unser Edi lacht bloß. Propaganda, alles nix als Russenschläue, kennt jeder im Osten, der Iwan will uns kostenlos kassieren. Aber daß man schon Tag für Tag null Funkkontakt hat mit dem Abteilungsgefechtsstand, Gefreiter Fritz, du alter Frontkämpfer weißt, was das heißt, den Edi grämt's, kann man sagen, fährt los, Richtung Gefechtsstand, nach vier Stunden immer noch kein Edi, also fährt der Oberfeld aufs Waldstück zu, in dem der Edi verschwunden ist, Chefpanzer, wo bist du? Und kommt zurück: Chefpanzer auf eine Miene gefahren, Fahrer, Chef und Ladeschütze noch raus aus der Karre und im Feld verblutet. Jetzt hat aber der Oberfunkmeister Kontakt zur Abteilung. Krieg aus. Seit 8. Mai. Jede Kampfhandlung ist einzustellen. Also weiße Fetzen gehißt, von allen Seiten der Iwan, dem Chef, dem Ladeschützen und dem Fahrer schaufeln sie ein Grab und legen sie, die Gesichter nach Osten, hinein. Der Oberfeld haut in der Nacht, bevor man verladen wird, ab, schwimmt über die Donau, kommt durch. Unseren Städtesticker, Fähnleinführer, Oberleutnant und Ritterkreuzträger aber hat's geputzt. Muß man schon sagen. Und Helmers Franz rief herüber: Beim Frommknecht Leo heißt das, 's Gschwerl kommt zruck, die Guten putzt's. Hätt er nicht so einen Krackel gehabt, ruft Sempers Fritz. Mir immer die Weiber ausspannen, den Ramsch übriglassen, das rächt sich halt. Herr Minn: Das mit der Edeltraud ist noch viel schlimmer für die arme Frau. Daß die sich umbringt samt dem Kind, weil sie und ihr Leibstandartensturmführer das einander geschworen haben, im Fall der Niederlage tötet er sich, tötet sie sich, daß niemand sie demütige, jetzt ist sie tot und das Kind auch, und von dem Sturmführer kommt Nachricht, unter anderem Namen in Spanien, sobald die Zeit es erlaubt, meldet er sich wieder. Der Dulle: 'S gibt keine Grenze nich. Und weil keiner was sagte, sagte er noch: Bei die Menschen. Sempers Fritz sagte, gemeiner als die Prinzessin, genannt Stuka, habe es keinen und keine erwischt. Der Schulze Max wußte am genauesten, weil er's von Herrn Deuerling hatte, der selber durch das Bahnhoffenster gesehen hatte, wie es passiert war. Auf der Terrasse, zwischen den Efeukisten, sei sie gestanden mit Lucile und Luise. Alle froh, die unberechenbare SS endlich abgezogen, Bregenz zu verteidigen. Verteidigt sich ja, so eng zwischen Pfänder und See, leichter als das zugängliche Wasserburg. Die Franzosen ziehen ein wie im Manöver. Also winken alle denen zu. Die Panzerbesatzungen, lauter Buben, eher unter als über zwanzig. Unser Stuka nichts wie hin, hinaufgelangt, die entgegengestreckten Hände ergriffen, aber als sie eine Sekunde lang in der Luft hängt, hätte sie sich ruhig noch ganz hinaufziehen lassen sollen, anstatt zu strampeln. So kommt sie mit einem Fuß unter die Kette, schreit, die Buben oben lassen los, sie stürzt und gerät nun mit zwei Beinen vollends unters gewaltige Eisen, ihre Beine, auf die sie stolz sein konnte, werden zermalmt. Bis der Panzer zum Stehen kommt, ist sie tot. Der Dulle sagte: 'ne Frau wie's nie nich wieder eine gibt. Das, sagte Hanse Luis, hat sicher auch der halbhohe Bahnmensch Deuerling gemeint, wenn er gesagt hat: Ein Auge, aber zwei Goschen. Darauf der Dulle: Un det scheenste Hochdeitsch hat se ooch jehabt. Darauf der Schulze Max: Scheiß Paris, London ist größer. Der Laie staunt, der Fachmann wundert sich, rief der Fritz. O Schmerz laß nach, sagte Hanse Luis.

Als sie den Zaun vor der Villa Gwinner strichen – Dulle und Johann blau, Herr Minn und der Schulze Max weiß, Sempers Fritz rot, Helmers Franz, allen voraus, die Latten mit dem Schmirgelpapier fürs Gestrichenwerden präparierend –, da kam Hermine mit einem Tablett voller Gläser und einem vollen Mostkrug, schenkte jedem ein und sagte, Monsieur Lapointe läßt grüßen. Hermine war wichtiger geworden denn je, seit sie Hausdame des Ortskommandanten Lapointe war, der in der Gwinner-Villa, in der Hermine immer schon das Sauberkeitsregiment geführt hatte, residierte. Jede Nacht hochintensiv Französisch bei Herrn Seehahn, weil Monsieur Lapointe nicht deutsch sprechen durfte. Er könne Deutsch, aber als Ortskommandant dürfe er nur Französisch sprechen und hören. Und was für ein feiner Mensch! Und so schüchtern! So ein schönes Mannsbild und so schüchtern beziehungsweise timide. Und wie der hineinpasse in diese Villa mit Fenstern, in denen mehr Schwäne herumschwimmen als drunten im See. Dagegen seien unsere Kirchenfenster Fabrikfenster. Johann, rief sie, dich tät ich arg gern in die Halle führen. Deinen Vater habe ich einmal in die Halle hineinschauen lassen, da hat er ausgerufen: Eine Hochzeit aus Tropenholz und Jugendstil!

Was die Anstreicher leisteten, fand sie ganz nett beziehungsweise chouette. Alle tranken auf das Wohl von Monsieur Lapointe.

Am 14. Juli ging der General Lattre de Tassigny in Bad Schachen an Land.

Johann wartete auf die nächste Begegnung mit Lena. Er war nirgends, wo sie nicht war, ganz. An einem Junisonntag hatte er sich bei Magda zurückgemeldet. Wolfgang sei samt Torpedoboot in der englischen Gefangenschaft gelandet, also in der bestmöglichen Gefangenschaft überhaupt. Johann hatte Magda auf die um den dicken Stamm führende Bank bugsiert. Da sah man gemeinsam ins Grüne. Er hatte ihr nicht ins Gesicht sehen können. Am liebsten hätte er gesagt: Laß uns sofort sterben. Nur daß er nichts mehr hätte sagen müssen. Er war aufgesprungen, hatte ihr doch ins Gesicht geschaut. Ins Gesichtsoval, Haaroval, hatte ihren eng an der Nasenwurzel beginnenden Blick ausgehalten. Unter der mehr als zarten Nase ein wenig Mund. Ein kleiner edler Schwung. Sie fragte so nach Lena, als wisse sie schon alles. Aber alles, was sie durch die nichts als blitzschnelle dörfliche Nachrichtenübermittlung schon wußte, jetzt auch noch zu gestehen – das brachte er nicht fertig. Ach, es hätte ihm doch selber wohlgetan, wenn er ihr hätte schildern können, wie er Tag und Nacht auf Lena-Signale lauerte. Er konnte nur sagen, daß er Lena manchmal, wenn sie die

Treppe heraufkomme, begegne. Magda: Wirf sie hinunter. Und weil er überrascht schaute, sie: Die Treppe. Er sagte: Ach so, du meinst, die Treppe hinunter.

Den Abschied kriegte er nicht hin. Als sie weg war, wußte er, daß Magda jetzt dachte, Johann werde mit Lena sofort Schluß machen, Schluß, bevor überhaupt etwas anfangen könne. Von seiner Stimmung hatte er nicht das geringste merken lassen können. Dabei hätte er wirklich nichts lieber getan, als Magda seine Hochstimmung erleben zu lassen, sie teilhaben zu lassen an seiner Mitgerissenheit, an seiner Lenasucht. Warum ging das denn nicht? Warum konnte Magda nicht mitfühlen, was er fühlte? Warum riß er sie nicht mit in diesen stummen Jubel! In dieses stetige Steigen! Steigen! Steigen! Er flog doch. In jede Höhe.

Johann wünschte sich eine Welt, in der es möglich wäre, Magda von Lenas Sommerkleidern zu erzählen. Da sah man doch erst, wie Lena überhaupt war. Die Ärmel so kurz, daß man hineinsah ins Kleiderinnere. Sie hatte viel mehr Haare in den Achselhöhlen, als Anita gehabt hatte. Sie ging und stand in ihren Kleidern, aber innerhalb ihrer Kleider war sie nackt. Das sah er. Die Kleider ließen Raum für ihre Nacktheit. Die Kleider berührten Lena gar nicht. Sie umgaben ihre Nacktheit, ohne diese Nacktheit zu verbergen. Lena ging nackt in ihren Kleidern. Und warum konnte Magda das nicht miterleben? Warum konnte Magda ihn nicht erleben? Er kam sich vor wie ein Naturereignis. Wie ein Sonnenaufgang, wie ein Föhnsturm, wie Hagel im Juni. Er setzte weitere Gedichte hin, lieferte sie aber nicht mehr ab. Lena fragte, ob er keine Gedichte mehr schreibe. Er schreibe keine mehr, log er. Sie enthielten ihn doch nicht. Er wollte lieber aufschreiben, wie es früher gewesen war, wenn er fieberte, im Sommer. Wenn er im Zimmer neun im Bett lag, draußen, drunten die Schritte im Kies und die Schritte im Haus, es war, als finde die Welt in einer großen Halle statt, die alle Geräusche ins Unendliche vergrößerte. Daß sie wehtaten.

Aber wenn er jetzt zurückdachte, waren es schöne Schmerzen.

Im Vertiko hatte er auch das Wareneingangsbuch gefunden, in das er damals seinen ersten Satz geschrieben hatte. (Oh, daß ich einsam ward / So früh am Tage schon.) Wenn ich den Satz jetzt sieben Jahre lang aufbewahrt habe, dachte er, kann ich ihn auch noch ein paar Jahre länger aufbewahren. Aber wichtiger war ihm, aufzubewahren, was vom Vater im Vertiko zurückgeblieben war. Der für Johann kostbarste Fund: ein querformatiges Büchlein, wassergrün, Werbung für Wasserburg mit Bildern und Texten aus einer Zeit, in der Glatthars noch *Kolonialwaren, Kurz-, Weiß- und Wollwaren und Manufakturwaren und Galanterie- und Spielwaren* anboten, aber auch *Bettfedern und Flaum und Trauerartikel*. Johann dachte an Frau Glatthar, an die Zwangsversteigerung, vor der er dann mehr Angst gehabt hatte als vor dem kettenrasselnden und grell schellenden Knecht Ruprecht. Alle Bekanntmachungen und Bilder in diesem Büchlein waren umrahmt von Blättern, die Johann vom Tintenfaßdeckel des Vaters kannte. Jugendstil, hatte der Vater gesagt. *Wasserburg das deutsche Chillon* war der Titel des Büchleins. Da war er erst recht bei seinem Vater. Wahrscheinlich hatte der von seiner Kaufmannslehre am Genfer See Chillon mitgebracht. Und Lord Byron, den Johann zusammen mit Tell unterm Gravensteinerbaum übersetzt hatte, war doch auch in Chillon gewesen. Das waren Beziehungen!

Aber auch Zeitungsausschnitte, die dem Vater wichtig gewesen waren, las er mit gierigem Interesse. *Mobilmachungsbefehl* las er da:

> *Das deutsche Volk mobilisiert mit dem heutigen Tage zur Arbeitsschlacht.*
> *Auf Befehl des Führers beginnt die Frühjahrsoffensive sofort.*
> *Der Angriff auf die Arbeitslosigkeit hat auf dem*

gesamten Frontabschnitt der Wirtschaft einzu-
setzen.
Kein Arbeitgeber darf zurückstehen, alle haben
gemeinsam stürmend vorzugehen.
Jeder Betrieb, ob klein oder groß, hat Stoßtrupp
zu sein.
Zwei Millionen Volksgenossen müssen in diesem
Jahre zu den Fahnen der Arbeit einberufen wer-
den.
Helft dieser Arbeits-Armee!
Haltet Kameradschaft und gebt ihnen Arbeit!
Unser Ziel ist: Deutschland ohne Arbeitslose.

Sieg Heil!

Darunter stand in Vaters Schrift 22. 3. 34. Unter einem anderen Ausschnitt stand 11.11.36. *Siebzig Jahre alt* stand da. Und: *Ein um die Heimatkunde hochverdienter Mann, Herr Oberpostinspektor i. R. Ludwig Zürn, machte am 9, November 1936 nachts 12 Uhr den Schritt über die Schwelle zum 70. Lebensjahre. Was Herr Zürn im Laufe eines halben Jahrhunderts an heimatkundlichen Werten gesammelt hat, ist nur in einem bescheidenen Bruchteil im Druck erschienen. Wie gründlich und neuzeitlich Zürn schon vor vielen Jahren arbeitete, das zeigt, um vieles an-dere nicht zu erwähnen, sein h i s t o r i s c h e s H a u s b u c h, wie in ähnlicher Weise jetzt die Stadt der Bewegung dar-an geht, ein solches für München anzulegen. Zürns Tätig-keit beschränkte sich aber nicht auf Wasserburg allein. Selbst in Lindau genießt er größtes Ansehen und gilt als bewährte Zuflucht aller derer, die in arischen Nachweisen und Ähnlichem in Nöten sind. Möge es ihm daher ver-gönnt sein, auf der Stufenleiter der Jahre noch viele Jahre emporzuklettern.*

Johann hatte, wenn er solche Artikel las, das Gefühl, er habe damals noch gar nicht gelebt. Lebte er denn jetzt? Ganz sicher nicht in einer Gegenwart, die er mit anderen gemeinsam hatte. Er lebte nur dadurch, daß es Lena gab.

Was nicht mit ihr zu tun hatte, konnte er nur wahrnehmen, wenn er es extra von sich verlangte. Er mußte sich dann Begründungen liefern, sagend, warum das und das, obwohl es nichts mit Lena zu tun hatte, von ihm bemerkt werden sollte. Auf die Gemeinde gehen, das mußte er, für zwanzig Mark alle Bücher holen, die von Viktor Freiherr von Lützow übriggeblieben sind, nachdem der Freiherr sich, sobald der Krieg als verloren gemeldet worden war, wie es hieß, vor den Zug geworfen hatte. Herr Schuhmacher Gierer auch. Aber bei dem kann es am Bahnübergang auch ein Unfall gewesen sein. Johann war dafür, daß es beim Schuhmacher Gierer ein Unfall war. Daß es beim Freiherrn kein Unfall war, mußte er gelten lassen. Die Schriften und Bücher, die er auf dem Handwagen in Kisten heimtransportierte, handelten von der Homosexualität. Magnus Hirschfeld: *Das dritte Geschlecht*. So etwas interessierte ihn. Er wollte den Vetter Großonkel verstehen. Der tot war. Gestorben direkt nach der Befreiung. Seine *Alpenbiene* hätte er nur als Brandruine gefunden. Ein SS-Untersturmführer hatte vor der Käserei eine Panzersperre errichten lassen, hatte, obwohl das Dorf mit weißen Tüchern die Kapitulation angezeigt hatte, einen französischen Offizier, der ungeschützt auf seinem Panzer herfuhr, erschossen, war seinerseits sofort von einer Panzergranate zerrissen worden, dann war alles angezündet worden.

Am Tag davor war noch Otmar Räuchle, der Lieblingskäser des Großonkels, erschossen worden. Schon auf dem Heimweg nach Amtzell, wo er nach wie vor seine Bleibe hatte, fiel ihm ein, daß er vergessen hatte, das Rührwerk abzustellen. Also zurück nach Geiselharz, das Rührwerk, daß der Elektromotor nicht durchbrenne, abgeschaltet und wieder hinaus, Richtung Amtzell. Er ist schon fast dort, kommen ihm die Franzosen entgegen, er sofort querfeldein, sie schießen hinter ihm her, eine Kugel trifft ihn so in den Hinterkopf, daß sie vorn durch den Mund wieder austritt. An diesem Abend ist der Großonkel, nachdem er von Rottenburg bis Amtzell sechs Tage gebraucht hatte, zurückgekommen, hat in Amtzell erfahren, daß vor seiner *Alpenbiene* eine Panzersperre errichtet worden sei, hat beschlossen, auf der Bank vor Otmar Räuchles Häuschen zu warten, bis der zurückkomme, dann hatte er zuschauen müssen, wie sie den toten Otmar Räuchle hergetragen haben. Am nächsten Morgen findet man ihn tot in Otmar Räuchles Wohnzimmer, im Sessel sitzend, nur ein bißchen verrutscht. Er habe da gesessen, als sei er nur schnell eingenickt. Mit der *Alpenbiene* war verbrannt das mulmige Klavier, waren verbrannt die rot gepolsterten Stühle, deren Beine den Boden vor Zartheit und Gebogenheit schier nicht zu erreichen schienen, war verbrannt die wie aus dem Schlaf schlagende Standuhr, der glasbehütete Bücherschrank. Nicht verbrannt aber waren die vierundzwanzig Halbledergoldschnittbände des Lexikons. Die und die sechsbändige Schillerausgabe hatte der Vetter Großonkel, noch bevor er eingesperrt worden war, von Geiselharz nach Wasserburg transportiert; er habe Johanns Interesse für diese beiden Werke bemerkt, also solle Johann sie haben. So hatte Johann diese beiden Werke. Ob er Schiller oder Meyer in die Hand nahm, es geschah nie ohne Andacht. Er fühlte sich reich. Und hatte in sich Raum, unendlich viel, aber nur für Helligkeit, eigentlich nur für Glanz, Goldglanz und höchste Töne. Gut, er war kein Tenor, aber aufschwingen konnte er sich. In ihm war jeder Ton möglich. Er mußte ihn nur drin lassen in sich. Sobald er ihn singen oder auch nur sagen wollte, stellte sich heraus, daß sein toller Ton nicht so toll war. Aber solange dieser Ton zu nichts anderem taugen mußte, als Johann auszufüllen, war es der vollste, schönste, höchste Ton der Welt. So gestimmt, konnte Johann von nichts Schrecklichem Kenntnis nehmen. Alles, was entsetzlich war, fiel ab an ihm, wie es hergekommen war. Er wollte nicht bestreiten, was rundum als entsetzlich sich auftat. Aber er wollte sich nicht verstellen. Und er hätte sich verstellen müssen, wenn er ge-

tan hätte, als erreiche ihn das Entsetzliche. Es erreichte
ihn nicht. Er kam sich vor wie in einer Flut. In einem Element aus nichts als Gunst und Glanz. Jeder Tag, an den
er sich erinnerte, war der schönste Tag in seinem Leben.
Andere Tage ließ er gar nicht zu. Der Tag der Firmung.
Im Juni. Josef und er in der Firmlingsschar, ein Hochwür-
digster Herr Bischof, der auch noch Joseph, wenn auch
mit ph, hieß, der Nachfolger des heiligen Ulrich, war aus
Augsburg gekommen, hatte die Firmlinge geprüft, vor
der ganzen Pfarrei gefragt, was mit der Dreieinigkeit gemeint sei, was mit dem Rosenkranzgeheimnis, welche
Heiligen in der letzten Woche gefeiert wurden, welche in
dieser und welche in der nächsten Woche zu feiern seien,
Mädchenzeigefinger und Knabenzeigefinger hatten kon-
kurriert, nachher vom Großonkel goldene Armbanduh-
ren für Josef und Johann, Ausflug auf den Gebhardsberg,
die Aussicht, der See, ein blaues Edeltier, das zwischen
seinen Beinen Konstanz barg, Bratwürste, Limonade, der
Großonkel, eine überirdische Gutmütigkeitsdichte, un-
verbrauchbar. Daß der Wasserburger Benefiziat den Bi-
schofsstab gehalten hatte, der Nonnenhorner die Mitra,
das hatte Johann seine zwei Kapläne für immer erhoben.
Der Pfarrer allerdings gewann auch durch den ihm feierlich umgehängten Rauchmantel nichts Bleibendes hinzu.
Der Großonkel hatte auf dem Gebhardsberg wieder eines
seiner feinen, weißen Taschentücher gezogen und hatte
damit seine Zungenspitze abgewischt. Fast geputzt. Das
hat er auch getan, wenn Josef und Johann bei Bredl in
Wangen Kammgarnanzüge und Gabardinemäntel pro-
bierten. Johann hatte sich nie getraut zu fragen, warum er
das tue. Jetzt war dieser Anselm aller Anselme tot. Die
feinen weißen Taschentücher wurden nie zu etwas anderem als zum Betasten der Zungenspitze benutzt. Vielleicht hat der Großonkel einfach öfter seine Zungenspitze
berühren wollen, berühren müssen, hatte sie aber nicht
mit einer im Alltag beschäftigten Hand berühren wollen,
deshalb diese wunderbaren weißen Taschentücher. O

Anselm, dachte Johann, nun bist du ganz mein. Von der Mutter wußte er, daß der Großonkel, als er ohne alles anfing, eine Käserei aufzubauen, jahrelang nichts anderes gegessen hatte als sure Bodebira beziehungsweise saure Bodenbirnen beziehungsweise saure Kartoffeln. Und das Milchgeld hat er, um zu sparen, in Wangen immer zu Fuß geholt. Zwölf Kilometer mindestens, hin und zurück. Dann eben, als gemachter Mann, nur noch im Auto. Jetzt summend. Am Steuer immer summend. Ohne diesen vor Schwere summenden Menschen wäre Johann vielleicht zu spät zu Schiller gekommen. Und wenn es auch nichts genützt hatte, daß er im Halbledergoldschnitt die Vagina studieren konnte, es war doch etwas anderes zu wissen, was man nicht kennt, als gar nicht zu wissen, was man nicht kennt. Der Augenblick aller Augenblicke: alle Kirchenfahnen senken sich, der Benefiziat Krumbacher hält dem Hochwürdigsten Herrn Bischof die Schale mit dem heiligen Chrisam hin, der langt hinein und streicht, was ihm am Finger bleibt, auf Johanns Stirn, das fühlt sich an und hat auch im Seitenblick so ausgesehen wie das, was, wenn Johann durchs Ziel geht, aus der IBDIB-Mündung schießt, und schon kommt der Benefiziat Hebel mit zwei Ministranten und wischt die heilighelle Schmiere mit Watte wieder weg und reicht das Wattebäuschchen Höschelers Heini, der es in die von Frommknechts Hermann hingehaltene Schale legt. Und von überall her singt es beziehungsweise braust es: Großer Gott, wir loben dich.
Vielleicht hat die Mutter das nicht mehr verantworten können, daß Johann auf dem Sofa nur durch eine dünne Holzwand von Lucile getrennt war. Sie lagen praktisch neben einander. Er hörte sie pfeifen, atmen, sie ihn sicher auch. Johann mußte zurück ins Zimmer neun, ins Doppelbett. Wo Josef geschlafen hatte, schlief jetzt Anselm. Zum Glück schlief Johann auf der Fensterseite. Da dachte er natürlich, wenn er unter der Decke lag und sich begegnete, aus dem Fenster hinaus und hinüber zum ersten Fenster von Zimmer zehn. An Allerheiligen sagte er

nach einem Mundaufmund- und Mundinmundtermin an der Gangwand: Heut nacht komm ich. Er sagte das so unernst wie möglich. Er sagte das so, als habe er gesagt: Du mußt keine Angst haben, Lena, daß ich komme, ich sag das einfach so gern, würde es am liebsten tausendmal nacheinander sagen: Heut nacht komm ich, komm ich, komm ich ... Nach zwei Stunden solchen Aufsagens würde er so innig leise wie möglich sagen: Keine Angst, ich komm doch gar nicht, ich sag das bloß, aber sagen muß ich es. Und würde wieder anfangen: Heut nacht komm ich ... An der Gangwand sagte er es natürlich nur ein einziges Mal, und so unernst wie überhaupt möglich. Daß er, wenn er käme, nicht auf den ächzenden Gangbrettern käme, weil das die Mutter sofort mit einem Johann-was-ist-denn beantworten würde, mußte er hoffentlich nicht aussprechen. Es wäre ihm peinlich gewesen, seine Mutter im Zusammenhang mit diesem Nachtplan überhaupt zu erwähnen.

Lautlos stemmte er sich hoch, schlüpfte hinaus, zog das Fenster zu. Eine lichtlose Nacht. Die Straßenlaterne noch außer Betrieb. Aber die goldroten Kastanienblätter gaben fast einen Schein. Brückenwaage und Bahnhof waren nur zu ahnen. Die hellgelbe Hauswand gab auch eine Art Schein. Der Großvater hatte die Fenster seines hellgelb gestrichenen Hauses mit rötlichen Sandsteinsimsen und -einfassungen versehen, über jedem Fenster prangte ein rötlicher Sandsteingiebel. Das Sims eines Fensters reichte fast bis zum Sims des nächsten Fensters. Der Schritt von einem zum anderen war möglich. Oben konnte er sich an den Sandsteingiebeln halten. Die sprangen so weit vor, daß sichere Griffe möglich sein mußten.

Johann in Turnhemd und Turnhose, barfuß, fühlte sich ziemlich sicher, als er sich an seinem Fenster aufrichtete und anfing, sich an der Wand entlangzutasten. Die Sandsteinsimse erlaubten sichere Schritte. Die Sandsteingiebel ragten gut drei Zentimeter vor, stiegen über jedem Fenster flach an und fielen wieder flach ab, an diesen flachen

Schrägen fand er mit den Fingern so viel Halt, daß er mit den Füßen von Sims zu Sims tasten konnte. Schwierig wurde es erst, als er beim ersten Fenster von Zimmer zehn angekommen war. Hatte Lena sein Leichthingerede richtig verstanden? Würde das Fenster angelehnt, aber offen sein? Entweder sie hatte alles so mitgedacht wie er und mitempfunden, dann würde ihr Fenster offen sein, oder sie hatte es nicht mitgedacht, mitempfunden, dann würde er sich zurücktasten zu seinem Fenster. Klopfen konnte er wohl nicht. Sie hatte ihn richtig verstanden. Das Fenster ließ sich aufschieben. Sie stand sogar am Fenster. Reichte ihm die Hand. Die brauchte er nicht. Er ließ sich lautlos hinab. Lena führte ihn. Zu dem Doppelbett. Die Nacht von Allerheiligen auf Allerseelen, die einzige Nacht, in der Josefine nicht in Reichweite von Lena schlafen würde, weil Josefine, die seit Jahrzehnten für Lenas Familie arbeitete und eigentlich schon ein Familienmitglied war, über Allerheiligen und Allerseelen im Allgäu am Grab ihrer Eltern beten mußte. Unter dem nach Osten gehenden Fenster war aber ein Bett für Lenas jüngsten Bruder aufgestellt worden. Der schlief hoffentlich so tief wie Anselm. Johann mußte von Anfang an so tun, als habe er vergessen, daß da ein Sechsjähriger liege. Andererseits durfte er das nicht vergessen. Als er nachher wieder drüben lag unter seiner Decke, stellte er fest, daß seine Unzurechnungsfähigkeit in dieser Nacht eine andere gewesen war als die mit Luises Schwester auf dem Kleppermantel im Schwandholz.
Lena wehrte ihn nicht ab, auch nicht zum Schein. Sie half ihm natürlich nicht. Das hätte er ihr übelgenommen. Er tat so, als wisse er Bescheid. Anfangs tat er so. Dann muß Lena bemerkt haben, daß er nicht so bewandert war, wie er tat. Lena ließ ihn spüren, daß sie mit seiner Unfähigkeit sympathisiere, sie sozusagen liebend gern teile. Sie gab ihm zu verstehen, daß nichts so wenig schlimm sei, wie daß überhaupt nichts stattfinde. Das sei überhaupt das Höchsteschönsteliebste.

Das war das vollkommenste Entgegenkommen, das er bis jetzt erlebt hatte. Und das in der Schicksalssituation schlechthin. Eine noch nie erlebte Gleichgestimmtheit. Was auch immer geschähe, wohin sie auch gerieten in dieser unberechenbaren Nacht, sie bestünden's zusammen, sie wären eins. Diese von Lena erfundene Stimmung trug ihn durchs Ziel. Machte ihn zuständiger, als er war. Und als er so durchs Ziel gerissen wurde, hätte er auch noch daran denken sollen, daß von ihm nichts in sie gelangen durfte. Auch das noch! Ihm kam vor, Lena müsse ihn für nichts als einen Schurken halten, wenn er imstande war, sich kaltblütig, eiskalt, total kontrolliert und gekonnt jäh aus ihr zurückzuziehen. Nachher hoffte er, das sei ihm gelungen. Sicher war er nicht. Wieder drüben, unter seiner Decke, lief, was in Lenas Bett gelaufen war, noch einmal und noch einmal ab. Er hatte nicht das Gefühl, im Bett zu liegen, sondern im Glück. Er wog nichts mehr, ihn trug etwas, was er noch nie erlebt hatte. Er nannte es nicht Glück. Er lehnte das Wort sogar ab. Wieder einmal kein Wort für das Wichtigste. Jahrelang bergauf gelaufen, gekrochen, gerobbt und geklettert, jede Art Mühsal auf dich genommen, noch ein Stückchen und noch ein Stückchen höher zu kommen, durch keine Niederlage vom Ziel abzubringen, vom Ziel aber so gut wie keine Ahnung, vielleicht würde sich herausstellen, daß es das, was ihm das Wichtigste war, gar nicht gab. Ihn hat alles, Krieg, Gedichte, Bergwelt, Kraft, Kleider, Klang, Reden und Schweigen, alles hat ihn nur interessiert, wenn es ihn ins Ziel bringen konnte. Und was ihn nicht ins Ziel bringen konnte, gab es nicht. Nicht von selbst. Dem hat er sich willentlich zuwenden müssen. So tun müssen, als interessiere es ihn. Es hat ihn noch nie etwas interessiert, das ihn nicht dort hinauf und hinein führte, ins Sehnsuchtsziel sozusagen. Und das war passiert. Durch nichts und niemanden als durch Lena. Vielleicht war das Wort Erlösung dafür zu gebrauchen. Eigentlich brauchte er jetzt gar keine Wörter mehr. Er war ja erlöst jetzt. Die

Unseligkeitsstrecke, in der alles ungewiß war, lag hinter ihm. Also, bitte. Basta. Und diese Dankbarkeit, die ihn jetzt fast plagte vor Überdeutlichkeit und Dringlichkeit. So aus einer Zweifelexistenz ins schlechthin Schönstbestimmte erlöst zu werden! Lena, also wirklich, ich habe das Gefühl, als schwimme ich plötzlich nicht mehr gegen den Strom. Plötzlich trägt es mich fort und fort, ich bin nichts als leicht und einverstanden.

Ein wenig Blut hatte er zurückgebracht aus dem Zimmer zehn. Die schwarze Turnhose schluckte das.

Als er am nächsten Tag, von Lenas Stöckelsolo hochgerissen, in den Gang hinausstürzte, ließ sie sich nicht fangen, rief aber, als sie ihm entkommen war, zu ihm zurück: Heut nacht komm ich. Dann war sie schon wieder drunten, spielte Klavier. Da keine Franzosen mehr im Haus waren, spielte sie Mozart. Wenn sie von ihm weg hinunterrannte und spielte, hörte er, daß dieses Spiel sich an ihn richtete.

Ein bißchen kleingemacht kam er sich schon vor, als sie an seinem Fenster auftauchte, hereinschlüpfte und so tat, als sei das nichts, sich an der Hauswand von Sims zu Sims zu tasten, die Finger oben auf den Sandsteinführungen. War Lena überhaupt so groß, daß sie von den Simsen bis zu den Giebeln reichte? Das waren doch hohe alte Fenster für ganz hohe alte Zimmer. Aber sie war da. In einem seidenen Mantel. Den tastete er mit der Taschenlampe ab. Innen brandrot, außen wild geblümt. Weil Johann staunte, flüsterte sie: Von meiner Mutter. Johann hatte die Riegel beider Türen unendlich leise vorgeschoben. Hereinkommen konnte niemand. Wenn Anselm erwachte, müßte Johann irgendeine Old Shatterhand-Geste versuchen. Er hatte aus dem Schrank einen bestickten Kissenbezug geholt und aufs Leintuch gelegt. Dieser Kissenbezug paßte gar nicht mehr über die jetzt gebräuchlichen Kissen. Er stammte sicher aus der Mitgift der Großmutter. Die gotische Stickerei sagte: Vergiß den Kummer in süßem Schlummer. Nachher, als Lena auf demselben

Weg verschwand, auf dem sie gekommen war, nahm sie den Bezug mit. Sie werde ihn waschen. Johann war klargeworden, daß die zweite Nacht viel blutiger ausgefallen war als die erste. Er mußte, das spürte er deutlich genug, das Blut von seinem Teil abwischen. Er wußte, unten drin im Nachtkästchen lag noch ein weißer Überzug, der an höheren Marine-HJ-Tagen über die blaue Mütze gezogen wurde. Damit rieb er sich sauber. Den jetzt blutigen Überzug versenkte er in der Schulmappe. Am nächsten Tag hatte er ohnehin mit dem Rad in die Schule fahren wollen. Von den vier oder fünf mehr oder weniger parallel laufenden Wegen von Wasserburg nach Lindau wählte er einen, der zuerst einen kaum begangenen Feldweg anbietet und an einer Tannenhecke entlang durchs Birkenried führt. Dort warf er den blutigen Mützenüberzug in den Oeschbach und hoffte, der werde die beträchtlich blutige Sache sorgsam hinaustragen in den See und irgendwo untergehen lassen für immer.

Lena hatte auch in der zweiten Nacht alles geteilt mit ihm. Auch in der zweiten, der geschehnisstärkeren Nacht war die Gemeinsamkeitsstimmung wichtiger als alles, wodurch sie zustandekam. Die zweite Nacht war ereignishafter als die erste. Lena drückte das, bevor sie wieder aus dem Fenster hinausturnte, so aus: Ich muß das nicht beichten.

Nach der Schule wählte er wieder den Weg, der am Bichelweiher vorbei und dann durchs Birkenried führt. Er war auf diesem Weg noch nie jemandem begegnet. Diesmal sah er schon von weitem, daß kurz vor dem Bahnwärterhäuschen, wo dieser Weg auf die geteerte Straße trifft, ein Fahrrad auf dem Sattel stand und einer am Hinterrad drehte. Er war noch nicht dort, sah er schon: Wolfgang Landsmann. Hast du einen Platten? fragte Johann. Vor allem habe ich kein Flickzeug, sagte Wolfgang. Johann lehnte sein Rad an eine der kleinen Tannen dieser Tannenhecke. Grüß dich, sagte Wolfgang. Servus, Wolfgang, sagte Johann. Eigentlich wollte er jetzt fragen, ob das das Vollballonrad sei, das Edi Fürst damals über den Rain an der Turnhalle hinuntergeworfen hatte. Aber er sah ja, daß es ein Vollballonrad war, also war es das, das damals hinuntergeworfen worden war. Also hätte er sagen sollen: Ach ja, das ist das Rad, das Edi damals hinuntergeworfen hat. Aber das konnte er nicht sagen. Aber so tun, als kenne er dieses Rad überhaupt nicht, konnte er auch nicht. Da Wolfgang auf dem Gepäckständer eine Mappe eingeklemmt hatte, hätte Johann fragen können, ob Wolfgang von der Schule komme. Aber da Wolfgang, wenn er in Lindau in die Oberschule ginge, in Johanns Klasse gehen müßte, konnte er jetzt nicht von der Schule kommen.

Johann holte übereifrig das Flickzeug aus seiner Satteltasche, untersuchte den Reifen, fand keinen Nagel, also sagte er, es bleibe nichts übrig, als das Rad abzumontieren, den Schlauch herauszunehmen, aufzupumpen und die paar Meter zum Oeschbach zu rennen und den Schlauch ins Wasser zu halten, dann habe man das Loch sofort. Und dachte: Hoffentlich ist der blutige Mützenüberzug nicht irgendwo hängengeblieben.

Wenn nicht der Höhe genannte Hügel dazwischenläge, hätte man von der Stelle aus, an der sie standen, zur Turnhalle hinüberschauen können. Zum Glück konnte man das nicht. Johann spürte, daß es ihm ganz und gar gegen den Strich gegangen wäre, wenn Wolfgang jetzt von Edi Fürst angefangen hätte, von dem Appell damals. Er hätte doch überhaupt nicht gewußt, was er hätte sagen sollen. Sagen können. Und selber davon anfangen, das war unvorstellbar. Wenn Wolfgang davon anfangen würde, müßte Johann reagieren. Wie, wußte er nicht. Also, auf jeden Fall, alle Aufmerksamkeit aufs Fahrradflicken.

Da Johann sah, wie wenig Erfahrung Wolfgang mit Plattfußflicken hatte, konnte er als Kenner auftreten. Wolfgang staunte. Das tat Johann gut. Er brachte zwar immer noch jeden Plattfuß zu Hotze Franz nach Hege und kraulte, solange der flickte, dessen Geißen, anstatt beim

Flicken zuzuschauen. Aber als ihm der Hutschief in Nonnenhorn das Fahrrad geflickt hatte, hatte er aufgepaßt. Er war jetzt einfach der Fachmann. Sein Flickzeug war komplett. Und wie Wolfgang zuschaute, ihm Respekt bezeugte für seine Fahrradmechanikernummer, das ließ ihm keine andere Wahl: es mußte gelingen. Und es gelang. Zumindest hielt der Reifen die Luft, bis sie die *Restauration* erreichten. Sie hatten, weil sie noch nicht fertig waren mit dem Gespräch, ihre Räder geschoben. Das heißt, Wolfgang war noch nicht fertig mit dem, was er Johann offenbar erzählen wollte. Er fuhr, solange das Wetter es noch zuließ, jeden Tag mit dem Rad nach Lindau, dann mit dem Zug nach Bregenz. Schon seit Ende 43 geht er in Bregenz in die Schule.

Wie wenig Johann weiß. Das wundert Wolfgang am meisten. Seine Mutter, Jüdin, lebte doch mit seinem Vater, dem Dr. Landsmann, in *privilegierter Mischehe*. Der Vater, trotz seines Namens, kein Jude. Stammt aus Stuttgart, ursprünglich sogar aus Weingarten. Sei die Frau, wie man gesagt hat, arisch gewesen, habe die Ehe nur *Mischehe* geheißen. Wolfgang, 1927 von Pfarrer Dillmann getauft. Ich doch auch, wollte Johann sagen. Ging nicht. Der Vater also *jüdisch versippt*, wie man gesagt hat, verliert in Stuttgart die Vertrauensarztstellung, die Kassenzulassung, gerade noch daß er im Schwabtunnel für den Luftschutz hat zuständig sein dürfen. 43 dort ausgebombt, ziehen sie wieder her, in ihr Haus neben Eschig und Halke. Die Mutter mit Wolfgang nach Bregenz, er wird aufgenommen, der Schulleiter hat gewußt, daß er sich strafbar machte, Schüler mit einer jüdischen Mutter hätten nur bis zur 3. Klasse in der Schule bleiben dürfen. Anno 44 meldet sich Wolfgang, ohne es den Eltern zu sagen, in Innsbruck als Freiwilliger für die ROB-Laufbahn. Es bleibt dann nur der Volkssturm, Kommando Halke. Nachts werden die Panzersperren weggeräumt, die man am Tag gebaut hat. Wolfgangs Mutter andauernd in der Angst, abgeholt zu werden. Der Hauptlehrer Heller wollte dafür sorgen. Deshalb hat sie darum gebeten, den Lehrer an acht Sonntagen ins Schaufenster zu setzen und ihm das Schild: Ich war ein Nazi umzuhängen. Wolfgangs Vater hat die Mutter ausgelacht, das Schild sei eine Falschmeldung, es müßte draufstehen: Ich bin ein Nazi.

Wolfgang merkte, daß er Johann Neuigkeiten erzählte. Dann weißt du auch nicht, sagte er, daß Rudolf Heß 1934 Frau Haensel besucht hat? Nein, weiß Johann nicht. Er weiß nicht, daß Frau Haensel Jüdin ist. Wolfgang wunderte sich. Die hatte Protektion aus München, sagte Wolfgang. Johann wollte einwerfen, daß Frau Haensel eine treue Kohlenkundschaft sei. Es ging nicht. Er konnte überhaupt nichts sagen. Im Augenblick werde von dem antifaschistischen Arbeitskreis, den es im Ort immer gegeben habe, eine Dokumentation erstellt über die Verfolgung der Antifaschisten durch die Nazis in Wasserburg von 1933 bis 45. Rechtsanwalt Springe, schon anno 37 in Berlin abgehauen, sei federführend. Den Anwalt kannte Johann, da der die Kohlen bei der Konkurrenz bestellte, nur vom Sehen. Frau Prestele, Dr. Rütten, Professor Bestenhofer, Hajek-Halke, gehörten zu diesem Kreis. Alles Leute aus den Villen. Außer Frau Prestele und Herrn Hajek-Halke keine Kundschaften Johanns.

Als sie bei den Kastanienbäumen ankamen, hörten sie aus dem Nebenzimmer das Klavierspiel. Lena, sagte Wolfgang. Johann erschrak. Tat aber so, als wisse er mit dem Namen nicht viel anzufangen. Wolfgang: Prestele-Schülerin. Das wußte Johann natürlich auch. Aber da er nun schon der war, der so gut wie nichts wußte, nickte er auch zu dieser Auskunft, als sei sie ihm neu. Prestele sagt, sie sei sehr begabt, sagte Wolfgang. Das hatte Johann tatsächlich noch nicht gehört. Du kennst sie doch, sagte Wolfgang, die Tochter eures Pächters. Johann nickte, zuckte aber gleichzeitig mit den Achseln, als sei ihm das ziemlich egal, ob er die Pächterstochter kenne oder nicht. Aber Wolfgang wußte noch mehr. Georg, ihr Vater, und sein Vater hätten, weil Lenas Vater immer antifaschistisch eingestellt gewesen sei, auch in den schlimmsten Zeiten alles miteinander besprochen. Lena und ihre ganze Familie hätten doch den furchtbaren Angriff mitgemacht, letztes Jahr im April. Da hätte Johann sagen können, daß Lena ihm gesagt habe, das Schlimmste in dieser Nacht sei für sie gewesen, daß sie, als sie aus dem Luftschutzkeller herausgeklettert war, im brennenden Friedrichshafen nirgends habe aufs Klo gehen können. Das sagte er auch nicht. Wolfgang war so sehr Herr der Einzelheiten über Lena und ihre Familie, daß Johann sich ausgeschlossen vorkam. Georg, hatte Wolfgang gesagt. So hieß Lenas Vater. Wolfgang war offenbar mit der ganzen Familie per Du.

Dann ging Wolfgang an eines der Nebenzimmerfenster und klopfte dagegen. Aber Lena spielte so laut, daß sie das Klopfen nicht hörte. Sie hört es nicht, sagte Wolfgang. Wenn du sie siehst, grüß sie von mir, sagte er. Er hoffe, man sehe sich jetzt öfter. Johann nickte. Wolfgang stieg auf, winkte und fuhr ab, Richtung westlicher Bahnübergang. Johann kannte den Weg zur Villa Eschig und Hajek-Halke und zum Haus Landsmann.

Er ging durch die Hintertür ins Haus. Er wollte Lena nicht gleich begegnen. Die Mutter hatte mit dem Essen gewartet. Anselm war schon wieder fort.

Nachher saß Johann und wehrte sich dagegen, ein Gedicht zu schreiben. In ihm sprudelten die Wörter hoch, die Lena ihm in den beiden Nächten zugeflüstert hatte. Sie hatten alles, was sie einander sagen wollten, einander in die Ohren flüstern müssen. Schon dadurch war eine Wärme entstanden, die einem durch und durch ging. Auch die Wörter selber waren durchdringend. Lena war eine Verkleinerungsfanatikerin. Die Verkleinerungen machten, was sie verkleinerten, nicht kleiner, sie vervielfältigten es, machten es unendlich, weltfüllend. Die Wörter und Sätze aus Lenas Mund strömten nicht, sie wurden gerufen. Ganz leise, aber gerufen. Das war vielleicht das Durchdringende, daß sie so leise rief. So gut wie keine

Konsonanten. Lena war eine Sprachaufweicherin. Einen weicheren und heftigeren Andrang konnte es nicht geben.

Bis jetzt hatte er, wenn er mit Menschen zu tun gehabt hatte, ununterbrochen aufpassen müssen, daß ihm kein Fehler unterlaufe, dessen Folgen er zu büßen haben würde. Und alle Menschen, mit denen er zu tun gehabt hatte, hatten genauso aufgepaßt, daß sie nichts falsch machten. Dagegen, daß er allein war, hatte die Mutter noch nie etwas tun können. Sie wußte gar nicht, daß er allein war. Sie war genauso allein wie er. Er hatte, als Lena ihm ins Ohr rief, an den Vater denken müssen, an die Eskimosprache, an die Begrüßung mit der Nasenspitze und an den Wörterbaum. Sein ganzer Wörterbaum brauste auf einmal mit Lenawörtern. In seinen Mund paßten sie nicht. Er mußte selber Wörter finden. Auch für das, was Wolfgang über sich und seine Mutter und seinen Vater erzählt hatte. Die Angst, in der Wolfgangs Mutter gelebt hatte, weil der Lehrer sie hatte abholen lassen wollen. Johann wehrte sich gegen die Angst, in der Frau Landsmann gelebt hatte. Wolfgang hatte ihm leid getan, als Edi Fürst ihm das Fahrrad den Rain hinuntergeworfen hatte. Er hatte Wolfgang dann vergessen und vergessen, daß er ihn vergessen gehabt hatte. Warum hat er nicht gesagt, daß er dieses Rad kennt? Er hätte doch zeigen können, daß er dieses Rad kennt. Dann hätte Wolfgang gewußt, was Johann damit sagen wollte! Warum hatte er das nicht gesagt? Die Angst, in der Frau Landsmann gelebt hat, engt ihn ein. Er will mit dieser Angst nichts zu tun haben. Er hat Frau Landsmann ein- oder zweimal gesehen, wenn er Herrn Hajek-Halke den Koks II in den ebenerdigen Lagerraum, eine Art Anbau an ein Gewächshaus, getragen hat. Frau Landsmann war am Zaun gestanden, hatte mit dem immer braungebrannten Herrn Hajek-Halke geplaudert. Landsmanns waren keine Kohlenkundschaft. Johann hatte so gut wie nicht hingeschaut zu den beiden, wenn er mit der gefüllten Butte zum Gewächshausanbau oder mit der geleerten Butte zum Wagen zurückging, auf dem Niklaus oder Dusan inzwischen die zweite Butte wieder gefüllt hatte. Jedes Jahr einhundertzwanzig Zentner Koks II hatte er in Hajek-Halkes Lagerraum getragen. Frau Landsmanns Gesicht. Augen, die aus den Höhlen wollten, aber von Unterlidern daran gehindert wurden. Schwer lagen diese Augen auf den Unterlidern. Und die Lippen, auch schwer. Breit und schwer. Sie wurden vom Kinn gehindert, aus dem Gesicht zu fallen. Er hatte gespürt, daß Wolfgang, was er ihm erzählt hatte, erzählt hatte, weil Johann das wissen müsse. Vielleicht meinte Wolfgang, daß Johann ein Vorwurf zu machen sei, weil er all das nicht gewußt, nicht gemerkt hatte. Johann wehrte sich gegen diesen vermuteten Vorwurf. Woher hätte er wissen sollen, daß Frau Haensel Jüdin ist? Er wollte von sich nichts verlangen lassen. Was er empfand, wollte er selber empfinden. Niemand sollte ihm eine Empfindung abverlangen, die er nicht selber hatte. Er wollte leben, nicht Angst haben. Frau Landsmann würde ihn mit ihrer Angst anstecken, das spürte er. Er mußte wegdenken von ihr und ihrer Angst. Eine Angst gebiert die nächste. Nichts so sicher wie das. Er hatte Angst, Frau Landsmann zu begegnen. Seit er wußte, in welcher Angst sie gelebt hatte, wußte er nicht mehr, wie er ihr begegnen mußte. Wie grüßen, wie hin- oder wegschauen? Mehr ausdrücken, als er in dem Augenblick gerade empfand? Er wollte nicht gezwungen sein. Zu nichts und von niemandem. Die Toten warteten auf ihn. Er konnte sich Josef nicht tot vorstellen. Er sah Josef immer lebendig vor sich. Vielleicht würde er sich im Winter die Toten tot vorstellen. Jetzt nicht. Nicht in diesem glühenden Sommer. Er hatte sich freiwillig gemeldet, um die Waffengattung wählen zu können. Und er hatte sich nicht zur Flak gemeldet, weil er nicht als Drückeberger dastehen wollte, sondern angeben wie zehn nackte Neger. Die Sprache, die er nach 1933 erlernt hatte, war, nach der Kirchensprache, die zweite Fremdsprache gewesen. Sie war ihm nicht nähergekommen als die Kirchensprache. Er hatte sich mit beiden Sprachen herumgeschlagen. Er mußte eine eigene finden. Dazu mußte er frei sein.

Einmal, im Schulhof in Lindau, am letzten Schultag, als die Fahne eingeholt wurde, war er vom Direktor beauftragt worden, die Leine zu lösen, die Fahne langsam herunterzulassen. Der Direktor selber stand mit ausgestrecktem Arm dicht vor dem Fahnenmast. Weil dieser Direktor Johann einmal einen beleidigenden Satz an die Mutter mitgegeben hatte – sie müsse sich, hatte er zu Johann gesagt, überlegen, ob sie aus Johann einen Oberschüler oder einen Kohlenschaufler machen wolle –, tat Johann zuerst, als klemme die Leine in der oberen Rolle, zwang dadurch den Direktor, seinen Arm noch länger ausgestreckt zu halten, dann tat er, als habe sich die Leine unbeherrschbar gelöst, die Fahne sauste herab, begrub den Direktor halb unter sich, der schaufelte sich hervor und sagte: Natürlich der Oberdepp. Den Blick aus Verachtung und Wut würde Johann nie mehr vergessen. So hatte ihn höchstens noch der Oberjäger am MG 42 auf dem Kreuzeck angeschaut, als Johann gesagt hatte, er finde, der Schnee sei weiß.

Johann wollte nie mehr unterworfen sein, weder einer Macht noch einer Angst. Niemand sollte einen Anspruch an ihn haben. Am liebsten wäre er so frei gewesen, wie noch nie jemand gewesen war.

Da hörte er Lenas Schritte die Treppe herauf-, den Gang entlangkommen. Und mußte aufspringen und war draußen, versperrte ihr den Weg und stellte die Frage. Was ist zwischen dir und Wolfgang Landsmann gewesen, oder: was ist zwischen euch? Er griff dabei in ihre Haare, als wolle er darauf hinweisen, wie gut Wolfgangs fabelhaft schöne schwarze Haare, die ihm glänzend und glatt in den Nacken reichten, wie gut die paßten zu ihren wilden, genauso schwarzen Haaraufschwüngen und -wellen. O du, sagte sie, komm. Zog seinen Kopf zu sich, daß sie ihm weitere Wörter voller Verkleinerungswucht und Aufweichungskraft ins Ohr rufen konnte. Offenbar gingen ihr die Wörter nicht aus. Und so was ist sechzehn, sagte der Achtzehnjährige und verschloß ihr wütend den Mund mit seinem Mund. Das heißt, er war überhaupt nicht wütend, er wollte bloß wüten. Auf ihrem und in ihrem Mund herumwüten.

Am nächsten Tag regnete es heftig, Johann fuhr wieder mit dem Zug in die Schule. Auf der Rückfahrt fiel ihm ein, was er in der vergangenen Nacht geträumt hatte. Er bemühte sich um eine Art Willenlosigkeit. Der Traum sollte ihm nicht gehorchen müssen. Lena und er in einem Doppelbett, sie sind allein im Zimmer, Lena ist Josefs Frau, Josef kommt dazu, das hätten Lena und er wissen müssen, daß sie so etwas nicht tun können, hier in Josefs Bereich, und Johann hatte Lena noch vorher gefragt, ob das nicht zuviel sei, die Frau des Bruders. Josef hatte von der Tür her nur ein Wort gesagt: Räuberzivil. Johann war in Josefs Jacke vor dem Spiegel gestanden. Aber er war auch ohne Kleider neben Lena im Bett gelegen.

Als Johann nach diesem Traum aufgewacht war, hatte er sich geschämt.

Nie mehr würde er eine der schönen Jacken, die Josef gehört hatten, anziehen. Den Traum wurde er nicht los. Er wich den Einzelheiten aus, aber die Stimmung blieb wie eine Farbe in allem. Er versuchte zu lesen. Der Traum drang durch.

Zum Glück hörte er Lenas Schritte sich nähern, und war im Gang und fing sie ab, aber sie schmiegte sich nicht in seinen Arm wie sonst. Am Runden Tisch sitzt, sagte sie, Herr Krohn aus Friedrichshafen und heult und erzählt, daß er im April hat die Argenbrücke bei Gießen in die Luft sprengen müssen, er habe aber extra gewartet, bis fünf junge Franzosen auf der Brücke gewesen seien, erst dann habe er gedrückt. Was macht er jetzt, fragte Johann. Jetzt verkauft er wieder Hosen, sagte Lena. In einer Baracke. Sein Laden ist ja kaputt. Licht aus, Messer raus, drei Mann zum Blutrühren, sagte Johann. Ja, Herr Seehahn, sagte Lena.

Als Johann wieder allein in seinem Zimmer saß und den Geräuschen zuhörte, die Wind und Regen mit den Jalousien an den vier Fenstern vollführten, mußte er sich eingestehen, daß er es nicht über sich gebracht hatte, Lena den Traum zu erzählen, in dem sie Josefs Frau gewesen war. Diesen Traum hätte er ihr erzählen müssen. Sie erzählte ihm alles von sich. Er konnte ihr nicht alles erzählen. Jeden Tag gab es etwas, was er ihr nicht sagen konnte. Was er nicht sagen konnte, schreiben? Den Traum aufschreiben, dann Lena den aufgeschriebenen Traum lesen lassen? Eine Art Hoffnung, daß er durch das Aufschreiben den Traum beruhigen könnte. Oder daß die Beschämungskraft des Traums nachließe. Er mußte den Traum aufschreiben. Er mußte sich wehren.

Den Traum aufschreiben, das kam ihm vor wie etwas, was man nicht tun darf. Aber er tat's. Er mußte es tun. Sich einfach der Sprache anvertrauen. Vielleicht kann sie etwas, was du nicht kannst.

Als er den Traum aufgeschrieben hatte, sah er, daß er nicht den Traum aufgeschrieben hatte, sondern das, was er für die Bedeutung des Traums hielt. Vom Traumüberfluß war nichts übriggeblieben. Solange er träumte, hat er alles verstanden, jetzt, aufgewacht, versteht er nur noch die Bedeutung. Er hatte den Traum durch Aufschreiben zerstört. Er hatte sich nicht der Sprache anvertraut, sondern geschrieben, was er hatte schreiben wollen. Er hatte dem Traum durch das Aufschreiben die Beschämungskraft nehmen wollen. Er hatte gezielt, anstatt sich anzuvertrauen. Er mußte sich das Zielen abgewöhnen. Sich den Sätzen anvertrauen. Der Sprache. Das stellte er sich so vor: Auf einem Floß aus Sätzen über das Meer kommen, auch wenn dieses Floß, schon im Entstehen, andauernd zerflösse und andauernd, falls man nicht untergehen wollte, aus weiteren Sätzen wieder geschaffen werden müßte.

Wenn er anfängt zu schreiben, soll schon auf dem Papier stehen, was er schreiben möchte. Was durch die Sprache, also von selbst aufs Papier gekommen wäre, müßte von ihm nur noch gelesen werden. Die Sprache, dachte Johann, ist ein springender Brunnen.

Vorwort als Nachwort

Ihr werdet Euch wundern, Vater, wie es Euch da ring
wird um die Brust.
Heutigem Sprachgebrauch folgend, hätte Johanns Vater
zu seinem Vater sagen müssen: wie es Euch *leicht* wird
um die Brust. Aber *ring* ist mehr, darin ist nicht nur *leicht*,
sondern auch *weit* und *wohl*. Vorher ist es einem eng um
die Brust, dann ring. Und das hat nichts mit *Ring* zu tun,
sondern mit *gering*. Und als positives *ring* ist es in der
Schriftsprache ausgestorben. Grimms Deutsches Wörter-
buch braucht vier enggedruckte Spalten, um *ring* im Sinn
von levis, facilis, exiguus, parvus und vilis zu erläutern
und zu zitieren. Vom 17. Jahrhundert an werde *ring* seltener gebraucht, aber, steht da, *in voller lebenskraft ist das*
adj. und adv. in vielen mundarten erhalten... Schön
wär's. Warum das Hochdeutsche dieses Wort aussterben
läßt, ohne ein gleichwertiges anzubieten, ist schwer zu begreifen. Das, was als *gering* jetzt zur Verfügung steht,
deckt ja nur einen winzigen Teil dessen ab, was *ring* einmal hat sagen können. Nur exiguus, parvus und vilis,
nicht aber levis und facilis. Daß *leicht* kein Ersatz ist für
ring, zeigt ein im *Grimm* zitierter Hans Sachs-Vers:

> *nun diese pflicht*
> *daucht sie gar leicht und ring.*

Wenn *leicht* gleich *ring* wäre, hätte ein im Konkreten so
genauer Dichter wie Hans Sachs nicht *leicht und ring*
schreiben können. Kurzum: *ring* fehlt. *Leicht* plus *weit*
plus *wohl* ist gleich *ring*. Und daß Johanns Vater, der im
Mundartdickicht des Dorfes auf seinem Königlich-bayerischen Realschul-Deutsch bestand, daß er ohne *ring*
nicht auskam, zeigt mir, daß es keinen Ersatz gibt. Also
muß riskiert werden, daß die meisten Leser dieses Wort
gar nicht zur Kenntnis nehmen oder es als sinnlose Silbe
dem Buch beziehungsweise dem Autor ankreiden.
Noch so eins: Hanse Luis sagt am Weihnachtsabend in
der *Restauration*: ... *da fällt der Rotzglonker, wie sich's*

gehört, *wenn er wieder eine Zeit lang gelampt hat, regel-*
mäßig in den Abgrund ... Es geht um *gelampt.* Und
Hanse Luis spricht hier, weil mehrere Ortsfremde zuhören, hochdeutsch. Das klingt, heißt es, *als stelle er sich für*
jedes Wort extra auf ein Podest. Und trotzdem muß er
von dem, was da als eine Zeit lang an seiner Nase hängend
beschrieben wird, sagen, es habe *gelampt. Hängen* bringt
das nicht, das Schwankende, schon im Hängen zum Fallen
Tendierende, eben das Lampende. Es kommt von dem aus
dem Griechischen plus Lateinischen plus Französischen
stammenden Hauptwort *Lampe.* Ein Tätigkeitswort hat
sich daraus, glaube ich, nur im Deutschen entwickelt.
Aber ein hochdeutsches Glück war dem Tätigkeitswort
nicht beschieden. Jetzt lampt es halt im Dialekt herum
und fällt demnächst in den Abgrund der Vergessenheit.
Noch so eins: *losen.* So muß Sempers Fritz sprechen:
... *also, Kameraden aller Jahrgänge, loset, was einem ein-*
gerückten, das Ehrenkleid der Nation tragenden ehemali-
gen Spenglergesellen hat zugefügt werden dürfen ... Auch
er spricht, weil ihm am Runden Tisch Zugereiste zuhören, hochdeutsch. Aber als er dazu auffordern will, ihm
zuzuhören, kann er nicht sagen: Hört mir zu! Oder:
Horcht her! Oder gar: Spitzt eure Ohren! Er muß sagen:
... *loset* ...
Im *Grimm* wird bei allen Verwendungen angemerkt, daß
losen etwas Aufmerksamkeitheischendes ausdrückt. Und,
heißt es da, *ein wort, der neueren schriftsprache gänzlich*
unbekannt. Dagegen ist nichts zu machen. Johann Peter
Hebel konnte noch als Zulieferer in den *Grimm* kommen: *loset, was i euch will sage! d'glocke het zehni gschla-*
ge. Ebenso unbekannt im Hochdeutschen wie hier unent-
behrlich sind:

> *virben* für *kehren*
> *verganten* für *versteigern*
> *gruben* für *ausruhen*
> *flacken* für (so in *Grimm*): *faul daliegen.*

Warum vergißt das Hochdeutsche ein Wort, für das es kein bißchen Ersatz beziehungsweise statt Gleichwertigem nur Ersatz hat?

es beschießt für? Da findet selbst der *Grimm* nichts wirklich entsprechend Hochdeutsches. Am meisten sagt noch das Lateinische: *proficit, sufficit.* Man will etwas bewirken, aber man bewirkt es nicht, dann *beschießt es nicht.* Positiv kommt das Wort nicht vor. Positiv gewendet heißt es: *es gibt aus.* Für *es beschießt nicht* geht auch *es gibt nicht aus.*

Noch ein paar bei einander Wohnende:

gumpen für springen.

Im *Kaltschmitt (Gesammt-Wörterbuch der Deutschen Sprache, erschienen 1850)* steht auch noch *jumpen* dabei.

Gopen, für ein bei den Katzen gelerntes *spielen, tändeln.*

Gautschen für *schaukeln;* das allerdings weiß sogar der *Duden* noch.

Noch eins, ein Hauptwort:

Einen rotglänzenden Prinz-Ludwig-Apfel nach dem anderen brach er und ließ ihn vorsichtig, daß der Apfel keine Masen bekomme, in den umgehängten Rupfensack gleiten. Im *Duden* taucht *Masen* nicht mehr auf. Im *Kaltschmitt* steht noch: *die Mase, Masel, Mose, das Mas, die Maser, Maal, Narbe.* Im *Grimm* wird es mit dem Tätigkeitswort *masen* verbunden, lateinisch: *maculare*, also: mit einem Makel versehen. Im *Kaltschmitt*-Buch ist aufschlußreich die Schreibweise *Mase* und *Mose.* Tatsächlich spricht der Dialekt das a von *Mase* wie das a im englischen wall oder fall oder tall. Weder a noch o, sondern ganz offen dazwischen. Das Hochdeutsche hat das Wort vergessen; dafür wird angeboten: Fleck, Mal, Makel. Damit ist eine Mase einfach nicht vorzustellen. *Fleck:* das kontrastiert zu sehr von der Umgebung des Flecks. Das ist ja das Genaue, also Schöne bei der *Mase*, daß sie alle in ihrer Umgebung vorkommenden Farbwerte nur verdichtet, ein bißchen verdunkelt. *Mal*, das ist zu abstrakt, zu hoch, zu pathetisch. *Makel* ist zu moralisch. Aber *Mase* wird ersatzlos vergessen.

Noch zu den Namen: Wenn ein paar Familiennamen in vielen Häusern auftauchen, werden die Hausnamen wichtig. *Gierers Hermine* und *Hagens Fritz* reicht nicht, also *Helmer Gierers Hermine* und *Semper Hagens Fritz*, dann nur noch die Hausnamen *Helmers Hermine, Sempers Fritz.* So auch *Hanse Luis.* Der heißt wirklich *Alois Hotz.* Wegen Hotz-Häufung hilft der Hausname *Hans.* Der Luis von Hanses. Der zweite Fall eines einsilbigen Namens wird, wenn der Name nicht auf einen Konsonanten endet, mit einem angehängten e gebildet. Das e wird aber in der Aussprache nur angerissen. So wie bei *trente* oder *pente* oder *quarante* in Südfrankreich. Oder wie bei uns das e am Ende von: ich gehe, ich halte, ich hauche. Das wird ja auch nur angerissen. So kommt *Hanse Luis* zustande und *Schnelle Paul.* Wenn *Hotz* ausgereicht hätte, wäre daraus Hotze Luis geworden. Aber natürlich hieß ein Georg Schmitt nicht Schmitte Georg, sondern Schmitts Georg. Die Härte der beiden ts erlaubte ein s. Mehrsilbige Namen dagegen werden, egal wie sie enden, im zweiten Fall problemlos mit einem s versehen: siehe Helmers Hermine und so weiter.

Sprachliche Vorgänge, von niemandem geordnet oder gar reglementiert, und verlaufen doch mit einer Regelmäßigkeit, die man als Gesetz formulieren könnte. Das ist eine wohltuende Erfahrung. Sprachen, die auch durch schriftliche Traditionen existieren, die registriert und überwacht und zum Bewußtsein gebracht werden von jeder Art Sprachwissenschaft, solche Sprachen sind eher überladen mit Vorschriften, die sagen, was richtig und was falsch ist. Der unaufgeschriebene Dialekt besorgt das mit vollkommener Genauigkeit ohne jede Akademie oder auch nur Schriftlichkeit. Das heißt: nicht der Dialekt besorgt das, sondern die Leute, zum Beispiel das Dorf. Allerdings, wie alles Natürliche stirbt der Dialekt, wenn seine Existenzbedingungen zu ungünstig werden. Um es zeitgenössisch auszudrücken: wenn das Logotop zerstört wird. Dann ist es Zeit, Nachrufe vorzubereiten. Diese Zeit wird allmählich vorstellbar.

Inhalt